U0342283

薄板坯连铸连轧钢的组织性能控制

康永林　傅　杰　柳得櫓　于　浩　著

北　京

冶金工业出版社

2006

内 容 简 介

本书全面、系统地介绍和论述了薄板坯连铸连轧从冶炼、连铸到热轧和层流冷却的全过程以及产品组织性能的特征分析与控制。全书包括：概论，薄板坯连铸连轧钢的冶金质量控制，薄板坯连铸连轧钢的轧制工艺控制，层流冷却工艺控制与钢的组织连续冷却转变，薄板坯连铸连轧典型钢种的变形抗力及模型，薄板坯连铸连轧低碳钢的组织细化，CSP工艺低碳钢的组织及控制，薄板坯连铸连轧钢在高温区的第二相粒子析出，薄板坯连铸连轧钢中氮化物析出形态与机制，微合金元素碳、氮化物和弥散沉淀，薄板坯连铸连轧钢的强化机制，低碳高强度钢中的纳米铁碳析出物及其对钢力学性能的影响，薄板坯连铸连轧钢的组织与性能特征等。

本书可供高等院校和科研院所有关专业的师生、研究人员阅读，也可供钢铁冶金、连铸和轧钢生产企业的工程技术人员阅读和参考。

图书在版编目（CIP）数据

薄板坯连铸连轧钢的组织性能控制/康永林等著.
—北京：冶金工业出版社，2006.3
ISBN 7-5024-3894-7

Ⅰ．薄…　Ⅱ．康…　Ⅲ．①薄板—板坯—连续铸钢
②薄板轧制：连续轧制　Ⅳ．①TF777.7　②TG333.5

中国版本图书馆 CIP 数据核字（2005）第 144255 号

出版人　曹胜利（北京沙滩嵩祝院北巷 39 号，邮编 100009）
责任编辑　张登科　美术编辑　李　心
责任校对　侯　瑁　李文彦　责任印制　牛晓波
北京兴华印刷厂印刷；冶金工业出版社发行；各地新华书店经销
2006 年 3 月第 1 版，2006 年 3 月第 1 次印刷
169mm×239mm；25 印张；475 千字；379 页；1—4500 册
79.00 元

冶金工业出版社发行部　电话：(010)64044283　传真：(010)64027893
冶金书店　地址：北京东四西大街 46 号(100711)　电话：(010)65289081
（本社图书如有印装质量问题，本社发行部负责退换）

序

　　薄板坯连铸连轧是将现代电炉/转炉冶炼、精炼、连铸、连轧等工序的先进技术，以连续性-紧凑性为原则，科学地耦合起来的一项集成创新工程，是一种先进的钢铁制造流程。与钢材的常规生产流程相比，薄板坯连铸连轧流程通过动态-有序、准连续-紧凑地运行，过程物质、能量（温度）等参数在过程运行的时间轴上耦合，具有独特的变化规律（特别是凝固冷却过程中的析出规律），这些特点反映在产品特征上具有组织细化、析出强化、强韧性好等特征。

　　原冶金工业部和中国工程院对薄板坯连铸连轧技术在我国的发展给予了高度重视。1996 年在原冶金工业部的领导下，珠钢、邯钢、包钢决定从德国 SMS 公司引进 CSP 技术。1999 年我国第一条 CSP 生产线在珠钢投产。继而，2002 年 3 月，中国工程院产业工程科技委员会成立了"薄板坯连铸连轧技术交流与开发协会"，目的是为了促进我国薄板坯连铸连轧技术的发展。目前，我国已成为世界上薄板坯连铸连轧产能最大的国家，在薄板坯连铸连轧生产线的投资、新建流程的合理性、达产速度、产量规模及运行指标等方面已达到国际先进水平，并开发了许多具有自主知识产权的创新技术。

　　珠钢电炉—CSP 生产线是我国第一条薄板坯连铸连轧生产线，也是我国迄今唯一一条电炉流程薄板生产线，由于我国当前废钢及电力紧缺，决定了珠钢生产线投产后必须走生产高附加值产品的道路。为此，珠钢与北京科技大学合作，产学研结合，多学科结合，开发了含碳量小于 0.06％，$\sigma_s > 400\text{MPa}$ 的集装箱板及不添加微合金元素 V、Nb、Ti 的低碳高强度（HSLC）钢板。在探讨薄板坯连铸连轧所生产的钢板强度明显较高原因的过程中，北京科技大学与珠钢合作项目组先后发现了在普通成分的低碳钢中存在大量的纳米尺度的硫化物、氧化物、AlN 及铁碳析出物，并提出了钢的组织性能综合控制理论，即通过冶金质量控制和轧制、冷却工艺控制，实现钢的组织性能的综合强化技术——细化组织与沉淀析出的综合强化技术。发现在低碳钢中，存在着不同种类的纳米尺度析出物（包括铁碳析出物），它们对钢的沉淀强化发挥着不可忽视的重要作用，基于对 A_1 温度以下铁素体中碳析出行为的控制，研究提出了一种回火快冷提高低碳钢力学性能的方法。关于低碳钢及低合金钢中纳米尺度析出物（包括铁碳析出物）及其对钢力学性能的影响的研究值得广大冶金科技工作者关注，因为它可能导致钢铁制造领域内许多工艺的改进和对一些理论问题的再认识。

北京科技大学康永林教授、傅杰教授、柳得橹教授、于浩副教授合著的《薄板坯连铸连轧钢的组织性能控制》一书较全面、系统、深入地总结了他们在过去六年中在薄板坯连铸连轧方面所做的工作（有些资料是第一次发表），并提出了尚待深入研究的一些问题，对我国薄板坯连铸连轧技术的进一步发展，对其工艺改进及新产品的开发具有指导意义。

研究问题、做学问应该提倡刨根问底，不断追问，追求理想，一方面要学习继承现有的反映客观事物规律的理论；另一方面不能一味迷信书本，要敢做前人没有做过的事，勇于实践，并在实践中敢于否定自己，以求对问题认识的不断深入与完善。发展薄板坯连铸连轧技术是我国进入世界钢铁强国行列的一个重要的切入点，在进一步发展我国薄板坯连铸连轧技术的过程中，应该重视不断创新，特别是原创性。《薄板坯连铸连轧钢的组织性能控制》一书在这方面做了很好的工作，是一本很好的参考书，值得一读，我愿意将其推荐给有关工程技术人员及冶金、材料专业的本科生、研究生们。

殷瑞钰

2006 年 1 月 8 日

序

钢铁是人类文明的基础。根据出土文物的鉴定和研究，中华民族最早使用的金属可能是黄铜（铜锌合金，仰韶文化中期初，约5500年前，可能得自含锌铜矿在燃烧不完全的还原气氛、温度不太高的情况下，出土于黄河下游，今陕西、山东地区的小型工具及发针）、青铜（铜锡合金，公元前3000年）。在此基础上，掌握了陨铁（铁镍合金）的加工（公元前十四世纪～公元前九世纪），并在公元前九、八世纪先后发明熟铁和生铁（在伊朗4000年前和在古罗马曾出现过冶炼的这类废弃物）。公元前五世纪开始利用生铁条固态脱碳成钢，汉代已用于制作甲片；公元前二世纪发明用液态生铁氧化脱碳半液半固成钢，根据加工程序不同成为三十涑、五十涑、百涑钢，后者制成了曹操、孙权的利器。在发展过程中，铁钢的相继发明和应用于农业、手工业，极大地促进了生产力的发展，城市、商贸出现的繁荣和学术的活跃，为战国时期百家争鸣，继之秦汉之后有选择、以小农经济为基础的儒术独尊，辅之以道佛，使中国的政治体制、世界仅有的封建社会稳固绵延两千多年；其后在公元九、十世纪的唐宋之际，林木消耗过度，环境破坏，逐渐改用煤、焦炼铁，导致炒钢熟铁质量下降（这也是十九世纪贝塞麦转炉炼钢遭遇的困难，几乎破产，后来以加锰才得到解救）。

在欧洲，从丝绸之国到达欧洲的钢在公元三世纪已声漫罗马帝国，载入名史。公元十世纪，印度制作的优秀钢品远销非洲阿比西尼亚，却称来自支那的唐钢，可见中国钢铁技术在世界上的地位。

公元十四～十五世纪，北欧掌握了生铁冶炼，时当蒙古王朝。法国冶金史研究者认为北欧生铁冶炼技术源自中国，还有待确证。前苏联考古学家曾在伏尔加河畔名城萨莱［当年蒙古帝国中的钦察汗国首都（1242～1480 年）］发掘出与西欧技术不同的炼铁遗址，似乎是生铁冶炼或铸造遗址，若然极可能源係自中华。

生铁及利用生铁为原料冶炼熟铁和炒钢促进了北、西部欧洲经济的发展，佐以适应航海指向、征战、向世界扩张、巩固殖民统治需要，源自中国的"四大发明"。十九世纪中叶，美国为制造铁板、铁壶，用生铁炒制熟铁，雇有至少四位中国工人的 Kelly 受到冷风吹向炉内生铁会提高其温度的启发，尝试成功了转炉炼钢，接着被英国贝塞麦进一步发展获得专利，并用加锰固硫取得了最早转炉炼钢的工业应用。二十世纪中叶，转炉利用氧气代替空气终于取代了平炉，彻底改变了钢铁冶金的面貌；继之以半导体、集成电路、信息技术的发展，人类文明步入了新的纪元。

二十世纪四十年代钢液连铸试验成功，创造了先进的连续控制钢液流程。特别是北京科技大学（当时的北京钢铁学院）徐宝升教授与重钢三厂密切合作，在 1957～1958 年自行设计制造了中国第一台连铸机并顺利投产，只花了 14 个月时间和不到 20 万美金；接着又在 1960 年，在世界上首创研究、设计、制作并成功投产了弧形连铸（较国外早两年多），这是冶金技术，特别是钢铁冶金技术的一次重大革命，它不仅是流程及加工过程的连续化、高效化，它也提供了对组织性能更有效控制、改善的创新机会。

二十世纪八十年代末出现的薄板坯连铸连轧技术，避免了过去钢材成形加工时冷却—再加热—再加工—冷却过程对组织不利的影响以及热能的过多消耗，并允许通过调整碳、氮等成分，提高熔点，缩小液固相区间，阻止大型夹杂物形成，化粗为细，变害为利，并使废钢得到经济有效利用。

在过去的半个多世纪中，随着晶体中位错存在的证实及其运动的晶体学和力学理论的发展，对金属及其化合物结构、形变等取得了比较深入的理解，不过许多应用的公式都是在简化条件下导出的，或只适用于理想的组织，应用于对本书中观察到的微细区域和颗粒的行为，如晶粒度与强度的定量关系，疲劳强度的概念等，以及内弧、外弧面组织性能差别及不均匀性等的影响，还有待进一步的深入研究。可以期待，这一成果和本书中提供的现象观察将为进一步发展高强度、长寿命碳钢、微合金钢及其冶炼、加工、性能的理论和工艺研究提供新的启示和创新的园地，为将钢及合金中组织、结构、性能中不利因素转化为有利因素提供新的思路。

本书记载提供了有关 CSP 流程薄板生产的大量数据和初步分析观察结果，为进一步发展这一技术，并为我国新建的类似生产线提供了宝贵的参考资料和研究对象。

书中的研究成果和宝贵的数据是广州珠钢领导的支持、技艺纯熟的工人师傅和技术人员的亲密合作以及与北京科技大学钢铁冶金、材料加工、材料物理等多学科、跨学科师生共同勤奋努力、密切结合、辛勤劳动、生产研究相结合的成果，是理论和实践密切结合的结晶，也是对党和国家提出坚持"自主创新"，培养具有创新能力人才，培养为建设国家、促进社会和国力发展而忠诚服务人才，产学研结合的成果。珠钢发展新型薄板的经验也是引进、消化、吸收、再创新的体现。

珠钢的钢产量只占我国钢产量的一小部分，生产研究队伍有限，但在生产技术及理论研究中，在承受着巨大的经济压力和繁重的生产任务条件下，仍然投入大量人力、物力，创造条件，在线取样，提供研究，是本书研究获得宝贵数据和实验观察的根本条件，也为进一步研究、发展生产及所需新的工艺流程提供可以期待的条件，为钢铁材料工程技术及其科学的发展创新创造了有利前景；正如提供薄板坯连铸连轧设备的国外企业的负责人所赞誉的："我们告诉你们如何用好我们的设备，而你们指导了我们如何更好地发挥这些设备的作用"。

祝愿薄板坯连铸连轧这一新流程及其设备得到进一步发展，所创造的工艺和导致的理论认识将使钢铁冶金学、金属学乃至合金强度学、钢铁疲劳理论等有更大提高。

PhD DEng hc(Birmingham)

DSc(McMaster) DUniv. (Surrey)

中国科学院院士　北京科技人学　教授

2006 年 1 月 10 日

前　言

　　1989 年，美国印第安纳州的纽柯拉福兹维莱厂的电炉—CSP (Compact Strip Production) 生产线投产，这条生产线是世界上第一条薄板坯连铸连轧生产线，它以紧凑为特点，集中了当时的电炉冶炼、精炼、连铸、连轧最先进的技术，是一项卓越的集成创新成果，它一投产就显示出了强大的生命力。不同公司开发了不同类型的薄板坯连铸连轧技术，经过不断改进，技术日臻完善。由于 CSP 技术开发早，技术成熟，设备及工艺相对可靠，故投产和在建的生产线条数多，目前世界上已投产的 40 多条薄板坯连铸连轧生产线中，CSP 生产线超过 60％。

　　我国已投产和在建的 CSP 生产线有 6 条（珠钢、包钢、邯钢、马钢、涟钢、酒钢），FTSR 生产线 3 条（唐钢、本钢、通钢），ASP 生产线 3 条（鞍钢 2 条、济钢 1 条）。生产能力已跃居世界第一。广州珠江钢铁有限责任公司（简称珠钢）于 1999 年 8 月投产的 CSP 生产线，是我国第一条也是迄今唯一的一条电炉薄板坯连铸连轧生产线，继珠钢之后，我国投产和在建的其他薄板坯连铸连轧生产线均是转炉流程。

　　从 1999 年开始，北京科技大学与珠钢合作，针对我国电炉钢生产的状况、珠钢的地理位置及电炉—CSP 的特征，提出不添加昂贵的微合金元素 V、Nb，生产性能与 400MPa 级的低合金高强度钢（HSLA 钢）相当的低碳高强度钢（HSLC 钢），并利用废钢中微量的杂质元素 Cu、Ni、Cr，生产集装箱板，开展了"薄板坯连铸连轧技术应用创新研究"及"薄板坯连铸连轧工艺基础及钢的组织性能特征研究"，取得了具有理论和技术意义的创新成果。2000 年 10 月"薄板坯连铸连轧工艺基础及钢的组织性能特征研究"作为一个专题列入国家重点基础研究发展规划"新一代钢铁材料的重大基础研究"项目中。2002 年 3 月，由中国工程院产业科技委员会发起的"薄板坯连铸连轧技术交流与开发协会"在北京成立，2002 年 7 月在广州召开了"薄板坯连铸连轧技术交流与开发协会"第一次交流会。同年 12 月，中国金属学会在广州召开了"第一届薄板坯连铸连轧国际研讨会"。

北京科技大学与珠钢合作开发了以氮代氩电炉底吹、低碳低氮电炉钢生产、电炉终点控制等一系列创新技术，使珠钢生产的 ZJ330 钢（成分与 Q195 钢相近）的屈服强度达到 330～390MPa，比普通的 Q195 钢提高约一倍，伸长率为 33%～39%，率先实现了 400MPa 级的铁素体-珠光体类型钢中 HSLC 钢的产业化，并研制成功了高附加值的集装箱板，珠钢成为世界上最大的集装箱板生产基地。2002～2003 年，"薄板坯连铸连轧技术应用创新研究"项目获广东省科学技术进步奖一等奖、冶金科学技术奖特等奖、国家科学技术进步奖二等奖。"钢的组织性能综合控制理论及应用——薄板坯连铸连轧工艺基础及钢的组织性能特征研究"项目获教育部科学技术进步奖一等奖，并入选"2003 年度中国高等学校十大科技进展"。

北京科技大学和珠钢合作项目组在大量的实验研究、理论分析和生产性试验基础上，提出了"钢的组织性能综合控制（ICMP—Integrated Control on Microstructure and Property of Steels）理论"。综合控制有两层含义，一是通过冶金质量控制（MQC）与轧制工艺控制（RPC），即对薄板坯连铸连轧流程中各工序的综合控制，实现钢的组织性能的综合控制（ICMP）；二是在低碳高强度钢中，对细晶强化与沉淀强化的综合控制。具体而言，ICMP 包含了钢的冶金成分优化设计，冶炼过程中的终点成分控制和洁净度控制，连铸过程中的凝固组织控制，热轧及轧后冷却过程中的组织转变、析出和相变控制等。

在分析薄板坯连铸连轧钢板强度提高的各因素时，我们如所预期观察到了在低碳高强度钢中，存在一定量的纳米级氧化物、硫化物、氮化物和碳化物，对其形成机制及其对钢组织性能的影响进行了大量分析、研究，引起了国内外学者的很大兴趣。

　　本书涉及到薄板坯连铸连轧从冶炼、连铸到热轧和层流冷却、卷取的全过程以及产品的组织性能的特征分析与控制。在第1章概论中，着重分析了薄板坯连铸连轧的工艺特点、我国薄板坯连铸连轧技术发展的特征，对比了电炉薄板坯连铸连轧与转炉薄板坯连铸连轧的异同，概述了钢中纳米析出物的析出原理、作用与控制技术以及薄板坯连铸连轧产品开发及关键技术分析。第2章为钢的冶金质量控制。第3～5章为轧制工艺控制，包括轧制工艺过程和层流冷却控制技术、钢的连续冷却与组织转变、典型钢种的变形抗力及模型等。第6、7、8章分别介绍了薄板坯连铸连轧钢的组织细化机理、奥氏体组织演变规律和再结晶，钢中纳米级氧化物、硫化物的析出特征及其对钢组织细化的作用以及纳米氮化物和碳化物的析出特征及其对钢的沉淀强化作用，钢的凝固组织与带状组织控制等。第9章讨论了低碳钢中氮化物的析出形态与机制。第10章分析了低碳微合金钢中V、Nb、Ti的碳、氮化物弥散沉淀及其对钢的组织性能的影响。第11章介绍了连铸连轧钢的强化机制。第12章重点阐述了低碳高强度钢中纳米铁碳析出物及其对钢力学性能的影响。第13章介绍并分析了薄板坯连铸连轧钢的力学性能特征，特别是HSLC钢的性能特征。希望本书能对整个薄板坯连铸连轧的技术进步有所裨益。

　　本书共13章，傅杰教授起草了前言并撰写第1章的1.1～1.7节、1.9节，第2章和第12章；康永林教授撰写第1章的1.8节，第3、4、5章；柳得橹教授撰写第7、8、10、11章；康永林教授和于浩副教授共同撰写第6章和第13章；于浩副教授撰写第9章。

　　作者由衷地感谢柯俊院士、徐匡迪院长、殷瑞钰院士、张寿荣院士、陈先霖院士、干勇院士等长期以来对有关研究的热情支持与鼓励，特别是柯俊院士在碳素钢中纳米析出物的研究方面给我们做了高瞻远瞩、意义深远的具体指导；柯俊院士还和殷瑞钰院士在百忙之中仔细审阅了本书，提出了许多宝贵的修改意见，并为本书作序；中国金属学会翁宇庆教授、李文秀教授、苏天森教授和中国钢铁工业协会兰德年教授在有关研究过程中也给予了热情关怀、支持与鼓励。作者在此一并表示衷心的感谢。

本书中的大量研究工作得到了广钢集团及珠钢的王中丙、张若生、毛新平、陈贵江、徐志如、李烈军、范胜彪等同志以及相关工程技术人员的大力支持与密切合作，没有他们的热情支持和积极有效的合作，许多研究工作的顺利进行和成果获得是不可能的。

北京科技大学的同事们以及研究生参加了有关的试验研究工作，并做出了重要贡献，这里要特别感谢的是周德光博士、许中波博士、王元立博士、王克鲁博士、霍向东博士、王琳硕士、柏明卓硕士和博士生吴华杰、刘阳春等，我们研究成果的取得是与他们的工作和贡献分不开的。

作者感谢国家自然科学基金重点项目"薄钢板连铸连轧过程组织性能控制与检测"（项目号：50334010）及国家重点基础研究发展规划项目"新一代钢铁材料的重大基础研究"（项目号：G1998061500）、国家自然科学基金项目"低碳高强钢中纳米尺寸非平衡相的析出研究"（项目号：50371009）对本书相关研究工作的资助。

由于本书所涉及的面较宽，加之作者水平所限，书中不足之处，恳请读者指正。

作　者

2005 年 11 月 21 日

目　　录

1 概 论❶

薄板坯连铸连轧（Thin Slab Casting and Rolling，TSCR）技术是钢铁制造领域的前沿技术。

1.1 薄板坯连铸连轧的工程背景

薄板坯连铸连轧包括冶炼、精炼、连铸、连轧等四个主要工艺环节，下面简述其工程背景。

1.1.1 电炉冶炼与炉外精炼

美国是一个经济高度发达的国家，废钢资源丰富，电力充足，废钢价格及电价便宜，有利于电炉炼钢的发展。20 世纪 70 年代，一类以生产长材为主的电炉钢厂在美国兴起，初期，这些钢厂的规模不大，一般年产不超过 30 万 t，被称为小钢厂（Mini Mill）。

第一次石油危机以后，美国钢铁工业走下坡路，钢产量从 1973 年最高年产量 1.368 亿 t 降到 1984 年的 6000 万 t，从 1982 年到 1987 年的五年内，为了振兴美国的钢铁工业，他们大力发展电炉钢生产，建起了几千万吨的电炉短流程钢厂，使电炉钢比例超过 30%，在电炉钢生产技术方面也取得了长足进步。

1965~2001 年现代电炉炼钢技术发展情况如图 1-1 所示[1]。

20 世纪 50 年代末，传统的电炉炼钢已发展到成熟阶段，60 年代至 70 年代主要是发展超高功率供电及其相关技术，包括高压长弧操作、水冷炉壁、水冷炉盖、泡沫渣技术等，但这一阶段，电弧炉容量较小，冶炼过程仍然是倾动炉体还原渣出钢，冶炼周期较长。尽管 70 年代初日本已发明了钢包精炼，但开始的钢包精炼，虽然设备容量已达 150t，精炼周期却长达 2.5h，二次（钢包）精炼是离线的，很难满足连铸节奏要求；80 年代初，由于超高功率供电，为充分利用变压器功率，将电炉还原期移至炉外势在必行，EBT 及 LF 技术的开发，使电弧炉冶炼—在线的二次精炼的现代电弧炉炼钢技术产生；与此同时，高配碳、强化用氧技术（包括超音速氧枪、碳氧枪、氧燃烧嘴、底风口、

---

❶ 本章 1.1~1.7 节、1.9 节由傅杰教授撰写，1.8 节由康永林教授撰写。

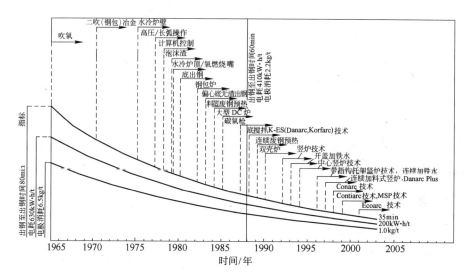

图 1-1　1965～2001 年现代电炉炼钢技术发展情况

二次燃烧技术）趋于成熟，VAI 称之为 K-ES 技术，Danieli 称之为 Danarc 技术，Demag 称之为 Korfarc 技术。这一阶段废钢预热开始，大量化学能和物理热的输入增加了新能源，使得冶炼周期大大缩短，电极消耗进一步降低，1988年，电炉冶炼周期缩短至 1h，这就使得电炉冶炼——在线 LF 精炼可以与通钢量为 2～3t/min 的 50mm×1250mm，拉速为 4～6m/min 的薄板坯连铸节奏相匹配，1989 年纽柯第一条电炉 CSP 生产线投产，形成了"四位一体"的现代电弧炉炼钢流程，使现代电弧炉炼钢技术开始进入了成熟阶段。

1.1.2　连铸

连铸有两点值得重视：一是 20 世纪 60 年代初，北京科技大学徐宝升教授与钢厂结合发明了弧形连铸机，并较国外早一年试生产，早一个月正式投产。西方国家也独立研制了弧形连铸机并投入了工业生产，为薄板坯连铸连轧打下了装备基础。此前立式连铸机与水平连铸机很难解决连续和紧凑板坯均热、轧制、层流冷却问题；二是 SMS 公司开发了漏斗形结晶器，解决了长水口插入结晶器妨碍连铸顺行的问题。

1.1.3　连轧

当时已有传统热连轧的成熟经验。纽柯克拉福茨维莱（简称纽柯）的第一条 CSP 线，集中了当时电炉冶炼、LF 精炼、连铸、连轧的最新成果，并以紧凑为特点建设全新的电炉生产平材的生产线和进行高效化生产，是当时一项成功的集成创新的典范，也是薄板坯连铸连轧技术发展史上一个重要的里程碑。

1.2 世界薄板坯连铸连轧技术的发展及现状

尽管纽柯的第一条电炉 CSP 生产线投产初期存在一些技术问题，例如水口寿命、表面质量、达产速度等，但一开始薄板坯连铸连轧技术就显示了强大的生命力，许多公司相继开发出了不同类型的薄板坯连铸连轧技术，除西马克公司（SMS-Demag）的 CSP（Conpact Strip Production，包括 ISP-Inline Strip Production）技术外，还有达涅利公司（Danieli）的 FTSR（Flesxible Thin Slab Rolling）技术、奥钢联（VAI）的 Conroll 技术、住友公司（Simitomo）的 QSP（Quality Strip Production）技术、梯宾斯公司（Tippins）的 TSP（Tippins Samsung Process）技术和我国鞍钢集成创新的 ASP 技术等。

世界上目前薄板坯连铸连轧生产线约 40 条、60 流，年产能 6000 多万吨，见表 1-1。

表 1-1 世界上薄板坯连铸连轧生产线的条数及产能

生产线类型	CSP+ISP	FTSR	Conroll+ASP	QSP
条 数	26/1	4/1	3/2	3
年生产能力/万 t	4200/200	650/250	470/500	493

注：斜线左为已投产，实际产量；斜线右为在建，设计生产能力。

有关这些薄板坯连铸连轧技术的设备、平面布置图、工艺特点、产品范围及规格、操作技术等在田乃媛教授编著的《薄板坯连铸连轧》及王中丙博士等所著的《现代电炉-薄板坯连铸连轧》书中有较详细的介绍[2,3]。

国外薄板坯连铸连轧的产品开发[4~6]有较长的历史。

最早生产的是普通中等强度的低碳热带钢，在过去的 10 年里，其产品范围不断扩展，已经生产或在试生产的主要产品有：低碳钢、结构钢和 HSLA 钢（包括耐候钢，特种含磷低合金钢）；管线钢（StE480.7，X70）；可热处理钢（碳钢、碳铬钢、碳锰钢、碳锰硼钢、碳铬钼钢、碳铬钼钒钢）；弹簧钢（非合金弹簧钢、合金弹簧钢）；工具钢（碳素工具钢、合金工具钢）；耐磨钢（90Mn4）；电工钢（无取向硅钢、取向硅钢）；不锈钢（铁素体类、奥氏体类）等[5]。

例如，德国蒂森钢铁公司 CSP 的主要产品有：低碳钢（0.02%～0.075% C、SAE1006），结构钢（S235、S275、S355），含微量合金元素铌、钒的结构钢（S420MC 和 S340MC），低合金高强度（HSLA）钢，可热处理钢（28Mn6、27MnB5、SAE1050），双相钢，无取向硅钢，IF 钢等。美国纽柯公司（NUCOR Steel-Berkeley）的 CSP 线开发了生产含 Nb 系列的低合金高强度钢产品（HSLA-Nb，HSLA-Nb-Mo，HSLA-Nb-Mo-Ni），板材的屈服强度为 430～530MPa，抗拉强度为 510～650MPa。此外，纽柯公司还开发了一种卡车车架用钢，其屈服强度达到 550MPa，室温冲击吸收功为 187J，−20℃为 66J；墨西哥的希尔沙 CSP 厂生产的热轧产品可满足结构型材、汽车板材、镀锌板、电工钢和制管等的市场需求[5]。意大利 AST 厂为第一家生产不锈钢的 CSP 厂，年约生产 100 万 t 铁素体和奥氏体类不锈钢以及硅钢[6]。

经过改进的第二代 CSP 生产线的产量和质量都有了进一步的提高，生产的钢种不断增加，其中包括用于汽车面板、内板的超深冲钢板、双相钢和三相钢板等。总之，新一代薄板坯连铸连轧生产线的产品开发在向着传统厚板坯连铸连轧的所有品种发展。

目前薄板坯连铸连轧技术已进入以半无头轧制和铁素体轧制为代表的第二代薄板坯连铸连轧技术发展阶段[3]。

半无头轧制工艺是指连续轧制长度相当于普通板坯长度几倍的板坯，得到超长的热轧板，然后再将其分切成要求重量的钢卷，水平低一点的可以一切分，二切分，高一点的可以做到多切分。其主要优点是：（1）可以生产超薄超宽板带；（2）提高金属收得率、生产率，降低废品率；（3）产品质量高；（4）消除了每卷钢均要穿带、甩尾的程序。

轧制超薄板带时，由于压缩比大，所需时间长，温降大，完全在奥氏体区轧制较困难，因此，人们开发了所谓铁素体轧制技术，实质上是指粗轧在奥氏体区进行，通过粗轧机和精轧机之间的超快速冷却系统，使带钢温度在进入第一架精轧机之前降到 Ar_3 以下，在铁素体区进行精轧（对于碳含量大于 0.03% 的钢，实际上是在 Ar_3 与 Ar_1 温度区间，即 $\gamma + \alpha$ 两相区间精轧）。其主要优点是：（1）可轧高质量超薄带，防止薄带出末架精轧机后的跑偏和产生板形缺陷，提高表面质量，保证产品厚薄均匀，性能均匀；（2）减少金属氧化损失，提高收得率和减少工作辊的磨损，降低成本；（3）减少冷却水消耗。

适合铁素体轧制的钢种包括低碳铝镇静钢、极低碳钢、IF 钢等，要求条件是粗轧与精轧之间设置超快速冷却系统。

表 1-2 是三条第二代薄板坯连铸连轧生产线的比较[3]。

表 1-2　三条第二代薄板坯连铸连轧生产线的比较

序号	供 货 商	SMS 公司	MDH 公司	Danieli 公司
1	工 厂 名 称	Thyseen	Hoogovens	AL-EZZ
2	钢水冶炼方式	380tBOF（原有） 400tLF 400tRH（原有）	320tBOF（原有） LF RH（原有）	150tEAF 150tLF
3	连 铸 机	一机二流	一机一流（预留一流）	一机一流（预留一流）

4	坯料厚度/mm	63～48	90/70	90/70、70/50、70
5	成品厚度/mm 成品宽度/mm	(0.8)1.0～6.5 900～1600	(0.8)1.0～3.0 750～1560	0.7～20 800～1600
6	钢　种	低碳钢、中碳钢、高强度低合金钢	低碳钢、超低碳钢、合金结构钢	低、中、高碳钢、结构钢、深冲钢、铁素体超低碳钢、包晶钢
7	设计年产量/万 t	240	150	120,160
8	生产线长度/m	416	424	430
9	炉长/m	240	312	146
10	半无头轧制块数	5	8	4～6
11	轧机数量及形式	7 架 CVC	2＋5 架,PC	1(2)＋5 架;WRB,f²CT
12	轧制速度(最高)/m·s⁻¹	22.7	20	20
13	工作辊直径/mm	F1,2:φ950/820 F3,4:φ750/660 F5～7:φ620/540	R1:φ1050 R2:φ825 R3:φ825 R4:φ550	R1:φ1220 R1～4:φ810 R5,6:φ700,630
14	电机功率/kW	F1,2:850 F3,4:10000 F5:12500 F6,7:10000	R1/R2:4300/6300 F1～5:10750/11000/ 12000/10400/7700	R1:11000 F1:5600 F2～6:7000
15	除鳞次数	1	2	3
16	近距离卷取机	1	1	1
17	标准卷取机/台	2		2.1,(2)
18	投产时间	1999 年 5 月	1999 年 10 月	2000 年

1.3　我国薄板坯连铸连轧技术的发展

　　1988～1992 年,我国政府和有关企业组织专门技术力量进行薄板坯连铸连轧技术的研究,并跟踪考察国外技术,1992～1996 年,经历了长期的技术谈判与设备选型,最终在前冶金工业部的领导下,珠钢、邯钢、包钢决定以"捆绑"方式从德国 SMS 公司引进 CSP 技术,1999 年我国第一条薄板坯连铸连轧生产线在广州珠江钢铁有限责任公司(珠钢)投产,之后,邯钢、包钢的

CSP 线相继投产，经过几年的生产实践，我国薄板坯连铸连轧取得了巨大的成就，目前已投产、在建和将要建设的薄板坯连铸连轧生产线共有 13 条、21 流，已经投产的厂家有珠钢、邯钢、包钢、鞍钢、唐钢、马钢、涟钢，在建的有通钢、本钢、济钢、酒钢，2005 年预计热轧卷产量近 1800 万 t。在已投产和在建的 11 条薄板坯连铸连轧生产线中，CSP 线 6 条，ASP 线 2 条，FTSR 线 3 条，基本情况见表 1-3[7]。

表 1-3　我国薄板坯连铸连轧生产线的基本情况

名　　称	珠钢	邯钢	包钢	鞍钢	唐钢	马钢	涟钢	通钢	本钢	济钢	酒钢	总量/万 t
2004 年产量 /万 t	163.7	230.5	249.8	241.4	192.6	156.9	124.7					1359.6
2005 年产量 /万 t	约 200	约 260	约 300	约 300	约 280	约 200	约 200					约 1800
机　型	CSP	CSP	CSP	ASP	FTSR	CSP	CSP	FTSR	FTSR	ASP	CSP	
流　程	电炉	转炉	转炉	转炉	转炉	转炉	转炉	转炉	转炉	转炉	转炉	

我国薄板坯连铸连轧的发展具有如下特点：

（1）从表 1-3 可见，除珠钢外，我国其他十条已经投产和在建的薄板坯连铸连轧生产线均为转炉流程，这一点是由我国国情决定的。

2004～2005 年美国东海岸废钢和独联体生铁出口离岸价见图 1-2[8]，由图可见，国际废钢价格比生铁价格每吨低 50～80 美元。由于金属原料价格的差异，加上电价便宜，导致美国发展电炉流程，国外大部分薄板坯连铸连轧生产线采用电炉流程。

我国国情不同，废钢及电力紧缺，价格高，废钢与生铁的实际价格相当

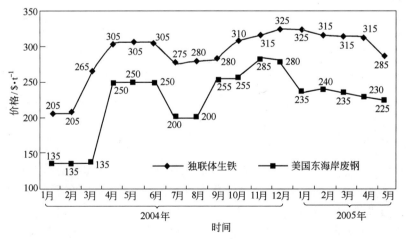

图 1-2　2004～2005 年美国东海岸废钢和独联体生铁出口离岸价格

（图 1-3）[8]，致使我国电炉钢成本比转炉高，这就是我国薄板坯连铸连轧生产线多采用转炉流程的主要原因。

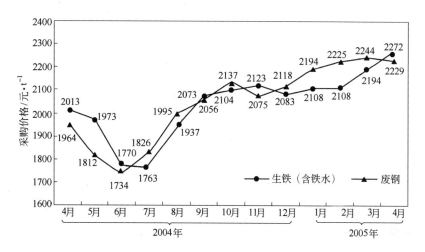

图 1-3 2004～2005 年我国生铁和废钢实际采购价格

珠钢采用电炉流程是与当时引进时的情况分不开的，珠钢是我国引进薄板坯连铸连轧的第一个企业，从引进技术的可靠性考虑，引进了当时技术比较成熟的电炉—CSP 生产线。

对不同模式生产流程的成本分析结果表明：从长远分析，我国的废钢价格与生铁价格比会降低，一是国外废钢价格一直低于生铁，二是我国废钢累积量和生成量会逐渐升高。当废钢价格相当于生铁价格的 85％时，全废钢模式与加 35％铁水模式成本相当，低于转炉模式，见图 1-4[8]。这时采用电炉流程较合适。为此，珠钢是目前我国第一条也是唯一的一条电炉薄板坯连铸连轧生产线。

（2）生产快速发展，达产快，增幅大。目前我国已投产的薄板坯连铸连轧生产线由于生产准备充分，生产组织管理能较快地适应流程的特点，特别是由于下述原因，一般都能够在投产后迅速实现月达产、年达产，达到或超过原设计的生产能力，达到国际先进水平或进入世界同类生产线的领先行列。

1）市场因素的拉动。近年来，我国经济增长很快，各行各业需要大量钢材，特别是近年来产品以不小于 3mm 的中薄板为主要厚度规格，使我国薄板坯连铸连轧钢板产量迅速增长，一条生产线，两流产量可达 300 万 t/a。

2）建立了协调与引导的信息交流机制。中国工程院对我国薄板坯连铸连轧技术的发展给予了高度的重视与支持，冶金工业部撤销后，为了促进中国薄板坯连铸连轧技术的进步，2000 年 3 月由中国工程院发起成立了"薄板坯连

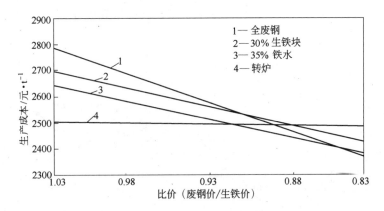

图 1-4　废钢价对各模式生产成本的影响 (电价 0.4 元/(kW·h))

铸连轧技术交流和开发协会”，将薄板坯连铸连轧作为 21 世纪使中国进入世界钢铁强国行列的一个重要突破口，以相对稳定的组织形式经常就薄板坯连铸连轧技术发展中的一些重大技术发展方向、工程及操作问题进行交流与讨论，并指导积极开发我国具有自主知识产权的薄板坯连铸连轧创新技术，迄今已召开三次年会，第一次在广州召开[9]，第二次在包头召开[10]，第三次在唐钢召开[11]，从会议内容看，一次比一次水平高，确实达到了交流与推动作用，通过“交流和开发协会”及其活动，全国各生产厂家互通有无，做到信息和资源共享，互相接受咨询、培训，彼此受益，共同进步。

3) 国产化推动了我国薄板坯连铸连轧技术的进一步发展。近年来，我国的机器制造、电气、自动控制、耗材等领域取得了长足的技术进步，使得薄板坯连铸连轧装备及消耗材料的国产化比例不断增加，投资下降，特别是鞍钢 ASP 技术，通过自主集成，国产率达到 99.5%，其吨板投资在 1000 元以下。我国在建的 ASP 生产线尚有两条，并已发展到第二代 2150ASP。

在引进的薄板坯连铸连轧生产线中，由于设备分交比加大，特别是达产超产，吨板卷投资下降，例如唐钢设计规模 250 万 t/a，板卷投资 1015.6 元/t，低于常规板卷投资 1073.3 元/t，当实际规模达到 300 万 t/a 时，单位投资只有 846.3 元/t[12]。

(3) 自主开发新技术及高附加值产品。我国薄板坯连铸连轧生产线不仅产量迅速增长，而且在品种方面也进行了大量研发工作。各厂都取得了具有自身特点的产品研发业绩。有的已实现了批量生产，实现了产量、品种同步增长。

产量增长所积累的装备工艺改进、管理创新是品种开发的基础，产品开发反过来又促进装备、工艺、管理的进一步优化。

我国各薄板坯连铸连轧生产厂家，在达产增产的同时，基本上均能生产产品大纲规定的钢种，包括碳素结构钢、低合金（微合金）钢、管线钢、焊瓶钢、低碳冷轧坯料、高强度汽车板、无取向硅钢、双相钢、薄规格以热代冷板材等，这里值得一提的是珠钢在产品开发方面所做的工作。

珠钢拥有我国第一条薄板坯连铸连轧生产线，也是我国迄今唯一的电炉薄板坯连铸连轧生产线，由于我国目前废钢与电力紧缺，废钢价格及电价高，这就对新生的薄板坯连铸连轧提出了严峻的挑战，中国电炉 CSP 生产线能不能生存、发展，令人担忧。出路只有两条，一是降低成本；二是开发、生产高附加值钢。通过反复的调查研究及讨论，珠钢走的是生产高附加值产品的道路：

1）利用废钢中的杂质元素 Cu、Ni、Cr，生产国外专家认为在该生产线上不宜生产的、不同意列入产品大纲的 09CuPNiCr 集装箱板。

2）不添加昂贵的微合金元素 V、Nb，生产性能与 400MPa 级含钒或铌的低合金高强度钢（HSLA 钢）相当的低碳高强度钢（HSLC 钢），节约贵重资源，降低吨钢成本；

3）生产薄规格钢材，集装箱板品种中，不大于 2.0mm 的钢板比例大于 50%，售价高于 3.0mm 以上规格产品。

目前珠钢集装箱板产量约占世界集装箱板总产量的 1/4 以上，成为世界上最大的集装箱板生产基地。

通过开发低碳低氮电炉钢生产技术、以氮代氩电炉底吹技术、终点碳控制技术、窄成分控制技术等一系列创新技术，大批量生产了 HSLC 钢，率先实现了 400MPa 铁素体/珠光体超级钢的产业化。珠钢生产的 HSLC 钢热轧板不含 V、Nb，屈服强度可达 400～450MPa，并具有较高的伸长率和冲击韧性，其强度水平与国外生产的 σ_s 为 400MPa 级的 HSLA 钢相当，降低了钢材成本，有力地提高了市场竞争能力，并具有显著的社会效益。

以 HSLC 钢作高强汽车板时，ZJ510L 屈服强度为 402～455MPa，平均屈服强度为 435MPa，抗拉强度在 555～605MPa 之间，平均抗拉强度为 573MPa。而且汽车板的屈强比较低，在 0.70～0.78 之间，钢板的伸长率为 27%～37%，冷弯性能全部合格，钢板横向的晶粒尺寸为 5.1～8.1μm，纵向晶粒尺寸为 5.2～7.5μm。ZJ550L 钢的综合性能良好，屈服强度为 465～525MPa，平均屈服强度为 491MPa，抗拉强度在 590～670MPa 之间，平均抗拉强度为 624MPa，屈强比为 0.77～0.83，试制钢板的伸长率平均为 29.0%，横向冷弯性能全部合格，钢板的横向晶粒尺寸为 5～5.7μm，纵向晶粒尺寸为 4.9～6.5μm。

在产品开发中，我们体会到：第一，应根据各厂具体条件，形成特色及规模；第二，起点要高，目标瞄准世界先进水平；第三，要有创新意识，敢于做前人未做过的工作。

（4）深入开展基础理论研究[13~20]。结合薄板坯连铸连轧的生产实际，开展了比较深入的基础研究，其中主要包括：

1）薄板坯连铸连轧钢的热历史及工艺特点；

2）为了查明薄板坯连铸连轧钢强度高的原因，验证国家部门同意立题时课题组提出的转变夹杂物等结构及尺寸分布，化害为利，提高强度的设想依据，发现低碳钢中存在一定量的纳米级氧化物、硫化物、氮化铝及铁碳析出物，研究了它们的析出规律及其对钢强度的影响；

3）研究了硼对钢晶粒粗化及强度下降的影响机理；

4）研究了冶金质量控制及轧制工艺控制对钢组织性能的影响，提出了钢的组织性能综合控制理论及其在薄板坯连铸连轧方面的应用。

（5）一批年轻的冶金工作者茁壮成长。珠钢年产约 200 万 t 钢，职工不到600 人，平均年龄 30 岁左右。其他转炉流程冶金工作者大多过去是生产长材的，没有生产平材的经验，在近几年的薄板坯连铸连轧生产中，他们很快地掌握了生产技术，并有所创新，一代新人在茁壮成长，成为我国薄板坯连铸连轧可持续发展的中坚力量。

1.4　转炉流程与电炉流程的共性及差异

1.4.1　转炉流程与电炉流程的共性

1.4.1.1　现代炼钢流程冶炼工序的功能演变

随着技术的进步，传统转炉和电炉的功能在发生转变。

现代转炉的功能逐步演变为[21]：（1）快速高效脱碳；（2）快速升温；（3）能量转换；（4）优化脱磷。

现代电炉的功能演变为：（1）废钢快速熔化；（2）快速升温；（3）能量转换；（4）高效脱碳脱磷；（5）废弃塑料、轮胎等的处理。

如上所述，转炉和电炉的功能已演变为基本相似，只是由于炉型不同，原料成分（主要是 C、P）不同，在脱碳量、脱碳速度和脱磷要求方面有所不同，从而工艺有所差别。

1.4.1.2　能源结构

钢铁冶金工程包括转炉炼钢和电弧炉炼钢，本质上均属于铁煤化工工程。

转炉炼钢的铁素原料主要来自铁水（铁矿石）及冷料（废钢、生铁块），碳素原料亦来自铁水及冷料。用于炼钢的能源，主要是吹氧与碳反应生成的化学热以及在高炉冶炼过程鼓入的热空气（可以是富氧的）与加入的焦炭和喷入的煤粉反应放热而使铁水带入的物理热，炼钢过程中能源表现形式有两种，即化学热和物理热。

电弧炉炼钢的铁素原料主要来自废钢及生铁，碳素原料亦主要来自废钢及生铁（配入的碳可以用喷粉方式加入）。用于炼钢的能源，除水力发电外，主要来自由煤转换出来的电能（火力发电）以及吹氧与碳反应生成的化学热（包括废钢预热过程烟气中 CO 二次燃烧热）和预热废钢带入的物理热。炼钢过程中能源表现形式有三种，即电能、化学热和物理热，它们比例有所不同，可以互相转换。传统的电弧炉冶炼以电能为主，现代电弧炉冶炼过程中化学热和物理热占能耗的 50% 以上。物理热可以由废钢显热，加部分铁水代替生铁带来，也可以像 ECOARC 技术一样，由化学热及电能转变而来。转炉主要是利用铁水的化学热和物理热，传统电弧炉主要是利用电能，现代电弧炉炼钢增加了化学热和物理热，电耗可只占总能耗的 1/3 左右。

1.4.1.3 现代炼钢生产流程的原料结构

现代转炉钢生产流程的主要原料是铁水和冷料（包括废钢、生铁），铁水主要取决于矿石、焦煤资源。

现代电炉钢生产流程的主要原料是废钢和生铁，加入生铁是为了有效地进行高配碳操作，为了进一步缩短冶炼周期，最好是加入部分铁水。

因此现代转炉和电炉的主要原料均是铁水和废钢，只是二者比例不一。废钢由污染环境的废弃物，变为钢生产的有用"资源"。

1.4.1.4 冶炼周期

从技术上考虑，转炉存在一个合理的冷料（废钢或生铁）加入比，电炉存在一个合理的铁水加入比。目前，现代电炉冶炼周期与转炉的冶炼周期基本相当。

冶炼周期可用下式表达：

$$\tau = \tau' + \tau'' \tag{1-1}$$

式中，τ 为冶炼周期（出钢至出钢时间），min；τ' 为供能时间，min；τ'' 为热停工（停电、停氧）时间，min。

对于电炉流程，τ' 可用下式计算：

$$\tau' = (C \times W \times 60)/(P_{电} \eta \cos\varphi + P_{化学} + P_{物理}) \tag{1-2}$$

$$\tau' = \max((\tau_e + \tau_c), \tau_O) \tag{1-3}$$

$$\tau_e = \frac{Q'_1 + Q''_1 + E_m - Q_2 \eta_2 - Q_3 \eta_3 - Q_4 \eta_4}{P_{电} \eta \cos\varphi} \tag{1-4}$$

$$\tau_O = \frac{O_N}{V_O \eta_O + V'_O \eta'_O} \tag{1-5}$$

τ' 最小时，应满足下述要求：

$$\frac{Q'_1 + Q''_1 + E_m - Q_2\eta_2 - Q_3\eta_3 - Q_4\eta_4}{P_电\eta\cos\varphi} + \tau_c = \frac{O_N}{V_0\eta_0 + V'_0\eta'_0} \qquad (1\text{-}6)$$

对于转炉流程，τ' 最小时应满足：

$$Q'_1 + Q''_1 + E_m - Q_3\eta_3 - Q_4\eta_4 = 0 \qquad (1\text{-}7)$$

式中，$P_电$ 为表观输入电功率，对于转炉流程，此项不存在；$P_{化学}$ 为由化学热换算成的有效电功率；$P_{物理}$ 为由物理热换算成的有效电功率；η 为综合电效率，对于转炉流程，此项不存在；$\cos\varphi$ 为功率因数，对于转炉流程，此项不存在；Q'_1 为从炉壁外表面向大气的辐射能；Q''_1 为从渣面向冷却区的辐射能；E_m 为钢液和熔渣吸收的热量（包括冷料熔化升温所需的能量）；$Q_2\eta_2$ 为氧燃烧嘴提供的能量，对于转炉流程，此项为 0；$Q_3\eta_3$ 为元素氧化反应提供的能量，即化学热；$Q_4\eta_4$ 为废钢和铁水显热提供的能量，即物理热；O_N 为熔池中元素氧化反应所需氧气总量；$V_0\eta_0$ 为单位时间氧枪提供的氧量；$V'_0\eta'_0$ 为单位时间氧燃烧嘴提供的供熔池中元素氧化反应的氧量，对于转炉流程，此项为 0；τ_c 对于电炉流程，表示最佳吹氧不供电时间，对于转炉流程，表示吹氧时间。

从式 1-6 可以计算出电炉的最短冶炼周期及最佳铁水加入比。

从式 1-7 可以计算出转炉的最短冶炼周期及最佳冷料比。

1.4.1.5　现代炼钢流程以氮代氩底吹问题

为均匀成分和温度，现代大型转炉采用顶底复吹，现代大型电炉也采用底吹技术，吹气采用氮氩切换方式，前期吹氮，后期吹氩。根据碳氧反应可以脱氮和在炼钢温度及氧化性条件下氧硫表面活性作用对钢液吸氮具有阻碍作用的原理，电炉冶炼过程中全程底吹氮，出钢氮含量可低于 0.003%。顶底复吹转炉全程底吹氮出钢氮含量可在 0.001% 左右。

钢材中的氮含量取决于现代炼钢流程冶炼工序出钢后增氮量，应注意加强出钢后钢液的保护，防止钢液直接与大气接触。

1.4.1.6　冶炼终点控制

对转炉的终点成分、温度控制已经做了大量的研究，开发了许多终点控制技术，现代电炉工序冶金过程与转炉相近，也开发了自己的终点控制技术，特别是根据碳氧、铁氧竞争氧化的原理，开发了低碳钢的终点碳控制技术，并成功地用于生产。

1.4.1.7　对钢种的适用性

随着转炉炉外精炼技术的发展及电炉冶炼周期的缩短，两种流程对绝大部分钢种冶炼的适应性相当，选择何种冶炼工序已演变为：一取决于工序经济效益，二取决于可持续发展，即取决于资源、能源支撑条件和环保要求。

综上所述，现代转炉冶炼与现代电炉冶炼具有越来越多的共性。我国转炉钢与电炉钢产量，在不同时期，不同地区，比例会有所变化，转炉流程与电炉流程在相当长的历史时期内将会共存，电炉钢的比例在一个相当长的时期内，虽然很难达到发达国家的水平，但将会逐步增加。

1.4.2 转炉流程与电炉流程的差异

现代转炉流程与电炉流程的冶金特点主要差异为：

(1) 转炉与电炉冶炼的脱碳速度。现代电炉的吹氧流速比转炉低得多，例如 100t 电炉用 5500m^3(标态)/h，100t 转炉用 20000～30000m^3(标态)/h，以致后者的脱碳速率高，吹炼时间短，生产率高。

(2) 转炉与电炉过程磷的控制。二者都为氧化脱磷过程，电炉冶炼时，随着泡沫渣的溢出，终点磷的控制一般没有问题，偏心炉底出钢也减少了回磷机会；转炉则应更加注意回磷问题，在冶炼像 09CuPNiCr 集装箱板钢时，磷的控制应具有自身特点。

(3) 转炉与电炉冶炼过程的能量平衡。由于转炉采用加铁水操作，原始碳含量较高，碳氧反应产生的热量多，除本身的升温外，尚有富余热量熔化冷料，这就是转炉流程加部分废钢及冷生铁操作的原因，废钢加入量有一个合适的比例，这与转炉炉型带来的装料特征有关。

(4) 转炉与电炉冶炼过程出钢特点及其对炉外精炼的影响。电弧炉采用偏心炉底出钢，转炉采用摇炉出钢，这就使得二者下渣的比例不同，通常情况下，转炉流程渣变白所需的时间较长，脱氧脱硫能力稍差。

(5) 转炉及电炉钢中氮的控制。转炉出钢氮含量可达 0.001% 左右，电炉出钢钢中氮含量为 0.003% 左右，若出钢后的精炼、连铸过程相同，则转炉薄板坯连铸连轧钢板中氮含量应低一些，这对节省 V、Nb、Ti 等合金料具有优势。

1.5 薄板坯连铸连轧的工艺特点

薄板坯连铸连轧集中了当代最先进的冶炼、连铸和连轧技术。

薄板坯连铸连轧工艺流程为：电炉/转炉冶炼—精炼—薄板坯连铸—热送热装均热—热连轧—层流冷却—卷取。图 1-5 示出了不同工艺的温度时间曲线。图 1-5 中曲线 1 是连铸—直轧方式，即薄板坯连铸连轧工艺；曲线 2 是连铸—A_3 温度以上热装炉方式；曲线 3 是温度在 A_1 以上的普通热装炉方式之一；曲线 4 是最容易实现的一种热装方式（热装温度在 A_1 温度以下）；曲线 5

为普通工艺方法，即铸坯先冷却至室温，然后再冷装炉升温均热。

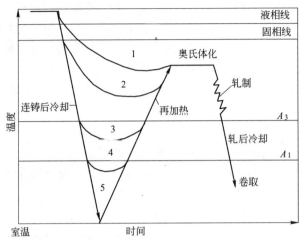

图 1-5 连铸连轧方式示意图

薄板坯连铸连轧工艺与传统的冷装和热装工艺（即曲线 1 工艺与曲线 5、4、3 工艺）相比较，具有以下主要特点：

（1）薄板坯连铸连轧工艺与传统工艺相比较，具有不同的热历史及组织转变特征。

由图 1-5 可见：传统工艺连铸坯在冷却过程中会发生 $\gamma \rightarrow \alpha$ 相变，在其轧制前的升温过程中又会发生 $\alpha \rightarrow \gamma$ 的相变，而薄板坯连铸连轧工艺，连铸坯在 γ 区进入均热炉，在 γ 区进行轧制（第二代薄板坯连铸连轧的粗轧也在 γ 区均热和轧制），热轧板层流冷却过程中发生 $\gamma \rightarrow \alpha$ 相变，经卷取直接成材，没有再加热过程中的 $\alpha \rightarrow \gamma$ 相变。

传统工艺连铸坯在冷却过程中还会发生某些第二相，例如氧化物、硫化物、氮化物、碳氮化物及碳化物的析出。不同钢成分、纯洁度、温度及冷却条件下，析出物的种类、数量、形貌、尺寸及分布各不相同。在其轧制前的升温过程中，这些析出物将会不同程度的溶解，在随后的冷却过程中再析出；薄板坯连铸连轧过程中，铸坯在冷却和变形时，也会发生上述第二相析出，但由于没有再加热时的溶解，析出物的特征及其对钢性能的影响，与传统工艺有很大的差别。

（2）薄板坯厚度较小（一般为 50～90mm 厚），一冷、二冷系统的冷却强度大，可控性高。

结晶器冷却，即一冷，由于铸坯在单位时间内通过结晶器的比表面积要比常规的厚板坯大，为了保证铸坯出结晶器之前有足够厚的坯壳，就需要较大的热流密度，即较强的冷却能力。对于连铸包晶钢，由于存在 $\delta + L \rightarrow \gamma$ 的包晶转变，体积收缩大，又要适当地减小热流密度，降低拉速，以防拉漏。

二冷水的冷却强度，从铸坯凝固过程中降低偏析与疏松程度出发，冷却要快一些，但从保证铸坯在连铸阶段不出现 $\gamma \rightarrow \alpha$ 相变，又要求铸坯在进加热炉以前具有足够高的温度，特别是针对像集装箱板那样具有强烈"边裂"倾向的钢种，更要求边部的温度要高。

为此，薄板坯连铸连轧工艺要求一冷、二冷的可控性高。

从测定铸坯一次和二次枝晶间距计算出来的厚度为 50mmCSP 薄板坯的凝固速度为 $200 \sim 400$mm/s，温度梯度为 $50 \sim 150℃/$mm，激冷层厚度为 8mm 左右。

当拉速大于 4.0m/min 时，采用特定的二冷模式，可使 09CuPCrNi 铸坯边部温度达到 1065℃（±5℃），铸坯 1/2 宽度处表面温度为 1045℃（±8℃），对于一般钢种，通常通板温度偏差小于 15℃，由铸坯组织向轧制组织转变之前，一直保持大于 1000℃ 的温度。

（3）轧制及冷却工艺可控制性好。薄板坯连铸连轧和常规的厚板坯热连轧类似，在各道次之间及层流冷却过程中，冷却速度可在一定范围内精密控制，各道次压下量可调。特别是精轧第一、二道次，可将压下量控制在大于 50%。在粗轧机和精轧机之间可设计超快速冷却系统，实现铁素体轧制。

（4）薄板坯连铸钢水纯净度较高。钢中 O、S、N 等元素含量随年代的变化如图 1-6 所示。

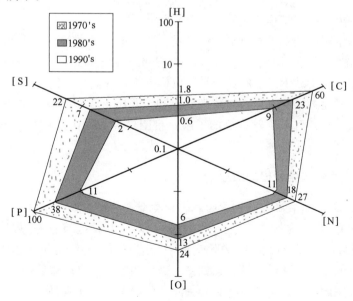

图 1-6 钢中 O、S、N 等元素含量（质量分数，ppm（10^{-6}））随年代的变化

实践表明，薄板坯连铸连轧钢中平均硫含量可达 0.005% 以下，总氧含量在 0.003% 以下，电炉流程采用低氮钢生产技术及转炉流程钢中氮含量可达 0.005% 以下，自由氮含量可控制在 0.001% 以下。非金属析出物细小均匀。

1.6　钢中纳米析出物的析出原理、作用与控制技术

在开发低碳高强度 HSLC 钢时，发现 ZJ330 钢成分与 Q195 类似，但 σ_s 达到 330~390MPa，一般为 360MPa 左右。与国外同类性能级别但钢中加 V 或 Nb 的低合金高强度钢相当。在研究电炉—CSP 生产低碳钢的强化机理时，我们相继发现钢中大量存在尺寸为几十至二、三百纳米的硫化物，尺寸为几十至一、二百纳米的氧化物，以及尺寸小于 10nm 的氮化物和尺寸小于 20nm 的铁碳析出物，发挥了沉淀强化作用。钢中氧、硫、氮、碳、铝起到了 HSLA 钢中由铌、钒、钛、铝、氮、碳所起的作用。

在进一步研究中，还发现不只是薄板坯连铸连轧板材中具有纳米析出物，在连铸坯中也有；不只是薄板坯连铸连轧 ZJ330 钢中具有纳米析出物，在传统厚板坯轧制的与 ZJ330 成分类似的 Q195 中也有；不只是 ZJ400、ZJ510 钢中具有纳米析出物，在常规轧制的成分相当的低碳锰钢中也有；不只是在 HSLC 钢中有，在 HSLA 钢中也有。这表明钢中存在纳米析出物可能具有普遍性，不同成分与工艺条件下，析出物的类型、数量、尺寸、外貌及分布不同。

上述有关钢中纳米析出物及其对性能的影响的初步观察表明，它对了解和控制钢的力学性能将具有重要的意义和前景。

在钢中观察到有单相析出微细颗粒，还有先后多层次不同成分析出的颗粒（可能与浓度温度及溶解度有关）。纳米析出物通常是指小于 100nm 的粒子，在本书中，由于纳米尺度的粒子是原位析出的，我们把尺寸为 100~300nm 的硫化物、氧化物颗粒也统称为纳米析出物，并用了较多章节去论述这一问题，以便让读者对其有一个较系统的了解，希望这能对我国新一代钢的发展有所促进。

1.6.1　钢中纳米相析出的原理

1.6.1.1　钢液脱氧与钢中的氧化物类型夹杂物

钢液中氧以溶解态存在，通常被写作 [O]，也有把钢液中的氧视为 [FeO] 的，钢液脱氧意味着脱除钢液中的溶解氧，并降低钢中总氧量。脱氧剂为对氧的亲和力比铁大的元素如锰、硅、铝等。脱氧产物是钢中氧化物夹杂物的主要来源，降低总氧量意味着去除氧化物夹杂。钢液温度高，钢中元素的扩散快，脱氧元素易与钢中的溶解氧作用，形成的脱氧产物由于动力学条件

好，较易去除，没有去除干净的氧化物便成为钢中氧化物夹杂的主要部分。随温度降低，钢中氧的溶解度减小，钢液中或液固两相区的液相中，过饱和的氧易在原有氧化物的基础上，与脱氧元素反应，使夹杂物长大。在合金固相线温度以上，在液相中形成的脱氧产物，是钢中氧化物夹杂物的主要部分，尺寸通常大于 1μm。在钢中的氧化物类型夹杂物中，还包括各种耐火材料和溶剂带入的外来夹杂物，他们的尺寸较大，可达几十到几百微米。

元素的脱氧能力，通常以 1600℃时与 1‰脱氧元素平衡的钢中溶解氧含量来表示，在不同温度下，脱氧元素含量不同时，钢液中与脱氧元素平衡的氧含量不同。热力学计算（式 1-8～1-10）结果表明：对于 ZJ330 低碳钢，在其固相线温度（1779K）下，与钢中锰、硅、铝平衡的溶解氧含量分别为 0.0636%，0.0067% 及 0.00012%。根据铁氧相图，氧高于 0.0054% 时，在 δ 铁中会产生液态氧化物，降低钢的性能。故不能用 Mn、Si 来脱氧，而应采用 Al 脱氧。

$$\lg[\mathrm{Mn}][\mathrm{O}] = -12950/T + 5.53 \tag{1-8}$$

$$\lg[\mathrm{Si}][\mathrm{O}]^2 = -30589/T + 11.85 \tag{1-9}$$

$$\lg[\mathrm{Al}]^2[\mathrm{O}]^3 = -64000/T + 20.57 \tag{1-10}$$

钢中实际氧含量取决于动力学条件，即脱氧产物的形核、长大和去除速度，通常实际含量会高于平衡值。浇注开始时，钢中氮含量增加 0.001%～0.002%，则钢中溶解氧应增加 0.0002%～0.0005%。可以认为，在固相线温度下，钢中的溶解氧约为 0.0004%～0.0006%。

钢的硫化物或氮化物类型化合物，通常在钢的固相线温度以下形成，当钢中硫含量、氮含量及硫化物和氮化物形成元素含量较高时，也可在钢液或两相区的液相中形成，尺寸除受成分影响外，还取决于凝固过程的冷却速度。

1.6.1.2　钢中纳米相的析出原理

钢中纳米相是在固相线温度以下析出的。ZJ330 钢的固相线温度为 1506℃（1779K）。

A　纳米氧化物析出的热力学

在固相线温度，反应式 1-9、式 1-10 的 $\Delta G^{\ominus} < 0$，钢液开始凝固时，在 δ 相区 Al_2O_3、SiO_2 即可以析出；热力学计算结果表明 Ti_2O_3 也可以析出。由于氧含量低，冷却速度快，这些析出物的尺寸较小，在温度降低时，它们本身可以长大或成为较低温度析出物的非自发形核核心。

钢中[Ti] = 0.005%，[B] = 0.005%，[O] = 0.0006% 时：

$lg[Ti]^2[O]^3 = -56847/T + 18.3$，$Ti_2O_3$ 的开始析出温度为 1472℃；

$lg[B]^2[O]^3 = -39012.1/T + 13.75$，$B_2O_3$ 的开始析出温度为 1119℃；

对于 Fe_3O_4，$lg[O] = -8274.75/T + 4.19$，设钢中固溶氧为 0.0002%，其开始析出温度为 776℃。

B　纳米硫化物的析出热力学

钢中 [Ca]=0.002%，[Mn]=0.28%，[Cu]=0.3%，[S]=0.005% 时：

$lg[Ca][S] = -27753.7/T + 6.17$，CaS 在液相就可以析出；

$lg[Mn][S] = -7111/T + 2.34$，MnS 的开始析出温度为 1096℃；

$lg[Cu][S] = -1413.7/T + 5.3$，CuS 的开始析出温度为 -99℃，在室温下的钢材中观察不到；

$lg[Cu]^2[S] = -4689/T + 5.5$，$Cu_2S$ 的开始析出温度为 257℃。

C　纳米氮化物的析出热力学

钢中 [Ti]=0.0050%，[Al]=0.03%，[N]=0.005% 时：

$lg[Ti][N] = -16126.7/T + 6.0$，TiN 的开始析出温度为 1248℃；

$lg[Al][N] = -13970.4/T + 6.2$，AlN 的开始析出温度为 1121℃；

$lg[B][N] = -9868.4/T + 4.45$，BN 开始析出温度为 817℃。

从上述热力学计算可以看出：

(1) B_2O_3 先于 BN 析出；

(2) AlN 先于 BN 析出；B 粗化晶粒的原因可能不是形成 BN 从而阻碍 AlN 细化晶粒；

(3) 尺寸为几十到二、三百纳米硫化物可能在 Al、Si 等的氧化物核心上形成。

D　纳米碳化物的析出热力学

钢中 [Ti]=0.005%，[C]=0.06% 时：

$lg[Ti][C] = -9203.7/T + 5.21$，TiC 的开始析出温度为 780.9℃。

对于大于 20nm 铁碳化物的析出，可能是：

(1) 珠光体片层的碎化，形成粒状或条状的 Fe_3C。

(2) 氧化物、硫化物基础上的析出。

由上述计算可见：

(1) 对于小于 20nm 铁碳析出物，可能是在 Fe_3O_4 核心上析出的。

(2) Cu 的硫化物也可能是在 Fe_3O_4 核心上析出的。

(3) TiC 的开始析出温度与 Fe_3O_4 开始析出温度接近，TiC 与 Fe_3O_4 可能同时生成，形成复杂的铁钛氧碳析出物。

E　析出动力学

钢中的纳米析出相析出的动力学包括形核、长大、粗化过程。一般来说，析出物析出温度较高时，其尺寸较大；析出温度较低时，尺寸较小。

1.6.2 钢中纳米析出物的作用

HSLA 钢中 V、Nb、Ti 的作用主要是：

（1）固定氮，即减少钢中的自由氮。

含 V、Nb、Ti 的 HSLA 钢 Corten700 与实验钢 B2C 中总 [N] 与化合氮的质量分数列于表 1-4。

表 1-4　HSLA 钢中总 [N] 与化合氮的质量分数　　　　　　　　（％）

试　样	[N]	化 合 氮	N_{MC}	AlN
Corten700	0.0056	0.0055	0.0054	痕
B2C	0.0063	0.0065	0.0055	0.0030

由表可见，HSLA 钢中氮主要以化合氮形式存在。

（2）阻碍奥氏体及铁素体晶粒的长大。

（3）起沉淀强化作用。强化贡献与体积分数 f 及析出物尺寸有关。

对于 HSLC 钢：

（1）低氮控制。减少钢中自由氮，例如小于 0.001％。

（2）原始粗大的垂直于连铸坯表面的柱状晶在第一、二道次两个大于 50％ 的大压下条件下不是被破碎，而是被弯曲，见图 1-7、图 1-8。再结晶奥氏体晶粒的细化可能亦与这一特征有关。奥氏体区高温大变形量轧制，通过奥氏体再结晶以及几十至几百纳米的氧化物、硫化物可能阻碍再结晶奥氏体及铁素体晶粒长大，细化奥氏体晶粒和铁素体晶粒。

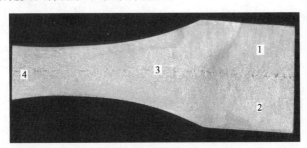

图 1-7　第一道次轧卡件（50～25mm）的低倍组织

（3）沉淀强化作用。用 Ashby-Orowan 修正模型，计算小于 18nm 的纳米粒子对强度的贡献，结果表明其与晶粒细化对屈服强度的贡献相当（见第 12 章）。

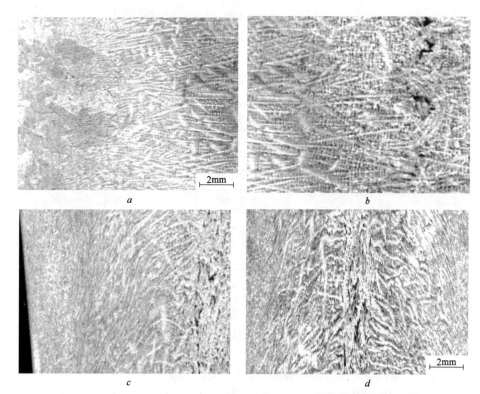

图 1-8　CSP 工艺第一道轧卡件变形前后的枝晶演变

a—CSP 铸坯未变形时的树枝晶组织（图 1-7 中 1 区放大）；b—CSP 铸坯未变形时的
树枝晶组织（图 1-7 中 2 区放大）；c—CSP 铸坯开始变形时的树枝晶组织
（图 1-7 中 3 区放大）；d—CSP 铸坯第一道次变形后的树枝晶
组织（图 1-7 中 4 区放大）

1.6.3　钢中纳米析出物的控制

从工艺上通过冶金质量控制（MQC）和轧制工艺控制（RPC）来控制钢中纳米相的析出，见 1.7 节和 1.8 节所述。

1.7　薄板坯连铸连轧钢的冶金质量控制 MQC 关键技术

薄板坯连铸连轧钢的组织性能的综合控制，在工艺方面主要包括冶金质量控制 MQC（Metallurgy Quality Control）及轧制工艺控制 RPC（Rolling Process Control），本节简要介绍 MQC 的关键技术，详见第 2 章及文献 [3]。

1.7.1　低氮钢生产关键技术

国内外薄板坯连铸连轧生产实践表明：薄板坯连铸连轧板材具有比传统工

艺生产的同类钢种的热轧板材强度高的特征，同一钢种，通过不同的轧制工艺，钢材的强度可以变化很大。

国外薄板坯连铸连轧初期板材虽然强度高，但抗弯性能不好，易出现冷弯裂纹，其重要原因之一是电炉钢中氮含量高，自由氮含量高。美国开发了用 V、Nb 等元素微合金化的 HSLA 钢系列，例如，纽柯克拉福茨维莱厂发展了钒微合金化的 HSLA 钢系列，伯克利厂发展了铌微合金化的 HSLA 钢系列。开始时主要考虑 V、Nb 能固定氮，即减少钢中的自由氮，从而提高其抗弯性能，后来发现析出的氮碳化物尚能起到细化晶粒和沉淀强化的作用。

我国最早引进的薄板坯连铸连轧生产线，也是电炉流程，考虑到氮对钢的不利影响，采用了低氮而不是微合金化技术路线。

生产低氮电炉钢，必须降低原始氮含量，主要是金属料中含氮量；增加电炉流程中的脱氮量和减少电炉出钢至成品生产过程中的增氮量。

电炉流程的脱氮环节有两个，一是电炉冶炼过程中，通过钢液的碳氧反应产生 CO 实现气泡携带法脱氮；二是 VD 精炼过程中，根据西华特定律实现真空脱氮。电炉加生铁、铁水、海绵铁、HBI 等可以减少金属料中的原始含氮量，在优化的电炉冶炼工艺条件下，电炉出钢氮含量可低于 0.003%。

降低电炉出钢氮含量可以采用电炉加生铁或铁水，合理供氧，保证有较好的、足够的碳氧反应，这里高配碳、合理供氧起着关键作用。

转炉流程由于铁水中碳高、供氧强度大，脱碳速度高，从而它的脱碳量大，脱氮量也大，顶底复吹转炉出钢氮含量可低至 0.001%。

我国目前电炉钢氮含量可低于 0.005%，甚至低于 0.004%。转炉流程生产钢的氮含量通常亦为 0.004%~0.005%，好的可达 0.003%~0.004%。

降低出钢后生产过程中的增氮量，主要应注意减少第一包开浇以后一定时间（指中包覆盖剂熔化良好能覆盖钢液，使之不与大气直接接触的时间）以及换包过程中钢液的吸氮。

1600℃时钢液与 67Pa 真空度平衡的氮含量约为 0.001%，VD 精炼过程中，当真空度（指真空室压力）在 67Pa 时，钢液能进一步脱氮；RH 精炼过程中，当真空度在 67Pa 时，RH 处理前钢液氮含量如为 0.001% 左右，钢液难以脱氮。

1.7.2 以氮代氩底吹技术

大型顶底复吹转炉采用底吹气系统，国外大型电弧炉亦采用底吹气技术，以均匀成分及钢液温度，例如珠钢引进的 150t 烟道竖炉电弧炉及韶钢引进的 90tConsteel 电弧炉，带有底吹气系统。吹气方式通常是先吹氮，后吹氩。

我们根据对钢液吸氮动力学的研究，发现当钢液中溶解氧含量为 0.02％～0.03％以上时，向钢液中吹入氮气，由于氧、硫等活性元素的阻碍作用，钢液可以不增氮。开发了以氮代氩全程底吹技术，在全程底吹氮条件下，电炉出钢氮含量可达 0.003％以下，转炉出钢氮含量可达 0.001％左右。要达到这一目标，对于转炉冶炼过程，要特别注意底吹氮的强度，尤其应注意吹炼前期钢液碳含量高，溶解氧低，钢液易吸氮，底吹氮流量不宜过高，否则会影响净脱氮量，从而增加出钢氮含量。

1.7.3　终点碳控制技术

对于薄板坯连铸连轧低碳钢，碳的终点控制技术十分重要，它会直接影响冶炼周期和生产率，从而影响企业经济效益。

理论上，碳的终点控制技术实质上是碳和铁的竞争氧化过程控制，从热力学计算和实验可以确定碳氧和铁氧的竞争氧化点，即临界碳含量，当钢液中的碳高于这一值时，碳先于铁氧化；反之，铁先于碳氧化。理论计算和生产实验测定，这一值为 0.035％左右。故生产含碳量不大于 0.06％左右低碳钢时，出钢碳含量一般控制在 0.04％～0.045％，以防止过氧化，增加脱氧剂用量，降低金属收得率。

转炉流程，由于底吹过程钢中碳氧反应可进一步进行，终点碳可以低一点，而不致使钢液中溶解氧过高，通常转炉出钢时钢中的溶解氧可比电炉钢低。转炉终点时，应尽量使钢液中实际的[C]、[O]积接近 1600℃时平衡浓度积的 0.0025。

目前已能实现计算机自动终点控制或智能控制。

1.7.4　高效化冶炼技术

薄板坯连铸连轧是一个连续化程度较高的钢铁制造流程。冶炼—精炼—连铸—连轧各工序在时间、物流、温度等方面均需协调。冶炼周期应能满足连铸节奏要求，保证 $\tau_{BOF或EAF} < \tau_{IF或RH} < \tau_{CC}$，才能不断浇。一般来说，对于转炉流程，在时间节奏上和钢水供应方面没问题，易实现多炉连浇。对于电炉流程

$$\tau = \tau' + \tau'' \tag{1-11}$$

$$\tau' = (C \times W \times 60) / (P_电 \eta \cos\varphi + P_{化学} + P_{物理}) \tag{1-12}$$

式中，τ 为电弧炉冶炼周期（出钢至出钢时间），min；τ' 为供能时间，min；τ'' 为热停工（停止供能）时间，min；W 为钢液重量，t；$P_电$ 为表观输入电功率，kW；η 为综合电效率；$\cos\varphi$ 为功率因数；$P_{化学}$ 为由化学热换算成的有效电功率，kW；$P_{物理}$ 为由物理热换算成的有效电功率，kW；C 为有效电耗，

$kW \cdot h/t$。

围绕综合缩短冶炼周期以满足多炉连浇的时间节奏要求，关键技术有：

（1）加部分铁水冶炼。如果没有加部分铁水冶炼技术，这些年我国在钢产量特快增长条件下，电炉钢的比例恐怕还会持续下降。

（2）强化用氧。强化用氧有利于节能，生产 $1m^3$ 的氧气消耗电能约 $1kW \cdot h$，而用 $1m^3$ 氧气理论上可节电 $7kW \cdot h$ 以上，提高 $1m^3$ 氧气的节电量，是今后电炉技术发展的一个主要方向。

（3）充分利用变压器的功率，提高有功功率和电效率，增加电能输入。

（4）改进设备，提高作业率。

1.7.5　强化精炼过程技术

随着冶炼周期的缩短，必须缩短精炼周期，对于 RH 问题不大，对于 LF，必须强化精炼过程，即在连铸节奏要求的时间内，完成各项精炼任务，包括熔渣变性、合金化、脱氧、脱硫、夹杂物变性、去夹杂、控温等。

关键技术包括：

（1）防止氧化性渣下渣，这对转炉流程更为重要。电弧炉虽然采用偏心炉底无渣出钢，但实际上总会有一定的下渣量，要将目前钢包下渣控制技术应用到冶炼出钢过程；

（2）熔渣快速变性技术。高碱度、低氧化性渣的快速形成；

（3）埋弧渣及供电技术；

（4）氩气搅拌技术，不同工艺条件下氩气流量的优化；

（5）夹杂物变性技术；

（6）智能钢包炉操作技术。

当冶炼周期进一步缩短时，例如小于 35min，可考虑两个 LF 的系统，两个在线的 LF，一台实现渣变性处理、合金化、温度控制，一台做深脱硫、脱氧、钙处理、轻搅拌，每台 LF 精炼时间约为 25min。

1.7.6　铸态组织控制技术

铸态组织控制的关键技术主要有：（1）电磁搅拌、电磁制动技术和液心压下技术；（2）无缺陷高表面质量铸坯的控制技术；（3）包晶钢连铸技术；（4）铸坯凝固过程中夹杂物的尺寸形状分布控制；（5）铸坯成分与宏观偏析及冷却过程析出物的控制技术等。

1.8　薄板坯连铸连轧钢的轧制工艺控制 RPC 关键技术

1.8.1　RPC 的关键技术

采用薄板坯连铸连轧工艺生产出高质量的热轧产品，除了冶金质量控制 MQC（Metallurgical Quality Control）外，还有轧制工艺控制 RPC（Rolling Process Control）。

关于 RPC 的关键技术主要包括（详细介绍见第 3 章和第 4 章）：

（1）热连轧工艺过程控制技术。即：

1）针对不同钢种的热连轧过程再结晶及非再结晶区奥氏体组织及形变过程析出控制技术；

2）结合机架间冷却的热连轧过程动态优化技术；

3）热连轧过程高效润滑技术；

4）半无头轧制技术；

5）薄规格及超薄规格稳定轧制控制技术；

6）高精度板形及板厚控制技术；

7）热连轧工艺过程的智能控制技术；

8）柔性轧制工艺控制技术。

（2）层流冷却工艺控制技术。即：

1）高精度、高均匀性层流冷却工艺控制技术；

2）轧后冷却过程中 γ—α 相变的组织与析出控制技术；

3）针对不同钢种及成品规格的组织性能要求的智能型层流冷却工艺控制技术。

下面将人们较关心的薄板坯连铸连轧生产冷轧基板问题和薄板坯连铸连轧生产高性能、高附加值产品的相关工艺控制作一简单的技术探讨。

1.8.2　薄板坯连铸连轧生产冷轧基板的技术分析

根据中国钢铁工业协会调查资料，2003 年我国热轧宽带钢的生产能力已达 4632 万 t，2004～2005 年将达到 6316 万 t，而我国现有冷连轧及单机架可逆机组共 23 套，产能 1424 万 t，2005 年将增至 37 套，产能将达 3094 万 t。到 2005 年，我国冷轧/热轧比只能达到 49%。从我国目前热、冷轧板带市场需求情况和热轧、冷轧板的生产能力来看，热轧板的生产能力大大高于冷轧板生产能力[22]。

因此，薄板坯连铸连轧生产线的产品去向比例，必然要有一定量的热轧板作为冷轧板原料。但从薄板坯连铸连轧生产的低碳钢板来看，普遍存在屈服强度较高的问题,这对用作冷轧原料带来生产上的困难。解决此问题的方法,一方面,可以从冶金成分设计和轧制、冷却工艺控制上来进行调整,以降低屈服强度;另一方面,有真空精炼设备的厂家可生产低屈服强度的微碳钢(ELC)、超低碳(ULC、IF)冷轧深冲钢板,并发挥其产品深冲性能好,各向异性小的优势以生产高强度高性能冷轧深冲板。近年,也有在钢中添加微量元素硼(添加量为 0.005% 左右),可使热轧板的屈服强度降低 20MPa 左右。

综合考虑,薄板坯连铸连轧生产线生产冷轧用热带钢的比例以 50% 左右为宜。表 1-5 为采用薄板坯连铸连轧工艺生产软钢的产品要求及应用范围。

表 1-5 采用薄板坯连铸连轧工艺生产软钢的产品要求及应用范围

钢种	碳含量(质量分数)/%	组织和性能	应用范围
ELC	0.02~0.04	以铁素体为主;屈服强度(IF 钢):120~160MPa;$r>2.0$;$n=0.25~0.30$	要求有良好的成形性能和表面质量。主要用于汽车工业、家电、消费品工业、化学工业等
ULC	<0.005		
IF	无间隙原子		

近年的生产实践表明,与传统连铸连轧工艺所生产的低碳钢热轧板相比,采用薄板坯连铸连轧生产的低碳热轧板的力学性能普遍较高,尤其是屈服强度较高(如 Q195 或 08Al 的屈服强度一般高于 300MPa 或更高)。如前所述,珠钢和北京科技大学在组织性能控制和相关机理方面进行了大量的研究表明,通过合理控制钢的凝固、析出和轧制、冷却工艺过程,可以控制钢中纳米尺寸析出物强化和晶粒细化,提高强度,在不添加微合金元素的前提下,研究开发出了具有良好成形性能的低碳高强钢板系列(低 C – Mn 钢的屈服强度从330MPa 到 500MPa)[23~26]。

另一方面,国内的大部分薄板坯连铸连轧企业都建有冷轧及相应的镀锌线,当生产为低碳冷轧冲压板供料的热轧基板时,通常要求屈服强度低于300MPa、屈强比也低一些(在 0.8 左右或更低一些),这就为采用薄板坯连铸连轧生产冷轧冲压板基板提出了新的课题,即如何控制冷轧基板的力学性能,使其满足冷轧工艺及成形性能的要求。

由于薄板坯连铸连轧与传统连铸连轧的热历史和析出行为存在明显的差异,因而表现出低碳钢的晶粒组织、第二相析出粒子、位错分布以及力学性能的差别,下面通过实验结果进行分析比较[27]。

1.8.2.1 传统流程与 TSCR 流程中低碳钢板的晶粒形状、珠光体形态和位错密度比较

对于同样化学成分低碳钢板的组织观察比较发现,用传统连铸连轧工艺生产的低碳钢板的铁素体晶粒形状多呈近于等轴晶,且晶界较圆滑(见图 6-32b),

而薄板坯连铸连轧生产的低碳钢板铁素体晶粒多呈不规则的多边形（见图 6-32a）。这样，若晶粒尺寸相同，不规则的尖角形铁素体的晶界面积要大些，对强度也有贡献。进一步分析还发现，两种工艺条件下的珠光体形状也不同。在 40000～50000 倍下观察发现，采用薄板坯连铸连轧低碳钢的珠光体由点状或棒状的渗碳体与铁素体间隔而成（见图 6-34a），传统连铸连轧低碳钢板中的珠光体为典型的渗碳体与铁素体片构成的片层状珠光体[28]。

从采用正电子淹没测定的两种工艺生产的低碳钢板中的位错密度来看，采用薄板坯连铸连轧工艺的钢板位错密度要高约 27%（见图 13-19）。

另外，根据测定分析结果，薄板坯铸坯的一次枝晶间距为 0.25～1.83mm，平均为 0.69mm，二次枝晶间距为 52～180μm，平均为 99μm[29]，普通连铸板坯二次枝晶间距一般为 200～500μm[30]。根据近年关于薄板坯连铸连轧低碳钢成品板材的晶粒尺寸测定分析结果来看，一般在 4～8μm。

以上这些组织状态的不同，表明薄板坯连铸连轧钢具有其特殊的组织形态和强化机制，从而使钢的强度提高。

基于薄板坯连铸连轧的特殊工艺特征，形成了最终组织与析出物及力学性能的特点，因此其组织性能控制也要从冶金成分及凝固、轧制与冷却工艺过程的全流程中进行考虑和控制，才有可能达到预期的组织性能控制目标。

1.8.2.2　冷轧冲压板用基板——热轧板的要求

根据冷轧冲压用低碳钢板材的成形性能和冷轧工艺的需要，作为冷轧基板——热轧板在成分、组织和性能方面必须达到一定的性能质量要求，才能为冷轧供货。表 1-6 是根据传统热连轧工艺生产的热轧板 SPHC、08Al 和 03Al 作为冷轧基板的屈服强度、屈强比和伸长率的参考值，这些数据是根据部分生产数据和实验室数据整理得到的。

表 1-6　SPHC、08Al 和 03Al 热轧后作为冷轧基板的屈服强度、屈强比和伸长率的参考值

钢　种	屈服强度/MPa	屈强比	伸长率/%
SPHC（CQ 级）	260～300	0.72～0.82	35～41
08Al（～DQ 级）	250～290	0.70～0.80	37～43
03Al（～DDQ 级）	240～280	0.68～0.78	39～45

表 1-7 为根据国内部分钢铁厂家生产的及日本钢铁厂家为国内汽车厂供货的冷轧冲压板 08Al 和 03Al 的实际成分。

降低 C、Si、Mn 和 N 含量有利于降低屈服强度、提高伸长率、改善成形性能，降低 P、S、O 含量对于减少钢中夹杂物、改善冷轧板表面质量、提高力学性能和成形性能的均匀性和稳定性十分重要。国际先进水平的冷轧深冲汽车板均按纯净钢的要求进行生产。

表 1-7　国内生产的 03Al、08Al 和日本板材的实际成分（质量分数）　　（%）

钢种	C	Si	Mn	S	P	N	TO	Als
03Al	0.02~0.03	0.02	0.15~0.16	0.004~0.008	0.010~0.015	0.002~0.005		0.04~0.05
08Al	0.04	0.02	0.20	0.014	0.012	0.004		0.06
SPCC	0.045	0.006	0.21	0.011	0.011			
SPCD	0.045	0.02	0.22	0.013	0.014			0.05
SPCE	0.040	0.014	0.10	0.009	0.012			0.041

　　冷轧冲压钢板对 Al 含量的控制要求比较严格，既要求酸溶铝含量不能低于一定水平，又要防止加铝量过高而造成大量 Al_2O_3 夹杂。

　　因此，在薄板坯连铸连轧条件下，首先，对冷轧基板的冶金成分必须进行控制，表 1-8 提出不同冷轧冲压板的冶金成分控制范围参考值。

表 1-8　不同冷轧冲压板的冶金成分控制范围参考值（质量分数）　　（%）

钢　　种	C	Si	Mn	S	P	N	TO	Als
CQ 级（Q195、SPHC）	≤0.05	≤0.04	≤0.25	≤0.008	≤0.01	≤0.005	≤0.003	0.03~0.05
DQ 级（SPHD）	≤0.04	≤0.03	≤0.20	≤0.008	≤0.01	≤0.005	≤0.003	0.03~0.05
DDQ 级（SPHE）	≤0.03	≤0.02	≤0.15	≤0.01	≤0.01	≤0.004	≤0.003	0.03~0.05

　　另外，为了满足冷轧板退火后的成形性能，冷轧基板在热轧过程的开轧、终轧和冷却、卷取工艺控制十分重要，其中主要控制钢的晶粒组织和析出物。需要注意的是，在传统流程中，通常采用三高一低的工艺控制原则，即，高温加热、高温初轧、高温终轧和低温卷取，其目的是在铸坯加热过程中尽量使 AlN 等析出物溶解于钢的奥氏体基体中，并在轧后的快速冷却过程中尽可能抑制 AlN 等析出，而在冷轧后的再结晶退火过程中再使它们析出，通常认为这对提高冷轧板深冲性能的织构发展并提高 r 值很重要。

1.8.2.3　薄板坯连铸连轧生产冷轧基板的冶金成分与工艺控制的实际效果

对于屈服强度较高的问题，可以考虑从以下几方面着手进行解决。

（1）冶金成分（C、Si、Mn、P、N、Al）设计和控制；

（2）对加热、轧制、冷却、卷取工艺控制进行调整；

（3）钢中加入微量的 B 处理；

（4）在铁素体区轧制；

（5）生产低屈服强度的微碳（ELC）钢、超低碳（ULC）钢和无间隙原子（IF）钢冷轧深冲钢板，并发挥其深冲性能好，各向异性小的优势以生产高强度高性能冷轧深冲板。从国内几个薄板坯连铸连轧生产线的生产实际来看，通过一定的冶金成分设计和热轧工艺调整优化，可以在一定范围内降低冷轧基板的屈服强度，达到基本满足冷轧工艺及成形性能的要求。

A　冶金成分和热轧工艺控制

对于 DQ 级（08Al）冷轧基板，按表 1-8 要求的成分往下限控制，并适当提高入炉温度、加热温度和终轧温度，可以使屈服强度平均下降 20MPa 左右，即屈服强度范围大多数在 280～315MPa，平均值不大于 300MPa。

B　钢中加入微量硼

在前面冶金成分控制的基础上，若在钢中加入微量硼元素，可使钢的屈服强度进一步降低。在 CSP 线的试验结果表明，08Al 钢板的屈服强度多数在 270～290MPa 以下，总平均值在 280MPa 左右，而且钢板伸长率也很高，达到了 42% 以上。图 1-9 为 4.0mm 加微量硼元素的 08Al 钢板的纵截面晶粒组织，该图表明，钢板的晶粒尺寸约为 15～18μm，晶粒边缘也变得圆滑，更接近传统工艺生产的 08Al 板材组织形态。关于在钢中添加微量硼元素对组织性能的作用机理需要进一步的工作才可能解释。

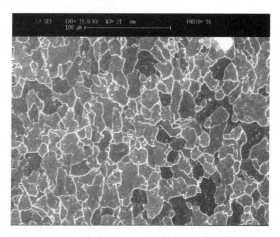

图 1-9　添加微量硼元素的 08Al 钢板晶粒形态

C　铁素体轧制的结果

唐钢在其 FTSR 薄板坯连铸连轧线上对低碳钢（碳含量为 0.04%）进行了铁素体轧制试验，成品板厚度为 3.0mm。实验测定了铁素体轧制钢板的屈服强度、抗拉强度和伸长率，实测数据见表 1-9。实验测得该钢板屈服强度很低，横向和纵向的屈服强度分别为 215MPa 和 240MPa，伸长率分别为 33% 和 41%[31]。

表 1-9 FTSR 线铁素体轧制低碳钢的力学性能[31]

轧制工艺	含碳量（质量分数）/%	方 向	屈服强度/MPa	抗拉强度/MPa	伸长率/%
α轧制	0.040	纵向 0°	215	305	41
α轧制	0.040	横向 90°	240	335	33

1.8.3 薄板坯连铸连轧生产高性能、高附加值产品的技术探讨

随着第二代、第三代薄板坯连铸连轧工艺装备及高精度连轧控制技术不断进步以及该流程本身具有的流程短、成本低、多品种、高质量、高精度以及灵活性大等工艺技术特点，如何充分利用和发挥这些优势，开发生产一些高性能、高附加值的产品，从而提高产品的竞争力和经济效益是一个十分重要的课题。

从薄板坯连铸连轧的技术发展来看，研究开发和生产 IF 钢、高性能无取向及取向硅钢、不锈钢、多相钢、高强度管线钢（≥X70）、热轧酸洗板、热轧镀锌板、各向同性冲压板、高强度深冲板、高表面质量冲压板、高成形性钢板、高精度（尺寸及形状）钢板等高性能、高附加值产品是有条件和有可能的。但需要从如下工艺技术着手：

（1）钢水成分及洁净度控制。

（2）连铸坯组织及表面质量控制。连铸过程铸坯质量的控制主要包括：1）铸态组织和成分偏析；2）夹杂物数量、尺寸及分布控制；3）铸坯表面缺陷控制；4）表面氧化皮控制。

铸坯表面裂纹、振痕、结晶器中粘钢结疤等表面缺陷的控制对铸坯及成品质量和性能有着十分重要的影响。对结晶器锥度、保护渣、钢水过热度和浇注速度、结晶器内钢水流场和温度场、凝固坯壳应力场等参数进行优化和严格控制，结合动态软压下和粘钢、裂纹自动检测，可以生产高表面质量铸坯。

表 1-10 为意大利达涅利公司的连铸机所生产的薄板坯质量。由表可见达到无缺陷表面的比率是很高的[32]。

表 1-10 意大利达涅利公司的连铸机所生产的薄板坯质量

名 称	无缺陷表面/%	内部裂纹①	偏析①
低碳钢	99.0	100%＜1°	100%＜1°
包晶钢	98.0	100%＜1°	100%＜1°
中碳钢	99.0	100%＜1°	100%＜1°
高碳钢	98.5	100%＜1°	100%＜1°
低碳钢 HSLA	98.5	100%＜1°	100%＜1°
中碳钢 HSLA	99.0	100%＜1°	100%＜1°

①数值按曼内斯曼标准。

（3）铸坯加热工艺控制。薄板坯连铸连轧工艺中铸坯温度的高均匀性以及板卷基本无头尾温差，再加上半无头轧制带卷全长和批量间性能的高稳定性，对于生产 IF 钢等高质量、高组织均匀性板材来说，比传统流程具有明显的优势。

（4）表面氧化皮控制。表面氧化皮的控制需要通过合理的加热制度、炉内气氛控制及提高除鳞水压力和除鳞效率来解决。目前的薄板坯连铸连轧线的除鳞技术已达到较高的除鳞效果，但对生产高表面质量的 IF 钢板，还需要进一步的工作。

（5）热连轧过程控制。目前，薄板坯连铸连轧线所采用的精轧机组的板形板厚控制精度和水平等于或高于传统流程的精轧控制技术，精轧机带钢开轧温度偏差可在 ±10℃，终轧温度的保证偏差可在 ±15℃，可完全确保生产带钢的尺寸和形状的高精度化。

（6）层流冷却及卷取温度控制。薄板坯连铸连轧线的层流冷却系统可实现快速冷却，冷速精确可控，并可保证薄板在长度及宽度方向上温度均一；卷取温度的保证偏差，本体可达 $\pm(16\sim20)$℃，端部温度偏差为 ±24℃，可以满足高质量、高性能钢板所要求的冷却能力和冷却方式及性能稳定性要求。控制 HSLA 钢中微合金元素的固溶析出过程，实现薄板中这些元素弥散析出，以及 HSLC 钢中纳米级第二相粒子的析出过程，实现钢的组织细化和弥散沉淀强化。

1.9　我国薄板坯连铸连轧的发展方向

我国薄板坯连铸连轧的发展方向主要为：

（1）进一步提高产能。根据各厂条件及产品特点，进一步优化装备工艺管理，提高流程连续性，提高生产率，转炉流程可达到一套轧机，两流生产 300 万 t/a。

（2）进一步实现国产化。首先实现耐材包括长水口和浸入式水口、保护渣、结晶器的国产化，自主集成，提高引进设备的分交比，最后做到整条生产线全部国产化。

（3）进一步提高生产技术指标，包括连浇炉数、年产量、降低各项消耗等。

（4）结合各厂特点，开发具有自主知识产权的生产工艺控制技术和新的钢材品种。

（5）在钢的组织性能综合控制理论研究的基础上，进一步开展基础理论研究。

（6）更好地培养薄板坯连铸连轧年轻的一代冶金工作者。

参 考 文 献

1 傅杰. 电炉炼钢发展历史分期问题. 钢铁研究学报，2006

2 田乃媛. 薄板坯连铸连轧（第二版）. 北京：冶金工业出版社，2004

3 王中丙. 现代电炉-薄板坯连铸连轧. 北京：冶金工业出版社，2004

4 康永林，傅杰. 关于薄板坯连铸连轧产品开发问题的探讨. 见：2004 年全国炼钢、轧钢生产技术会议文集. 2004：50

5 Garsia C I，Tokarz C，Graham C，et al. 含铌高强度低合金钢薄板坯连铸连轧工艺的生产：热轧产品的种类、性能和应用. 见：2002 年薄板坯连铸连轧国际研讨会论文集. 2002：153

6 Caesar C，Mueller J，Terni G. 意大利 AST 工厂——第一家生产不锈钢的 CSP 厂. 见：2002 年薄板坯连铸连轧国际研讨会论文集. 2002：37

7 殷瑞钰. 我国薄板坯连铸连轧生产的发展与优化. 见：薄板坯连铸连轧技术交流与开发协会第三次技术交流会文集. 2005：10

8 王泰昌，傅杰. 大型电炉和转炉流程炼钢的制造成本分析. 见：中国电炉流程与工程技术文集. 北京：冶金工业出版社，2005

9 薄板坯连铸连轧技术交流与开发协会第一次技术交流会论文集. 2002

10 薄板坯连铸连轧技术交流与开发协会第二次技术交流会论文集. 2004

11 薄板坯连铸连轧技术交流与开发协会第三次技术交流会论文集. 2005

12 王泰昌，施设. 薄板坯连铸连轧投资和成本分析. 见：薄板坯连铸连轧技术交流与开发协会第三次技术交流会论文集. 2005：100

13 翁宇庆. 超细晶钢——钢的组织细化理论与控制技术. 北京：冶金工业出版社，2003：979

14 傅杰，王中丙，康永林等. 电炉-CSP 工艺生产 HSLC 钢的研究与开发. 北京科技大学学报，2003，25（5）：449

15 傅杰. 新一代低碳钢——HSLC 钢. 中国有色金属学报，2004，14（Special 1）：82

16 Delu Liu，Jie Fu，Yonglin Kang，Xiangdong Huo，Yuanli Wang，Nanjing Chen. Oxide and Sulfide Dispersive Precipitation and Effects on Microstructure and Properties of Low Carbon Steels. J. Mat. Sci. Tech. ，2002，18（1）：7

17 Delu Liu，Xiangdong Huo，Yuanli Wang，and Xianwen Sun. Aspects of microstructure in low carbon steels produced by the CSP process，Journal of University of Science and Technology Beijing，2003，10（4）：1

18 Kang Y L，Yu H，Fu J，et al.. Morphology and precipitation kinetics of AlN in hot strip of low carbon steel produced by compact strip production [J]. Mater Sci. and Eng. ，2003，A351：265

19 Yu Hao，Kang Yonglin. Analysis on Microstructure and Misorientation of Ultra-thin Hot Strip of Low Carbon Steel Produced by Compact Strip Production. Journal of Materials Science and Technology，2002，18（6）：501

20 傅杰，吴华杰，康永林等. 低碳钢中纳米级析出物的研究. 见：2005 年薄板坯连铸连轧品种与工艺技术研讨会论文集. 2005：7

21 殷瑞钰. 冶金流程工程学. 北京：冶金工业出版社，2004

22 施设，王泰昌. 我国薄板坯连铸连轧建设和生产情况. 见：薄板坯连铸连轧技术交流开发协会第二次技术交流会论文汇编. 2004：80～83

23 康永林，傅杰，毛新平. 薄板坯连铸连轧组织性能综合控制理论及应用. 钢铁，2005，Vol. 40，No. 7：41～45

24 王中丙，李烈军，康永林，柳得榼，傅杰. 薄板坯连铸连轧 CSP 线生产低碳钢板的力学性能特征. 钢铁，2001，Vol. 36，No. 10：33～35

25 康永林，柳得榼，傅杰等. 薄板坯连铸连轧 CSP 生产低碳钢板的组织特征. 钢铁，2001，Vol. 36，No. 6：40～43

26 Liu Delu, Fu Jie, Kang Yonglin, et al.. Oxide and Sulfide Dispersive Precipitation and Effects on Microstructure and Propties of Low Carbon Steels, J. Mater. Sci. Technol. 2002，Vol. 18，No. 1：7～9

27 康永林，温德智，吴光亮，周春泉. 薄板坯连铸连轧生产冷轧基板的工艺与组织性能分析. 见：薄板坯连铸连轧技术交流与开发协会第三次技术交流会论文集. 2005：166～172

28 康永林. 薄板坯连铸连轧技术与钢的组织性能控制研究新进展（特邀报告）. 见：2004 年中国材料研讨会论文集. 2004

29 周德光. CSP 工艺生产高强低合金钢的质量及钢中 TiN 的析出研究. 见：博士后研究工作报告，北京科技大学，2002：65

30 刘中柱. 冷轧硅钢中非金属夹杂物及第二相粒子行为研究：[博士学位论文]. 北京：北京科技大学，2001

31 李连平. FTSR 超薄带钢生产工艺与产品质量控制研究：[博士学位论文]. 北京：北京科技大学，2005

32 Francesco Stella, Paolo Bobig, Andrea Carboni, Ibrabin Faruk. 优质超薄产品用的 FTSR 技术发展. 见：2002 年薄板坯连铸连轧国际研讨会论文集. 2002：38～51

2 薄板坯连铸连轧钢的冶金质量控制[●]

2.1 冶金材料问题的研究思路及冶金质量控制

属于冶金材料学科领域的问题，通常从下述研究思路入手。即成分决定组织，组织决定性能。根据钢种的不同成分，确定不同工艺，包括冶炼、轧制或锻造、热处理、机加工、焊接工艺，如图 2-1 所示。对于薄板坯连铸连轧，主要是冶炼和轧制工艺。通过工艺对钢的成分及组织的影响来影响其性能。

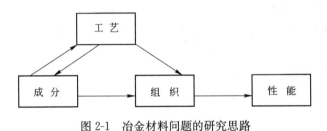

图 2-1　冶金材料问题的研究思路

冶炼工艺是工艺中最活跃的因素，它可以影响合金成分的控制精度，特别是对钢中微量元素（包括有益的微合金成分及有害的杂质元素含量）的控制精度，也可以影响钢的铸态组织。这里所说的冶金质量控制，严格说来是冶炼质量控制。

钢的冶炼质量控制对钢的性能有重要作用，冶炼质量可以用成分控制、纯洁度及铸态组织作为评价指标，冶金质量控制包括成分控制、纯洁度控制及铸态组织控制[1,2]。

2.1.1　成分控制

每一种钢及合金均有一定的成分要求，这一要求在技术条件中有明确的规定。例如，不锈钢 1Cr18Ni9Ti（321 不锈钢）要求 $w(\mathrm{C}) \leqslant 0.12\%$，$w(\mathrm{Mn}) \leqslant 2.0\%$，$w(\mathrm{Si}) \leqslant 0.8\%$，$w(\mathrm{Cr}) = 17.0\% \sim 19.0\%$，$w(\mathrm{Ni}) = 8.0\% \sim 11.0\%$，$w(\mathrm{Ti}) = 5(\mathrm{C} - 0.2)\% \sim 0.8\%$。

钢及合金成分达到技术条件规定时，一般均能满足技术条件对该钢种性能

方面的要求。但是，实践表明，为了得到最佳的综合性能或经济效益，不同钢种尚有缩小了范围的控制成分要求，即要求将成分控制在技术条件允许的某一更窄的范围内，这一控制规格，便是所谓的"厂标"或"企业标准"。衡量一炉钢冶炼得好坏，首先要看成分是否控制合适，能否控制在最佳范围内。

"企业标准"中规定的缩小的规格范围，通常根据下述两个因素来确定，一个是最佳综合性能要求，另一个是最佳经济效益要求。为了说明这一问题，举出两个例子，一个是1Cr18Ni9Ti的冶炼，另一个是09CuPNiCr集装箱板钢的冶炼。

冶炼1Cr18Ni9Ti时，按技术条件，碳在0.12%以下均为合格，企业标准缩小规格，要求$w(C) \leqslant 0.08\%$，因为碳高时，碳与铬形成碳化物，降低抗腐蚀性能，另外碳高时要求加入较多的钛铁，钛铁带入较多的铝和硅，Ti、Al、Si会缩小奥氏体区，扩大铁素体区的元素，对改善加工性能不利。对Ti、Al、Si、Cr等一般均控制在中下限，除有利于提高性能外，还可以减少合金元素的用量，降低成本，不少钢种冶炼时，在不影响性能的前提下，常将某些贵重的合金元素控制在中下限。

电炉冶炼09CuPNiCr集装箱板钢时，由于废钢中含有一定量的Cu、Ni、Cr等元素，以其代替所炼钢种要求的Cu、Ni、Cr合金料，可以显著地降低冶炼成本，提高经济效益。

为了将成分控制在最佳范围内，要求原材料稳定并有准确的成分单，冶炼操作工艺要稳定，取样要有代表性，炉前分析要准确，并要采取必要的措施防止成分偏析。

"成分控制"除了指将成分控制在缩小了的范围要求以内，还指对微量元素的控制。近年来，V、Nb等微量元素越来越多地用来改善钢的性能，形成了含V、Nb的HSLA钢。常见的有利微量元素添加剂有Nb、V、Ti、Ce、Ca、B等，微量元素对钢的性能具有重要影响。

微量元素一般均与氧、硫、氮及其他金属杂质元素有较强的亲和力，在控制上必须很好地注意冶炼方法、操作条件、加入方法、数量以及钢种特点的影响。

实践表明，即使加入同样的微量元素，对性能的影响也是不同的。例如钛，以前被人们作为HSLA系列中的一个可选元素，后被放弃了，但在钢液纯净化技术得到高度发展后，又可能成为一种更经济的微合金化元素而被广泛采用。

2.1.2　纯洁度控制

"Clean steel"在我国有多种译法，其含义不同，超纯钢指钢中硫、磷、氧、氮、氢等杂质元素含量极低；清洁钢或洁净钢指钢被非金属夹杂物污染的程度低；纯净钢指钢中 S、P、O、N、H 等杂质元素含量低，且钢中非金属夹杂物含量少，尺寸小，分布均匀。作者倾向于称纯净钢，纯是看不见的，洁净是看得见的（通过显微镜），纯洁度是纯净钢纯和洁净的程度。钢中纳米第二相析出物的发现缩小了这些叫法之间的差距。

钢及合金的纯洁度的控制意味着对钢中含杂质元素的多少，以及对杂质元素形成的夹杂物的特征的控制。杂质元素包括非金属杂质、气体、非金属夹杂物及金属夹杂。

（1）非金属杂质（包括 S、P）。不同钢种的技术条件中均包含对 S、P 含量的要求，根据钢中 S、P 含量的多少，工业用钢分为普通钢（$w(S) \leqslant 0.055\%$，$w(P) \leqslant 0.045\%$），优质钢（对于碳素钢 $w(S) \leqslant 0.045\%$，$w(P) \leqslant 0.040\%$）及高级优质钢（$w(S) \leqslant 0.03\%$，$w(P) \leqslant 0.035\%$）。随着现代科学技术、现代工业，特别是国防工业对金属材质要求的不断提高，对于硫、磷含量的控制也越来越严格。例如管线钢要求 $w(S) \leqslant 0.0003\%$，一些在高寒地区工作的钢种，磷含量要求不大于 0.0050%。

（2）气体，主要是氧、氮和氢的含量。

（3）非金属夹杂物。非金属夹杂物主要包括氧化物、氮化物、硫化物类型的夹杂物（在高温合金中，有的碳化物也列入非金属夹杂物之类）。非金属夹杂物的存在对钢的力学性能具有很大的影响，如引起金属疲劳断裂，分布不均匀时，钢的延展性、韧性、焊接性能以及耐腐蚀性能降低，钢内有网状硫化物还可造成热脆。

夹杂物含量、尺寸及分布情况是衡量钢材质量的重要指标之一。一般常规检验中，对非金属夹杂物所采取的测定方法是标准等级比较法，这种方法是先将夹杂物对钢材的污染情况（包括夹杂物数量、大小、分布等）分类制成等级图片，然后将要检查的试样的整个磨面在显微镜下逐个进行检查，选取其中污染程度最大的视场（最脏视场）与标准图片相比较，从而评定级别，不同钢种根据其对性能的要求不同，对夹杂物评级的要求也不同，对轴承钢分 Ⅰ～Ⅳ 类夹杂，每类中又分粗系、细系。

（4）金属夹杂。钢中若含有 Pb、Sn、As、Sb、Bi 及其他微量杂质，性能显著降低，各国对金属杂质的含量，根据不同钢种有不同的要求。

对于一些对钢的深冲性能有严格要求的钢种，Cu、Ni、Cr、Mo 也被称为有害金属杂质，废钢中这类杂质元素的含量高时，对深冲钢如小轿车面板的生产不利，添加部分铁水冶炼是目前减少钢中有害金属杂质含量较为经济、适用的措施。

从废钢中分离有价金属元素，已引起人们的注意，但目前尚处于研究阶段，大规模经济地回收利用尚有一定困难。

2.1.3 铸态组织控制

连铸坯和钢锭（部分大型铸锻件采用模铸）的铸态组织对于它们的热加工塑性及钢材的力学性能具有重要的影响。

对于连铸坯及钢锭，均需考虑铸坯及锭子的表面质量（各种裂纹、振痕、结疤、锈蚀等）及内部质量（缩孔、疏松、气泡、夹杂物、成分及组织的均匀程度或偏析度，对连铸坯还包括原始组织的枝晶结构等）。

为提高金属性能，降低生产成本，节约资源、能源和对环境友好，在材料制备过程中，一方面通过合金设计，改变合金成分，使之具有一定的组织与性能，另一方面，也是更重要的一个方面是通过改进工艺，提高材料的冶金质量，从而达到新的性能水平，用薄板坯连铸连轧生产低碳高强度钢是一个很好的例子。

2.2 低碳钢薄板坯连铸连轧的成分控制

低碳钢是指含碳量小于 0.025% 的只含有 C、Si、Mn、Al、S、P 等元素的普通碳素钢，其成分控制主要为 C、Al 的控制。

2.2.1 碳的控制

图 2-2 为铁碳二元相图[3]，由图可见，当钢中碳含量为 0.09%～0.16% 时，钢液凝固过程中，会发生 $\delta Fe + L = \gamma Fe$ 的包晶反应，对于低碳钢，当钢

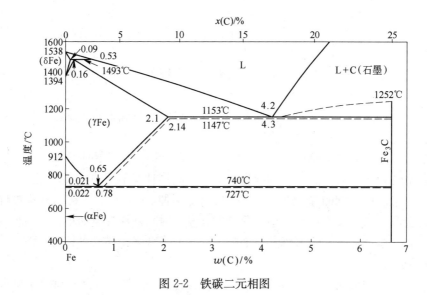

图 2-2　铁碳二元相图

中碳含量小于 0.09%，可能避开包晶反应。

但是，当碳含量小于 0.09%，例如 0.07% 或 0.08% 时，由于随着凝固过程中枝晶的生长，钢中碳不断排至结晶前沿的剩余液相中，在枝晶间形成富碳区，且其他溶质元素的富集会增加碳偏析，从而使局部碳可能高于 0.09%，进入包晶区。

浇铸包晶钢时容易拉漏，这是因为：

(1) δ_{Fe} 的密度比 γ_{Fe} 小 0.5%～1%，相同条件下 δ_{Fe} 的体积比 γ_{Fe} 大，凝固时由 δ_{Fe} 转变成 γ_{Fe} 时有 0.38% 的线收缩[4]。

(2) CSP 技术采用漏斗形结晶器，上部为漏斗形，下部为矩形，铸坯出结晶器前要经历变形，加上高温时薄的坯壳强度低，容易破损。

(3) CSP 工艺拉速高。结晶器及二冷区冷却强度大，热流密度大。

CSP 薄板坯连铸连轧通常将碳控制在小于 0.06% 或大于 0.16%（0.17%～0.20%）。

当碳含量为 0.07%～0.08% 或 0.15% 时，均发生过较严重的漏钢事故。

为此，生产包晶钢产品时，可采取下述措施：(1) w (C) ≤0.06%，避开 δ_{Fe}+L=γ_{Fe} 包晶区。当碳含量为 0.16%～0.53% 时，δ_{Fe} 量较少，$\delta_{Fe} \rightarrow \gamma_{Fe}$ 的体积收缩问题不大；(2) 优化结晶器内腔形状尺寸设计；(3) 适当降低拉速，减小热流密度。

国内外薄板坯连铸连轧钢种含碳量通常小于 0.06%，表 2-1 为珠钢产品大纲钢种含碳量，含碳量小于 0.06% 的占 95%。近年来，SPA-H 的百分比增加，2003 年珠钢生产的 112.5 万 t 钢中，98% 以上的钢含碳量均小于 0.06%[5]。

表 2-1　珠钢产品大纲钢种含碳量

钢　　种	含碳量（质量分数）/%	百分比/%
ZJ270C	<0.06	10
ZJ330B	<0.06	50
ZJ400B	<0.06	25
SPA-H	<0.06	10
其　他	>0.06	5

关于终点碳的控制，文献 [6] 作了较详细的论述，这里不再赘述。

碳的控制还包括窄成分控制，珠钢在生产碳含量不大于 0.06% 的低碳钢时，将碳含量控制在 0.06% 内的主要经验是做好出钢前的碳控制，使其含量为 0.04%～0.045%，然后在出钢过程中控制加入熔剂及合金料中碳，控制

LF 过程增碳，减少中间包覆盖剂、结晶器保护渣的增碳，并特别注意耐火材料的增碳，将出钢后的增碳量控制在 0.01% 以内，表 2-2 是 48h 各班的碳控制情况。窄成分控制技术保证了薄规格产品的大批量、连续、高效生产。

表 2-2　珠钢 48h 各班内钢中碳含量的平均值　　　　　　（%）

目标值	第一班实际值	第二班实际值	第三班实际值	第四班实际值
0.055	0.053	0.054	0.056	0.058

2.2.2　铝的控制

　　薄板坯连铸连轧钢中要求含有 0.02%~0.06%Al，关于加铝的原因，文献 [7] 认为主要是用铝与氮形成 AlN，以阻碍奥氏体晶粒长大和细化铁素体晶粒，提高钢的强度和焊接性能。

　　本书作者在其他成分及工艺基本相同的条件下，研究了铝对低碳钢热轧板的晶粒度及强度的影响，试验是在生产条件下进行的，结果示于表 2-3。

表 2-3　HSLC 钢 ZJ330 中铝对钢组织性能的影响

炉号	卷 号	含量（质量分数）/%				σ_s /MPa	σ_b /MPa	δ /%	σ_s/σ_b	冷弯 $d=1.5a$ 180°	晶粒尺寸 /μm
		Alt	Als	Ti	V						
53660	53890-1 53890-2	0.0464	0.0430	0	0	350.3 349.8	420.9 418.0	29.0 31.7	0.83 0.83	合格	10.86
53680	53900-1 53900-2	0.0230	0.0190	0	0	333.0 344.0	400.0 406.0	34.0 29.0	0.83 0.85	合格	9.84
53670	53911-1 53911-2	0.0198	0.0160	0.001	0	348.5 356.5	413.3 420.1	30.9 30.3	0.84 0.85	合格	11.92
53690	53921-1 53921-2	0.0200	0.0160	0	0.001	360.0 371.1	404.4 422.4	28.6 31.7	0.89 0.88	合格	8.89
53700	53931-1 53931-2	0.0130	0.0080	0	0	362.8 364.9	423.7 424.4	28.8 29.8	0.86 0.86	合格	8.75
53710	53941-1 53941-2	0.0055	0.0047	0.001	0	342.0 348.0	403.0 404.0	26.0 29.0	0.85 0.86	合格	9.78

　　注：1—纵向；2—横向。

　　由表 2-3 可见，钢中酸熔铝在 0.0047%~0.0430% 范围内，热轧板的晶粒度及强度差别不大，没有发现随铝含量提高晶粒细化的规律，故铝的作用可能不是生成 AlN 以细化晶粒。

经过几年的生产实践，我们认为薄板坯连铸连轧低碳钢中铝的作用主要是通过与钢中杂质元素的交互作用对钢中氧、硫、氮等进行控制。

2.2.2.1 控制钢中的溶解氧

图 2-3 是铁氧相图低氧部分[8]，从图中可知，钢中溶解氧高于 0.0054%时，钢中会出现液态氧化物；钢中溶解氧越低，固态氧化物的析出温度就越低，尺寸应越小。钢中的溶解氧与脱氧元素的脱氧能力有关。液相线温度下 Mn、Si、Al 的脱氧能力可以估计如下。

对于固态析出来说，钢的液相线温度 T_l 和固相线温度 T_s 具有重要意义，它们分别可用下式计算[1,9]：

$$T_l = 1537 - 65[C] - 5[Mn] - 8[Si] - 25[S] -$$
$$30[P] - 2.7[Al] - 80[O] - 90[N] \tag{2-1}$$

$$T_s = 1537 - 175[C] - 30[Mn] - 20[Si] - 575[S] -$$
$$280[P] - 7.5[Al] - 160[O] \tag{2-2}$$

对于一个含 0.06% C，0.28% Mn，0.10% Si，0.006% S，0.12% Cu，0.016%Als，0.0044%N，0.0028%TO 的低碳钢，计算的 $T_l = 1526℃$，$T_s = 1506℃$。

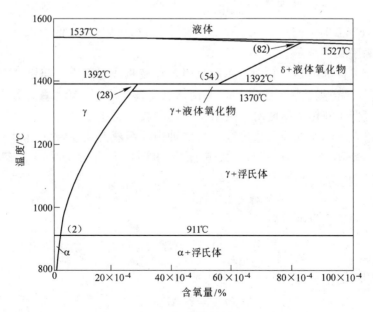

图 2-3　部分铁氧相图

元素 M 的脱氧平衡式可用下式表示：

$$M_xO_{y(l,s)} = xM + yO \qquad (2-3)$$

$$k_{MxOy} = a_M^x a_O^y / a_{MxOy}$$

对于低碳钢，f 为 1，可以用浓度代替活度。

$$MnO_{(l)} = [Mn] + [O] \qquad (2-4)$$

$$lg[Mn][O] = -12950/T + 5.53^{[10]}$$

则 1526℃时，与 0.28% Mn 平衡的 [O] 为 0.0714%，高于 0.0054%。不能用 Mn 来脱氧。

$$SiO_{2(s)} = [Si] + 2[O] \qquad (2-5)$$

$$lg[Si][O]^2 = -30589/T + 11.85^{[11]}$$

则 1526℃时，与 0.1% Si 平衡的[O]为 0.0083%，高于 0.0054%。不能用硅来脱氧。

$$Al_2O_{3(s)} = 2[Al] + 3[O] \qquad (2-6)$$

$$lg[Al]^2[O]^3 = -64000/T + 20.57^{[12]}$$

则 1526℃时，与 0.016% Al 平衡的[O]为 0.00016%，低于 0.0054%。可以用铝来脱氧。

由上述计算可知，钢中用铝脱氧时，在液相线温度下，与铝平衡的氧为 0.00016%，当然钢液与渣中 FeO 平衡的氧要高一些，一般为百万分之几。当钢液温度低于液相线温度时，由于低碳钢两相区很窄，$T_l - T_s = 20$℃，薄板坯连铸连轧结晶器内冷却强度高，几秒钟内，钢液温度便降到固相线温度以下，[O] 来不及与 Al 平衡，故 δ 铁中可能溶有百万分之几的氧，例如 0.0004%。

2.2.2.2　促进钢液脱硫

钢中脱硫反应可写为：

$$[S] + (O^{2-}) = (S^{2-}) + [O] \qquad (2-7)$$

当用铝脱氧时，钢中存在反应：

$$Al_2O_{3(s)} = 2[Al] + 3[O] \qquad (2-8)$$

$$lg \frac{[a_{Al}]^2[a_O]^3}{a_{Al_2O_3}} = -69900/T + 20.63^{[10]}$$

钢包精炼渣中的硫的分配比以 L_S 表示，硫容量以 C_S 表示，有：

$$\lg L_S = \lg C_S + \lg f_S - 1/3\lg a_{Al_2O_3} + 2/3\lg[\%Al] + 21168/T - 5.703^{[10]} \quad (2\text{-}9)$$

从上式可见，当钢中铝增加时，硫的分配比增加，即铝促进钢液脱硫。

2.2.2.3　固定 N 及减少钢中自由氮含量

研究表明，在珠钢电炉 CSP 生产低碳高强度钢中，当酸熔铝为 $0.02\%\sim$ 0.03% 时，铝固定的氮量为 $0.001\%\sim0.002\%$。图 2-4 为钢中 AlN 的稳定性图[13]。由图 2-4 可见，降低 [N] 可降代 AlN 的析出温度。

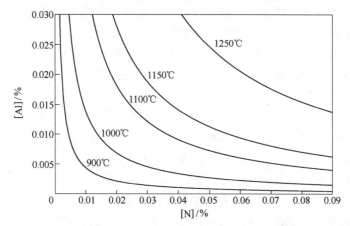

图 2-4　钢中 AlN 的稳定性图

2.3　低碳钢薄板坯连铸连轧的纯洁度控制

2.3.1　氧的控制

钢中氧以两种形式存在，一种是氧化物类型夹杂，一种是溶解氧。

氧化物夹杂对钢的性能起有害作用，特别是降低钢的疲劳性能。夹杂物的类型、数量、尺寸及分布对钢的性能有影响，大颗粒夹杂往往成为疲劳源或裂纹萌生源，实践表明，电渣重熔的轴承钢总氧量为 0.002% 左右，其疲劳寿命可以比含氧 0.0005% 左右，夹杂物类型相同的炉外精炼轴承钢高一倍，因为前者夹杂物的尺寸细小，分布均匀[14]。

加拿大的米切尔教授曾提出"零夹杂"的概念，所谓"零夹杂"实际上是指尺寸小于 $1\mu m$，用普通金相显微镜难以观察到的夹杂物。

实现"零氧化物夹杂"或超细化氧化物夹杂，要使溶解氧与脱氧元素的活度积（对低碳钢来说可用浓度积代替）低于固相线温度下的平衡活度积。要做到这一点，必须降低钢中溶解氧含量。有两种方案，一是先用铝脱氧，降低钢中溶解氧,然后再用真空重熔,例如电子束重熔,将铝脱氧产物及其他外来氧化物夹杂成膜,真空分解或与碳反应去除。二是先用真空碳脱氧,然后再用真空重熔将外来氧化物夹杂等成膜,真空分解或与碳反应去除。

这两种方法均要求首先制备高纯净的炉料,可用真空感应炉通过特殊的熔炼方法,制备高纯的母料,先将钢中的硫氧降至较低的程度,以避免采用第一种方法时达不到效果或采用第二种方法时发生真空喷溅。此外,真空感应熔炼时,为防止坩埚材料 MgO、Al_2O_3 等增氧,应采用 CaO 坩埚。

这两种方法均应注意钢中锰的控制,文献 [15] 关于真空感应熔炼和真空重熔过程中不同元素挥发动力学研究的结果可供参考。

关于这两种方案的选取,作者认为采用第一种方案较好,因为无论是转炉流程还是电炉流程,采用真空碳脱氧的方法均难以实现,而用铝脱氧是规程要求的。

"零氧化物夹杂"对于工业生产实际上是不可能实现的,因为工业生产离不开耐火材料,包括冶炼炉、精炼炉、钢包、中间包用耐火材料,以及中包覆盖剂和结晶器保护渣均可能给钢中带来外来大型夹杂,此外,铝脱氧也会带来尺寸为几个微米至 $20\mu m$ 的脱氧产物,它们难以去除。

根据目前水平,控制夹杂物无害化比较现实,要做到夹杂物无害化,一是要降低总氧量,使夹杂物数量减少,尺寸细化,铝脱氧是最有效的;二是要减少脱氧产物 Al_2O_3 的有害作用,例如水口堵塞,为此需要进行钙处理,保证 $w(Al_{inc}) \leqslant 0.002\%$。

关于大型夹杂物问题,纯净钢中的大型夹杂物只有几个 $mg/10kg$,小于 0.0001%,数量较少,通常用金相显微镜也难以观察到,关于夹杂物无害化的问题,例如,恶化钢性能的夹杂物尺寸的门槛值与数量有待进一步研究。

氧的控制重点要放在浇注温度下钢中溶解氧的控制,溶解氧低,氧化物析出的温度低,数量应该少,尺寸应该小,见图 2-3。再有应该控制冷却速度,冷却速度对纳米氧化物和铁碳析出物的析出有影响。这一点将在后面的章节中有较详细的论述。加硼对晶粒粗化,材料屈服强度降低,可以适应冷轧基板生产要求,可能是控制溶解氧的一个成功的实例。

薄板坯连铸连轧钢种绝大部分为低碳钢,具有晶粒较常规热连轧厚板钢细小、强度较高的特点,国外电炉薄板坯连铸连轧钢中氮含量较高,关于晶粒细化的原因,认为是 AlN 的钉扎作用,使得奥氏体再结晶晶粒细化和铁素体晶粒细化。

对于冷轧基板,强度高的板材不利于轧制,为了解决这一问题,第一代薄板坯连铸连轧钢,国外采用加硼的办法。珠钢 CSP 生产线是我国第一条也是唯一一条电炉薄板坯连铸连轧线,属于第一代 CSP 产品,在消化吸收引进技术的时候，为了生产冷轧基板，也进行了加硼的试验，取得了降低 σ_s 约 50MPa 的效果，并申请了专利，其他薄板坯连铸连轧厂家也进行了试验，结果均取得了降低 σ_s 几十兆帕的结果，使冷轧基板的 σ_s 能满足 DDQ 级要求。

关于硼的影响机理，按常规观点，认为是由于形成 BN，抑制了 AlN 的晶粒细化作用。

作者研究了铝对晶粒细化和强化的影响，如前所述，当 Als 在 0.0047%～0.0430% 范围内，晶粒尺寸和强度变化不大，没有发现随铝含量增加，晶粒细化，强度增高的现象。也未观察到 AlN 阻碍晶界运动的实验证据。

研究发现几十至几百纳米硫化物和氧化物的沉淀析出，可认为其通过钉扎晶界阻碍再结晶奥氏体长大，细化再结晶奥氏体晶粒及随后的铁素体晶粒。

晶粒粗化的原因可能主要是由于硼氧化物的析出减少了几十至几百纳米的 Al、Si、Ti 等氧化物及以其为非自发核心形成的硫化物析出，而这些氧化物、硫化物能起钉扎晶界、细化奥氏体再结晶晶粒作用。

下面是关于硼氮化物、氧化物析出的热力学分析。

$$BN_{(s)} = B_{(s)} + 1/2 N_{2(g)} \qquad \Delta G^{\ominus} = 250621.6 - 87.6T \qquad \text{J/mol}$$

$$1/2 N_{2(g)} = [N] \qquad \Delta G^{\ominus} = 3600 + 23.89T \qquad \text{J/mol}$$

$$B_{(s)} = [B] \qquad \Delta G^{\ominus} = -65270 - 21.55T \qquad \text{J/mol}$$

则　$$BN_{(s)} = [B] + [N] \qquad \Delta G^{\ominus} = -188951.6 - 85.26T \quad \text{J/mol}$$

$$\lg[B][N] = -9868.4/T + 4.45 \qquad\qquad (a)$$

$$B_2O_{3(l)} = B_{(s)} + 3/2 O_{2(g)} \qquad \Delta G^{\ominus} = 1228840.8 - 210.04T \quad \text{J/mol}$$

$$B_{(s)} = [B] \qquad \Delta G^{\ominus} = -65270 - 21.55T \qquad \text{J/mol}$$

$$1/2 O_{2(g)} = [O] \qquad \Delta G^{\ominus} = -117110 - 3.39T \qquad \text{J/mol}$$

则　$$B_2O_{3(l)} = [B] + [O] \qquad \Delta G^{\ominus} = 746970 - 263.31T$$

$$\lg[B]^2[O]^3 = -39012.1/T + 13.75 \qquad\qquad (b)$$

若钢中 $w(B) = 0.005\%$，$w(N) = 0.005\%$，溶解氧为 0.0006% 时，根据公式 (a)、(b) 计算出的 BN 开始析出温度为 817℃，B_2O_3 开始析出温度为 1119℃。加上氧为表面活性元素，界面处氧浓度应高于 0.0006%，则 B_2O_3 的开始析出温度应高于 BN 开始析出温度。

2.3.2　硫的控制

一般认为，硫是有害元素。在铁硫保持平衡时，硫在铁中的溶解度很小。对于低碳钢来说，由于含有锰，硫的溶解度进一步降低。在室温时，硫以硫化物夹杂的形式存在于固态钢中。

在一般钢中，微米级夹杂对钢的力学性能产生影响。钢中的硫含量增加，使硫化物夹杂的含量增高，钢的范性和韧性降低；同时，钢材力学性能的方向性增大，钢的热加工性能变坏。硫对钢力学性能的影响，不仅和硫的含量有关，而且还和所形成的硫化物夹杂的颗粒大小、形状、分布以及基体的组织有关。

硫化物夹杂可能是简单的硫化物（如低碳锰钢中的 MnS，当低碳钢液进行钙处理时，可能有 CaS，当钢中含有微量铜时，可能有铜的硫化物；在含微量钛的钢中，可能有钛的硫化物），也可能是复杂的硫化物。根据析出温度的不同，可能是硫化物包氧化物，例如含硫较高的轴承钢中存在的硫氧化物，也可能是氧化物包硫化物或碳化物包硫化物（硫化物为核心）。

当钢中的含硫量小于 0.01% 时，就不足以形成连续的网状枝晶间夹杂物，但由于凝固时硫会出现宏观偏析，所以不论在连铸或铸锭时，在铸件的某些局部区域都会有杂质富集，因此在普通浇注条件下即使钢中的硫含量小于 0.002%，也会有较大的硫化物夹杂在局部并沉淀出来。

关于硫化锰析出的热力学，不同的学者给出了不同的热力学数据，文献 [16] 给出的公式为：

$$\Delta G^{\ominus} = -136154.7 + 44.88T$$

$$\lg[\%Mn][\%S] = -7111/T + 2.34 \tag{2-10}$$

文献 [17] 给出的公式为：

$$\lg[\%Mn][\%S] = -11625/T + 5.02 \tag{2-11}$$

现利用文献 [18~20] 的数据重新计算硫化锰的开始析出温度。

$$MnS_{(s)} = Mn_{(s)} + 1/2S_{2(g)} \qquad \Delta G_1^{\ominus} = 296520 - 76.74T$$

$$1/2\,S_{2(g)} = [S] \qquad \Delta G_2^{\ominus} = -135060 + 23.43T$$

$$Mn_{(s)} = Mn_{(l)} \qquad \Delta G_3^{\ominus} = 12133.6 - 7.95T$$

$$Mn_{(l)} = [Mn] \qquad \Delta G_4^{\ominus} = 4080 - 38.16T$$

$$MnS_{(s)} = [Mn] + [S]$$

$$\Delta G_5^{\ominus} = \Delta G_1^{\ominus} + \Delta G_2^{\ominus} + \Delta G_3^{\ominus} + \Delta G_4^{\ominus} = 177673 - 99.42T$$

低碳钢中，Mn、S 含量低，其活度可用浓度代替，则

$$\lg[Mn][S] = -9279/T + 5.19 \tag{2-12}$$

当 [Mn] = 0.28%，[S] = 0.006% 时，按式 2-10 计算所得的 MnS 开始析出温度为 1119℃，按式 2-11 计算的为 1219℃，按式 2-12 计算的为 892℃。关于 MnS 的实际开始析出温度，应通过理论计算和实验研究进一步确定。

在低碳钢中，硫化物夹杂以硫化锰为主，图 2-5 为按式 2-10 所计算画出的钢中 MnS 的稳定性图。

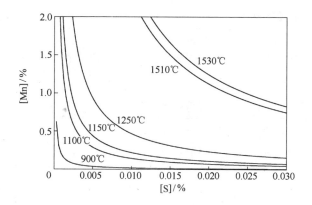

图 2-5 钢中 MnS 的稳定性图

由图 2-5 可见，对于含 Mn 0.3％、S 0.005％的低碳钢，MnS 的析出温度很低，约为 1119℃，但由于硫的显微偏析，局部地方硫含量要高于 0.005％，析出温度会高一些。当锰含量升高时，硫含量不变，MnS 的析出温度也会升高。因此，在低碳锰钢中，为了降低 MnS 的析出温度，硫含量应该控制得更低些。此外，冷却速度对 MnS 的析出也会有影响。

北京科技大学王新华等[21]研究了在实验室条件下，硫对钢力学性能的影响，结果如表 2-4、表 2-5 所示。

表 2-4 实验用钢的主要成分（质量分数）　　　（％）

试　样	C	Si	S	P	Mn	Al
1 号	0.156	0.30	0.001	0.002	1.42	0.007
2 号	0.156	0.31	0.002	0.002	1.40	0.065
3 号	0.148	0.30	0.004	0.003	1.41	0.041
4 号	0.147	0.29	0.005	0.002	1.39	0.014
5 号	0.129	0.27	0.011	0.002	1.33	0.004

表 2-5 Q345 实验钢的力学性能

编号	$w(S)$/%	σ_s/MPa		σ_b/MPa		δ/%		σ_s/σ_b	
		纵	横	纵	横	纵	横	纵	横
1 号	0.001	315	315	470	485	36	33	0.67	0.65
2 号	0.002	300	295	450	470	36	32	0.67	0.63
3 号	0.004	285	285	440	450	34	32	0.65	0.63
4 号	0.005	280	275	430	440	37	33	0.65	0.63
5 号	0.011	275	270	425	435	37	34	0.65	0.62

由表 2-4、表 2-5 可见：当[S]≤0.005％时，随[S]升高，钢的 σ_s 及 σ_b 降低。

作者用上述表中的钢样研究了硫含量对钢的晶粒度和硫化物尺寸的影响，如表 2-6 所示。

表 2-6　表 2-5 中实验钢硫含量与晶粒度和晶粒尺寸的关系

序　号	1	2	3	4	5
w(S)/％	0.001	0.002	0.004	0.005	0.011
晶粒度/级	10.44	10.30	10.06	9.60	9.16
晶粒尺寸/μm	8.6	9.0	9.8	11.5	13.4

图 2-6 为 2 号实验钢的金相组织，图 2-7 为 5 号实验钢的金相组织。

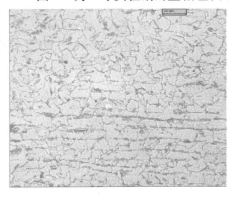 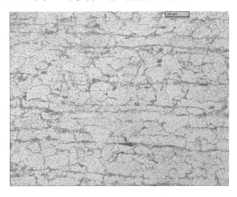

图 2-6　2 号 500 倍光学显微镜下的　　　　图 2-7　5 号 500 倍光学显微镜下的
　　　　金相组织　　　　　　　　　　　　　　　　金相组织

由图 2-6、图 2-7 得出，实验钢的金相组织是铁素体和珠光体，铁素体和珠光体都被拉长。

由表 2-6 可以看出，实验钢的晶粒尺寸在硫含量较低时随着钢中硫含量的增加（1→5）而增加，即晶粒度级别变小，晶粒有加大趋势。

实验钢中夹杂物的大小随着硫含量的变化，其变化比较显著，图 2-8、图 2-9 是钢中析出物的扫描电镜照片。

通过能谱观察到以上含硫低碳钢中，析出物大多是硫化物。从图 2-8、图 2-9 中可以清晰地观察到随着硫含量的增加，钢中硫化物尺寸变大，形状由点状变为沿轧制方向拉长的纺锤状。

1 号、2 号钢中硫含量较低（0.001％，0.002％），析出的硫化物尺寸较小（1~2μm），为了更清楚地分析这些细小的析出物，进一步作了萃取复型试样，用透射电镜分析，观察到有纳米级硫化物的析出，如图 2-10～图 2-13 所示。

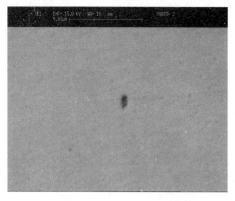

图 2-8　1 号试样的扫描电镜图

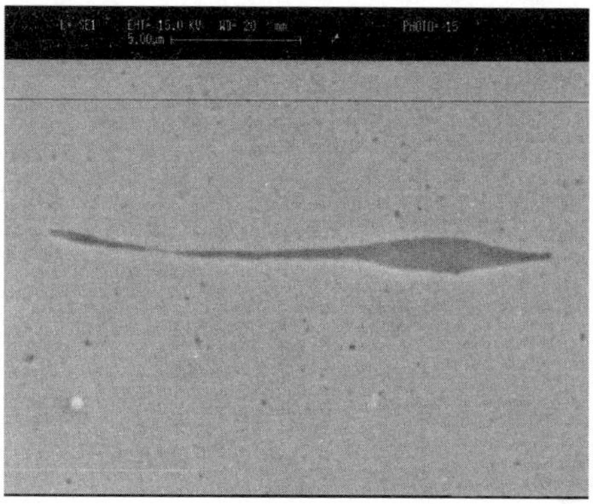

图 2-9　5 号试样的扫描电镜图

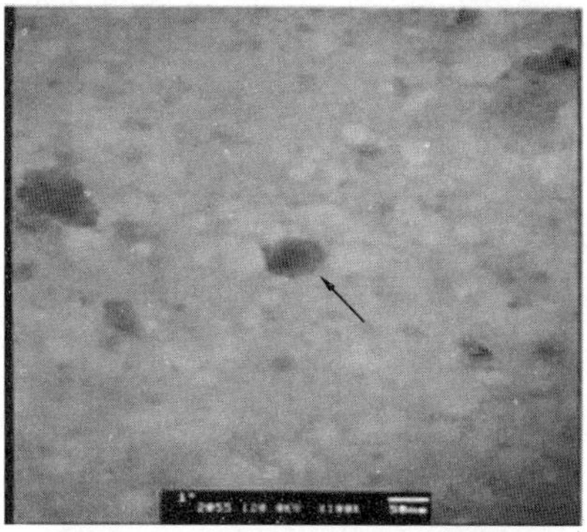

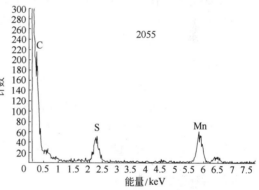

图 2-10　1 号试样的透射电镜图

图 2-11　1 号试样的能谱图

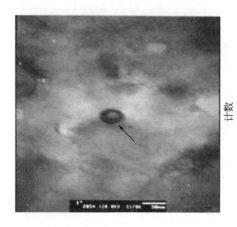

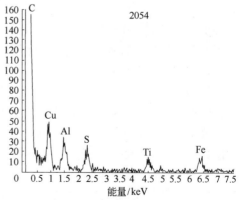

图 2-12　2 号试样的透射电镜图

图 2-13　2 号试样的能谱图

在 1 号、2 号试样中分别存在纳米级的硫化物析出，尺寸在 40~50nm 左右。通过能谱观察到纳米析出物是硫化锰，或是含 Al、Ti、Fe、S 的复杂硫化物，能谱分析中产生的 C 和 Cu 可能是由于碳复型带入的。

观察表明：硫化物细化，晶粒细化，使得 σ_s、σ_b 增加。随着硫含量的增加，钢中硫化物夹杂的数量、尺寸都在增加。硫含量低于 0.004% 左右时，钢中没有较大尺寸的硫化物夹杂。而在硫含量高于 0.004% 时，能发现较多尺寸较大的硫化物夹杂。沿轧制方向上的硫化物大多数为长条状，而垂直于轧制方向上的硫化物大多数为球状，这种形态是在轧制过程中形成的。

这就表明：普通钢种在传统工艺下，当[S]很低时，硫锰积小，冷却较快。亦可有纳米级的硫化物析出，硫从而在一定意义上成为有益元素。

从上述研究结果可见，钢中纳米硫化物的析出具有普遍性，不仅是薄板坯连铸连轧工艺，在一定的条件下，传统工艺中也可以有纳米级硫化物析出。对于低碳锰钢，当硫含量很低时，可能有纳米硫化物析出，硫化物析出的尺寸取决于冷却条件，薄板坯连铸连轧过程中，冷却速度快，几乎没有 $1\mu m$ 以上的硫化物夹杂。实验室条件下，用 25kg 锭子轧制的热轧板中，当硫含量极低时，夹杂物的尺寸为 $1~2\mu m$，也有尺寸为几十纳米的硫化物。

从上述研究可以看出，文中钢的成分及洁净度控制不同于单纯使钢液中 S、P、O 降低，实现钢的纯净化和均质化，而是把有害杂质变为有益元素，显然它也不属于控冷控轧（TMCP）范畴。

2.3.3　氮的控制

钢中自由氮高会导致钢的韧性、冷弯性能、成形性能及焊接性能降低。

美国电炉钢中的氮含量通常为 0.008%~0.012%，为消除自由氮的有害影响，在 20 世纪 80 年代末、90 年代初先后投产的 Nucer Crawfordsvilk（克拉福茨维莱，纽柯 1）和 Nucer Berkeley（柏克利，纽柯 2）分别开发了含 V 系列和含 Nb 系列的薄板坯连铸连轧低合金高强度（HSLA）钢以取代普通碳素钢，实现结构轻量化。

珠钢投产的电炉—CSP 生产线是我国第一条也是目前唯一一条电炉薄板坯连铸连轧生产线，由于目前我国废钢及电力紧缺，价格高，电炉钢成本比转炉钢成本高，电炉流程要生存发展，必须生产高附加值钢并降低钢材成本，走中国特色之路，为此，开发了一系列低氮电炉钢生产技术，大批量生产出了含氮量小于 0.005% 的低碳高强度（HSLC）钢。

我国其他十条已投产和在建的薄板坯连铸连轧生产线，基于中国国情，均采用转炉流程，钢中氮含量一般均小于 0.005%，更宜于生产 HSLC 钢，这就使我国有可能生产年产量达几千万吨、σ_s 为 400MPa 级的热轧板过程中，不添加价格昂贵的 V 和 Nb。

作者认为，低氮控制是薄板坯连铸连轧高强度钢板，使不含 V、Nb 的 HSLC 钢与含 V、Nb 的 HSLA 钢力学性能相当的一个关键的冶金因素。

2.3.3.1　钢中氮的有害作用

尽管氮在一定条件下对钢的性能具有有利作用，但通常氮是作为钢中的有害元素看待的。其主要有害作用表现为：

（1）降低钢的冷弯性能及成形性能。图 2-14 示出了氮含量对表征冷弯性能和成形性能的碳素钢平均塑性应变比的影响，由图可见，当钢中自由氮不大于 0.001% 时，$\bar{r}$ 可高达 1.8~2.0，自由氮含量高时，$\bar{r}$ 下降[22]。

（2）降低焊接金属的低温冲击韧性。图 2-15 表示氮含量对钢焊接性能的影响。由图 2-15 可见，当焊接金属中自由氮由 0.005% 降至 0.001% 以下时，钢的韧脆转变温度由 -10℃ 降至 -80℃[22]。

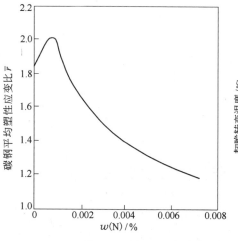

图 2-14　氮含量对碳钢平均塑性
应变比的影响

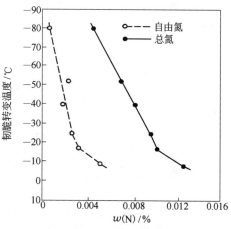

图 2-15　夏比冲击韧性转变温度随
焊接金属氮含量的变化

（3）产生应力时效与蓝脆。对于低碳钢，氮可以导致应力时效及蓝脆。室温时，氮在 α 铁中的溶解度低于 0.0015%，当钢中自由氮高时，如果将钢较快地冷却至室温条件下静置，氮可能逐渐以 Fe_4N 或铁的碳氮化物的形式析出，使钢的强度、硬度增加，塑性、韧性降低，产生蓝脆，由图 2-16 可见：自由氮小于 0.001% 时，应力时效作用不显著[23]。

碳素钢中总氮高，自由氮也高，当钢中氮含量小于 0.005% 时，自由氮可低于 0.001%，见表 2-7。

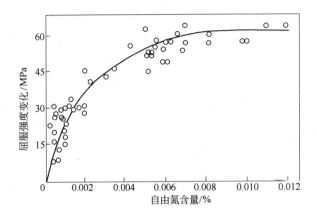

图 2-16　氮含量对应力时效的影响

表 2-7　HSLC 钢 ZJ330 热轧薄板中氮化物的化学相分析结果（质量分数）（%）

类　型	Al	Ti	V	Cr	Mn	Ni	Mo	Fe	Nb	C	N
AlN	0.0042										0.0022
$(Fe_{0.994}Mn_{0.002}$-$Cr_{0.003}Ni_{0.001})_3$-$(C_{0.979}N_{0.021})$				0.002	0.001	0.0005		0.638		0.0450	0.0011
$(Ti_{0.644}V_{0.133}$-$Nb_{0.044}M_{0.078})$-$(C_{0.200}N_{0.800})$		0.0014	0.0003				0.0008		0.0002	0.0001	0.0005
Σ	0.0042	0.0014	0.0003	0.002	0.001	0.0005	0.0008	0.638	0.0002	0.0451	0.0038

注：钢中碳含量为 0.054%，氮含量为 0.0044%（N_{free}＝0.0044%－0.0038%＝0.0006%）。

2.3.3.2　HSLA 钢及 HLSC 钢的力学性能

表 2-8 列出了纽柯 Crawfordsville 电炉 CSP 线开发含 V 系列低合金高强度（HSLA）钢的力学性能标准[24]。表 2-9 是纽柯 Berkeley 开发含 Nb 系列 HSLA 管线钢的成分与性能[25]。表 2-10 列出了同样装备条件下，珠钢开发的低碳高强度（HSLC）钢的力学性能与 HSLA 钢的比较[26]。

由表 2-8～表 2-10 数据可见：对于 σ_s 为 400MPa 级的铁素体珠光体低碳锰钢，我国不含 V、Nb 的 HSLC 钢与国外含 V、Nb 的 HSLA 钢相当。

表 2-8　美国 Crawfordsville 电炉-CSP 厂生产不同强度级别的

HSLA 钢的成分（质量分数）　　　　　（%）

屈服强度级别/MPa	C	Mn	P	S	Si	Al	V	N
275	0.04/0.07	0.30/0.35	≤0.02	≤0.01	≤0.03	0.02/0.05	0.015/0.030	0.009/0.013

屈服强度级别/MPa	C	Mn	P	S	Si	Al	V	N
310	0.04/0.07	0.50/0.60					0.025/0.035	0.010/0.014
340	0.04/0.07	0.70/0.80					0.045/0.055	0.012/0.016
380	0.04/0.07	1.00/1.15					0.055/0.065	0.013/0.017
410	0.04/0.07	1.20/1.30					0.075/0.085	0.015/0.019

表 2-9 Nucer Steel Berkeley 生产的 HSLA 管线钢的成分和性能

钢种	牌 号	$w(C)/\%$	$w(Mn)/\%$	$w(Nb)/\%$	$w(N)/\%$	σ_s/MPa	σ_b/MPa	$\delta/\%$
X42	HSLA-Nb-4	0.050	0.50	0.025	0.009	355.8/420.3	441.6/508.5	36.1/34.3
X52	HSLA-Nb-5	0.055	1.10	0.045	0.009	402.4/456.1	485.7/547.1	32.7/32.2
X60	HSLA-Nb-6	0.045	1.30	0.070	0.009	503.3/—	579.6/—	28.9/—

注：分子分母分别为标准轧制工艺和新工艺条件下的力学性能。

表 2-10 用 CSP 工艺生产的 HSLC 钢与 HSLA 钢的化学成分及力学性能对比

No.	钢种	厚度/mm	$w(C)/\%$	$w(Mn)/\%$	$w(Si)/\%$	$w(S)/\%$	$w(V)/\%$	$w(Nb)/\%$	$w(Al)/\%$	$w(N)/\%$	$d/\mu m$	σ_s/MPa	σ_b/MPa	$\delta/\%$
1	HSLA	3.0	0.05	0.74		0.0070	0.049		0.032	0.0091		378	461	29.2
2		6.3	0.05	0.76		0.0070	0.052		0.032	0.0084		361	461	30.8
3		4.7	0.05	1.07		0.0070	0.060		0.032	0.0083		392	498	26.8
4		2.1	0.05	0.80		0.0070	0.052		0.032	0.0076		393	470	25.2
5①		6.3	0.055	1.10				0.045		0.0090		402	486	32.7
6①												456	547	32.2
7		7.0	0.074	1.42	0.32	0.0010		0.038	0.037	0.0100	8.02	398	498	34.0
8②	HSLC	2.0~6.0	0.05	0.30	0.06	0.0049		0.02~0.04	<0.0050	5~6	387	433	33.0
9		6.0	0.06	0.61	0.17	0.0060		0.015	<0.0050	8.22	439	494	31.5
10		6.0	0.18	0.56	0.21	0.0030		0.028	<0.0050	6.86	437	543	29.4
11①		6.0	0.17	1.21	0.28	0.0040		0.024	<0.0050	5.68	492	597	27.8
12①		6.0	0.16	1.22	0.30	0.0030		0.037	<0.0050	7.87	408	566	34.0

注：No.1~4 数据来源于文献［26］；No.5~6 数据来源于文献［25］；No.7 数据来源于文献［27］；No.8~12 数据来源于文献[28]。

①不同的轧制与冷却工艺；②121 炉，18000t 钢的平均值。

2.3.3.3 影响钢中氮含量因素的理论分析

现代炼钢流程中同时存在脱氮与吸氮过程。钢中氮含量取决于原始氮含量、脱氮量和吸氮量，如式 2-13 所示。

$$[N]=[N]_0-\Delta[N]_1+\Delta[N]_2+\Delta[N]_3-\Delta[N]_4+\Delta[N]_5+\Delta[N]_6 \quad (2-13)$$

式中 $[N]$——最终钢液中的氮含量；

$[N]_0$——金属炉料中的氮含量；

$\Delta[N]_1$——冶炼过程中的净脱氮量，它等于增氮量与脱氮量的差；

$\Delta[N]_2$——出钢至精炼开始钢液增氮量；

$\Delta[N]_3$——精炼过程的增氮量；

$\Delta[N]_4$——精炼过程钢液脱氮量；

$\Delta[N]_5$——精炼结束至连铸开始钢液增氮量；

$\Delta[N]_6$——连铸过程增氮量，包括钢包、中间包至结晶器整个连铸过程钢液增氮量。

关于$[N]_0$，现代转炉流程与电炉流程的炉料主要是生铁（铁水）与废钢，但不同流程含生铁（铁水）及废钢的比例不同，生铁（铁水）及废钢含氮量不同，致使转炉炉料中原始氮含量低，电炉炉料中原始氮含量高。

关于脱氮，众所周知，真空条件下，根据西华德定律，钢液可以脱氮；在大气和真空条件下，由于表面偏聚作用，氧、硫等表面活性元素将阻碍脱氮[29]，但实践表明，在高氧、硫含量的转炉或电炉冶炼过程中钢液能够有效地脱氮。这是因为，当钢液某处温度高于2250℃和2600℃时，阻碍钢液脱氮的氧、硫表面作用将分别消失[30,31]（图2-17、图2-18），在碳氧反应区局部温度可高达2600℃。转炉流程和电炉流程通过碳、氧反应能够脱氮，且脱氮量与脱碳量成正比，转炉冶炼过程比电炉冶炼过程能更有效地脱氮。

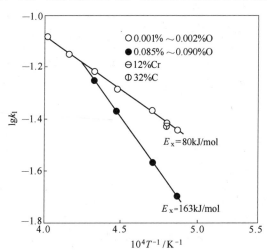

图2-17　脱氮速度常数k_1的对数与氧含量、温度的关系[30]

关于吸氮，在转炉或电炉出钢后精炼及连铸过程中，在大气条件下，钢液平均温度约为1600℃左右，钢液吸氮是自发过程，但氧、硫的表面活性作用可阻碍钢液从大气中吸氮。研究结果表明：当钢中氧含量高于0.02%时，向钢液中吹氮可以不吸氮[31,32]（图2-19、图2-20），从理论上看，电炉冶炼可以氮代氩全程底吹，转炉顶底复吹时也可以全程底吹氮。

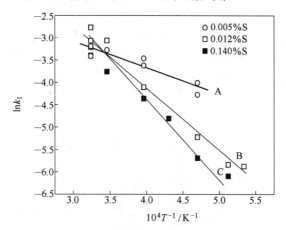

图 2-18 硫及温度对脱氮速度常数的影响

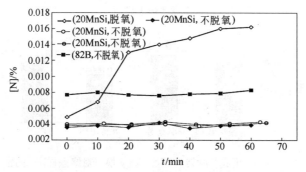

图 2-19 不同脱氧条件下钢液的吸氮特性（脱氧：[O] <0.002%；
不脱氧：[O] =0.02%～0.03%）

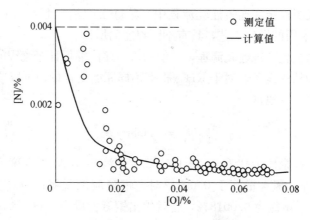

图 2-20 氧含量对出钢过程氮含量的影响[32]

2.3.3.4　现代炼钢过程中钢中氮的控制

A　出钢氮含量

对于电炉流程，在以氮代氩全程底吹氮条件下，电炉出钢氮含量可小于0.003%，见图2-21；对于转炉流程，在顶底复吹转炉全程底吹氮的条件下，转炉出钢氮可达0.001%左右，如图2-22所示。

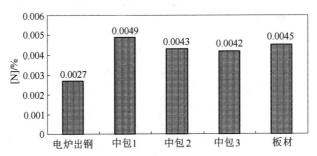

图2-21　珠钢电炉CSP过程中钢中氮含量的变化
（连浇3炉平均值）

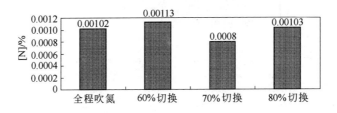

图2-22　150t顶底复吹转炉 N_2、Ar切换点对终点样[N]的影响

B　精炼过程的吸氮与脱氮

目前，我国薄板坯连铸连轧流程中，精炼工序基本上采用LF精炼设备，LF过程根据采用的操作工艺，具有不同程度的增氮。

转炉—薄板坯连铸连轧流程，为使精炼工序能够保证全流程的顺行，可以采用RH作为精炼设备。对于RH，根据不同原始氮含量，可以脱氮，也可以增氮。这是因为，根据

$$[\%N] = 0.044\sqrt{p_{N_2}} \tag{2-14}$$

以真空室残余压力代替 p_{N_2}，1600℃时钢液与67Pa真空度平衡的[N]为0.001%，当原始氮含量高于0.001%时，钢液应能脱氮；当真空度较低时，例如200Pa，平衡氮为0.0018%，若转炉出钢氮含量为0.001%，由于RH过程中液气反应容易达到平衡，RH过程会增氮，例如增至0.0018%。实践表

明：当转炉出钢氮含量为 0.001％时，若控制好真空度，RH 结束时，[N]可达到 0.0012％。

对于电炉流程，出钢氮较高，一般大于 0.003％，VD 过程可以脱氮。

C 连铸过程的增氮

电炉流程中钢中氮含量的变化示于图 2-23，转炉流程中钢中氮含量的变化示于图 2-24。

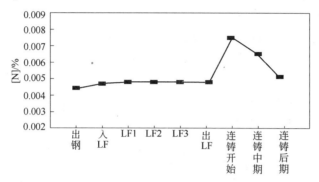

图 2-23 电炉 CSP 过程中钢中氮含量的变化

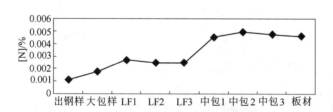

图 2-24 转炉薄板坯连铸过程中氮含量的变化

由图 2-23 和图 2-24 可见：目前条件下，我国薄板坯连铸连轧流程，出钢后增氮约 0.002％～0.004％，电炉流程与转炉流程生产板材的氮含量相当，为 0.005％左右，均能满足生产 HSLC 钢的要求。

增氮过程主要发生在精炼结束后，第一包钢水开浇前期，即中包覆盖剂加入及熔化良好覆盖钢液前，钢液与大气直接接触阶段，在生产极低氮钢，如汽车面板时，采用中间包氩封是必要的。

2.3.3.5 关于我国薄板坯连铸连轧流程新建 RH 的思考

RH 与 VD 相比较，RH 能生产超低碳钢，例如含碳量小于 0.03％，甚至只有百万分之几十的冷轧基板钢，与转炉相匹配，能生产超低 C、N 钢，而且与连铸节奏匹配。

目前，中国的薄板坯连铸连轧，无论是电炉流程还是转炉流程精炼工序大多均采用 LF/VD 装置，这主要是由于受我国第一套电炉薄板坯连铸连轧流程影响。另外与 RH 相比较，LF 对铁水三脱的要求低，脱氧脱硫能力强，在碳、氮、氢等元素含量控制方面能满足大多数钢种的质量要求，投资成本低，运行费用不高。

但是，LF 的精炼周期难以满足转炉快节奏生产要求，即难以实现 $I_{BOF} \leqslant I_{LF} \leqslant I_{CC}$。这就使得有在转炉流程中增加 RH 的考虑。

对于薄板坯连铸连轧线生产的大多数钢种，LF/VD 精炼可以胜任，目前大多厂家只用 LF。如果转炉冶炼周期在 30min 以下，电炉冶炼周期达到 35min 以下，为了增加精炼脱氧、脱硫时间，可以考虑增加一台 LF 的方案，这时每台 LF 精炼时间可为 25min，总精炼时间可达 50min 左右，能满足生产低氧、氮钢的要求。对于 LF 和 RH 应进行投资和运行费用的成本分析。如果不是熔炼含碳量可能只有百万分之几的极低 C、N 钢（例如冷轧小汽车面板用基板）的话，用 VD 较合适。

汽车面板等的生产任务可由常规的转炉流程（带三脱、LF、RH 炉外处理设备）去完成，对于每一个钢铁企业，特别是地方钢铁联合企业，很难做到什么钢材均可生产，且均具有竞争力。建立"全能型"生产线可能是不经济的。在改建或新建薄板坯连铸连轧线时，新建 RH 值得慎重考虑。

采用 RH 时，蒸汽喷射泵应有足够的抽气能力，最好设计真空度小于 67Pa，能够保证在流程顺行的时间节奏要求条件下，确保真空度不大于 67Pa。

2.4 低碳钢薄板坯连铸连轧的铸态组织控制

2.4.1 CSP 工艺生产低碳钢的凝固与铸态组织

CSP 铸坯的主要元素偏析情况示于图 2-25 与图 2-26[33]。

从图 2-27 中可以看出，CSP 铸坯中硫、磷、铜等的宏观偏析非常小，碳

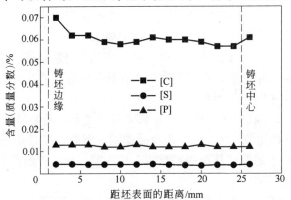

图 2-25   CSP 铸坯中 C、S 和 P 含量分布

在铸坯的厚度方向上的中心附近位置出现轻微的正偏析，偏析比基本都在1.05以内。

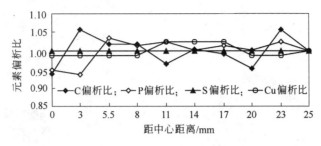

图 2-26 CSP 铸坯的宏观偏析

用 CSP 技术生产的薄板坯在结晶器内的冷却速度远远大于传统的板坯与方坯的冷却速度，在 1560～1400℃温度范围内，对于厚度为 250mm 的传统板坯，平均冷却速度为 9K/min，而对于厚度为 50mm 的薄板坯冷却速度为120K/min，以致后者枝晶间距小。因此，CSP 铸坯比普通的连铸板坯、小方坯以及模铸产品的偏析要小很多。

2.4.2 凝固组织的特点与厚板坯的比较

珠钢 CSP 铸坯的低倍组织见表 2-11 和图 2-27。从表和图中可以看出，厚度为 50mm 的 CSP 连铸坯的激冷层厚度在 8mm 左右，晶粒细小均匀，柱状晶发达细长，有的直接穿过中部，中心等轴晶区比较小，有的基本上看不到等轴晶，在中心线部位存在一定的疏松和偏析。

表 2-11 CSP 连铸坯的低倍检验结果 （级）

编 号	项 目	中心偏析	中心疏松	中间裂纹	三角区裂纹
1	CSP 边部横向酸洗	C 类 1.5	1.0	0.5	0.5
2	CSP 中部横向酸洗	C 类 2.0	1.0	0.5	0

已经报道了若干个关于枝晶间距与凝固速度关系的经验公式，铸坯中的一次枝晶间距 l_1（μm）和二次枝晶间距 l_2（μm）可分别由下面的经验公式给出[34]：

$$l_1 = 29.0 \times 10^3 R^{-0.26} G^{-0.72} \tag{2-15}$$

$$l_2 = 11.2 \times 10^3 R^{-0.41} G^{-0.51} \tag{2-16}$$

式中，R 是凝固前沿的速度，mm/h；G 是温度梯度，K/mm。

从酸蚀组织图中的柱状晶系列图中测定 CSP 铸坯一次枝晶间距和二次枝晶间距，结果见表 2-12。从表中可以看出，CSP 薄板坯的一次枝晶间距为0.25～1.83mm，平均为 0.69mm，二次枝晶间距为 52～180μm，平均为

图 2-27　50mm 厚的 CSP 铸坯的低倍组织（1∶1）

a—边部；b—中部

99μm；文献报道，连铸 130mm×130mm 方坯（20 钢），其一次枝晶间距为 1.7~7.14mm，平均为 2.96mm。普通连铸板坯二次枝晶间距一般为 200~500μm，H13 钢采用模铸工艺生产时，其二次枝晶间距为 750μm，电渣重熔工艺生产时为 490μm。CSP 技术生产的薄板坯在结晶器内的冷却速度远远大于常规的板坯与方坯，CSP 铸坯比普通的连铸小方坯、模铸以及电渣重熔锭的枝晶间距要小很多。

表 2-12　CSP 铸坯的枝晶间距

枝晶间距	max	min	平　　均
一次枝晶间距/mm	1.83	0.25	0.69
二次枝晶间距/μm	180	52	99

关于连铸保护渣、铸温铸速、结晶器液面控制、二冷控制、过程保护等工艺因素对连铸坯表面质量和内部质量的影响，可参考其他文献，这里不再赘述。

参 考 文 献

1 傅杰，陈恩普，谢继莹，丁勇等编著. 特种熔炼. 北京：冶金工业出版社，1982

2 傅杰. 特种熔炼与冶金质量控制. 北京：冶金工业出版社，1999

3 Thaddeus B, Massalski. Binary alloy phase diagrams. ASM international$^®$, 1996

4 卢盛意. 连铸坯质量. 北京：冶金工业出版社，1994：1

5 王中丙等著. 现代电炉-薄板坯连铸连轧. 北京：冶金工业出版社，2004

6 傅杰，李晶，徐晓达，周德光，王中丙. 电弧炉冶炼终点碳的控制. 钢铁，2001，36（6）：18

7 李迎春编译. Al 和 N 元素对薄板钢淬透性的影响. 国外金属热处理，1994，15（6）：52

8 R. D. 佩尔克等著. 氧气顶吹转炉炼钢. 北京：冶金工业出版社，1980

9 Maehara Y, Yotsumoto K, Tomono H, et al.. Mater. Sci. Technol., 1990, 6：793

10 尾冈博幸著. 炉外精炼. 李宏译. 北京：冶金工业出版社，2002

11 Reed Thomas. Free Energy of Formation of Binary Compounds. MIT Press, 1971

12 Elliot J F. Thermochemistry for Steelmaking, Addison-Wesley, 1963：2

13 傅杰，周德光，李晶，柳得橹. 低碳超级钢中氧硫氮的控制及其对钢组织性能的影响. 云南大学学报（自然科学版），2002，Vol. 24：158

14 周德光，陈希春，傅杰，王平，李晶，徐明德. 电渣重熔与连铸轴承钢中的夹杂物. 北京科技大学学报，2000，22（1）：26

15 Fu Jie. Evaporation Behaviour of Elements During the Large Section Consumable Electrode VAR of Alloy A286, The Third China-Japan Symposium on Science and Technology of Iron and Steel. 1985. 4：336

16 张鉴. 炉外精炼的理论与实践. 北京：冶金工业出版社，1993

17 Yaguchi H. Manganese sulfide precipitation in low-carbon resulfurized free-machining steel. Metall. Trans. A, 1986, 17A：2080

18 E T 特克道根著. 高温工艺物理化学. 魏季和，傅杰译. 北京：冶金工业出版社，1988

19 伊赫桑·巴伦主编. 纯物质热化学数据手册. 程乃良，牛四通，徐桂英等译. 北京：科学出版社，2003

20 黄希祜. 钢铁冶金原理（修订版）. 北京：冶金工业出版社，1995

21 赵增武，常国威，王新华. 氧、硫对高纯净低合金钢强韧性的影响研究. 见：新一代钢铁材料研讨会论文集. 北京，2001：431

22 梁克中编. 金相——原理与应用. 北京：中国铁道出版社，1983：286

23 Morrison W B. Nitrogen in the steel product. Ironmaking and steelmaking, 1989, 16（2）：123

24 杨才福，张永权. 薄板坯连铸高强度钢的微合金化选择. 见：2005 年薄板坯连铸连轧品种与工艺技术研究会论文集. 2005：59

25 Garcia C I, Tokary C, Graham C, Vayquey M, Aparicio L R, DeArdo A J. Niobium HSLA Steels Produced Using the Thin Slab Casting Process：Hot Strip Mill Products, Properties and Applica-

tions, Proc of TSCR 2002, Guangzhou, China：194～210

26　Glodowski R J. Vanadium-Nitrogen Microalloyed HSLA Strip Steels Produced by Thin Slab Casting, HSLA Steel's 2000, Metallurgical Industry Press, Beijing, 313～318

27　Zhang Hongtao, Liu Su, Wang Ruizhou, Pang Gangyun. Proc of TSCR 2002, Guangzhou, China：282

28　傅杰，王中丙，康永林等. 电炉-CSP 工艺生产 HSLC 钢的研究与开发. 北京科技大学学报，2003，25（5）：449

29　F 奥特斯著. 钢冶金学. 倪瑞明，张圣弼，项长祥译. 北京：冶金工业出版社，1997

30　Koin Ito, Kazuo Amano, Hiroshi Sakao. Kinetic Study on Nitrogen Absorption and Desorption of Molten Iron, Transaction ISIJ, 1988, 28：42

31　傅杰. 钢冶金过程动力学. 北京：冶金工业出版社，2001

32　凌天鹰，徐匡迪. 浇注过程钢液吸氮的研究. 钢铁研究，1989，51（2）：7

33　周德光，金勇，傅杰，王中丙，李晶，许中波，柳得橹，康永林，陈贵江，李烈军. CSP 薄板坯的铸态组织特征研究. 钢铁，2003，38（8）：47

34　Cornelissen M C M. Mathematical model for solidification of multicomponent alloys, Ironmaking and Steelmaking, 13（4），1986：204～212

3 薄板坯连铸连轧钢的轧制工艺控制 [注]

近年来，随着薄板坯连铸连轧生产线总体技术的不断进步，其轧制与冷却的控制技术也日新月异。与传统连铸连轧相比，薄板坯连铸连轧在轧制与冷却的控制上虽然没有大的区别，但通过与整个短流程生产线的有机系统整合而显示出其独特的技术特征与优越性。

3.1 薄板坯连铸连轧工艺与传统工艺的比较

到 2002 年，在已建成的 40 多条薄板坯连铸连轧（TSCR）生产线中，CSP 线约占总数的 65%[1]，FTSR 线约占 15%，其余还有 QSP 线和 CON-ROLL 线等。CSP 技术设备相对简单、流程通畅，生产比较稳定，技术成熟，其工艺设备简图见图 3-1。CSP 线的铸坯厚度一般在 50～70mm（当采用动态软压下时，可将结晶器出口 90mm 左右坯厚带液芯压下成 65～70mm，或将 70mm 坯厚软压下至 55～50mm），精轧机组由 5～7 机架组成。薄板坯连铸连轧工艺流程的特殊技术和工艺特点，决定了其在连铸和轧制等主要工艺环节与传统工艺的区别，下面将二者的轧制工艺特点等做以简要的比较。

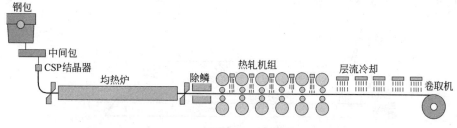

图 3-1　CSP 工艺设备布置简图

3.1.1 轧制工艺特点及板坯热历史比较

薄板坯连铸连轧工艺过程与传统连铸连轧工艺的最大不同在于热历史不同，图 3-2 为二者工艺流程的比较，图 3-3 为二者热历史的比较。由图 3-2 可见，在薄板坯连铸连轧工艺过程中，从钢水冶炼到板卷成品约为 2.5h，而传

---

❶ 本章由康永林教授撰写。

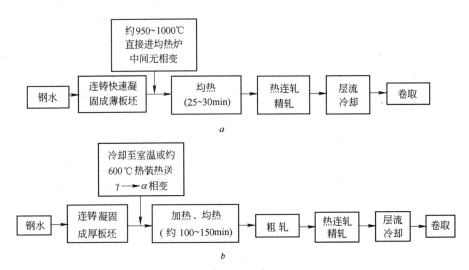

图 3-2　薄板坯连铸连轧工艺流程与传统连铸连轧工艺流程的比较

a—薄板坯连铸连轧工艺流程；b—传统连铸连轧工艺流程

统连铸连轧工艺所需时间要长得多。图 3-3 清楚地表明，在薄板坯连铸连轧工艺中，从钢水浇铸到板卷成品，板坯经历了由高温到低温、由 $\gamma \rightarrow \alpha$ 转变的单向变化过程，而传统连铸连轧工艺中板坯的热历史为 $\gamma_{(1)} \rightarrow \alpha$，$\alpha \rightarrow \gamma_{(2)}$，$\gamma_{(2)} \rightarrow \alpha$ 过程，由于薄板坯和厚板坯连铸连轧的热历史及变形条件与过程不同，决定其再结晶、相变以及第二相粒子析出过程、状态和条件的不同，从而对成品板材的组织性能具有不同的影响[2]。

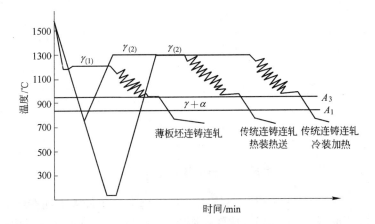

图 3-3　薄板坯连铸连轧工艺与传统连铸连轧工艺热历史的比较

目前，在 CSP 线连轧关键技术中，均热采用直通式辊底隧道炉，冷却采用层流快速冷却技术，而且 CSP 线轧机的布置与传统生产线不同，精轧机组与均热炉紧密衔接，采用大压下和高刚度轧机轧制等，这是现代薄板坯连铸连轧的工艺特点之一。直通式辊底隧道炉可以保证坯料头尾无温降差，因而不需要采用类似于带钢边部加热、提速或中间机架冷却的修正措施来均匀板坯温度；层流快速冷却可保证薄板在长度及宽度方向上温度均一，抑制微合金元素的固溶状态，实现薄板中这些元素的化合物微细弥散析出，有利于相变细化和组织强化[3,4]。

3.1.2 第二相粒子的析出行为不同

在连铸连轧生产时，为了细化粗大的奥氏体晶粒，就不得不进行多次晶粒细化过程；为了细化晶粒，必须发生完全再结晶。奥氏体的再结晶行为可以通过加入微合金元素得以改善。

与传统工艺相比，薄板坯连铸连轧工艺具有独特的微合金元素行为，这是由于铸坯凝固后较高的冷却速度以及高的直装铸坯温度，使合金元素在溶解和析出过程中表现出来的行为与传统工艺不同，即可由碳、氮化合物溶解和沉淀强化的不同作用来解释。微合金元素在 TSCR 工艺热轧开始前，在奥氏体中几乎完全溶解，具有全部微合金固溶优势，不像传统生产工艺的板坯因冷却而析出，可用于奥氏体晶粒细化和最终组织的析出强化，所以会对最终产品的性能产生重要的影响。在传统工艺再加热前的冷却过程中，部分合金元素已经以碳化物和氮化物的形式析出，随后因有限的加热温度，仅有部分元素及化合物能够溶解，所以损失了一部分可细化奥氏体晶粒和最终沉淀强化的微量元素及第二相粒子。

3.1.3 板带在辊道上的传输速度不同

薄板坯连铸连轧工艺与传统热轧工艺的板带在传输辊道上的传输速度有较大差异。例如 CSP 线在轧制 1.0mm 带材时，带材在输出辊道上的极限运行速度约为 12.5m/s（传统流程的速度可达 20m/s 左右）。因为传输速度的差异，随后的冷却形式和卷取温度也因之而发生变化，从而进一步影响着板带组织的结构、状态和最终性能。

基于上述原因，薄板坯连铸连轧工艺与传统热轧工艺不同，必须对最终组织与析出物生成有直接关系的均热、压下规程和冷却等工艺参数给予高度重视。

3.1.4 高效除鳞技术

TSCR 工艺在整个轧制过程中板坯始终处于很高的温度下，没有传统流程厚板坯温度下降到室温或中温热送热装的过程，并且薄板坯加热时间和出加热炉到进入除鳞机时间很短，温降很小，氧化铁皮在板坯表面薄且粘得紧，较难去除，同时由于辊底隧道炉的炉辊表面黏结的氧化皮又可能压入板坯下表面，因此用薄板坯生产的热带，表面质量一直是一个较难解决的问题。西马克公司开发的与薄板坯连铸连轧设备配套的高压小流量高效除鳞设备，压力可达 35～45MPa。

3.2　薄板坯连铸连轧的轧机配置及板形板厚控制技术

在薄板坯连铸连轧的精轧机组上通常采用 CVC 轧机或 PC 轧机系统，表 3-1 为珠钢、邯钢、包钢、马钢、唐钢、鞍钢、涟钢、本钢、济钢、通钢和酒钢等 11 家薄板坯连铸连轧厂的热连轧机组机型配置。

为了批量生产良好的薄带钢，在轧机控制上除采用工作辊弯辊系统（WRB）、APC 自动端面形状控制系统、AGC 自动辊缝控制系统等技术外，还采用了在线磨辊 ORG 技术、保持良好板凸度的动态 PC 轧机、保持最佳辊面状态的 WRS 技术以及实现稳定轧制的无间隙装置等。

表 3-1　珠钢等 11 家薄板坯连铸连轧厂的热连轧机组机型配置

TSCR			机 型 配 置						
生产线	$R1$	$R2$	F1	F2	F3	F4	F5	F6	F7
珠钢 CSP	—	—	CVC	CVC	CVC	CVC	CVC	CVC	
邯钢 CSP	conv		CVC	CVC	CVC	CVC	CVC	CVC	
包钢 CSP	—	—	CVC	CVC	CVC	CVC	CVC	CVC	
马钢 CSP	—	—	CVC	CVC	CVC	CVC	CVC	CVC	CVC
唐钢 FTSR	conv	conv	PC	PC	PC	ORG	ORG		
鞍钢 ASP-1	conv	conv	conv	conv	WRS	WRS	WRS	WRS	
鞍钢 ASP-2	V1	conv	conv	WRS	WRS	WRS	WRS	WRS	
涟钢 CSP	—	—	CVC	CVC	CVC	CVC	CVC	CVC	CVC
本钢 FTSR	conv	conv	PC	PC	PC	ORG	ORG		
济钢 ASP	V1	conv	conv	WRS	WRS	WRS	WRS	WRS	
通钢 FTSR	conv	conv	PC	PC	PC	ORG	ORG		
酒钢 CSP	—	—	CVC	CVC	CVC	CVC	CVC	CVC	

注：前 7 组部分数据见参考文献 [5]。

3.2.1　高刚度大压下轧制的优化负荷分配

传统工艺中的厚板坯经多道次初轧和中间轧制，进入精轧机的板坯厚度一般为 20～35mm，而 TSCR 板坯的厚度一般为 50～90mm，进精轧机的厚度较厚，要求轧机具有高刚度、大压下的功能，并对轧制负荷进行优化分配。因此在轧制较薄规格时，TSCR 轧机在前 3 架采用大压下，最大压下率可达 55% 左右，这在传统热带轧机中是很难实现的。图 3-4 为珠钢 CSP 轧机负荷分配示意图[6]。

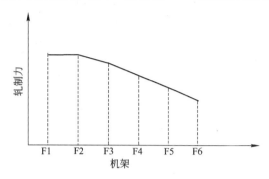

图 3-4　珠钢 CSP 轧机负荷分配示意图

3.2.2 采用轧制润滑技术

采用轧制润滑技术不仅有利于改善板带表面质量、提高轧辊寿命、减少换辊次数、降低轧制能耗，而且对提高板带组织均匀性和成形性能、减小轧制薄规格时轧机负荷、缓解轧机振动都十分有利，可根据工艺要求灵活选择使用架次，精确调整润滑液流量。

3.2.3 采用先进的板形板厚控制系统保证高精度的板材质量

在珠钢精轧机组上，采用了 PCFC 板形计算机、凸度、平直度测量仪及可执行的 CVC、WRB 装置，对轧制过程实行实时监控和自学习，从而不断优化各项轧制工艺参数，纵向厚差控制在 $\pm 25\mu m$，横向厚差控制在 $30\sim 50\mu m$ 以内，楔形度控制在 $30\sim 50\mu m$ 以内，平直度除了头尾部外都可控制在 25I 以内[5]。达涅利公司的 FTSR 技术中，在薄板坯连铸连轧线的精轧机组上采用了如下先进技术：

（1）长行程液压缸和液压自动厚度控制装置（HAGC）；

（2）液压机架内的张力控制；

（3）轧辊热凸度控制（RTC 段机组，达涅利专利）；

（4）双作用重载弯辊系统（正、负弯辊）；

（5）工作辊窜辊；

（6）机架 F2、F3 和 F4 上的轧辊咬合润滑系统；

（7）全自动工作辊更换系统。

在轧制设备与控制系统上采取了以上先进的技术措施，使板带成品精度质量达到崭新的水平，表 3-2 表示其达到的板形、板厚精度水平[7]。

表 3-2　达涅利的 FTSR 技术达到的板形、板厚精度水平

	带钢厚度/mm	保证偏差	保证的本体总长	实现的本体总长
厚度偏差	1.2~4.0	±40μm	99%	99.4%
	4.01~5.0	±50μm	99%	99.8%
	5.0~12.0	±1%	99%	99.7%
	带钢宽度/mm	保证偏差	保证的本体总长	实现的本体总长
宽度偏差	800~1200	−0　+8mm	95%	96.9%
	1200~1600	−0　+10mm	95%	97.3%
	带钢宽度/mm	保证偏差	保证的本体总长	实现的本体总长
带钢温度	800~1600	±15℃	95%	97.1%
卷取温度	800~1600	±20℃	95%	98.4%
	带钢厚度/mm	保证的 C40 凸度偏差	保证的本体总长	实现的本体总长
带钢凸度	1.2~5.7	±20μm	95%	97.2%
	5.71~12.0	±0.35%	95%	96.6%

	带钢厚度/mm	保证偏差（低中碳钢）/I	保证偏差（HSLA）/I	保证的本体总长	实现的本体总长
带钢平整度	1.2~5.0	35	40	95%	99.2%
	5.01~12.0	25	30	95%	99.3%

3.2.4　机架间水冷装置与自动活套控制系统

通过灵活选用机架间冷却并与道次变形量配合，可精确控制机架间轧件的变形温度，从而对轧件的再结晶变形条件、细化组织、改善性能等进行控制。自动活套控制系统又进一步对轧制过程稳定性、轧件尺寸形状精度起到保证作用。

3.3　薄板坯连铸连轧半无头轧制工艺

3.3.1　无头轧制的目的

无头轧制或半无头轧制的目的，在于在解决间断轧制问题的同时超越间断轧制的限制，其中主要有：通过无头尾轧制解决穿带问题；通过无非稳定轧制提高质量稳定性和成材率；通过提高穿带速度并使间隙时间为零提高生产效率；可生产超越过去极限轧制尺寸的超薄带钢或宽幅薄板，以及通过润滑轧制和强制冷却轧制新品种[8]。

（1）提高穿带效率。单块坯薄带轧制过程中穿带时产生的弯曲和蛇形，多是由于无张力产生的头尾特有现象，当施加张力后，几乎不发生蛇形现象并可

实现稳定轧制。

（2）提高质量稳定性和成材率。无头或半无头轧制使整个带卷保持恒定张力实现稳定轧制，并且不发生由轧辊热膨胀和磨损模型引起的预测误差及调整误差产生的板厚变化和板凸度变化，可显著提高板厚精度。超薄热带的厚度精度可达±30μm，合格率超过99%，1.0mm带钢合格率甚至比1.2mm还要高。超薄热带还显示出优良的伸长率和正常的微观组织结构。另外，通过稳定轧制也提高了温度精度。在无头轧制中几乎不发生板带头部到达卷取机前这段约100多米长的板形不良或非稳定轧制引起的质量不良。

（3）提高生产率。通常，在热轧厂生产1.8~1.2mm的薄规格板带时，由于板带头部在辊道上发飘，穿带速度限制在800m/min左右，而在无头或半无头轧制时已不受此限制。另外，单块坯轧制中的间歇时间在无头轧制中减为零，由此可显著提高薄规格轧制效率。

（4）可生产薄而宽的钢板和超薄规格板。无头或半无头轧制的主要目的之一，在于稳定生产过去热轧工艺几乎不可能生产的宽薄板和超薄规格钢板。例如，在传统连铸连轧工艺中，过去热轧最薄轧制到1.2mm，其最宽到1250mm。采用无头轧制时，可将非常难轧的材料夹在较容易轧制的较厚材料之间，使其头尾加上张力进行稳定轧制。因此，板厚1.2mm的可轧到1600mm宽，板宽1250mm以下的可轧到0.8mm。

图3-5为JFE千叶3号热轧厂扩大轧制规格范围的示意图[9]。该厂已成功轧制出1.0mm、0.9mm和0.8mm超薄规格热带，并在尺寸精度和力学性能方面极其优秀。

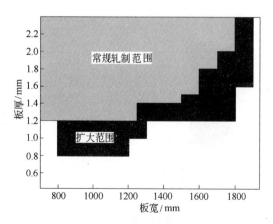

图3-5　千叶3号热轧厂扩大轧制规格范围示意图

（5）通过润滑轧制和强制冷却轧制生产新品种。热轧时采用强制润滑轧制可生产具有优良性能的钢板，但实际上，为了防止因喷润滑油产生的头部咬入打滑，所以稳定的润滑区仅限于每卷的中部区域。因此产品质量难以稳定，成材率也低。在无头轧制中，当板坯的头部通过精轧机组后，直到最后部分板带通过机组的较长时间内都可实现稳定润滑，因此，在能进行稳定润滑的同时，又可减少材料损耗 $1/6 \sim 1/10$。

在无头轧制时，由于可以对精轧出口处的板带施加张力，即使采用快速冷却也不存在穿带和冷却不均问题，由此可得到全长均匀的材质。

3.3.2　无头轧制的效果

无头轧制的效果，可从板厚精度、温度精度和成材率等方面米考察。图 3-6 表示无头轧制和常规轧制 $\pm 30 \mu m$ 的厚度命中率（图 3-6a），成材率（图 3-

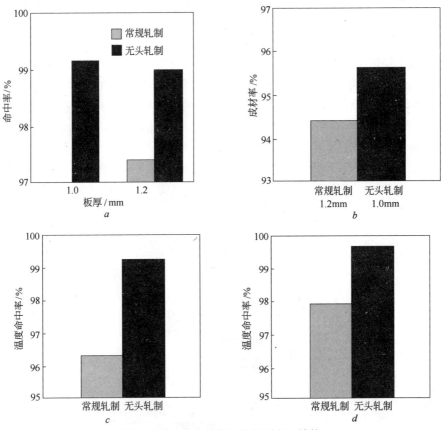

图 3-6　无头轧制和常规轧制厚度、精轧
出口温度、卷取温度命中率及成材率的比较

a—$\pm 30 \mu m$ 的厚度命中率；b—成材率；c—精轧出口温度 $\pm 20℃$ 命中率
（板厚 1.8mm 以下）；d—卷取温度 $\pm 20℃$ 命中率（板厚 1.8mm 以下）

6b)，精轧出口温度和卷取温度±20℃的命中率（图 3-6c、d）的比较[9]。可见，在厚度命中率上，无头轧制无论是 1.2 mm 还是 1.0 mm 都超过了 99%。这是因为常规轧制中由于穿带造成的板厚波动在无头轧制中大幅度降低；在成材率上，无头轧制提高了约 1 %；在精轧出口温度和卷取温度命中率上，无头轧制两者的精度都上升了 2%～3%以上。这是因为板带的形状稳定，温度容易降低的原头部以 1000m/min 以上高速穿带。

3.3.3 薄板坯连铸连轧半无头轧制工艺

近年来已建或在建的第二代薄板坯连铸连轧生产线中无一例外都采用了半无头轧制工艺，如德国 TKS 的 CSP 机组、荷兰 CORUS 的 DSP 机组、埃及 EHI 的 FTSR 机组以及我国唐钢、本钢和通钢的 FTSR 机组、马钢和涟钢的 CSP 机组等。半无头轧制工艺的基本特点是通过采用一系列轧制过程控制关键技术与设备控制措施，使采用定宽长坯轧制得以稳定实现，铸坯的长度可达 200 多米，可生产 3 切分至 7 切分的带卷。由此带来的优势是：

（1）消除穿带、甩尾过程中因头尾无张力形成非稳定轧制而造成的带钢头尾厚度、凸度和板形不良等缺陷，提高带卷通长板形及板厚精度；

（2）提高成材率及生产效率；

（3）减少因甩尾、折叠造成的轧辊损伤，提高轧辊寿命；

（4）避免薄规格轧制时在穿带、甩尾过程中出现的"漂浮"现象，实现超薄规格轧制并扩大薄、宽规格范围。目前在薄板坯连铸连轧生产线上通过采用半无头轧制工艺，热轧薄规格成品厚度最薄达到 0.8mm（宽度 1200mm），厚度为 1.2mm 时，宽度可达 1600mm。

实现半无头轧制工艺的关键技术主要有：

（1）采用动态 CVC 轧机、动态 PC 轧机、F2CR 轧机等，连续控制工作辊热凸度和平直度，以及厚度自动控制（AGC）技术；

（2）采用动态变规格轧制技术 FGC（Flying Gauge Control）；

（3）均匀轧辊磨损专用设备和技术，如轴向窜辊技术等（如 CVC、F2CR、ORG 技术等）；

（4）在卷取机前设置一台高速滚筒式飞剪，可在带钢速度高达 23m/s 时切分钢卷；

（5）为保证带钢顺利导入卷取机，尽可能在靠近末架精轧机后设置一台近距离的轮盘式卷取机，或设置两台带有高速穿带装置的地下卷取机，在带钢高速运行情况下，能在两个卷取机之间进行快速切换，连续不断地卷取带钢；

（6）优化铸坯长度与拉坯速度；

（7）采用工艺润滑，确定合理的衔接段长度以及采用特殊的轧机主传动系统设计等[10]。

3.4　超薄规格轧制

薄板坯连铸连轧生产线生产薄规格（厚度 2～1.2mm）、超薄规格（厚度 1.2～0.8mm）热轧带钢较传统热带轧机具有其独特的优势，经过辊底式炉升温和均热的薄板坯温度可达 1100～1150℃，高于传统轧机中间带坯的温度，而且薄板坯沿宽度和长度方向的温度都很均匀，是轧制薄规格和超薄规格热带的有利条件[11]。近几年，国内外一些薄板坯连铸连轧生产线利用设备与技术优势，通过在钢水成分控制、连铸与加热工艺优化以及在精轧机组的轧制规程采取一系列控制技术和措施，纷纷实现了薄规格和超薄规格热带的批量生产。目前墨西哥 Hylsa 的 CSP 线每月都在供应厚度在 0.9mm 的超薄规格热带产品，珠钢 CSP 线已轧出 1.0mm 薄带产品，厚度不大于 2.0mm 的热轧薄规格集装箱板带高达 50％以上，唐钢 FTSR 线已成功轧制出 0.8mm 超薄规格带，而华菱涟钢 CSP 线于 2004 年 12 月又成功轧制出厚度为 0.78mm 的世界上最薄热轧板卷。

利用半无头轧制工艺生产超薄规格热带产品是薄板坯连铸连轧生产线的一大优势。SMS 公司推出了以生产超薄规格热带产品为主的薄板坯连铸连轧半无头轧制生产线，其中 0.8～3.0mm 的薄带钢占 60％以上，利用达涅利公司的 FTSR（Flexible Thin Slab Rolling）技术在埃及安装的生产线可轧制 0.8mm 的超薄规格带钢。美国 ACME 平均厚度为 2mm；西班牙 ACB 月产约 2 万 t 厚度小于 1.5mm 的薄规格带，产品的厚度分布：小于等于 1.5mm 的占 25％～30％，1.5～3mm 的为 40％，3～12mm 的为 35％～30％；德国蒂森生产的热轧板中宽度最多的是 1300mm，宽度最大为 1600mm，2002 年产品的平均厚度为 1.8～2.0mm；泰国 2mm 以下的占 70％，1.5mm 的占 50％。

根据我国现已投产和正在建设的 11 条薄板坯连铸连轧生产线的轧机装备水平和控制技术，都可以轧制 2mm 以下的薄规格板带，珠钢、邯钢、包钢可轧制 1.2～1.0mm 超薄带，唐钢、马钢、涟钢、本钢和通钢可轧制 1.2～0.8mm 超薄带。因此完全有条件实现部分以热代冷，如生产薄规格集装箱板、热轧镀锌板、热轧酸洗板、建筑用板以及部分热轧深冲板等。

参考国内外近年冷轧钢板的使用性能要求、厚度规格范围以及热轧薄规格及超薄规格可能生产的品种规格范围，初步估计以热代冷薄规格和超薄规格可占冷轧品种量的 20％～30％。

为了生产规格小于 1.0mm 的热轧薄带钢，CSP 线设计时采取了以下措施[12,13]：

（1）为降低轧制力和轧制过程中轧辊造成的坯热损失，在 F4～F6（或

F7）机架采用小直径工作辊。

（2）为了便于穿带，减小了 F4～F6（或 F7）机架的间距。

（3）为便于带钢从轧机输送到卷取机，输出辊道辊的间距较小。

（4）为防止轧后带钢的头部在输送过程中飞离出辊道，在 F6（或 F7）机架后增设高速风机，用空气压住飞行的带钢。

（5）在输出辊道的入口端增设喷雾冷却装置，以使带钢在受到层流冷却水冲击之前头部具有一定的强度。

（6）层流冷却水的喷嘴准确地安装在带钢的输出辊道辊的正上方，防止由于冷却水冲击在带钢上的重量造成带钢弯曲。

（7）对薄规格带钢使用短的冷却线，增设专用卷取机。

较小的工作辊可降低轧制力和电机功率，并可减小轧辊弹性压扁，使带钢减薄成为可能。珠钢薄板坯连铸连轧通过提高板坯温度 50℃及末架用小直径工作辊可使成品带钢厚度减薄 20%[14]。

3.5 铁素体区轧制

铁素体区轧制作为一项新技术应用在薄板坯连铸连轧生产线的热带和超薄规格带钢生产上具有许多有利点，如扩大产品品种规格范围，提高板带的质量性能，进入精轧机组的轧件温度较低，减少氧化铁皮，降低轧辊的热磨损，延长轧辊寿命等。

20 世纪 90 年代初期，比利时的 Cockerill Sambre 首先将铁素体轧制工艺用于工业化生产，1994 年采用铁素体轧制工艺生产的热轧带钢已达每年60 万 t，意大利 Arvedi 钢铁公司的 ISP 机组采用铁素体轧制工艺生产的超薄规格热轧板卷，具有与传统冷轧退火产品相当的组织性能[15]。

JFE 的千叶制铁所采用无头热轧技术在铁素体区轧制，并且沿带钢全长实施稳定、充分的润滑，此热轧板经冷轧、回火后，呈现极高的 r 值，平均达3.0。钢板的深冲性能与组织、织构有很大关系，而且 {111} 织构的发展对 r 值的改善最有效。常规热轧工艺，为了完全再结晶，要保证 Ar_3 转变点以上的精轧温度，因此 {111} 织构组织不发达，晶体取向是随机的。而新的工艺将精轧温度定在铁素体区域，热轧后形成 {111} 织构，同时为了降低钢板表面的剪切变形，在精轧机实施强润滑，使 {111} 织构在整个板厚方向都是发达的。这种再结晶组织通过热轧后的回火工序而显著发达，进一步冷轧、回火后，呈现非常高的 r 值[16,17]。

表 3-3 表示以新开发的铁素体区强润滑热轧带钢为原料，经冷轧、退火后带钢的典型力学性能[18]。与常规 IF 钢相比，r 值显著提高，平均达 3.0，是世界最高水平。计算机模拟和实验均表明：高 r 值钢板可改善冲压部件的成形

性，此次开发的超深冲冷轧钢板可用于汽车侧面板和油箱等对深冲性要求较高的部件。

表 3-3　采用铁素体轧制冷轧退火薄带钢典型力学性能（$t = 1.2$ mm）

性　能	σ_s/MPa	σ_b/MPa	δ/%	r	Δr
性能值	140	280	55	3.0	0.4

热带无头轧制技术还可用于各种表面处理钢板和高强度钢板的生产。

采用铁素体轧制技术，要避免在 $\gamma \rightarrow \alpha$ 相变时的两相区轧制。在 $\gamma \rightarrow \alpha$ 相变时会出现流变应力突变，引起轧制力明显变化和轧件不均匀变形，可能产生带材跑偏、板形缺陷、板厚控制难度增大以及板带成品组织性能不均等。

可进行铁素体轧制的钢种有：低碳钢 LC、微碳钢 ELC（0.015%～0.04%C，0.3%Mn）；超低碳钢 ULC 和无间隙原子钢 IF（＜0.003%C，＜0.3%Mn）。

实现铁素体轧制的关键在于在粗轧与精轧之间要有强力冷却系统，使粗轧后进入精轧机组之前板坯的温度降到 Ar_3 以下，精轧终了温度在 750℃ 左右（钢中碳含量小于 0.022%），钢中碳含量大于 0.022% 时，终轧温度应在 Ar_1 以下，卷取温度在 650℃ 以上。在轧制过程中要配以润滑轧制等相应的工艺控制措施，以提高板带的组织均匀性、成形性、表面质量和良好的板形。采用铁素体轧制的主要特点为：

（1）可避免在 $\gamma \rightarrow \alpha$ 两相区轧制，使轧制变形均匀，板形良好，生产控制比较容易和稳定，此外，还可使带钢的力学性能均匀；

（2）减少氧化铁皮的产生和工作辊的磨损，提高带钢表面质量，降低输出辊道上冷却水消耗；

（3）可以作为新一代钢铁材料生产的手段，通过低温加工使钢材的性能得到提高，可以少加或不加合金元素而得到高强度、高性能钢；

（4）铁素体轧制配合良好的工艺润滑可显著提高板材的深冲性能，提高 r 值。

3.6　柔性轧制工艺控制技术[2,19]

对化学成分相同的 C-Mn 钢（表 3-4），通过采用不同的轧制、冷却和卷取工艺制度的柔性控制工艺获得的高强度热轧板的力学性能变化显著（见表 3-5、表 3-6）。从图 3-7 所示的两种钢板的显微组织观察可见，二者差别较大，6.0mm 板材为典型的近等轴铁素体＋珠光体组织，而 6.5mm 板材的组织要细得多，为尖角形铁素体＋晶内铁素体＋少量贝氏体组织，由此表现出二者在力学性能上的显著差异。

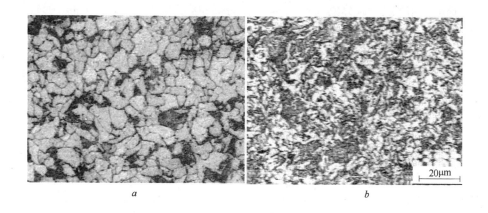

图 3-7 两种热轧工艺钢板的显微组织
a—6.0mm 板；b—6.5mm 板

表 3-4 试制钢的化学成分

成 分	C	Si	Mn	P	S	Ti
含量（质量分数）/%	0.190	0.32	1.20	0.015	0.003	0.016

表 3-5 采用柔性轧制工艺试制钢板的力学性能

厚度/mm	屈服强度/MPa	抗拉强度/MPa	屈强比	伸长率/%	冷弯（$d=0.5a$）
6.0（510L）	431	585	0.74	27.9	合 格
6.5（590L）	537	658	0.82	23.1	合 格

表 3-6 试制钢在不同温度下的夏比冲击功 A_{KV}（J）及韧脆转变温度

温度/℃ 厚度/mm	20	0	−20	−40	−60	−80	−100	韧脆转变温度/℃
6.0（510L）	52	48	44	43	33.5	25.5	6	−81
6.5（590L）	63.5	57.5	56	53	33	17	7.5	−77

从该批试样的拉伸试验结果可以看到，在化学成分相同，但通过采用不同的轧制、冷却和卷取控制工艺获得了两种强度级别的高强度热轧板，即 6.0 mm 板的屈服强度在 431MPa，抗拉强度在 585MPa，伸长率为 27.8%，屈强比为 0.74，达到了 510L 的性能要求。而厚度规格为 6.5mm 钢板的屈服强度为 537MPa（比 6.0mm 板高 107MPa），抗拉强度为 657MPa（比 6.0mm 板高 72MPa），伸长率为 23%，屈强比为 0.82，达到了 590L 的性能要求。两种板材的冲击值及韧脆转变温度也差别不大（见表 3-6）。

采用化学相分析和 X 射线小角散射法确定的钢中 M_3C 纳米尺寸碳化物小

于 18nm 的质量分数分别为：6.0mm 板为 0.0027%；6.5mm 板为 0.0054%。经分析估算，沉淀强化对 HSLC 钢的强度也有着相当大的贡献，约为 100MPa 左右。可以认为 HSLC 钢存在细晶及弥散沉淀综合强化作用。

参 考 文 献

1　Dieter Rosenthal et al.. Second Generation of CSP Plant and Future Development Trends, Proc. of International Symposium on Thin Slab Casting and Rolling, Guangzhou, China, 2002：43

2　康永林，傅杰. 薄板坯连铸连轧组织性能综合控制理论及应用，见：2004 年全国炼钢、轧钢生产技术会议论文集. 无锡，2004：558~566

3　Luis A, LeDuc-Lezama, Miguelv, del Mercado, Rafael G, dela Pena. Hot rolling of thin gage strip steel at Hylsa. Iron and Steel Engineering, 1997, 74 (4)：27~31

4　郭亮. 薄板坯连铸连轧（CSP）工艺特性及钢种开发. 见：冶金译丛. 1999，No. 3：32~35

5　陈先霖. 薄板坯连铸连轧生产线精轧机组轧机的选型配置与板形控制. 见：薄板坯连铸连轧技术交流与开发协会第一次交流大会论文. 广州，2002

6　林振源，沈训良，王中丙，陈贵江. 珠钢薄规格热轧板开发与生产实践. 见：第二届薄钢板质量研讨会论文集. 上海，2002

7　Francesco Stella, Paolo Bobig. Andrea Carboni and Ibrahim faruk, FTSR Technology Ecolution for The High Quality Ultra Thin Gauge Production. Proc. of International Symposium on Thin Slab Casting and Rolling (TSCR'2002), Guangzhou, China, Dec. 3~5, 2002：49~63

8　康永林，周成. 板带热轧无头轧制的技术分析及其应用进展。见：第一届薄钢板质量研讨会论文集. 上海，2000：97~108

9　二阶堂英幸，熱間圧延におけるエントレス圧延技術の開発. 日本西山技術講座，日本鋼鉄協会，1998：79

10　Mao Xinping. Semi－endless Rolling Technology of Thin Slab Continuous Casting and Rolling Technology, Proc. of International Symposium on Thin Slab Casting and Rolling (TSCR'2002), Guangzhou, China, Dec. 3~5, 2002：161~170

11　唐荻，刘文仲，田荣彬，张晓明. 薄板坯连铸连轧技术的新发展. 钢铁，2002，37 (9)：61~66

12　唐荻，蔡庆伍，米振莉. 薄板坯连铸连轧的技术组成. 轧钢，1999，No. 1：56~59

13　LeDuc Lezama L A, Munoz Baca J M. Operational experience rolling ultra light hot strip. Iron and Steelmaker. 1998, No. 2 25~31

14　王锋，赵伟杰，杨敏，马文忠. 1580mm 热轧板形控制优化. 轧钢，1999，No. 2：10~12

15　毛新平. 薄板坯连铸连轧铁素体轧制工艺. 钢铁，2004，Vol. 39，No. 5：71~74

16　潮海弘之，加地孝行，北浜正法，寸法. 材質の均質性を高めた熱延鋼板. 川崎製鉄技報，1999，31 (3)：150

17　山田信男，北浜正法，二阶堂英幸. 极薄熱間圧延鋼板，川崎製鉄技報，1999，31 (3)：155

18　西村惠之，福井义光，川边英尚. 极めて良好なプレス成形性を有する超高 r 值冷間圧延鋼板. 川崎製鉄技報，1999，31 (3)：161

19　康永林. 薄板坯连铸连轧技术与钢的组织性能控制研究新进展. 见：2004 年中国材料科学与工程新进展（特邀报告）. 北京：冶金工业出版社，2005，27~35

4 层流冷却工艺控制与钢的组织[1] 连续冷却转变

4.1 层流冷却工艺

层流冷却是薄板坯连铸连轧生产线控制板带组织性能的重要工艺环节,实践证明,在实际生产中有时在钢的成分和热轧工艺不变的情况下,通过合理应用和优化层流冷却工艺也可得到不同组织和性能的带钢产品,这对带钢新产品开发和组织性能控制至关重要,在生产中可根据产品组织性能要求,采取不同的冷却控制方式[1~4]。

薄板坯连铸连轧生产线的层流冷却线的冷却能力和温度控制精度都比较高,卷取温度可控制在±20℃以内。图 4-1 为 CSP 线的层流冷却线示意图。薄板坯连铸连轧生产线的层流冷却线一般分为喷淋区、微调区、精调区,而冷却方式有四种不同冷却控制模式,即:

（1）头部连续冷却;

（2）头部间隔冷却（一个阀开,一个阀关,间隔冷却）;

（3）尾部连续冷却;

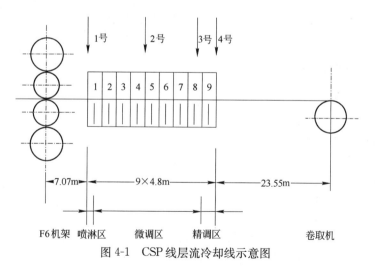

图 4-1 CSP 线层流冷却线示意图

---

❶ 本章由康永林教授撰写。

（4）尾部间隔冷却。

喷淋区由一个阀控制，阀流量为 120m³/h。主要作用是压住带钢头部。微调区上部冷却阀共有 30 个，每个阀控制两个极管，每个阀的流量为 55m³/h；精调区有 8 个阀，每个阀单独控制一个极管，每个阀流量为 27.5m³/h，精调区阀的开关是根据卷取温度的反馈来控制的。下部冷却共有 40 个阀，前 32 个阀为微调区，每个阀的流量为 68m³/h，后 8 个阀为精调区，每个阀的流量为 34m³/h。上下阀的开关基本是对应一致的。两侧阀交错分布，每侧各 5 个，总共有 10 个侧喷阀，主要作用是清洁带钢表面。

考虑到不同的终轧温度、卷取温度，不同的冷却方式及成品厚度规格对成品组织和性能有不同的影响，需要结合不同的轧制工艺采用不同的冷却工艺进行钢板的组织和性能控制。对于不同成分的钢种，尤其是微合金钢和合金钢，终轧后的冷却路径不同，可获得不同的组织，因而得到不同的性能。因此，冷却路径的优化设计和精确控制是钢材组织性能控制的一个技术关键。为了具体搞清层流冷却线在不同冷却工艺条件下各段的冷却速率，在珠钢进行了大规模的层流冷却工艺现场实验测试分析工作。

4.2 不同冷却控制方式的冷却速率

4.2.1 不同冷却方式下厚度为 2.0mm 钢板的冷却速率

以低碳高强钢板 ZJ330B 钢种为基础，在 CSP 线进行了层流冷却规律研究的现

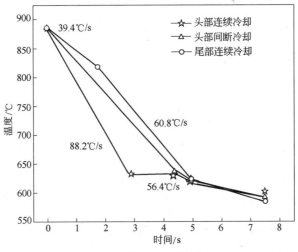

图 4-2 三种冷却方式下 2.0mm 厚带钢在层流冷却区各阶段的冷却速率（图中 0 点为实验用钢通过层流冷却起始温度实际测量点 1 号点的时间）

场实测实验（图 4-2）。试验用钢的厚度规格为 2.0mm，设定终轧温度为 880℃，卷取温度为 600℃，在层流冷却段分别采用头部连续冷却、头部间断冷却和尾部连续冷却方式。

三种冷却方式下 2.0mm 厚带钢在层流冷却区各阶段的冷却速率如图 4-2 所示，对厚度为 2.0mm 的带钢，头部连续冷却方式的冷却速率最大，在冷却段第一段的平均冷却速率达到了 88.2℃/s。而尾部连续冷却方式的最高平均冷却速率达到了 60.8℃/s，头部间断冷却方式的平均冷却速率相对较小。三种冷却方式在层流冷却最后一段的冷却趋势大致相同。

4.2.2 不同冷却方式下厚度为 4.0mm 钢板的冷却速率

实验用钢的厚度为 4.0mm，设定终轧温度为 880℃，卷取温度为 600℃，在层流冷却段分别采用头部连续冷却、头部间断冷却和尾部连续冷却方式。

不同冷却方式下 4.0mm 厚实验用钢的冷却曲线如图 4-3 所示。

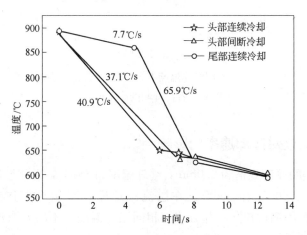

图 4-3 不同冷却方式下 4.0mm 厚带钢在层流
冷却区各冷却段的冷却速率

厚度为 4.0mm 实验用钢，采用尾部连续冷却方式的冷却速率最大，其平均冷却速率达到了 65.9℃/s，而头部连续冷却的平均冷却速率达到 40.9℃/s。在三种冷却方式中，头部间断冷却方式的平均冷却速率相对较小，只达到了 37.1℃/s。

4.3 终轧温度对冷却速率的影响

试验用钢的厚度规格为 2.0mm，终轧温度分别设定为 880℃、840℃和 800℃，卷取温度为 550℃，在层流冷却段均采用头部连续冷却方式。2.0mm 厚实验用钢在相同冷却方式，相同卷取温度，不同终轧温度下的冷却曲线如图 4-4 所示。

在头部连续冷却方式下，三种终轧温度的实验用钢的冷却趋势大致相同，均取得了较大的冷却速率。冷却段第一段的最高平均冷却速率达到了76.4℃/s,最低冷却速率也达到了68.0℃/s，而且在精调段的冷却速率也很高，最高达到了77.3℃/s。

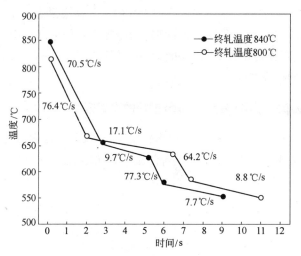

图 4-4　不同终轧温度下 2.0mm 厚带钢在层流
冷却区各冷却段的冷却速率

4.4　卷取温度对冷却速率的影响

试验用钢的厚度规格为 2.0mm，终轧温度为 880℃，卷取温度分别设定为 660℃、640℃、600℃ 和 550℃，在层流冷却段均采用头部连续冷却方式。2.0mm 厚实验用钢在相同冷却方式，相同终轧温度，不同卷取温度下的冷却曲线如图 4-5 所示。

在头部连续冷却方式下，不同卷取温度下实验用钢的冷却速率如图 4-5 所示，均取得了较大的冷却速率。尤其是卷取温度为 660℃ 的实验用钢，其层流冷却第一段的平均冷却速率达到了 92.4℃/s，而且在精调段的冷却速率也很高，达到了 73.6℃/s。卷取温度为 600℃ 的实验用钢在第一冷却段的冷却时间较长，温降很大，达到了 253℃，平均冷却速率为 88.2℃/s。

4.5　厚度规格对冷却速率的影响

4.5.1　头部连续冷却方式对不同厚度实验用钢冷却速率的影响

试验用钢的终轧温度设定为 880℃，卷取温度设定为 600℃，在层流冷却

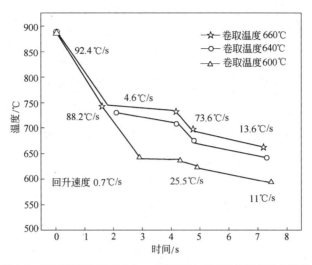

图 4-5 不同卷取温度下 2.0mm 厚带钢在层流冷却区各冷却段的
冷却速率（图中只标明了卷取温度为 660℃和 600℃时
实验用钢的冷却速率）

段采用头部连续冷却方式，对成品厚度规格为 4.0mm 的板卷与厚度为 2.0mm
的板卷进行比较。根据实验用钢各冷却段的温度，得到了 4.0mm 和 2.0mm
厚实验用钢在相同终轧温度和相同卷取温度下，头部连续冷却方式的冷却曲
线，如图 4-6 所示。

由图 4-6 头部连续冷却方式下不同厚度规格实验用钢的冷却曲线可以看

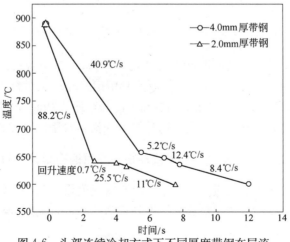

图 4-6 头部连续冷却方式下不同厚度带钢在层流
冷却区各阶段的冷却速率

到，2.0mm 厚实验用钢在头部连续冷却方式下的冷却时间相对较短，平均冷却速率较大。在第一冷却段起，冷却速率达到了 88.2℃/s，而 4.0mm 厚实验用钢在此阶段的冷却速率仅为 40.9℃/s，前者的冷却速率为后者的两倍多。

4.5.2 头部间断冷却方式对不同厚度规格实验用钢冷却速率的影响

试验用钢的终轧温度设定为 880℃，卷取温度设定为 600℃，在层流冷却段采用头部间断冷却方式，对成品厚度规格为 4.0mm 的板卷与厚度为 2.0mm 的板卷进行比较。

4.0mm 和 2.0mm 厚实验用钢在相同终轧温度和卷取温度下，头部间断冷却方式的冷却曲线如图 4-7 所示。

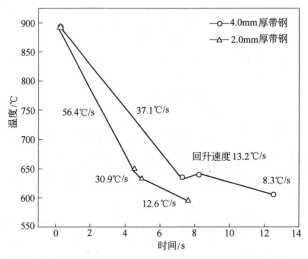

图 4-7   头部间断冷却方式下不同厚度带钢的冷却速率

当在冷却段采用头部间断冷却方式时，2.0mm 厚实验用钢在第一冷却段的冷却速率为 56.4℃/s，而 4.0mm 厚实验用钢的冷却速率为 37.1℃/s。在随后的冷却段，2.0mm 厚实验用钢仍然高速冷却，而 4.0mm 厚实验用钢则出现温度回升，在层流冷却最后一段，两种厚度规格实验用钢冷却趋势趋于一致。

4.5.3 尾部连续冷却方式对不同厚度规格实验用钢冷却速率的影响

试验用钢的终轧温度设定为 880℃，卷取温度设定为 600℃，在层流冷却段采用尾部连续冷却方式，对成品厚度规格为 4.0mm 的板卷与厚度为 2.0mm 的板卷进行比较。

4.0mm 和 2.0mm 厚实验用钢，在相同终轧温度和卷取温度及尾部连续冷却方式下，其冷却曲线如图 4-8 所示。

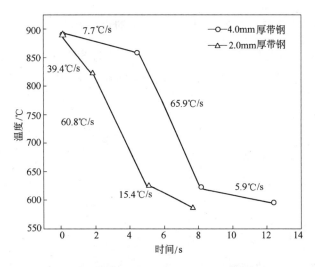

图 4-8　尾部连续冷却方式下不同厚度带钢在
层流冷却区各阶段的冷却速率

当采用尾部连续冷却方式时，2.0mm 厚实验用钢的冷却时间较短，在冷却段的第一段就有较大的冷却速率，达到了 39.4℃/s，而 4.0mm 厚实验用钢在此阶段冷却速率仅为 7.7℃/s，以后两种规格的实验用钢的冷却速率相差不大。

4.6　低碳钢板在不同冷却条件下的力学性能及组织

4.6.1　低碳钢板在不同层流冷却条件下的力学性能

按照不同工艺对相应钢卷取样，每一种工艺制度取其中一卷，分别进行拉伸实验和冷弯实验，其常规力学性能如表 4-1 所示。

表 4-1　层流冷却钢板的力学性能

板材样品序号	厚度/mm	终轧温度/℃	卷取温度/℃	σ_s/MPa	σ_b/MPa	伸长率/%	σ_s/σ_b	冷却方式
1	4.0	880	600	317	398	28	0.80	头部连续
2	4.0	880	600	302	384	30	0.79	头部间断
3	4.0	880	600	318	401	28	0.79	尾部连续
4	2.0	880	600	330	400	28	0.83	头部连续
5	2.0	880	600	329	394	30	0.84	头部间断
6	2.0	880	600	330	398	27	0.83	尾部连续
7	2.0	880	550	344	412	29	0.83	头部连续
8	2.0	840	550	357	410	25	0.87	头部连续
9	2.0	800	550	367	409	30	0.90	头部连续
10	2.0	880	660	334	386	28	0.87	头部连续
11	2.0	880	640	320	381	30	0.84	头部连续

4.6.2 不同冷却方式下厚度为 4.0mm 钢板的组织

实验用钢的厚度规格为 4.0mm，终轧温度为 880℃，卷取温度为 600℃，在层流冷却段分别采用头部连续冷却、头部间断冷却和尾部连续冷却方式。其金相组织见图 4-9、图 4-10 和图 4-11。

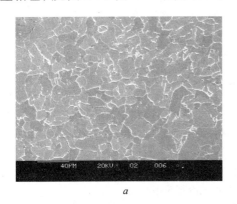
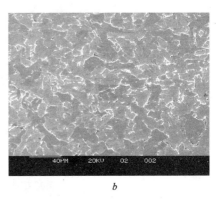

a   b

图 4-9 采用头部连续冷却方式的钢板的金相组织（1 号钢板）

a—钢板横向截面的中心组织；b—钢板纵向截面的中心组织

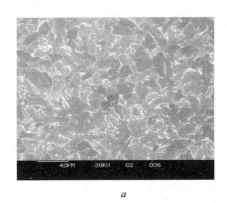
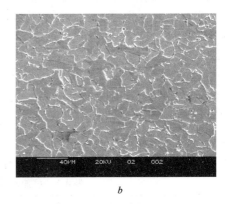

a   b

图 4-10 采用头部间断冷却方式的钢板的金相组织（2 号钢板）

a—钢板横向截面的中心组织；b—钢板纵向截面的中心组织

各冷却方式下厚度为 4.0mm 钢板的铁素体晶粒都存在一定程度的大小不均及随变形拉长。在 1 号钢板的纵向试样中心部位发现颗粒状碳化物析出（图 4-9）。

采用头部连续冷却方式时钢板横向截面的铁素体平均晶粒尺寸为 11.0μm；钢板纵向截面的铁素体平均晶粒尺寸为 11.2μm。采用头部间断冷却方式，钢板横向截面的铁素体平均晶粒尺寸为 12.0μm；钢板纵向截面的铁素体平均晶粒尺寸为 12.4μm。采用尾部连续冷却方式，钢板横向截面的铁素体平均晶粒尺寸为 11.5μm；钢板纵向截面的铁素体平均晶粒尺寸为 12.1μm。

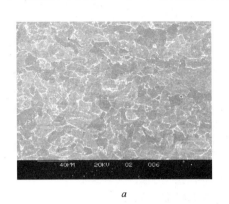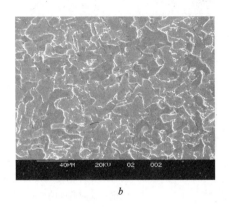

a   *b*

图 4-11 采用尾部连续冷却方式的钢板的金相组织（3 号钢板）

a—钢板横向截面的中心组织；*b*—钢板纵向截面的中心组织

结合冷却速率的分析得知，尾部连续冷却方式的平均冷却速率为 65.9℃/s，头部连续冷却的平均冷却速率为 40.9℃/s。而头部间断冷却方式的平均冷却速率只达到了 37.1℃/s，其屈服强度和抗拉强度比其他两种冷却方式平均低十几兆帕，分别为 302MPa 和 384MPa。在三种不同冷却方式下，实验用钢的伸长率基本相同，为 28%～30%，屈强比为 0.79～0.80，相差不大。

4.6.3 不同冷却方式下厚度 2.0mm 钢板的组织

试验用钢的厚度规格为 2.0mm，终轧温度为 880℃，卷取温度为 600℃，在层流冷却段分别采用头部连续、头部间断和尾部连续冷却方式。其金相组织见图 4-12、图 4-13 和图 4-14。

厚度 2.0mm 钢板在各冷却方式下，其铁素体晶粒都存在一定程度的大小不均及随变形拉长。采用头部连续冷却方式时，钢板横向截面的铁素体平均晶粒尺寸为 9.8μm；钢板纵向截面的铁素体平均晶粒尺寸为 9.3μm。采用头部间断冷却方式，钢板横向截面的铁素体平均晶粒尺寸为 10.3μm；钢板纵向截面的铁素体平均晶粒尺寸为 9.7μm。采用尾部连续冷却方式，钢板横向截面的铁素体平均晶粒尺寸为 8.8μm；钢板纵向截面的铁素体平均晶粒尺寸为 10μm。

当终轧温度相同（880℃），卷取温度也相同（600℃）时，三种冷却方式下实验用钢的屈服强度范围为 329～330MPa，抗拉强度范围为 394～400MPa，没有因层流冷却方式的不同而产生明显的变化；伸长率基本相同，为 27%～

30%；屈强比为 0.83～0.84，相差不大。

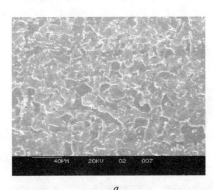 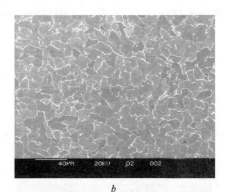

a　　　　　　　　　　　　　　　　　b

图 4-12　采用头部连续冷却方式的钢板的金相组织（4 号钢板）

a—钢板横向截面的中心组织；b—钢板纵向截面的中心组织

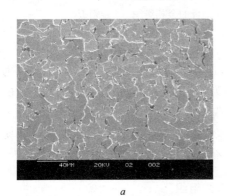 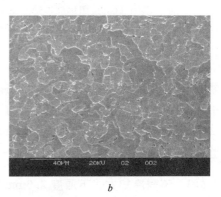

a　　　　　　　　　　　　　　　　　b

图 4-13　采用头部间断冷却方式的钢板的金相组织（5 号钢板）

a—钢板横向截面的中心组织；b—钢板纵向截面的中心组织

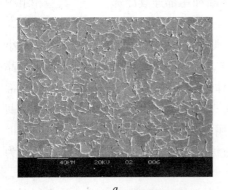 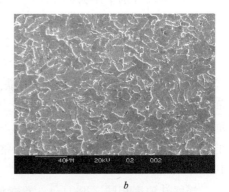

a　　　　　　　　　　　　　　　　　b

图 4-14　采用尾部连续冷却方式的钢板的金相组织（6 号钢板）

a—钢板横向截面的中心组织；b—钢板纵向截面的中心组织

厚度 2.0mm 钢板的铁素体平均晶粒尺寸比相同冷却条件下厚度为 4.0mm 的钢板细小 1~2μm，屈强比也比后者高 3%。

4.6.4 终轧温度对钢板组织的影响

试验用钢的厚度为 2.0mm，终轧温度分别为 880℃、840℃和 800℃，卷取温度为 550℃，在层流冷却段均采用头部连续冷却方式，其金相组织见图 4-15、图 4-17 和图 4-18。

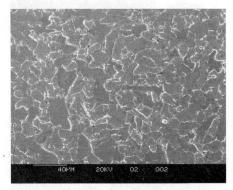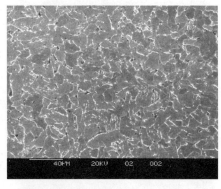

图 4-15　880℃终轧钢板的金相组织（7 号钢板）

a—钢板横向截面的中心组织；*b*—钢板纵向截面的中心组织

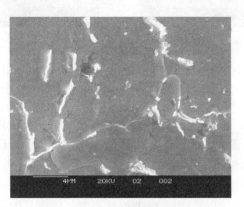

图 4-16　880℃终轧钢板的铁素体组织
内部和晶界上的碳化物

在 550℃的卷取温度下，铁素体晶粒随终轧温度的降低而细化。880℃终轧钢板的铁素体晶粒大小不均匀，在钢板纵向面上的铁素体组织内部和晶界上有大量碳化物析出（见图 4-16），钢板横向截面的铁素体平均晶粒尺寸为 9.3μm；钢板纵向截面的铁素体平均晶粒尺寸为 9.6μm。840℃终轧钢板的铁

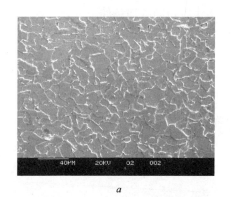 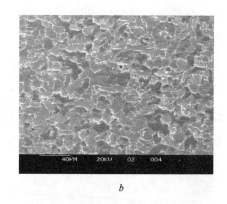

a b

图 4-17　840℃终轧钢板的金相组织（8 号钢板）

a—钢板横向截面的中心组织；b—钢板纵向截面的中心组织

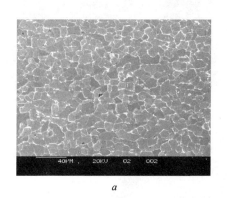 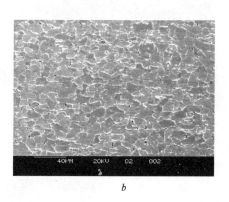

a b

图 4-18　800℃终轧钢板的金相组织（9 号钢板）

a—钢板横向截面的中心组织；b—钢板纵向截面的中心组织

素体相对较均匀，有变形拉长，钢板横向截面的铁素体平均晶粒尺寸为 9.0μm；钢板纵向截面的铁素体平均晶粒尺寸为 9.3μm；而 800℃终轧则获得细小均匀的铁素体组织，钢板横向截面的铁素体平均晶粒尺寸为 8.1μm；钢板纵向截面的铁素体平均晶粒尺寸为 8.6μm。

与钢板的金相组织相对应，随着终轧温度的降低，钢板的屈服强度有了明显的提高，由 344MPa 提高到 367MPa，而其抗拉强度几乎没有发生什么变化，均在 400MPa 左右。而且不同终轧温度下实验用钢的伸长率变化也较为明显，终轧温度为 840℃的实验用钢的伸长率较低，仅为 25%，另外两种终轧温度下实验用钢的伸长率相对较高，分别达到了 29% 和 30%。

终轧温度从 880℃降低到 800℃，钢板的屈强比从 0.83 提高到 0.90，即屈强比随终轧温度降低而提高。

4.6.5　卷取温度对钢板组织的影响

　　试验用钢的厚度规格为 2.0mm，终轧温度为 880℃，卷取温度分别为 660℃、640℃、600℃和 550℃，在层流冷却段均采用头部连续冷却方式，其金相组织见图 4-19、图 4-20、图 4-21 和图 4-22。

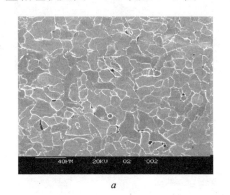 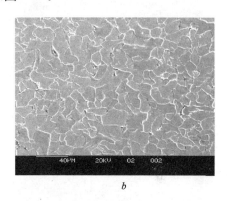

a　　　　　　　　　　　　　　　　b

图 4-19　660℃卷取的钢板的金相组织（10 号钢板）
a—钢板横向截面的中心组织；b—钢板纵向截面的中心组织

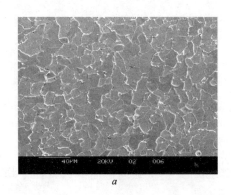 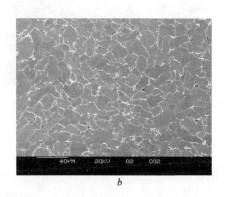

a　　　　　　　　　　　　　　　　b

图 4-20　640℃卷取的钢板的金相组织（11 号钢板）
a—钢板横向截面的中心组织；b—钢板纵向截面的中心组织

　　在 880℃的终轧温度下，随卷取温度的降低，铁素体晶粒得到细化。卷取温度为 660℃时，钢板横向截面的铁素体平均晶粒尺寸为 10.6μm；钢板纵向截面的铁素体平均晶粒尺寸为 11.5μm。卷取温度为 640℃时，钢板横向截面的铁素体平均晶粒尺寸为 10.2μm；钢板纵向截面的铁素体平均晶粒尺寸为 10.4μm；卷取温度为 600℃时，钢板横向截面的铁素体平均晶粒尺寸为 8.8μm；钢板纵向截面的铁素体平均晶粒尺寸为 10μm。卷取温度为 550℃时，

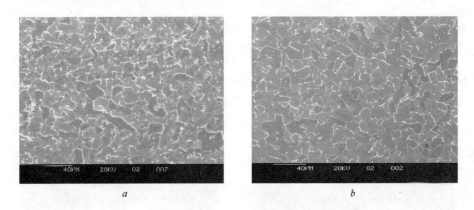

图 4-21 600℃卷取的钢板的金相组织（4 号钢板）

a—钢板横向截面的中心组织；b—钢板纵向截面的中心组织

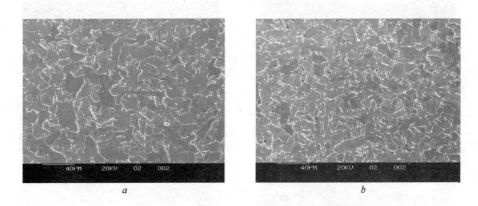

图 4-22 550℃卷取的钢板的金相组织（7 号钢板）

a—钢板横向截面的中心组织；b—钢板纵向截面的中心组织·

钢板横向截面的铁素体平均晶粒尺寸为 9.3μm；钢板纵向截面的铁素体平均晶粒尺寸为 9.6μm。

屈服强度和抗拉强度基本都随卷取温度的降低而升高。卷取温度为 550℃时，实验用钢的屈服强度和抗拉强度较卷取温度为 640℃时都有了显著提高，分别提高了 24MPa 和 31MPa。在不同的卷取温度下成品板的伸长率相差不大。

终轧温度为 880℃，在层流冷却段均采用头部连续冷却方式，卷取温度从 660℃降低到 550℃，钢板的抗拉强度从 386MPa 提高到 412MPa，而屈强比从 0.87 降低到 0.83。

4.7 典型钢种变形奥氏体组织的连续冷却转变

在现代钢铁材料生产过程中,控制轧制和控制冷却对产品的显微组织和综合力学性能具有决定性的影响作用,是控制产品组织和性能的常用工艺。其中,控冷工艺条件取决于钢在冷却时的相变动力学。钢中 $\gamma \rightarrow \alpha$ 相变是最重要的相变过程,也是决定钢铁材料使用状态的显微组织和力学性能的最主要因素;相变细化是晶粒细化的方式之一,其在钢中最主要的应用是使变形之后的 $\gamma \rightarrow \alpha$ 相变晶粒得到细化。此外,由于 CSP 薄板连铸坯与传统厚板坯在坯料铸造过程和加热制度等方面有较大差异,很少有关于其动态连续冷却相变的研究报道。因此,研究 CSP 低碳钢的连续冷却转变行为及组织细化的影响因素,对生产过程有关工艺参数的制定或选取具有重要的指导意义。

4.7.1 低碳钢 ZJ330、ZJ400 的动态 CCT 曲线及连续冷却转变温度[5,6]

珠钢牌号 ZJ330、ZJ400 低碳钢 CSP 薄板连铸坯的化学成分如表 4-2 所示,CSP 低碳钢中杂质元素([O] + [P] + [S])控制得较为严格,总含量较低。

表 4-2 CSP 低碳钢的主要化学成分(质量分数) (%)

钢 种	C	Mn	Si	P	S	Al
ZJ330	0.051	0.390	0.040	0.015	0.002	0.034
ZJ400	0.185	0.300	0.083	0.018	0.006	0.032

依据 Gleeble—1500 热/力模拟机的力能技术参数,并参考部分现场生产工艺规程的模拟实验方案:

(1) 试样以 100℃/s 加热至 1050℃后,以 1℃/s 加热至 1150℃,保温 10s;以 5℃/s 冷却至 1100℃,压下 2.4mm(工程应变为 16%),变形速率为 1s^{-1};然后以 5℃/s 冷却至 950℃,压下 4.6mm(工程应变为 36.5%),变形速率为 20/s,变形后分别以 1℃/s、3℃/s、5℃/s、7℃/s、10℃/s、15℃/s、20℃/s、30℃/s 冷却至室温,用热膨胀法测动态 CCT 曲线,见图 4-23a。

(2) 试样以 100℃/s 加热至 1050℃后,以 1℃/s 加热至 1150℃,保温 10s 后水淬,见图 4-23b。

(3) 试样以 100℃/s 加热至 1050℃后,以 1℃/s 加热至 1150℃,保温 10s;以 5℃/s 冷却至 1100℃,压下 2.4mm(工程应变为 16%),变形速率为 1s^{-1};然后以 5℃/s 冷却至 950℃,压下 4.6mm(工程应变为 36.5%),变形速率为20s^{-1},变形后水淬。

在没有发生相变的情况下,试样在加热和冷却过程中的膨胀量与温度的关

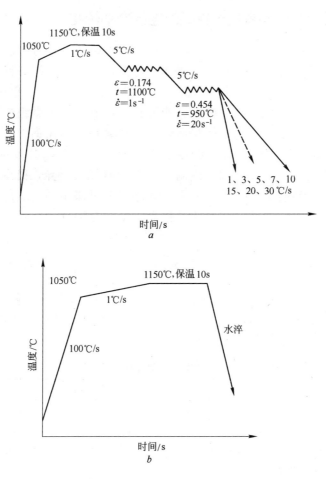

图 4-23　TSCR 低碳钢动态 CCT 实验工艺方案简图
a—工艺（1）；b—工艺（2）

系是一种线性关系，相变发生时不同组织相的比容不同导致热膨胀曲线出现拐点，这是热膨胀法测定相变点的理论依据。利用 Origin 软件对 Gleeble—1500 热/力模拟机记录的温度-膨胀量数据进行处理，CSP 低碳钢连续冷却转变的相变点和动态 CCT 曲线分别见表 4-3、图 4-24 和图 4-25。

表 4-3　TSCR 低碳钢的连续冷却转变温度及组织硬度

钢　种	冷却速度/℃·s⁻¹	1	3	5	7	10	15	20	30
ZJ330	Ar_3/℃	879	854	845	835	828	815	811	791
	Ar_1/℃	714	700	690	685	679	671	663	658
	硬度 HRB	58.2	65.3	66.4	66.9	67.7	69.0	69.4	70.3

续表 4-3

钢 种	冷却速度/℃·s^{-1}	1	3	5	7	10	15	20	30
ZJ400	Ar$_3$/℃	823	788	769	738	728	716	706	695
	Ar$_1$/℃	585	567	551	540	527	532	538	545
	硬度 HRB	83.5	88.1	89.4	90.9	92.2	92.5	91.1	92.5

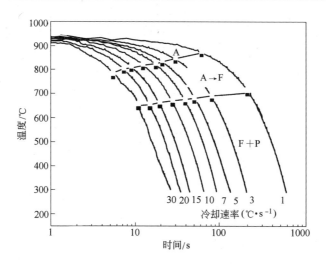

图 4-24　ZJ330 钢的连续冷却转变曲线

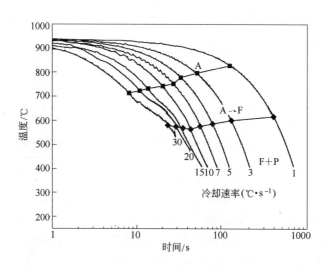

图 4-25　ZJ400 钢的连续冷却转变曲线

分析表 4-3 的实验结果可以看出，随着冷速的提高，变形后 γ→α 的转变温度降低了，这是因为变形后，一方面组织处于不稳定的高自由能状态，具有一种向着变形前自由能较低状态恢复的趋势；另一方面 $\gamma \rightarrow \alpha$ 为受界面控制的扩散型相变，冷却速度提高，过冷度增大，使 $\gamma \rightarrow \alpha$ 的自由焓差增大。随着过冷度的加大，晶界、位错等处的临界形核自由能与均匀形核时的临界形核自由能相比逐渐变小。这就意味着随着过冷度的加大，在晶界上越容易形核，故在轧后冷却过程中使铁素体相变越发在较低的温度下进行，即导致相变点温度 Ar_3 降低。在相同的变形及冷却条件下，碳元素具有降低 Ar_3 温度的特性，碳含量对相变点温度的影响较大。ZJ330 钢因碳含量低，则其 Ar_3 温度明显高于 ZJ400 钢；且两种低碳钢的 Ar_3 温度皆随着冷却速度的提高而降低。

从表 4-3 还可以看出，低碳钢的组织硬度值随冷速的提高而增大，冷却速度较小时，硬度变化显著；但当冷速值达到 15℃/s 时，硬度值变化缓慢。因为当冷速在一定范围内变化时，随着冷却速度的提高，变形晶粒的回复软化作用减弱，组织中保留了密度较高的缺陷（如位错等）的储存能，结构强化增强，因此组织的硬度值升高。相变温度 Ar_3 低，奥氏体区域大，对获得细晶粒铁素体较为有利。这是因为铁在铁素体区中的自扩散系数比在奥氏体区中高一个数量级，即在同一温度下处于铁素体状态晶粒的长大要容易得多；若在晶粒扁平化温度和 Ar_3 温度之间保证有足够的变形量，将使 $\gamma \rightarrow \alpha$ 相变比值提高。由图 4-24 和图 4-25 还可看出，本实验中 $\gamma + \alpha$ 两相区的温度都在 130℃ 以上。故在控制轧制后的冷却中，应依据产品的性能要求和设备的能力采用快速强力冷却措施，以避免铁素体晶粒的过分长大。

4.7.2 低碳锰钢（16Mn）的动态 CCT 曲线及连续冷却转变温度[7]

在薄板坯连铸连轧工艺条件下，珠钢已开发出采用低碳锰钢（16Mn）生产用于汽车制造的低碳高强度汽车大梁板（珠钢企业钢号为 ZJ550L），表 4-4 为低碳高强度 ZJ550L 钢的化学成分。

表 4-4　低碳高强汽车板 ZJ550L 钢的化学成分（质量分数）　　　　（%）

钢　种	C	Si	Mn	P	S	Cu	Al_t
ZJ550L	0.171	0.29	1.16	0.009	0.003	0.09	0.028

ZJ550L 钢的动态 CCT 曲线测定在 Gleeble—1500 热模拟试验机上进行。由薄板连铸坯加工成中间带凹槽的样品（图 4-26），样品的轴向和铸坯的拉速方向一致。通过层流冷却实验测定，表明钢板终轧后的冷速大多处于 20~80℃/s 范围之间，最大可达到 150℃/s 以上。采用中间带凹槽的样品在 Gleeble—1500 热模拟试验机上可以达到的最大冷速在 50℃/s 左右。另外考虑到试样尺寸的限制，在实验室无法完全模拟 CSP 热轧阶段的变形工艺参数，

根据 CSP 连轧阶段的工艺特点，采用两道次变形模拟，高温采用 1000℃ 压缩 50% 的变形，低温为 850℃ 或 780℃ 压缩 30% 的变形，工艺方案见图 4-27。

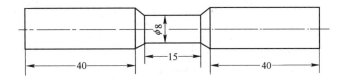

图 4-26 样品的形状和尺寸

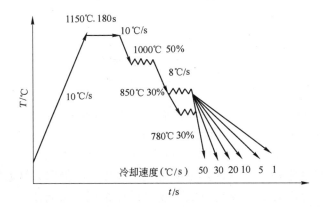

图 4-27 Gleeble—1500 热模拟试验工艺方案

试样以 10℃/s 的速度加热到 1150℃，固溶处理 3min 后，以 10℃/s 的速度冷却到 1000℃，变形 50%（压下 7.5mm），变形速率为 5s⁻¹；再以 8℃/s 的速度冷却到 850℃ 或 780℃，变形 30%（压下 2.25mm），变形速率为 50s⁻¹。试样变形后分别采取 1℃/s、5℃/s、10℃/s、20℃/s、30℃/s、50℃/s 的冷速冷却到 400℃，然后空冷到室温。用热膨胀法测定试样在不同冷速下的相变点。

扫描电镜观察实验后的试样组织，结合实验结果绘制动态 CCT 曲线。

根据 Gleeble—1500 热模拟的实验数据（见表 4-5），并结合室温组织的扫描电镜照片，绘制了终轧温度为 850℃ 的动态 CCT 曲线，如图 4-28 所示。

表 4-5 ZJ550L 变形后连续冷却的相变温度

终轧温度 /℃	相变点 /℃	冷却速度/℃·s⁻¹					
		1	5	10	20	30	50
850	Ar_3	756	724	710	673	654	598
	Ar_1	598	590	575			
	B_s				568	553	530
	B_f				443	440	

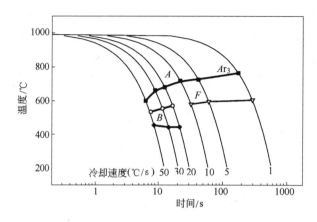

图 4-28　ZJ550L 汽车用 C-Mn 钢 850℃
变形后的动态 CCT 曲线

当冷速为 1℃/s 时得到的是铁素体＋珠光体的混合组织，铁素体为多边形，晶粒直径为 10~20μm，珠光体片层结构十分明显，片层间距在 0.5μm 以下；当冷速为 5℃/s 时，铁素体平均晶粒直径在 10μm 左右，珠光体团更加细小、弥散；当冷速为 10℃/s 时，组织进一步细化，但仍旧为铁素体和珠光体的混合组织；冷速为 20℃/s 时开始出现贝氏体组织，珠光体的数量减少，铁素体的体积分数减少；当冷速为 30℃/s 和 50℃/s 时，贝氏体所占的体积分数进一步增加。

随着冷却速度增加，铁素体的开始转变温度 Ar_3 明显降低，当冷速达到 50℃/s 时，Ar_3 在 600℃以下；尽管 Ar_1 随冷却速度增加也有下降的趋势，但要缓慢得多。增加冷却速度显著降低 Ar_3，造成过冷度（$\Delta T = Ac_3 - Ar_3$）增加，从而提高形核率，增加晶内形核数，因而可以细化组织。另外，增加冷却速度降低了在相变中形成先共析铁素体的数量（因为抑制了铁素体长大速度），因此有利于贝氏体形成。

在冷速为 1℃/s 的情况下，低碳钢得到等轴的铁素体-珠光体组织。当增加冷却速度时，出现贝氏体，形成铁素体和贝氏体的混合组织。随着冷却速度增加，相变产物中贝氏体所占的比例增加，继续增加冷却速度甚至会形成部分马氏体。

由于实验中 CCT 曲线是在 850℃变形后测得的，并且冷速范围和现场相符，可以更好地对实际层流冷却段的组织变化进行分析。对照图 4-28 的动态 CCT 曲线，连轧中终轧温度在相变温度以上，因此板带在进行层流冷却前是变形奥氏体组织，在珠钢 CSP 线热连轧第六架轧机到层流冷却段的距离较短（7.07m），而出口线速度很快，所以奥氏体分解相变是在随后的层流冷却阶段发生的。

4.7.3　800MPa 级 TRIP 钢的动态 CCT 曲线及连续冷却转变温度[8]

利用 Gleeble—2000 热/力模拟实验机和光学显微镜等手段，研究了 TSCR 生产 TRIP 钢的动、静态连续冷却转变规律，分析有关参数的影响。

实验用料为 50mm 厚 TRIP 钢铸坯，其化学成分如表 4-6 所示。

表 4-6　实验用钢化学成分

成　分	C	Si	Mn	Nb	Mo	P	S	Ti	Al
含量（质量分数）/%	0.20	1.20	1.50	0.045	0.5	0.035~0.05	0.006	0.07	0.036

将铸坯加工成两种模拟实验试样，其中 $\phi 2mm \times 13mm$ 的试样用于静态 CCT 实验，$\phi 8mm \times 12mm$ 的试样用于动态 CCT 实验。依据实验机的力能技术参数，并参考部分 TSCR 生产工艺参数，制定了下列模拟实验方案：

（1）按照国标拟定的静态 CCT 方案：把 $\phi 2mm \times 13mm$ 的试样以 5℃/s 的速度加热到奥氏体化温度（1000℃），保温 10min，分别以 0.5℃/s、1℃/s、5℃/s、7℃/s、10℃/s、15℃/s、20℃/s、30℃/s、50℃/s 的冷却速度冷至室温，采集温度、膨胀量和时间数据，绘制静态 CCT 曲线。

（2）模拟 TSCR 实际生产条件，拟定的静态 CCT 方案为：把 $\phi 2mm \times 13mm$ 试样以 100℃/s 加热到 1300℃，并以 1℃/s 加热到 1350℃，保温 10s，按冷却速度 0.5℃/s、1℃/s、5℃/s、7℃/s、10℃/s、15℃/s、20℃/s、30℃/s、50℃/s 分别冷至室温，采集温度、膨胀量、时间数据，绘制静态 CCT 曲线。

（3）动态 CCT 方案：将 $\phi 8mm \times 12mm$ 圆柱形连铸坯试样以 100℃/s 加热至 1050℃后，以 1℃/s 加热至 1150℃，保温 10s；再以 5℃/s 的冷速冷却至 1050℃，压下 5mm（工程应变为 41.6%），变形速率为 1/s；然后以 5℃/s 冷却至 950℃，压下 1mm（工程应变为 14.3%），变形速率为 20/s，变形后分别以 1℃/s、3℃/s、5℃/s、7℃/s、10℃/s、15℃/s 冷却至室温，采集温度、膨胀量和时间数据，绘制动态 CCT 曲线。

为了最大程度地吻合实际生产条件，从而更好地为实际生产提供依据。除方案（1）依据国家标准制订外，（2）、（3）两种方案的工艺参数选择都模拟了生产实际情况。根据三种不同工艺方案，进行了不同加热条件、变形条件、冷却条件下相变规律的研究。

在冷却过程中，钢中的奥氏体会发生 γ-α 转变，由于 γ 相（奥氏体）的比容比 α 相的小，当试样中有 α 相（铁素体或贝氏体或马氏体）生成时，将导致试样体积膨胀，在试样的长度-温度曲线上出现拐点，拐点对应的温度即为新相生成的温度[9]。本实验钢种的三种实验方案下的连续冷却转变温度和CCT曲线分别如表 4-7、表 4-8、表 4-9 和图 4-29、图 4-30、图 4-31 所示。

表 4-7　实验方案（1）测定的连续冷却转变温度

冷却速度/℃·s⁻¹	0.5	1	5	7	10	15	20	30	50
Ar_3/℃	740	703	623	601					
Ar_1/℃	600	571	553	497					
B_s/℃					567	538	507	453	429
B_f/℃					477	329	347	314	329

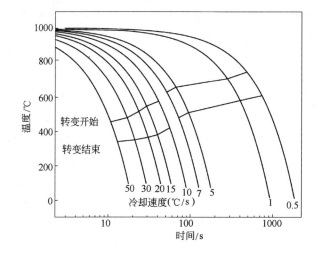

图 4-29　方案（1）测定的连续冷却转变曲线

表 4-8　实验方案（2）测定的连续冷却转变温度

冷却速度/℃·s⁻¹	0.5	1	5	7	10	15	20	30	50
Ar_3/℃	711	686	620	576					
Ar_1/℃	545	506	419	410					
B_s/℃					547	521	479	431	429
B_f/℃					335	305	315	309	328

表 4-9　实验方案（3）测定的连续冷却转变温度

冷却速度/℃·s⁻¹	1	3	5	7	10	15
Ar_3/℃	719	694	650	640		
Ar_1/℃	547	519	484	482		
B_s/℃					614	587
B_f/℃					463	457

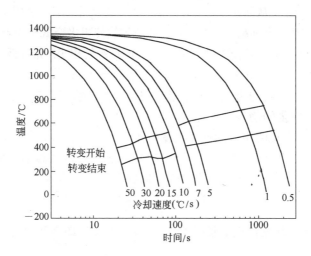

图 4-30 方案（2）测定的连续冷却转变曲线

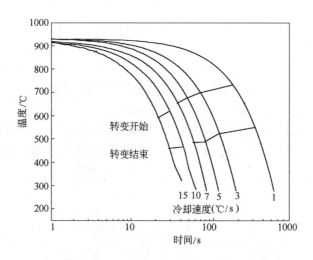

图 4-31 方案（3）测定的连续冷却转变曲线

由采集的数据可知，相变温度较低，当冷速大于 10℃时，开始发生贝氏体转变。同时，随着冷却速度加大，相变开始转变温度降低。这是由于冷却速度加快时，原子扩散速度会减慢，另一方面，冷速提高时过冷度增大，使新旧两相的自由能差减小，降低了相变驱动力，从而导致相变温度降低。

在相同的冷却速度下，方案（2）的相变温度比方案（1）低，这是由于二者的热历史不同。方案（2）的加热温度高于方案（1），在奥氏体化温度以上一定范围内的加热使奥氏体晶粒持续长大，即方案（2）的奥氏体晶粒相对粗大，旧相体积自由能相对较小，从而使相变温度降低[2]；合金元素对相变的影响也不容忽视，方案（2）的加热温度远高于方案（1），高温加热使更多降低相变点的溶质元素溶入，其中锰含量最大，且作用最明显，1.0%的锰约使相变开始降低70℃[10]。

比较方案（3）和方案（1）、（2），可以看出变形后 $\gamma \to \alpha$ 的转变温度升高了。这是因为变形后的组织处于不稳定的高自由能状态，有一种向着变形前自由能较低状态恢复的趋势。

该实验的 $\gamma + \alpha$ 两相区的温度范围较大，其中方案（1）为70～160℃，方案（2）为100℃以上，方案（3）为130℃以上。两相区温度区间较大有利于工艺控制，但在控制轧制后的冷却中，依据产品的性能要求和设备的能力，应采用快速强力冷却措施，避免铁素体晶粒的过分长大[6]。

4.7.4　400MPa 级耐候钢的动态 CCT 曲线及连续冷却转变温度

屈服强度为 400MPa 级耐候钢的化学成分见表 4-10。

表 4-10　400MPa 级耐候钢冶炼试样化学成分

成　分	C	Si	Mn	P	S	Cu	Cr	Ni	[O]	[N]
含量（质量分数）/%	0.08	0.35	0.58	0.081	0.009	0.23	0.46	0.30	0.0029	0.002

按 GB 5056—85 膨胀法测量钢的相变点的要求测量该钢种的相变点，加热时加热到 1150℃，保温 10min 完全奥氏体化后，以 15℃/s 冷却速度冷却，测量其相变点的温度。该钢种加热（加热速度按相应国家标准执行）过程中的相变点 $Ac_3 = 905℃$，$Ac_1 = 768℃$；以 15℃/s 冷却速度冷却时的相变点 $Ar_3 = 760℃$，$Ar_1 = 680℃$。动态 CCT 曲线的试验方案见图 4-32。

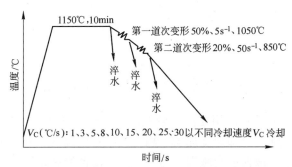

图 4-32　400MPa 级高强耐候钢热模拟试验方案

冷却速度小于 18℃/s 以下的热模拟试验在 Gleeble—2000 热模拟试验机上完成，冷却速度大于 20℃/s 的在 Gleeble—1500 热模拟试验机上完成。该实验方案所用试样尺寸为：ϕ8mm（直径）×15mm（长度）。

热模拟实验工艺为：

将试样以 5～10℃/s 加热到 1150℃，保温 10min，然后空冷至 1050℃压缩变形 X（冷却速度在 18℃/s 以下时，变形 45％，大于 20℃/s 时，变形 50％），应变速率为 5s^{-1}；然后再空冷至 850℃压缩变形 20％，应变速率为 50s^{-1}；然后以不同的冷却速度冷却至室温。

以不同的冷却工艺冷却到室温，共有 9 个工艺，包括以 1℃/s、3℃/s、5℃/s、8℃/s、10℃/s、15℃/s、20℃/s、25℃/s、30℃/s 的冷却速度冷却到室温。

400MPa 级耐候钢动态 CCT 曲线见图 4-33。由图 4-33 可以看出，随着冷却速度的提高，其相变开始温度由 820℃降到 780℃，相变结束温度也由 715℃降到 670℃。

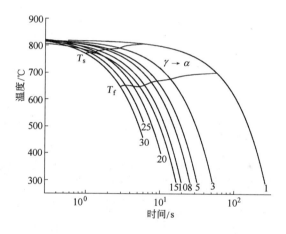

图 4-33 400MPa 级耐候钢动态 CCT 曲线

参 考 文 献

1 康永林，傅杰，毛新平. 薄板坯连铸连轧组织性能综合控制理论及应用. 钢铁，2005，Vol. 40，No. 7：41～45

2 康永林. 薄板坯连铸连轧技术与钢的组织性能控制研究新进展. 2004 年中国材料研讨会. 北京，2004：267～268

3 霍向东，柳得橹，孙贤文，康永林，傅杰，王中丙，李烈军，陈贵江. CSP 层流冷却工艺对低碳钢组织和性能的影响. 钢铁，2003，Vol. 38，No. 8：30～34

4 陈银莉，康永林，徐志如等. CSP 线层流冷却实验测定. 见：2003 年钢铁研究年会论文集. 北京，2003：146～149

5 于浩. CSP 热轧低碳钢板组织细化与强化机理研究：[博士学位论文]. 北京：北京科技大学，2003

6　于浩，康永林，王克鲁，柳得橹，傅杰．CSP低碳钢薄板连铸坯的连续冷却转变及显微组织细化．钢铁研究学报．2002，Vol. 14，No. 1：42～46
7　孙贤文，霍向东，柳得橹，康永林，毛新平，陈贵江，李烈军. 控制冷却对CSP低碳锰钢组织和性能的影响. 北京科技大学学报，2004，Vol. 26，No. 3：268～271
8　谷海容，于浩，康永林，张迎晖. TSCR生产800MPa级TRIP钢的连续冷却相变及组织演变模拟研究. 北京科技大学学报，2005，Vol. 26，No. 1
9　宋维锡．金属学．北京：冶金工业出版社，1994
10　林惠国，傅代直．钢的奥氏体转变曲线．北京：机械工业出版社，1988

5 薄板坯连铸连轧典型钢种的变形抗力及模型[❶]

5.1 金属变形抗力的概念及研究方法

5.1.1 金属变形抗力概念

变形抗力是表征金属与合金塑性加工性能的一个最基本量。金属在塑性加工时的变形抗力大小，不但是衡量材料可变形性优劣的重要标志，也是设备选择、塑性变形工艺制定的依据以及模具与有关装置设计的基本前提。同时，变形抗力的变化也在一定程度上反映了材料微观组织的变化。不同温度下进行变形对实际钢板的组织结构和各项性能都有决定性影响。因此，研究钢在加工时的变形抗力规律，对实际生产中各种轧制工艺参数的选取和优化工艺有直接的指导作用，具有重要的学术意义和工程价值[1,2]。

金属在一定变形温度、变形程度和变形速率条件下的屈服极限称为金属的变形抗力，它是用来度量金属抵抗塑性变形能力的力学指标，常用 σ 表示。金属的理论屈服强度决定于原子间的结合力，实际屈服强度则取决于位错运动时受到的各种阻力。这些阻力是和金属材料的成分与组织结构有关的，而材料的组织结构又随着变形温度、应变速率和变形程度变化的。因此，变形抗力是变形温度、应变速率和变形程度的函数。即：

$$\sigma = f(x, \varepsilon, \dot{\varepsilon}, T) \tag{5-1}$$

式中　σ——变形抗力，MPa；

　　　x——钢种的化学成分（质量分数），％；

　　　ε——变形程度，％；

　　　$\dot{\varepsilon}$——变形速率，s^{-1}；

　　　T——变形温度，K。

5.1.2 金属变形抗力的研究方法

金属变形抗力的研究，是伴随着金属压力加工生产的开始而兴起的，至今

---

❶ 本章由康永林教授撰写。

已有六、七十年的历史。从理论上讲，可以用物理模拟和数值模拟的方法建立变形抗力与各影响因素之间关系的物理模型和数学模型。然而，数值模拟必须以物理模拟为前提，只有提供精确的、有典型意义的物理模拟实验数据和物理模型，才可建立能真正反映客观实际的数学模型。目前，金属变形抗力的实验方法有拉伸法、圆柱体单向压缩法、平面应变压缩法、扭转法、轧制法等等。其中前三种方法比较常用，而在热/力模拟试验机上进行变形抗力的测定，主要用圆柱体单向压缩法和平面应变压缩法。

　　同其他试验机相比，热加工模拟机可以在较大范围内改变变形温度、变形程度和变形速率；可以进行多道次连续变形，并且可以调整各变形道次间的时间间隔，变形后可以急冷，并可以通过调整冷却速率来"固定"高温下金属的瞬态组织；可以测定变形过程中各道次的金属变形抗力等。热加工模拟机已广泛应用于控轧、控冷、形变热处理、变形抗力测试等方面的研究[3]。

　　热模拟所用的变形方式主要是压缩实验法，这种方法是进行变形抗力研究应用最广泛的方法。用它可以获得各种金属压力加工条件下塑性变形所需要的变形抗力与变形程度的关系。压缩实验法可分为两种，即圆柱轴向压缩式和平面应变压缩式。当然它们具有不同的特点，选择哪种方式主要考虑到研究的对象和问题的特点。这两种变形方式的热模拟形式如图5-1所示。

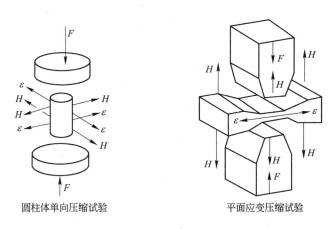

圆柱体单向压缩试验　　　　　　　　平面应变压缩试验

图 5-1　两种常用的压缩试验方法
F—力；H—散热；ε—应变

　　（1）圆柱体单向压缩式。采用圆柱轴向压缩式实验对变形抗力进行研究，是目前所采用的最广泛的方法。试样为圆柱形，直径 d 一般在 8～12mm 之间，长度 L 一般在 10～15mm 之间，通常取 $L/d=1.5～1.7$。如果端面无摩擦，试样温度均匀，变形则是均匀的。然而，这仅仅是理想状态。但在实际变形过程中测量出的不是变形抗力，而是平均单位压力。这是因为在压缩时，试件在工具的两个平行平面间受到压缩，试件与工具接触的表面上存在着摩擦，导致了试件内部产生三向压应力状态和变形的不均匀。

压缩实验时试样端面的摩擦力是影响试验精度的主要因素。只有当压缩后试样无鼓肚，其轴向应变和横向应变相等，所测得的变形抗力才能反映整个试件塑性变形的真实情况。因此，如何减少试样端面摩擦是保证单向压缩物理模拟精度的技术关键。目前克服端面摩擦主要采用的技术有：试样端部开槽添加玻璃粉润滑；石墨纸垫片润滑；碳化钨垫块降低试样的温度梯度。虽然采用了各种方法，但完全消除摩擦是不可能的。因此，为了衡量单向热压缩试验的有效性，英国国家物理实验室经过大量对比实验及组织观察，提出膨胀系数 B 这一物理量的概念。即：

$$B = \frac{L_0 d_0^2}{L_f d_f^2} \tag{5-2}$$

式中　B——鼓肚系数；

　　　L_0——试样原始高度；

　　　d_0——试样原始直径；

　　　L_f——压缩后试样平均高度（取试样两端部中心及圆周每隔 $120°$ 的三个点，共测量试样四个高度值进行平均）；

　　　d_f——压缩后试样平均直径（腰部和端部相平均）。

该实验室评判标准为：当 $B \geqslant 0.9$ 时，其单向热压缩实验的结果是有效的。

当 $B < 0.9$ 时，美国 DSI 公司推荐用下式予以修正计算：

$$\sigma_i = \frac{4F_i}{\pi d_i^2} \left(1 + \frac{\mu d_i}{3L_i}\right)^2 \tag{5-3}$$

式中　　　σ_i——真应力；

　　　　　μ——摩擦系数；

　F_i、d_i、L_i——分别表示瞬时测得的压力、试样的平均直径和平均高度。

（2）平面应变压缩式。平面应变压缩试验广泛应用于轧制模拟，这是由于与单向压缩试验相比，平面应变压缩试验应力状态、变形状态及热传导等更接近于轧制。其流变应力的测定更加方便与精确。

在平面应变压缩试验中，将板状试样放在压头（砧板）间，为了保证横向展宽可以忽略，使试验条件接近平面应变是理想状况，试件的宽度与砧板的宽度之比应在 6~10 之间，砧板的宽度与试件的厚度之比应在 2~4 的范围之内。同样，试件与砧板的接触摩擦也会影响试验结果。平面应变压缩式试验的优点是可以达到较大的变形程度和较高的变形速率，但受到砧板的粘接和变形区域的影响，使得冻结变形后的显微组织不够理想，进而对下一步的组织分析工作不利。

5.2　低碳钢 SS330（Q195 成分）的变形抗力及模型

5.2.1　低碳钢 SS330 的变形抗力实验结果

对于 Q195 的低碳钢，在薄板坯连铸连轧工艺生产中，因其强度高（平均屈服强度在 330MPa 左右），有的薄板坯连铸连轧企业已将其称为屈服强度 330MPa 级低碳钢，如广州珠钢称为 ZJ330，有的钢厂称为 SS330。

实验用料为珠钢提供的 ZJ330 钢 50mm 厚连铸坯，钢的化学成分见表 5-1。

表 5-1　Q195（ZJ330）钢化学成分

成　分	C	Mn	Si	S	P	Al
含量（质量分数）/%	0.05～0.07	0.25～0.40	约 0.03	<0.015	<0.025	0.02～0.03

实验在 Gleeble—1500 热模拟试验机上进行。为了建立能够较为准确地描述变形抗力的数学模型，应充分考虑到变形量、变形速率、变形温度等因素的交互作用，在参考部分实际生产工艺参数的基础上，拟按以下工艺进行变形模拟。试样先以 10℃/s 加热到 1200℃保温 5min 后，以 10℃/s 冷却到变形温度 T，分别在 1100℃、1050℃、1000℃、950℃、900℃、850℃下变形，压下率为 63%，应变速率分别为 5s^{-1}、30s^{-1}，变形后以 5℃/s 冷却到 300℃再空冷。

5.2.1.1　变形量对变形抗力的影响

图 5-2、图 5-3 分别表示应变速率为 5s^{-1}、30s^{-1}时，在 850℃、950℃、1050℃变形温度下的应力-应变曲线。

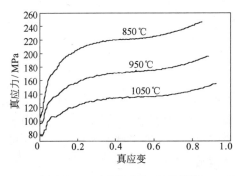

图 5-2　5s^{-1}时的应力-应变曲线

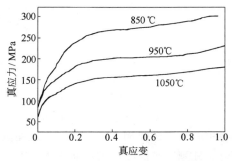

图 5-3　30s^{-1}时的应力-应变曲线

由以上两图可以看出：不管在哪种应变速率和变形温度下，随变形程度的增加都发生了加工硬化现象，而且在低变形温度和高应变速率条件下，变形抗力增加显著。如在 850℃、5s^{-1}的条件下，当应变量为 0.4 时，变形抗力值约为 220MPa；

而在 30s⁻¹ 的条件下，当变形温度和变形量相同时，应力值为 270MPa。

由两图还可以看出：当变形量小于 0.3 时，变形抗力增加比较显著；当变形量继续增大时，随变形程度的增加，变形抗力的增加变得缓和，变形抗力随变形程度增大而增大的速率（即硬化率）降低。这是因为随变形程度的进一步增加，位错密度等结构缺陷增多，储存能增加，促进了动态回复与再结晶而引起软化所致。

试样变形温度越高，其加工硬化率越低，这是因为温度越高，愈有利于变形组织动态回复与再结晶的发生，减缓了加工硬化。此外，随着温度的升高，可能开动新的滑移系统，也会使硬化率降低，变形抗力减小。

5.2.1.2 应变速率对变形抗力的影响

图 5-4、图 5-5 分别表示同一温度、不同应变速率时的应力-应变曲线。由图可以看出，应变速率对变形抗力的影响较大。在变形初期，随着应变速率的提高，加工硬化率急剧增加；当真应变大于 0.3 时，金属发生范性形变的功也增大，此功的大部分转化为热，这热量使被加工金属的温度升高，故硬化率的增加趋于缓和。例如在 950℃、应变为 0.4 的条件下，当应变速率为 5s⁻¹ 时，应力为 171MPa。当应变速率提高到 30s⁻¹ 时，应力也增加到 203MPa；而在此应变速率下，当应变量增大到 0.8 时，应力值为 212MPa，仅增大 9MPa。

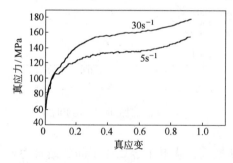

图 5-4　1050℃时应力-应变曲线

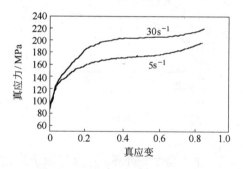

图 5-5　950℃时应力-应变曲线

应变速率对变形抗力的影响规律较为复杂，主要取决于在塑性变形过程中，金属内部所发生的硬化和软化这对矛盾作用的结果。应变速率的提高对软化作用有双重性，因单位时间内发热率的增加而有利于软化的发生和发展；又因其过程时间的缩短而不利于软化的迅速完成，应变速率的升高导致了变形抗力的增加。

5.2.1.3 变形温度对变形抗力的影响

图 5-6 表示了变形温度与变形抗力的关系。由图可见，温度作为影响变形抗力诸因素之一，对抗力的影响非常大。例如在应变速率为 30s⁻¹、变形量为 0.5 的条件下，850℃时的变形抗力为 273MPa；而在相同条件下，1100℃时的

变形抗力为142MPa，约为850℃时的一半。图5-7、图5-8分别表示在同一应变速率下，温度对变形抗力的影响。随着温度的提高，硬化率降低，对应于一定变形量的变形抗力也减小；在温度变化相同时，若应变速率提高，变形抗力减小的这种趋势将趋于缓和。

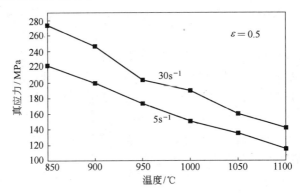

图5-6 不同应变速率下温度和应力的关系

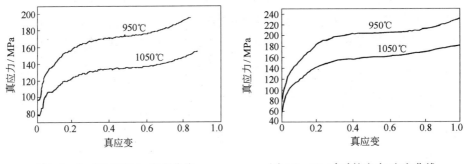

图5-7 5s⁻¹时的应力-应变曲线   图5-8 30s⁻¹时的应力-应变曲线

由于温度的升高，增大了原子热振动振幅，降低了金属原子间的结合力，有利于金属的弹塑性变形；滑移运动阻力减小，新的滑移系统及交滑移不断产生和开动，因此金属的变形抗力随温度的升高而降低。随着温度的提高，可在变形过程中出现回复和再结晶现象，引起金属软化，使变形抗力降低。因软化过程需要一定的时间来完成，故在一定的温度和应变速率范围内，应变速率小时，变形抗力也较小。

5.2.2 低碳钢 SS330 的变形抗力模型

选用如下形式的金属材料的变形抗力模型：

$$\sigma = a\varepsilon^b \dot{\varepsilon}^c \exp\{d/(t+273)\} \tag{5-4}$$

上式可以化为：

$$\ln\sigma = \ln a + b\ln\varepsilon + c\ln\dot{\varepsilon} + d/(t+273) \tag{5-5}$$

对上式可用最小二乘法进行线性回归分析，分别求得 $\ln a$，b，c，d 的期望值为 $\ln\hat{a}$，$\hat{b}$，$\hat{c}$，$\hat{d}$。本实验用 Matlab 软件进行各项分析，求得：

$$\ln\hat{a} = 1.8148$$

$$\hat{b} = 0.1657$$

$$\hat{c} = 0.0943$$

$$\hat{d} = 4059.5$$

故得到低碳钢 Q195 (SS330) 的变形抗力模型式为：

$$\sigma = 6.1398\varepsilon^{0.1657}\dot{\varepsilon}^{0.0943}\exp\{4059.5/(t+273)\} \tag{5-6}$$

对回归分析方程的线性相关程度及系数 b、c、d 进行 F 检验，当显著性水平取 0.01 时分别为：

$$f = 1508.9 > F_{0.01}(3,1655) = 3.78$$

$$f_1 = 10.5617 > F_{0.01}(1,1655) = 6.63$$

$$f_2 = 50.1385 > F_{0.01}(1,1655) = 6.63$$

$$f_3 = 83.1756 > F_{0.01}(1,1655) = 6.63$$

故变形抗力数学模型式 5-6 可信。

任选两个试样，以其实验数据代入回归方程。如 4 号（950℃，5s⁻¹）和 10 号（950℃，30s⁻¹）试样，对于回归方程有 $t=950$，$\dot{\varepsilon}=5\text{s}^{-1}$、$30\text{s}^{-1}$，故回归方程分别为：

$$\sigma = 197.4460\varepsilon^{0.1657}$$

$$\sigma = 233.7833\varepsilon^{0.1657}$$

图 5-9、图 5-10 是回归方程与实验数据的比较。其中虚线为回归方程，实线为原始数据，可见符合程度较好，但应变速率高时，拟合误差略大。

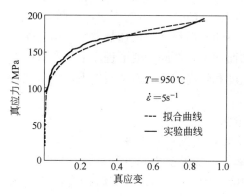

图 5-9 5s⁻¹时的拟合曲线
与实验曲线

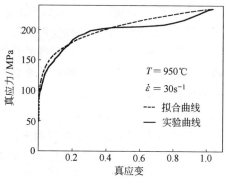

图 5-10 30s⁻¹时的拟合曲线
与实验曲线

5.3　低碳钢 SS400（Q235 成分）的变形抗力及模型

5.3.1　低碳钢 SS400 的变形抗力实验结果

对于 Q235 成分的低碳钢，在薄板坯连铸连轧工艺生产中，其平均屈服强度在 400MPa 左右，有的薄板坯连铸连轧企业已将其称为屈服强度 400MPa 级低碳钢，如珠钢称为 ZJ400，唐钢称为 SS400。

实验用料采用唐钢薄板坯连铸线提供的 SS400 钢连铸坯，钢的化学成分见表 5-2。

表 5-2　唐钢 SS400 钢的化学成分

成　分	C	Si	Mn	P	S	Al
含量（质量分数）/%	0.17～0.22	≤0.15	0.25～0.40	≤0.020	≤0.008	0.02～0.03

在 Gleeble—1500 热模拟机上对唐钢 80mm 厚的 SS400 板坯进行了变形抗力实验，研究了不同温度、不同变形量、不同应变速率下 SS400 钢的变形抗力。

实验在参考部分实际生产工艺参数的基础上，按以下工艺方案进行变形模拟：将试样先以 10℃/s 加热至 1150℃，保温 10min 后，以 10℃/s 冷却至变形温度 T，分别在 1100℃、1050℃、1000℃、950℃、900℃、850℃、800℃ 下变形，压下率为 60%，应变速率分别为 $1s^{-1}$，$10s^{-1}$，$30s^{-1}$，变形后以 15℃/s 冷却至室温。

　5.3.1.1　变形程度对变形抗力的影响

实验测得应变速率分别为 $1s^{-1}$、$10s^{-1}$、$30s^{-1}$，不同变形条件下的变形抗力数值，根据实验所得的数据结果做出相应的变形抗力曲线，见图 5-11。

应力-应变曲线可以直观反映出变形程度对变形抗力的影响，由图 5-11 可知，不论在何种应变速率和变形温度下，随变形程度的增加都发生了加工硬化现象，即变形抗力随着变形程度的增加而增加；在同一变形程度下，变形抗力随温度的升高而降低，在较低的变形温度和较高的应变速率条件下，变形抗力增加显著。

　5.3.1.2　变形温度对变形抗力的影响

变形温度对变形抗力的影响见图 5-12，由图可见，变形温度对变形抗力的影响十分明显，不论在何种应变速率下，变形抗力随变形温度的升高而降低。如在变形量为 0.5，应变速率为 $10s^{-1}$ 的条件下，800℃时的变形抗力为 248MPa，而同样条件下 1100℃时的变形抗力仅为 117MPa。

　5.3.1.3　应变速率对变形抗力的影响

图 5-13 中的 4 个图分别为钢在 800℃、900℃、1000℃、1100℃时不同应

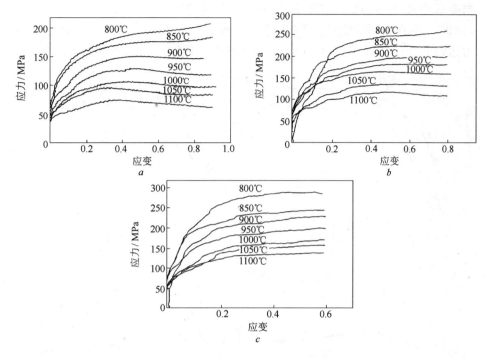

图 5-11　SS400 钢的应力-应变曲线

a—应变速率为 $1s^{-1}$；b—应变速率为 $10s^{-1}$；c—应变速率为 $30s^{-1}$

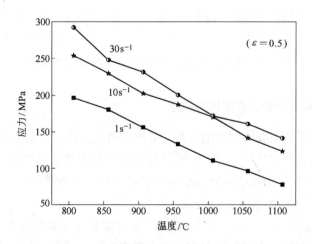

图 5-12　不同应变速率下温度和应力的关系

变速率下的应力-应变曲线，由图可知，应变速率对变形抗力的影响较大。在一定的变形温度和变形程度下，变形抗力随着应变速率的增加而增加。例如，当变形温度为 800℃，应变量为 0.5，应变速率为 1s⁻¹ 时，变形抗力为 71MPa，而在相同的变形温度和应变量条件下，应变速率为 10s⁻¹ 时的变形抗力达到了 248MPa，应变速率为 30s⁻¹ 时的变形抗力达到了 286MPa。

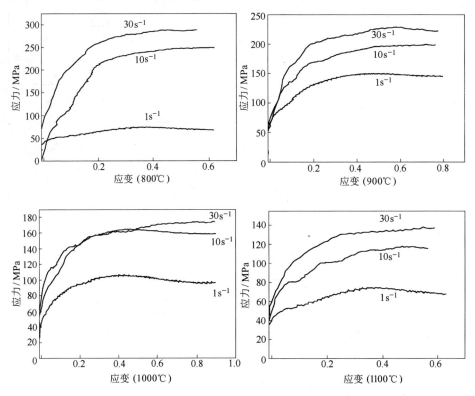

图 5-13　不同温度条件下 SS400 钢的应力-应变曲线

5.3.2　低碳钢 SS400 的变形抗力模型

通过对变形抗力影响因素的分析，并参考有关文献，对金属塑性变形抗力模型进行比较及精度分析，选定 SS400 钢的变形抗力数学模型为式 5-4 形式。

利用 NOSA 软件通过最小二乘法对上式进行多元线性回归分析，分别求得 $\ln a$，b，c，d 的期望值为 $\ln\hat{a}$，$\hat{b}$，$\hat{c}$，$\hat{d}$。

对 $\dot{\varepsilon}=1s^{-1}$，$\dot{\varepsilon}=10s^{-1}$，$\dot{\varepsilon}=30s^{-1}$ 不同应变速率下的应力-应变曲线进行分析，建立变形抗力的数学模型。将应变速率为 1s⁻¹ 和变形速率为 10s⁻¹ 及 30s⁻¹ 时的变形抗力曲线分别进行分析，得到变形抗力的数学模型如下：

（1）应变速率为 1s⁻¹ 时，回归分析求得：

$$\ln\hat{a}=1.0885;\hat{b}=0.1361;\hat{c}=0;\hat{d}=4604.525$$

故 $\qquad \sigma = 2.9698\varepsilon^{0.1361}\exp\{4604.525/(t+273)\}$ (5-7)

对此情况下金属变形抗力的回归方程进行信度为 $\alpha=0.01$ 的 F 校验，得到模型的相关系数为 $R=0.9624$，大于查表得到的相关系数临界值 $r_{a/2}=0.93433$，由此可见回归方程线性相关高度显著。

任选两个试样，将其实验数据代入回归方程。在此取 $t=800℃$ 和 $t=900℃$ 条件下的试样，可得其所对应的回归方程分别为：

$$\sigma = 216.9696\varepsilon^{0.1361}$$
$$\sigma = 150.4936\varepsilon^{0.1361}$$

将回归方程与实验数据进行比较，见图 5-14。图中虚线为回归方程，实线为实验数据，可见符合程度较好，回归方程的计算值与实验数据有较好的拟合性。

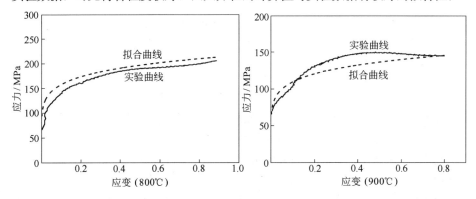

图 5-14 不同温度下的拟合曲线与实验曲线的比较

（2）应变速率为 $10s^{-1}$ 时，回归分析求得：

$$\ln\hat{a} = 2.6223; \hat{b}=0.2048; \hat{c}=0; \hat{d}=3247.240$$

故 $\qquad \sigma = 13.7674\varepsilon^{0.2048}\exp\{3247.240/(t+273)\}$ (5-8)

对此情况下金属变形抗力的回归方程进行信度为 $\alpha=0.01$ 的 F 校验，得到模型的相关系数为 $R=0.9308$，大于查表得到的相关系数临界值 $r_{a/2}=0.93433$，由此可见回归方程线性相关高度显著。

选取 $t=1000℃$ 的试样，将其实验数据代入回归方程，可得其所对应的回归方程为：$\sigma=176.4716\varepsilon^{0.2048}$。

将回归方程与实验数据进行比较，见图 5-15a。图中虚线为回归方程，实线为实验数据，可见符合程度较好，回归方程的计算值与实验数据有较好的拟合性。

（3）应变速率为 $30s^{-1}$ 时，回归分析求得：

$$\ln\hat{a} = 2.4968; \hat{b}=0.2139; \hat{c}=0; \hat{d}=3590.768$$

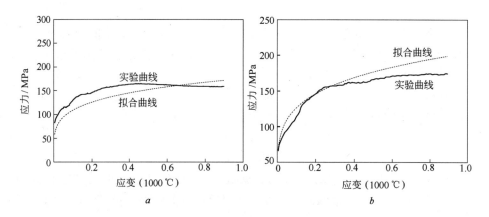

图 5-15　变形抗力拟合曲线与实验曲线的比较

a—应变速率为 $10s^{-1}$；b—应变速率为 $30s^{-1}$

故　　　　　　$\sigma = 12.1436\varepsilon^{0.2139}\exp\{3590.768/(t+273)\}$　　　　　(5-9)

对此情况下金属变形抗力的回归方程进行信度为 $\alpha = 0.01$ 的 F 校验，得到模型的相关系数为 $R = 0.9832$，大于查表得到的相关系数临界值 $r_{a/2} = 0.93433$，由此可见回归方程线性相关高度显著。

选取 $t = 1000℃$ 的试样，将其实验数据代入回归方程，可得其所对应的回归方程为：$\sigma = 203.8796\varepsilon^{0.2139}$。

将回归方程与实验数据进行比较，见图 5-15b。图中虚线为回归方程，实线为实验数据曲线，可见符合程度较好，回归方程的计算值与实验数据有较好的拟合性。

5.4　低碳-锰钢（510L）的变形抗力及模型

5.4.1　低碳-锰钢（510L）的变形抗力实验结果

在传统连铸连轧流程上，通常在汽车大梁板 510L 的化学成分设计中，除了 C、Mn、Si、P 等主要成分外，还添加 Nb 和 Ti，以保证钢板的强度和弯曲性能。表 5-3 为武钢生产的汽车大梁板 WL510 的代表化学成分[4]。

表 5-3　武钢生产的汽车大梁板 WL510 的化学成分范围

成　分	C	Si	Mn	P	S	Nb
含量（质量分数）/%	0.08～0.11	0.10～0.30	1.32～1.50	0.09～0.024	0.001～0.005	0.01～0.03

珠钢的实践表明，在薄板坯连铸连轧生产线上，可以采用低碳-锰钢化学成分，不添加 Nb 等微合金元素生产 510 级别的汽车大梁板。表 5-4 为珠钢汽车板 ZJ510L 化学成分[5,6]。

表 5-4　珠钢汽车板 ZJ510L 化学成分范围

成　分	C	Si	Mn	P	S
含量（质量分数）/%	0.17~0.20	≤0.40	≤1.40	≤0.020	≤0.010

　　利用 Gleeble—1500 热模拟机研究了不同温度、不同变形量、不同应变速率下实验用钢的变形抗力，并利用 NOSA 软件，应用最小二乘法进行多元线性回归，建立了实验用钢变形抗力的数学模型。

　　在参考部分实际生产工艺参数的基础上，按以下工艺方案进行变形模拟。试样先以 10℃/s 加热到 1380℃保温 5min 后，以 10℃/s 冷却到变形温度 T，分别在 1100℃、1050℃、1000℃、950℃、900℃、850℃和 800℃下变形，压下率为 63%，应变速率分别为 1s^{-1}、10s^{-1}和 20s^{-1}，变形后以 35℃/s 冷却到 550℃再空冷至室温。

5.4.1.1　变形程度对变形抗力的影响

　　实验测得的应变速率分别为 1s^{-1}、10s^{-1}和 20s^{-1}，不同变形条件下的变形抗力曲线见图 5-16。

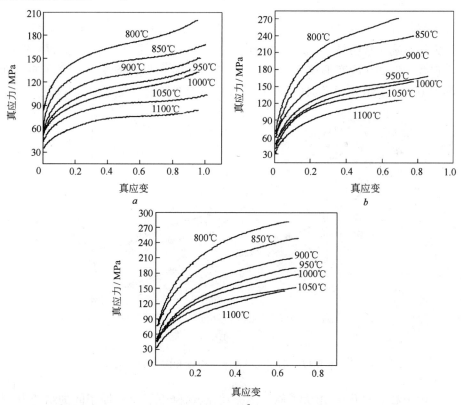

图 5-16　ZJ510L 钢的应力-应变曲线

a—应变速率为 1s^{-1}；b—应变速率为 10s^{-1}；c—应变速率为 20s^{-1}

变形程度对变形抗力的影响直观上可以从应力-应变曲线上得到反映，从图上可以看出，不论在哪种应变速率和变形温度下，随着变形程度的增加都发生了加工硬化现象，即变形抗力随着变形程度的增加而增加。在较低的变形温度和较高的应变速率条件下，变形抗力增加显著。例如在应变量为 0.4、应变速率为 $1s^{-1}$ 时，1100℃时的变形抗力值约为 73MPa，而相同条件下 800℃时变形抗力值达到了 164MPa。当应变量为 0.4、变形温度为 900℃，应变速率为 $1s^{-1}$ 时，变形抗力值约为 126MPa，而应变速率为 $10s^{-1}$ 条件下，应变量和变形温度相同时，变形抗力达到了 175MPa。

从图 5-16 上还可以看出，在同一变形程度下，随金属温度的升高，变形抗力降低，当应变量小于 0.3 时，变形抗力增加比较显著，当应变量继续增大时，随变形程度的增加，变形抗力的增加变得缓和，尤其是应变速率较低（$\dot{\varepsilon}=1s^{-1}$）的时候，这是因为随变形程度的进一步增加，位错密度等结构缺陷增多，储存能增加，促进了动态回复与再结晶而引起软化所致。

5.4.1.2　变形温度对变形抗力的影响

变形温度对变形抗力的影响如图 5-17 所示。由图可见，变形温度对变形抗力的影响非常明显。无论在哪种应变速率下，变形抗力随着变形温度的升高而递减。例如在应变形速率为 $10s^{-1}$，变形量为 0.5 的条件下，800℃时的变形抗力为 251MPa，而同样条件下 1100℃时的变形抗力仅为 116MPa。

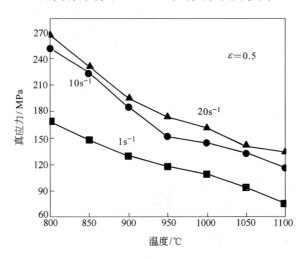

图 5-17　不同变形速率下温度和应力的关系

由于温度的升高，增大了原子热振动振幅，降低了金属原子间的结合力，有利于金属的弹塑性变形；滑移运动阻力减小，新的滑移系统及交滑移不断产生和开动，因此金属的变形抗力随温度的升高而降低。而且随着温度的提高，可在变形过程中出现动态回复和再结晶现象,引起金属软化,使变形抗力降低。

5.4.1.3 应变速率对变形抗力的影响

图 5-18~图 5-21 分别为 800℃、900℃、1000℃、1100℃时不同应变速率下的应力-应变曲线。由图可以看出,应变速率对变形抗力的影响较大。在一定的变形温度和变形程度下,变形抗力随着应变速率的增加而增加。当变形温度为 1100℃、应变量为 0.5,应变速率为 $1s^{-1}$ 时,变形抗力值约为 75MPa,而应变速率为 $10s^{-1}$ 条件下,变形温度和应变量相同时,变形抗力达到了 116MPa,在应变速率为 $20s^{-1}$ 条件下,变形温度和应变量相同时,变形抗力达到了 133MPa。而且当应变速率较低($\varepsilon=1s^{-1}$),应变量大于 0.3 时,动态回复和再结晶的发生使得变形抗力的增加减缓。

应变速率对变形抗力的影响规律较为复杂,主要取决于在塑性变形过程中,金属内部所发生的硬化和软化这对矛盾作用的结果。应变速率的提高对软化作用有双重性,因单位时间内发热率的增加而有利于软化的发生和发展;又因其过程时间的缩短而不利于软化的迅速完成,应变速率的升高导致了变形抗力一定程度的增加。

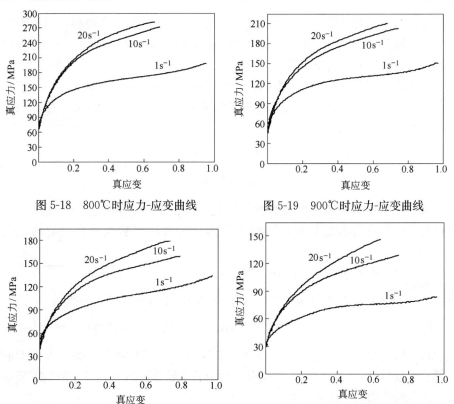

图 5-18　800℃时应力-应变曲线　　　图 5-19　900℃时应力-应变曲线

图 5-20　1000℃时应力-应变曲线　　图 5-21　1100℃时应力-应变曲线

5.4.2 低碳-锰钢 (510L) 的变形抗力模型

选定低碳-锰钢 (510L) 的变形抗力数学模型为式 5-4 形式。利用 NOSA 软件通过最小二乘法对上式进行多元线性回归分析，分别求得 $\ln a$，b，c，d 的期望值为 $\ln \hat{a}$，$\hat{b}$，$\hat{c}$，$\hat{d}$。

对比不同应变速率下的应力-应变曲线时发现，当应变速率较小，变形温度较高时，容易发生动态回复与再结晶，减缓了加工硬化，变形抗力曲线中应力随应变增加到一定程度后变得缓和；当应变速率较大，不容易发生动态回复和再结晶，导致变形抗力随应变的增加而一致增加。为此，本实验在建立变形抗力数学模型时分两种情况进行分析 (应变速率为 $1s^{-1}$ 和应变速率为 $10s^{-1}$、$20s^{-1}$)。

(1) 变形速率为 $1s^{-1}$ 时，求得：

$$\ln \hat{a} = 1.7363; \hat{b} = 0.1827; \hat{c} = 0; \hat{d} = 3818.344$$

故
$$\sigma = 5.6763\varepsilon^{0.1827}\exp\{3818.344/(t+273)\} \tag{5-10}$$

对金属塑性变形抗力回归方程进行信度为 $\alpha = 0.01$ 的 F 校验，本模型的复相关系数 $R = 0.9846$，大于查表得到的相关系数临界值 $r_{\alpha/2} = 0.93433$，所以回归方程线性相关性高度显著。

任选两个试样，将其实验数据代入回归方程。如 2 号 (1050℃，$1s^{-1}$) 和 5 号 (900℃，$1s^{-1}$) 试样，对于回归方程有 $t = 1050$℃、$t = 900$℃，故回归方程分别为：

$$\sigma = 101.7405\varepsilon^{0.1827}$$

$$\sigma = 147.1562\varepsilon^{0.1827}$$

图 5-22 是回归方程与实验数据的比较。其中虚线为回归方程，实线为实验数据，可见符合程度较好，回归方程的计算值与实验数据有较好的拟合性。

(2) 应变速率为 $10s^{-1}$ 和 $20s^{-1}$ 时，求得：

$$\ln \hat{a} = 2.1071; \hat{b} = 0.2993; \hat{c} = 0.0792; \hat{d} = 3701.202$$

故
$$\sigma = 8.2244\varepsilon^{0.2993}\dot{\varepsilon}^{0.0792}\exp\{3701.202/(t+273)\} \tag{5-11}$$

对金属塑性变形抗力回归方程进行信度为 $\alpha = 0.01$ 的 F 校验，本模型的复相关系数 $R = 0.9927$，大于查表得到的相关系数临界值 $r_{\alpha/2} = 0.93433$，所以回归方程线性相关性高度显著。

任选两组共计 4 个试样，将其实验数据代入回归方程。对于回归方程有

$\dot{\varepsilon}=10\text{s}^{-1}$ 和 $\dot{\varepsilon}=20\text{s}^{-1}$，回归方程见表 5-5。

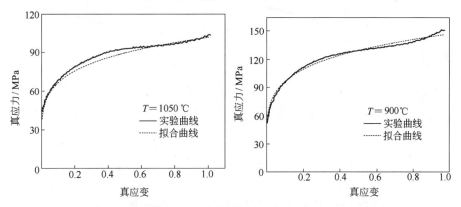

图 5-22　应变速率为 1s^{-1} 时的拟合曲线与实验数据曲线比较

表 5-5　不同实验条件下的回归方程

实验温度/℃	应变速率/s^{-1}	回　归　方　程
1100	10	$\sigma=146.2291\varepsilon^{0.2993}$
900		$\sigma=231.551\varepsilon^{0.2993}$
1050	20	$\sigma=171.049\varepsilon^{0.2993}$
850		$\sigma=281.5145\varepsilon^{0.2993}$

　　图 5-23 和图 5-24 是回归方程与实验数据的比较。其中虚线为回归方程，实线为实验数据，可见符合程度较好，回归方程的计算值与实验数据有较好的拟合性。

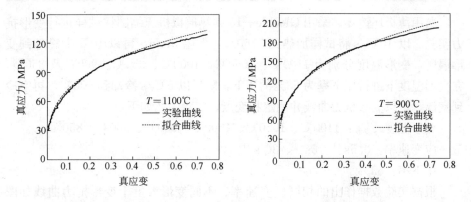

图 5-23　应变速率为 10s^{-1} 时的拟合曲线与实验数据曲线比较

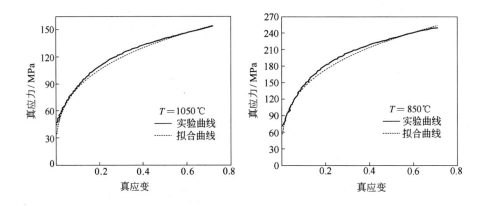

图 5-24   应变速率为 $20s^{-1}$ 时的拟合曲线与实验数据曲线比较

5.5   集装箱用耐候钢的变形抗力及模型

5.5.1   集装箱用耐候钢的变形抗力实验结果

对于普通强度级别的集装箱用耐候钢 SPA-H，日本标准 JIS G3125—1987 要求的化学成分如表 5-6 所示。在薄板坯连铸连轧条件下，尤其是根据 CSP 工艺特点，可以考虑采取低碳成分设计，碳含量可控制在 $0.05\% \sim 0.07\%$，其他成分可采取 SPA-H 标准的中、下限设计。

表 5-6   SPA-H 集装箱用耐候钢 JIS G3125—1987 要求的化学成分

成　分	C	Si	Mn	P	S	Cu	Cr	Ni
含量（质量分数）/%	≤0.12	0.25~0.75	0.20~0.50	0.070~0.015	≤0.040	0.25~0.60	0.30~1.25	≤0.65

取用薄板坯铸坯，采用 Gleeble—1500 热模拟机压缩圆柱试样进行变形抗力实验。以 $10℃/s$ 将试样加热到 $1160℃$，保温 5min，再以 $10℃/s$ 冷却到变形温度，变形温度分别为 $1100℃$、$1050℃$、$1000℃$、$950℃$、$900℃$ 及 $850℃$，在变形温度下进行压下率为 63% 的压下，随后以 $5℃/s$ 冷却到 $500℃$，再空冷到室温，记录变形抗力曲线并测定相变点。实验工艺如下：

变形温度 $T_{变形}$：$1100℃$、$1050℃$、$1000℃$、$950℃$、$900℃$、$850℃$

应变速率：$0.5s^{-1}$、$5s^{-1}$、$30\ s^{-1}$

压下率：63%

根据实验数据作出的相同应变速率、不同变形温度下变形抗力曲线如图 5-25~图 5-27。

应变速率为 $0.5s^{-1}$，变形温度为 $900 \sim 1100℃$ 及应变速率为 $5s^{-1}$，变形温

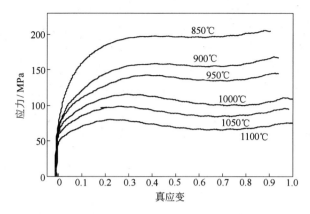

图 5-25 应变速率为 $0.5s^{-1}$、不同变形温度下的变形抗力曲线

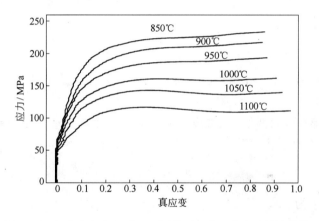

图 5-26 应变速率为 $5s^{-1}$、不同变形温度下的变形抗力曲线

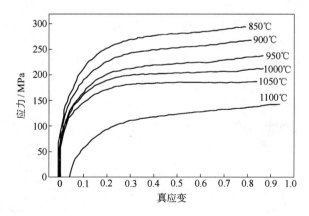

图 5-27 应变速率为 $30s^{-1}$、不同变形温度下的变形抗力曲线

度为 1000~1100℃时均明显发生了动态再结晶，开始变形抗力随变形程度的增加而增加，但变形程度增加到一定值以后时，变形抗力有下降的趋势。

从以上应力-应变曲线可以看出，尤其是在高温、低应变速度的情况下，这种动态再结晶现象更为突出，当应变超过某一值时，变形抗力开始下降。

综合上述实验结果可以看出，由于轧制温度的升高，降低了金属原子间的结合力，加上动态软化过程的加剧，使轧制时应力明显降低，如应变量为 0.4、应变速率为 $0.5s^{-1}$ 时，轧制温度为 850℃时，变形抗力为 196MPa，而轧制温度为 1100℃时变形抗力仅为 72MPa。

5.5.2　集装箱用耐候钢的变形抗力模型

5.5.2.1　变形抗力模型的选取

（1）变形温度对变形抗力的影响。当变形量和应变速度一定时，$\ln K_m$-T 基本上呈线性变化，即：

$$K_m = a_1 e^{n_1 T} \tag{5-12}$$

式中，a_1、n_1 为系数；$T=(273+t)/1000$，t 为以摄氏度为单位的变形温度。

（2）变形程度对变形抗力的影响。当变形温度和变形速度一定时，$\ln K_m$-$\ln\varepsilon$ 基本上呈线性变化，即：

$$K_m = a_2 \varepsilon^{n_2} \tag{5-13}$$

式中，a_2、n_2 为系数。

（3）变形速率对变形抗力的影响。当变形温度和变形量一定时，$\ln K_m$-$\ln\dot{\varepsilon}$ 基本上呈线性变化，即：

$$K_m = a_3 \dot{\varepsilon}^{n_3} \tag{5-14}$$

式中，a_3、n_3 为系数。

（4）本构方程。由上述关系，可选取以下本构方程进行回归：

$$K_m = a_0 (a_1 e^{n_1 T})(a_2 \varepsilon^{n_2})(a_3 \dot{\varepsilon}^{n_3}) \tag{5-15}$$

5.5.2.2　回归结果

应用 SAS 数学统计和回归分析软件，通过最小误差平方法，回归得到各系数，见表 5-7。

表 5-7　变形抗力模型回归系数

系　数	a_0	a_1	a_2	a_3	n_1	n_2	n_3
回归值	121.94	15.24	2.59	1.07	−2.95	−0.01	0.15

则： $$K_m = 121.94(15.24e^{-2.95T})(2.59\varepsilon^{-0.01})(1.07\dot{\varepsilon}^{0.15}) \qquad (5-16)$$

5.6 600MPa 级（屈服）微合金低碳贝氏体钢的变形抗力及模型[7]

5.6.1 600MPa 级微合金低碳贝氏体钢的变形抗力实验结果

5.6.1.1 实验材料和方法

实验用钢的化学成分如表 5-8 所示。1 号～4 号钢在北京科技大学高温冶炼实验室真空感应炉中冶炼，四炉钢的 C、Si、Mn、P、S 成分基本一致。1号和 2 号钢成分主要区别为 Cu、Ni、Mo 含量不同；2 号和 3 号钢成分的主要区别为 2 号钢含 B，而 3 号钢不含 B；4 号钢与 3 号钢的主要区别在于 4 号钢的 Cu、Ni、Ti 和 B 含量不同。5 号钢为济南钢铁集团总公司已经生产的钢种，样品取自于该公司生产现场，除表 5-8 中显示的成分外，5 号钢还含有 0.076% 的 V，此钢主要用于对比研究。

表 5-8　实验用 600MPa 级微合金低碳贝氏体钢的化学成分（质量分数）（%）

序号	C	Si	Mn	P	S	Ti	Nb	Cu	Ni	Mo	B
1	0.056	0.42	1.48	0.009	0.0046	0.05	0.046	0.35	0.20	0.12	0.0038
2	0.058	0.37	1.47	0.010	0.0045	0.05	0.047	0.45	0.31	0.20	0.0025
3	0.060	0.37	1.44	0.009	0.0045	0.07	0.043	0.46	0.30	0.20	
4	0.065	0.38	1.47	0.009	0.0044	0.11	0.046	0.70	0.40	0.25	0.0025
5	0.15	0.44	1.39	0.020	0.019		0.034				

本实验在 Gleeble—1500 热模拟实验机上进行，根据设备及实验工艺要求，采用 ϕ8mm×15mm 圆柱压缩试样。

为了比较微合金化低碳贝氏体钢和工业钢变形过程中变形行为的异同，对不同成分的微合金低碳贝氏体钢（1 号～4 号钢）和工业钢（5 号）在相同实验条件下测定了变形抗力曲线。实验方案为：以 10℃/s 的加热速度将试样加热至 1250℃，保温 10min，然后以 10℃/s 的冷却速度分别冷却至 1100℃、1000℃、950℃、850℃ 和 750℃，给予80%（工程应变）的变形，应变速率分别取 0.1s⁻¹、5s⁻¹、30s⁻¹。最后以 5℃/s 的冷却速度将试样冷却至室温。

5.6.1.2 变形程度和变形温度对变形抗力的影响

变形程度和变形温度在应变速率为 0.1s⁻¹ 时，对各不同成分的实验用钢变形抗力的影响如图 5-28 所示。以图 5-28a 为例，说明变形程度对变形抗力的影响。从图中可以看出，当变形量较小时，随着变形量的增加，各钢种的变形抗力均随着变形量的增加而增加，直到达到最大值，并可以看出降低变形温度，会使峰值应力应变值相应提高。当变形温度为 750℃ 时，随着变形量的增加，应力值一直增加，当应变值为 0.3 时，应力达到 200MPa；当应变值超过

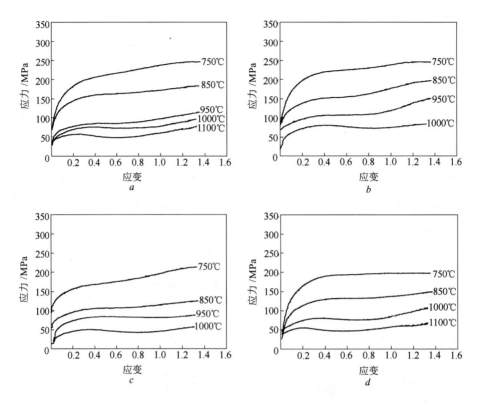

图 5-28　变形程度和变形温度对不同钢变形抗力的影响（应变速率为：0.1s⁻¹）

a—2 号钢；*b*—3 号钢；*c*—4 号钢；*d*—5 号钢

0.3 后，应力值增加的趋势减缓，直到应变值为 1.2 时，应力才达到 240MPa。

　　当变形温度为 1100℃，应变为 0.2 左右时，应力值达到峰值，约为 50MPa，应力值达到峰值后，随着变形量的增加，变形抗力有下降的趋势，说明在变形量增加到一定程度后，奥氏体由于位错应力场造成的畸变能达到一定程度，促使奥氏体发生动态再结晶，动态再结晶的发生与发展使更多的位错消失，材料的变形抗力下降很快。动态再结晶大体在应力峰值处开始发生，随着变形的继续进行，动态再结晶继续发展，使奥氏体的应力继续下降，直到完成一轮再结晶，变形应力降低到最低值，对于此钢来说，变形温度为 1100℃，在应变值为 0.6 左右时，应力最低，约为 40MPa。动态再结晶是在变形过程中发展的，在动态再结晶形核长大的同时持续进行变形，这样由再结晶形成的新晶粒又发生了新的变形，产生了新的加工硬化，富集了新的位错，并且开始了新的软化过程，就整个奥氏体来说，动态再结晶并不能完全消除全部加工硬化。

　　从图 5-28*b*、*c*、*d* 中可以看出，对其他成分的实验钢种来说，当应变速率为 0.1s⁻¹时，在不同成分的实验钢种变形过程中，变形抗力首先随着变形程度的增加而显著增加，但变形抗力随着变形程度增加而增大的趋势，随着变形程度的增加而减缓，且在所研究的变形温度范围内，当变形程度达到某一定值后（一般在 0.2～0.4 之间），继续增大变形程度，变形抗力增加并不明显，当温度较高时，变形抗力随着变形程度的增加有下降的趋势，这与图 5-28a 应力-应变关系一致。

图 5-29 与图 5-30 分别为应变速率为 5s⁻¹和 30s⁻¹时，变形程度及变形温度对不同实验钢种变形抗力的影响。可以看出在此应变速率下，变形抗力随变形程度和变形温度的变化关系与应变速率为 0.1s⁻¹时的情况相似。

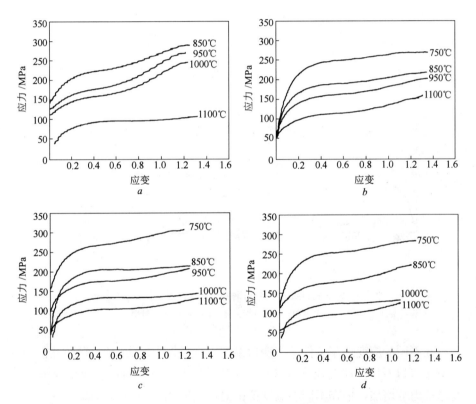

图 5-29　变形程度和变形温度对不同钢变形抗力的影响（应变速率为：5s⁻¹）

a—1 号钢；b—2 号钢；c—4 号钢；d—5 号钢

从图 5-28～图 5-30 中还可以看出，随着变形温度的升高，变形抗力明显下降，以图 5-29b 为例对此作出说明，当变形温度为 750℃，应变值为 0.3 时，应力值达 230MPa；而当变形温度为 850℃时，应力值为 175MPa；当变形温度为 950℃时，应力为 150MPa；当变形温度为 1100℃时，应力值为 110MPa。

变形抗力随着变形温度的升高而减小，主要是温度的升高，降低了金属原子间的结合力，使临界切应力降低，位错滑移和原子扩散容易进行，有利于金属的回复和再结晶，同时在高温下还可能出现新的滑移系，均会使变形抗力随变形温度的升高而降低。

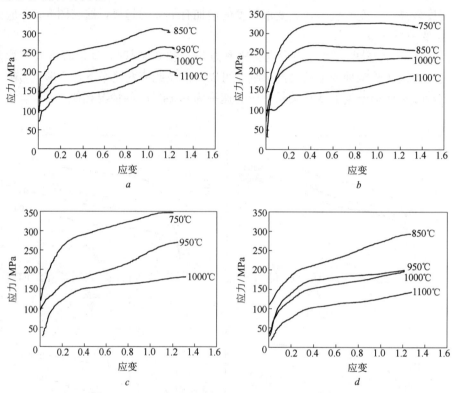

图 5-30　变形程度和变形温度对不同钢变形抗力的影响（应变速率为：30s⁻¹）

a—1 号钢；b—3 号钢；c—4 号钢；d—5 号钢

　　在不同的应变速率条件下，变形温度对变形抗力的影响也有所不同，从图 5-30 中可以看出，应变速率为 30s⁻¹ 时变形抗力的变化情况。应变速率增加，变形抗力会增加，但在不同的温度范围内，变形抗力的增加率有所不同。

5.6.1.3　应变速率对变形抗力的影响

　　应变速率对 1 号钢变形抗力的影响，如图 5-31 所示。当变形温度为 850℃，应变值为 0.3，应变速率为 30s⁻¹ 时，应力值为 250MPa；应变速率为 5s⁻¹ 时，应力值为 220MPa；应变速率为 0.1s⁻¹ 时，应力值为 165MPa，应变速率从 30s⁻¹ 下降至 0.1s⁻¹，应力值减小了 85MPa。当变形温度为 1000℃，应变值为 0.3，应变速率为 30s⁻¹ 时，应力值为 170MPa；应变速率为 5s⁻¹ 时，应力值为 150MPa，减小了 20MPa；应变速率为 0.1s^{-1} 时，应力值为 65MPa，比应变速率为 5s^{-1} 时又减小了 85MPa。从中可以看出，随着应变速率的增加，金属的变形抗力增大，但增大的程度却有所不同，与变形温度有密切的关系。

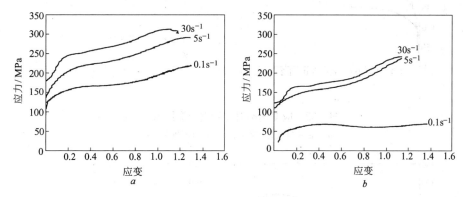

图 5-31　应变速率对 1 号钢变形抗力的影响
a—变形温度为 850℃；*b*—变形温度为 1000℃

变形抗力随应变速率的增加而增大，主要是应变速率的增加，就意味着位错移动速度加快，需要更大的切应力，使变形抗力增大。另外，从塑性变形过程中硬化和软化这一对矛盾过程来说，应变速率增加，没有足够的时间来完成塑性变形，缩短了金属回复和再结晶软化的时间，使其进行得不充分，因而会加剧加工硬化，使金属的变形抗力增大。考虑应变速率对变形抗力的影响，还必须考虑热效应，塑性变形时物体所吸收的能量，将转化为弹性变形位能和塑性变形热能，这种塑性变形过程中变形能转化为热能的现象，即为热效应。当应变速率大时，有时温度效应显著，使金属温度升高，对变形抗力也有影响。另外，应变速率还可能改变摩擦系数，而对金属的变形抗力产生影响。这些因素的共同作用，使得变形抗力随着应变速率的增加而增大，但在不同的温度范围内，变形抗力的增加程度会有明显的不同。

应变速率对 3 号、4 号、5 号钢变形抗力的影响分别如图 5-32、图 5-33、图 5-34 所示，从这些图中可以看出，不同化学成分的钢种，应变速率对变形抗力的影响也有所差别。如图 5-32a 所示，对于 3 号钢来说，当变形温度为 850℃，应变速率为 30s^{-1} 时，变形程度为 0.3，应力值就达到 260MPa；当应变速率为 5s^{-1}，应变值为 0.3 时，应力为 205MPa；当应变速率为 0.1s^{-1}，应变值为 0.3 时，应力为 150MPa，与 1 号钢相比，有一定的差别。其他成分的钢种，变形抗力与应变速率之间的关系在数值上有所不同，但趋势大致相似。

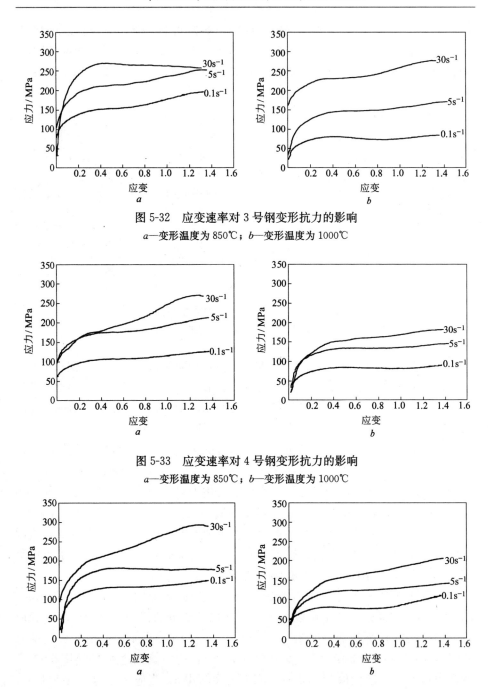

图 5-32   应变速率对 3 号钢变形抗力的影响

a—变形温度为 850℃；b—变形温度为 1000℃

图 5-33   应变速率对 4 号钢变形抗力的影响

a—变形温度为 850℃；b—变形温度为 1000℃

图 5-34   应变速率对 5 号钢变形抗力的影响

a—变形温度为 850℃；b—变形温度为 1000℃

5.6.1.4   低碳贝氏体钢与工业钢变形抗力比较

实验钢种 1～4 号为低碳贝氏体钢，5 号钢为济钢生产的屈服强度为 450MPa 级别的铁素体＋珠光体组织的钢种，下面将低碳贝氏体钢与工业钢在不同变形条件下的变形抗力进行比较。当应变速率为 $0.1s^{-1}$ 时（图 5-35），在 750℃下变形，可以看出，在相同应变值的情况下，5 号工业钢的变形抗力值高于 1 号钢而低于 2 号、3 号钢，当应变值为 0.3 时，1 号钢变形抗力为 150MPa，5 号工业钢为 180MPa，比 1 号钢的变形抗力高 30MPa；2 号钢与 3 号钢的变形抗力分别为 210MPa 和 195MPa，比 5 号工业钢分别高 30MPa 和 15MPa。在 1000℃条件下变形时，各钢种变形抗力均较低，当应变值为 0.3 时，1 号钢的变形抗力为 65MPa，2 号、3 号及 4 号钢的变形抗力分别为 75MPa、78MPa 和 80MPa，此时 5 号工业钢的变形抗力值为 79MPa，比 1 号钢高约 14MPa，与其他各钢种相差值在 4MPa 以内。

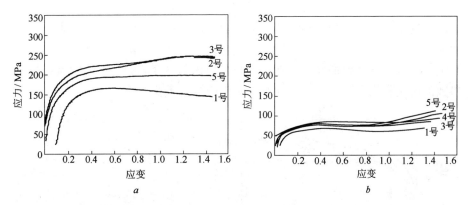

图 5-35   应变速率为 $0.1s^{-1}$ 时，不同钢种变形抗力对比

a—变形温度为 750℃；b—变形温度为 1000℃

图 5-36 是应变速率为 $5s^{-1}$ 时，不同钢种的变形抗力。从图 5-36a 中可以看出，在变形温度为 750℃，应变值为 0.3 时，1 号、5 号钢的变形抗力均为 250MPa，3 号、4 号钢的变形抗力分别为 318MPa 和 280MPa，分别比 5 号钢高 68MPa 和 30MPa。当变形温度为 1000℃，应变值为 0.3 时（见图 5-36b），1 号钢的变形抗力为 165MPa，3 号钢为 227MPa，4 号和 5 号钢的变形抗力均为 140MPa 左右，此条件下 5 号工业钢的变形抗力比 1 号钢低 25MPa，比 3 号钢低 87MPa。

图 5-37 是应变速率为 $30s^{-1}$ 时，不同钢种的变形抗力。通过对变形抗力影响因素的分析，一般在较低温度下轧制时，提高道次压下率会导致变形抗力的明显升高，而在较高温度下变形时，则不太明显；同时，通过低碳贝氏体钢与工业钢的对比可以看出，低碳贝氏体钢变形时的变形抗力并没有明显的增加，

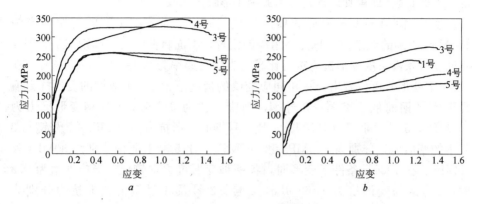

图 5-36　应变速率为 5s^{-1}时，不同钢种变形抗力对比

a—变形温度为 750℃；b—变形温度为 1000℃

因此在现场生产时，能够根据实际生产的其他钢种来制定低碳贝氏体钢的轧制制度，对于生产工业钢的现有设备来说，易于实现对低碳贝氏体钢的轧制，对轧机并没有更为严格的要求，新一代微合金化高强度低碳贝氏体钢为轧制工艺参数的优化提供了选择余地，这对实际生产有着重要意义。

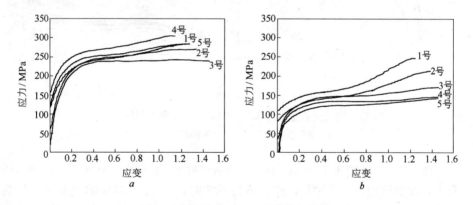

图 5-37　应变速率为 30s^{-1}时，不同钢种变形抗力对比

a—变形温度为 750℃；b—变形温度为 1000℃

5.6.2　600MPa 级微合金低碳贝氏体钢的变形抗力模型

为了建立适合所研究微合金低碳贝氏体高强度钢的简单实用的变形抗力的数学模型，选择了如下的变形抗力数学模型[8]，并对该模型进行了回归分析。

$$\sigma = A\varepsilon^a \dot{\varepsilon}^b \exp[-(cT + d\varepsilon)] \tag{5-17}$$

式中 T——变形温度，K；

       σ——变形抗力，MPa；

       ε——真应变；

       $\dot{\varepsilon}$——应变速率，s^{-1}；

A、a、b、c、d——与材料有关的参数。

采用 SPSS 统计分析软件对上述模型进行回归分析，得出了以下不同成分钢种的数学模型。分别将各实验钢种的变形抗力数学模型进行显著性检验和回归精度分析发现，各数学模型均通过了信度为 0.05 的 F 检验。

1 号钢：

$$\sigma = 15584\varepsilon^{0.163}\dot{\varepsilon}^{0.121}\exp(-3.730\times10^{-3}T-6.897\times10^{-4}\varepsilon) \tag{5-18}$$

2 号钢：

$$\sigma = 6575\varepsilon^{0.254}\dot{\varepsilon}^{0.114}\exp(-2.990\times10^{-3}T-0.153\varepsilon) \tag{5-19}$$

3 号钢：

$$\sigma = 3917\varepsilon^{0.389}\dot{\varepsilon}^{0.0997}\exp(-2.238\times10^{-3}T-0.464\varepsilon) \tag{5-20}$$

4 号钢：

$$\sigma = 10764\varepsilon^{0.171}\dot{\varepsilon}^{0.116}\exp(-3.514\times10^{-3}T-4.802\times10^{-3}\varepsilon) \tag{5-21}$$

5 号钢：

$$\sigma = 5095\varepsilon^{0.290}\dot{\varepsilon}^{0.0905}\exp(-2.782\times10^{-3}T-0.214\varepsilon) \tag{5-22}$$

将不同变形温度和应变速率下的 1 号低碳贝氏体钢计算值与实测值进行比较，如图 5-38 所示，从图中可以发现，总体来说两曲线吻合较好，但是由于影响变形抗力的因素复杂，模型还未考虑软化作用，加之实验条件所限，测量方面也存在一些误差，因此在某些点处实验数值与回归计算数值之间尚有较大的差别。图 5-38a 为 1 号钢在变形温度为 850℃、应变速率为 0.1s^{-1} 时实测值与模拟计算值的对比；图 5-38b 的最大差值为 26.3MPa；图 5-38c 为变形温度为 850℃、应变速率为 5s^{-1} 时计算值与实测值的比较，同一变形条件下其最大差值为 29.4MPa；图 5-38d 的最大差值为 23.1MPa；图 5-38e 为变形温度为 850℃、应变速率为 30s^{-1} 时计算值与实测值的比较，同一变形条件（$\varepsilon \geqslant 0.05$）下其最大差值为 39.6MPa；图 5-38f 实测值与计算值的最大差值为 36.9MPa。

从图上还可以看出，在变形程度较小时，模拟计算值和实测值更为接近，误差较小，考虑到通常工业生产情况下钢材的道次变形量一般较低，小于 0.3，所以回归结果可以为微合金高强度低碳贝氏体钢的工业生产提供参考。

对其他钢种的实测值与模拟计算值也作了比较，与 1 号钢具有基本一致的规律。另外，各变形抗力的数学模型都是以钢种为单位建立的，实验钢的变形抗力数学模型在实际应用中应具体考虑变形条件后再采用，这一切仍需要进行大量的实验研究。

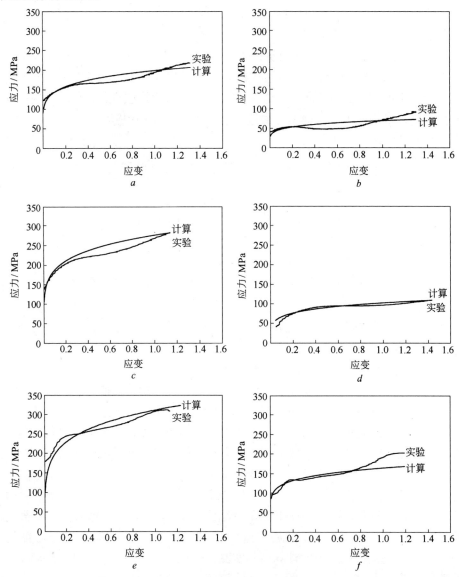

图 5-38　不同变形条件下，1 号钢变形抗力回归结果与实测结果比较

a—变形温度为 850℃，应变速率为 0.1s^{-1}；b—变形温度为 1100℃，应变速率为 0.1s^{-1}；c—变形温度为 850℃，应变速率为 5s^{-1}；d—变形温度为 1100℃，应变速率为 5s^{-1}；e—变形温度为 850℃，应变速率为 30s^{-1}；f—变形温度为 1100℃，应变速率为 30s^{-1}

5.7　700MPa级低碳微合金高强钢的变形抗力及模型[9,10]

5.7.1　实验用钢的化学成分及实验方法

实验用钢是含微量 Nb、Ti 的低碳锰钢，分为两类（见表5-9）。一类为北京科技大学电冶金研究所冶炼的洁净低碳微合金钢（编号分别为3Y、B3、B4，含碳量在 0.02%～0.049% 之间，屈服强度为 700MPa 级）。其中高洁净钢 3Y 用 10kg 真空感应炉冶炼，钢锭 5kg 左右，洁净钢 B3、B4 采用 50kg 真空感应炉冶炼，钢锭 25kg 左右。另一类为工业规模生产的低碳微合金钢，取自宝钢 300t 转炉生产的大桥用钢 STE355（编号：8Y，屈服强度为 600MPa级）和管线用钢 X60（编号：6B，屈服强度为 600MPa 级）。其中宝钢生产的STE355 钢已用于上海南浦大桥。表 5-9 给出了这些实验钢的化学成分，高洁净钢（3Y）的含碳量比工业钢略低，而且含 20mg/kg 的硼，其硫、磷各比工业钢约低一个数量级，杂质元素总含量[O]+[S]+[P]+[H]小于 0.0061%。洁净钢 B3、B4 钢 Al 含量较低。

表 5-9　实验用钢的化学成分和杂质含量（质量分数）　　　　　　　（%）

编号	C	Mn	Si	Nb	V	Ti	Als	Alt	Bt	Ni	P	S	N	O	H	备注
3Y	0.043	1.54	0.14	0.044	—	0.042	0.046	—	0.0020	—	0.0024	0.0005	0.0045	0.0031	0.0001	洁净钢
B3	0.049	1.67	0.32	0.052	0.037	0.011	0.033	0.033	0.0048	0.083	0.0030	0.0020	0.0096	—		微合金
B4	0.020	2.01	0.35	0.047	0.038	0.011	0.020	0.020	0.0058	0.057	0.0025	0.0019	0.0044	—		微合金
6B	0.072	1.34	0.23	0.043	0.040	0.018	0.029	—			0.0160	0.0032	—	0.0038		管线钢
8Y	0.140	1.34	0.38	0.028	0.002	0.016	0.037	—		0.20	0.0100	0.0040	0.0088	0.0019	0.0002	大桥钢

注：8Y 为钙处理钢，含钙 0.0048%。

实验利用 Gleeble-1500 热模拟试验机测定了洁净微合金钢（3Y、B3、B4）和工业生产钢板 8Y（大桥用钢）、6B（管线用钢）在不同变形温度下的变形抗力。为了比较洁净钢和两种工业钢在变形及控制冷却时的转变行为的异同，同时也为制定后续的热加工/热处理工艺提供依据，对洁净钢 3Y、B3、B4 和工业钢 6B、8Y 在相同实验条件下测定了变形抗力曲线。

关于加热制度的确定，由于钢的组织不均匀，为了使钢中原有的 Ti、Nb（C，N）及含 B 的析出相重新溶入奥氏体中，消除偏析，使其组织达到均匀化，须将样品加热到一定温度进行保温，保温温度通过计算而得到。根据分析计算，三种钢的加热温度分别为：3Y，1096℃；6B，1160℃；8Y，1184℃。因此，我们把这三种钢样品的实际加热固溶温度定在 1200℃，固溶时间为

10min。

　　升温速度选用 20℃/s 的实际生产常用参数，达到 1200℃后固溶 10min，固溶完成以后以 10℃/s 的冷速降温至变形温度，变形完成之后，采用 5℃/s 的冷速控冷至 300℃，取出试样空冷至室温，完成一个工艺流程实验。采用 0.1 s^{-1}、1 s^{-1}、10 s^{-1} 三种应变速率分别进行实验。

5.7.2　700MPa 级低碳微合金高强钢的变形抗力实验结果

　　对实验钢测定的变形抗力曲线示于图 5-39～图 5-44，为了便于比较，将不同变形条件下的测定结果绘制在同一张图上。同时，为了比较洁净钢与两种工业钢变形抗力特征的不同，实验还测定了工业钢 6B 在应变速率为 1s^{-1}时的不同变形温度下的变形抗力曲线，见图 5-39。

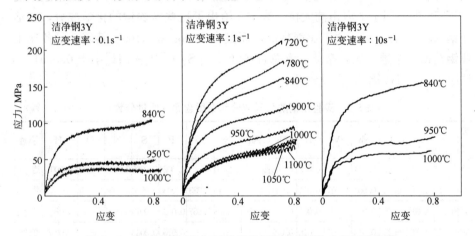

图 5-39　高洁净钢 3Y 在不同变形条件下变形抗力的测定曲线

　　高洁净钢 3Y 在不同变形条件下测得的应力-应变曲线如图 5-39 所示。观察该曲线发现，在同一应变速率下，变形抗力的值随变形温度降低而有不同程度的提高。应变速率为 1s^{-1}时，3Y 变形抗力曲线没有观察到明显的动态再结晶现象，软化机制没有完全抵消钢的加工硬化，3Y 的高温（1000～1100℃）变形抗力基本上与温度无关，变形抗力曲线基本重合，当变形温度低于 950℃ 之后，随着变形温度的降低，变形抗力明显升高，例如，当变形量为 30% 时，3Y 在 1100℃的变形抗力比 780℃时的低约 100MPa。不同变形温度下应变速率对 3Y 变形抗力的影响见图 5-40，应变速率为 0.1s^{-1}、10s^{-1}时，3Y 在变形温度为 950℃、1000℃时都发生了明显的动态再结晶，经观察发现在同一变形温度下，应变速率增大使 3Y 开始和结束动态再结晶的变形量提前；当变形温度继续降低到 840℃时，就只有低应变速率（0.1s^{-1}）时才能观察到明显的动态再结晶的现象，$10s^{-1}$、$1s^{-1}$应变时加工硬化现象一直存在，在变形程度为0.3之前，高应变速率下的应力-应变曲线的加工硬化率较高。并且从图5-40可以看出，变形温度对1000℃变形程度小于0.4时，应力-应变曲线的加工硬化率与应变速率相关，应变速率大的加工硬化率大，而变形超过0.4，高应变速率的试样（$10s^{-1}$）因发生明显的动态再结晶而使加工硬化率小于应变速率为$1s^{-1}$的曲线。变形温度为950℃时，应变速率为$10s^{-1}$和$1s^{-1}$的曲线在变形程度小于0.4时的加工硬化率基本相同，变形超过0.4后，高应变速率的试样也因发生明显的动态再结晶而使加工硬化率降低，但两者的加工硬化率均高于应变速率为$0.1s^{-1}$的曲线。

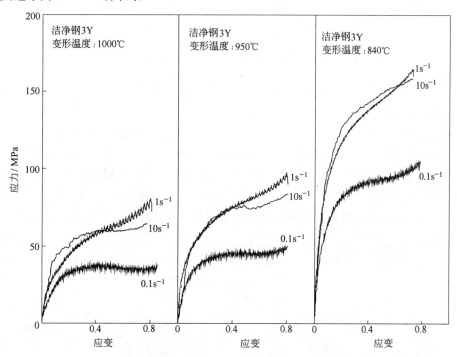

图 5-40　高洁净钢 3Y 不同变形温度下应变速率对应力的影响

B3 在不同变形条件下测得的变形抗力曲线如图 5-41 所示。当应变速率为$0.1s^{-1}$时，1100℃变形的试样有明显的动态再结晶，变形程度为 0.2 时，应力达到峰值，约为 25MPa，变形温度由 950℃降到 840℃时，应力逐渐上升。当应变速率为$1s^{-1}$时，B3 钢高温（1000～1100℃）变形时的应力基本相同，950℃变形时，应力有一个大幅度的提高，比变形程度同为 0.4 时的 1100℃的应力高约 70MPa，变形温度小于 950℃后，应力随变形温度的降低逐渐增加，在 780℃变形 0.4 时的应力比 1100℃变形 0.4 时的应力高约 120MPa。

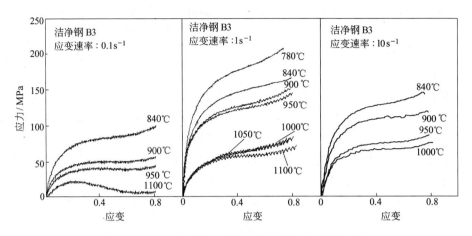

图 5-41　B3 钢在不同变形条件下变形抗力的测定曲线

B4 钢在不同变形条件下测得的变形抗力曲线如图 5-42 所示。从曲线中可以看出，只有当应变速率较低（0.1s⁻¹）、变形温度较高（1100℃）时，才能观察到明显的动态再结晶影响变形抗力曲线的效果。与洁净钢 3Y 和 B3 不同，当应变速率为 1s⁻¹ 时，高温变形区域内（1000～1100℃）的变形抗力变化也较为明显，变形程度为 0.4 时，应力增加了约 30MPa；变形温度从 950℃ 降到 840℃，应力增加明显，变形程度为 0.4 时，应力增加约 80MPa。当应变速率为 10s⁻¹ 时，曲线形状及随温度变化的规律基本与洁净钢 3Y 和 B3 相似。

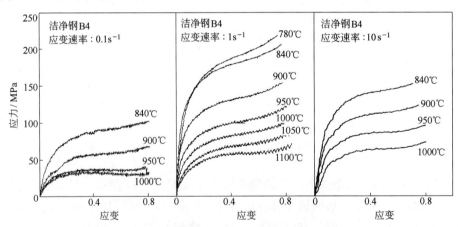

图 5-42　B4 钢在不同变形条件下变形抗力的测定曲线

B6 钢在不同变形条件下测得的变形抗力曲线如图 5-43 所示。从曲线上可以看出，当应变速率较低（0.1s⁻¹）、变形温度较高（950℃ 和 1100℃）时，也能观察到明显的动态再结晶影响变形抗力曲线的效果，应力都在变形程度为 0.2 时达到峰值,之后随动态再结晶的进行而有所降低。与前述几种微合金钢在应变速率为10s⁻¹时的变形抗力曲线有所不同,变形温度为950℃和1100℃时变形程度从0.4到0.75之间曲线出现了较长阶段的稳定区域,变形抗力变化不大。

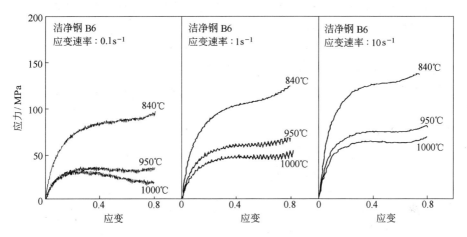

图 5-43　B6 钢在不同变形条件下变形抗力的测定曲线

从工业钢 8Y 的变形抗力测定曲线（图 5-44）上看出：当应变速率为 1s⁻¹、变形程度小于 0.4 时，高温变形（1000～1100℃）的曲线基本上完全重合，变形超过 0.4 时，应力随变形温度的降低而升高；当变形温度由 1000℃ 降低到 720℃时，应力曲线有规律的增加，曲线形状相似，但低温时的变形抗力曲线加工硬化率较高，达到宏观塑性变形的时间较早。应变速率为 0.1s⁻¹ 和 10s⁻¹时，应力-应变曲线形状与 B6 钢非常相似，8Y 在 1000℃以 0.1s⁻¹变

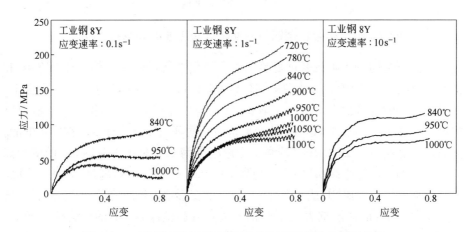

图 5-44　工业钢 8Y 在不同变形条件下变形抗力的测定曲线

形时，再结晶现象更为明显，以 10s⁻¹ 变形，变形温度为 840℃、950℃ 和 1100℃时，变形程度在 0.4 到 0.75 之间，变形抗力曲线都出现了较长阶段的稳定区域，变形抗力变化不大。

对工业钢 6B 进行了应变速率为 1s⁻¹ 不同变形温度的变形抗力曲线的测定（图5-45），曲线总体情况与工业钢 8Y 不同，变形温度为 900℃ 的应力-应变曲线比较特殊。当变形温度为 950～1100℃ 时，应力最大值均低于 100MPa，变形程度为 0.4时，900℃ 变形的应力要比 950℃ 变形的应力高约 50MPa，而且变形温度为 900℃ 的变形抗力曲线，在变形程度超过 0.6 时的加工硬化率比同种条件下其他温度的曲线都高。变形程度为 0.4 时，780℃ 的变形抗力比 1100℃ 的变形抗力约高 120MPa。而且，各种温度下变形时的动态再结晶都没有完全抵消加工硬化的作用。

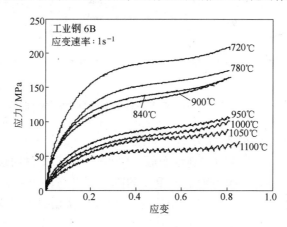

图 5-45   工业钢 6B 在不同变形条件下
变形抗力的测定曲线

5.7.3   700MPa 级低碳微合金钢与 600MPa 级工业钢变形抗力比较

将微合金钢与工业钢不同变形条件下的变形抗力做了比较，如图 5-46 和图 5-47 所示。当应变速率为 1s⁻¹ 时（图 5-46），在 1100℃ 的高温区段变形，各微合金钢的变形抗力均低于工业钢 8Y，与工业钢 6B 基本相同；变形温度降低到 900℃ 时，高洁净钢 3Y 的变形抗力是同种情况下几种试验钢中最低的，此时微合金钢 B3、B4 的应力较高，变形程度为 0.2 时比工业钢 8Y 的应力高10～20MPa，比工业钢 6B 的应力约高 10MPa，但当变形量超过 0.4 后，其应力值降低的程度因比 6B 严重而比 6B 低；当变形温度继续降低到 780℃ 时，微合金钢 B3、B4 的变形抗力比工业钢高，只有高洁净钢 3Y 的应力值介于 8Y和 6B 之间，当变形程度为 0.2 时，微合金钢 B3 的变形抗力比 8Y 约高30MPa，B4 也比 8Y 约高 20MPa。由资料表明[1]：当变形温度大于 900℃ 时，

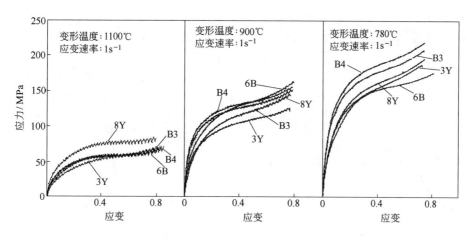

图 5-46 变形速率为 1s⁻¹ 时微合金钢与两种工业钢变形抗力比较

变形抗力基本与含碳量的变化无关，而在高温变形时，洁净钢的变形抗力比两种工业钢普遍约低 15～20MPa，可以认为变形过程中由于杂质原子的减少，从而使其对位错运动产生的阻碍作用降低，在应力-应变曲线上体现为比两种工业钢较低的变形抗力；而在变形温度为 700～900℃时，变形抗力应该随材料含碳量的升高而升高，但在实际测量中，含碳量低的洁净钢比工业钢 6B 的变形抗力高出 30～40MPa，这充分说明钢的洁净度对提高材料中温变形时的变形抗力发挥了一定作用。同时分析上述观察结果发现，提高钢材的洁净度后，高温变形的应力比工业钢低，随着变形温度的降低，此种关系有所改变，但是杂质元素总含量在 0.0061% 的高洁净钢 3Y 的变形抗力仍然保持与工业钢相近或较低，因此建议将洁净钢的洁净度控制在 61mg/kg 以内，有利于钢材的总体变形。而且由于现场通常采用在高温下对钢材进行大变形，洁净钢高温变形抗力低的特性更有利于工业生产的需要。

图 5-47 给出了应变速率为 0.1s⁻¹ 和 10s⁻¹ 时几种变形温度下微合金钢与工业钢的变形抗力比较，可以看出：无论高应变速率（10s⁻¹）还是低应变速率（0.1s⁻¹），在高温变形时微合金钢的变形抗力均低于工业钢 8Y，例如应变速率为 0.1s⁻¹，950℃变形 0.4 时洁净钢的应力比工业钢 8Y 低 10～20MPa，应变速率为 10s⁻¹ 在 1000℃变形 0.4 时，洁净钢的应力比工业钢 8Y 低 5～15MPa；而变形温度降低到 840℃时，洁净钢的变形抗力均比工业钢高，在应变速率为 10s⁻¹ 时尤为明显，该应变速率下变形程度为 0.4 时，洁净钢的应力比 8Y 高 20～40MPa。虽然变形温度较低时，洁净钢比工业钢难变形，但考虑到通常工业生产中都是将大变形放在变形温度高的粗轧阶段，可以认为上述洁净钢变形特点并不会显著影响正常的工业生产。

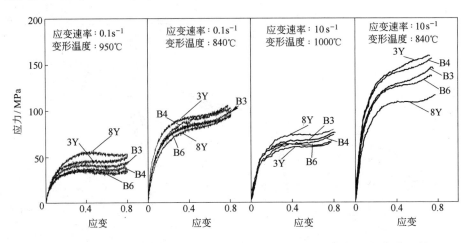

图 5-47　应变速率为 0.1s⁻¹ 和 10s⁻¹ 时微合金钢与两种工业钢变形抗力比较

　　通过实验钢在不同变形量（10％、20％、30％、50％）下变形抗力与温度的关系比较（图 5-48）可以发现，一般在低于 840℃下轧制时，提高道次压下率会导致变形抗力的明显升高，而在较高温度下变形时则不太明显；同时，比较微合金钢和工业钢 8Y 在不同变形量下的变形抗力与温度的关系得知，在相同变形温度条件下，变形量增大时微合金钢的变形抗力增加程度比两种工业钢小，该现象在高于 840℃的高温情况下变形时尤为明显。

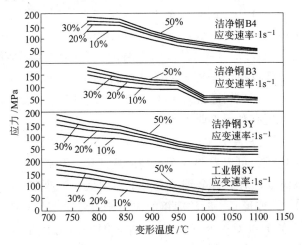

图 5-48　实验钢不同变形量下变形抗力与温度的关系

5.7.4　700MPa 级低碳微合金钢变形工艺讨论

　　通过高温变形模拟粗轧工艺可以看出：对于生产工业钢的现有设备来

说，更易实现对高洁净钢的轧制。一方面，在高温粗轧阶段洁净钢表现为更低的变形抗力，直接会带来相同条件下轧制压力的降低，这对减小能耗和设备损耗有着实际意义；另一方面，由于变形抗力降低，生产中可以通过适当提高道次压下率，减少轧制道次的方式来缩短粗轧时间，达到提高生产效率的目的。由于薄板坯连铸连轧通常可以在高温下实施大变形，洁净钢这种特性有利于这种工艺的运行。另外，从整个变形过程来看，变形量增大时高洁净钢的变形抗力增加程度比两种工业钢小，说明高洁净钢轧制不但对轧机的要求有所放宽，而且对轧制的总体工艺控制较容易，这对实际生产有着重要的意义。

以上分析可以看出，洁净钢为轧制工艺参数的优化提供了选择余地。但是，如何采取控制手段使轧制工艺参数达到最优，合理解决洁净度的提高对轧制过程的影响程度等问题，并对洁净钢变形行为及其变形机理的深入研究，才能得到对洁净钢工业生产的综合评价。

5.7.5　700MPa 级低碳微合金钢变形抗力模型

5.7.5.1　数学模型的构成

对于大多数金属，变形抗力可近似地表示为：

$$\sigma = f(\varepsilon, \dot{\varepsilon}, T, x) \tag{5-23}$$

式中　σ——金属塑性变形抗力，MPa；

　　　ε——变形程度；

　　　$\dot{\varepsilon}$——应变速率，s^{-1}；

　　　T——变形温度，K；

　　　x——钢的化学成分及组织，%。对具体钢种，可以不做主要因素考虑。

研究了前面包括高洁净微合金贝氏体钢等五种材料在应变速率为 $1s^{-1}$ 时不同变形量下的温度-应力曲线，结果表明在相同应变速率条件下，变形抗力随温度的下降而增加。在研究过程中，由于受实验材料数量限制，只测试了应变速率为 $1s^{-1}$ 条件下的变形抗力曲线，但资料表明变形抗力随应变速率的增加几乎线性增加。

现代热力学可以避开研究塑性变形机构，而从金属能量状态出发来研究塑性变形问题。根据不可逆过程热力学理论及上述分析，可假设：

当温度和应变速率恒定时：

$$\sigma = A\varepsilon^a \tag{5-24}$$

当应变量和应变速率恒定时：

$$\sigma = B\exp(c/T) \tag{5-25}$$

当温度和应变量恒定时：

$$\sigma = C\,\dot{\varepsilon}^b \tag{5-26}$$

综合考虑以上三式有：

$$\sigma = A\varepsilon^a\dot{\varepsilon}^b\exp(c/T) \tag{5-27}$$

由于该项研究受材料数量的限制，仅在应变速率为 $1\mathrm{s}^{-1}$ 的条件下，对五种不同的材料进行了测试。由此，将式 5-27 中 $\dot{\varepsilon}^b$ 分项设为常数 1。则有：

$$\sigma = A\varepsilon^a\exp(c/T) \tag{5-28}$$

从测试结果看出，微合金钢的应力-应变曲线虽部分呈现为动态恢复的形式，但经采用式 5-28 回归分析后，发现拟合曲线与实测曲线有偏差。

对单一温度条件下的实验曲线拟合，预测出与如下公式具有较好的拟合态，见图 5-49，拟合出公式为：

$$\sigma = B\exp(-D\varepsilon) \tag{5-29}$$

综合分析，将式 5-29 作为式 5-28 的修正结果，选择下式为本研究的变形抗力数学模型，即：

$$\sigma = A\varepsilon^a\exp(b/T + c\varepsilon) \tag{5-30}$$

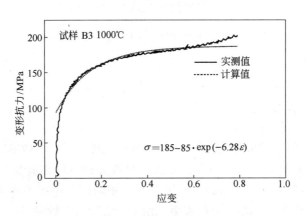

图 5-49　由单一实测曲线预测模型的示例

5.7.5.2　模型分析

由式 5-30 对高洁净微合金贝氏体钢等五个钢种的实测数据，采用最小二乘拟合法进行非线性回归，回归系数见表 5-10。

各回归公式如下：

洁净钢 3Y：　　$\sigma = 7.6374\varepsilon^{0.2394}\exp(3877.9/T - 0.1537\varepsilon)$ 　　$(5\text{-}31)$

微合金钢 B3：　$\sigma = 7.1930\varepsilon^{0.2615}\exp(4173.8/T - 0.3137\varepsilon)$ 　　$(5\text{-}32)$

微合金钢 B4：　$\sigma = 7.0622\varepsilon^{0.3013}\exp(4281.4/T - 0.4119\varepsilon)$ 　　$(5\text{-}33)$

工业钢8Y：　　$\sigma = 9.5042\varepsilon^{0.2823}\exp(3759.5/T - 0.2434\varepsilon)$ 　　(5-34)

工业钢6B：　　$\sigma = 16.7779\varepsilon^{0.2681}\exp(3063.2/T - 0.2300\varepsilon)$ 　　(5-35)

表 5-10　低碳微合金钢数学模型的回归系数

钢　　种	A	a	b	c
洁净钢 3Y	7.6374	0.2394	3877.9	−0.1537
微合金钢 B3	7.1930	0.2615	4173.8	−0.3137
微合金钢 B4	7.0622	0.3013	4281.4	−0.4119
工业钢 8Y	9.5042	0.2823	3759.5	−0.2434
工业钢 6B	16.7779	0.2681	3063.2	−0.2300

系数 A 是与材料成分有关的参数。材料成分中碳和锰的含量对变形抗力的影响较大。当年新日铁公司为我国热连轧厂提供的变形抗力数学模型，考虑了含碳量对变形抗力的影响，而对钢中锰的含量对变形抗力的影响只是把锰折合成碳，认为 1/6 锰与一个碳等价（即碳当量 $C_1 = C + 1/6Mn$），采用碳当量加以考虑。

经过计算，材料的碳当量为 3Y＝0.300，B3＝0.327，B4＝0.355，为减小趋势，而系数 A 的排列顺序为逐渐增加，表明随着材料的碳当量的增加，系数 A 减小。同样的情形也在 8Y、6B 钢中类似。

系数 a、b、c 分别与材料的加工硬化程度、材料的动态恢复状态、形变激活能、稳态应力、软化过程中的应力指数等与应力-应变曲线的形状有关的参数。这些参数的获得，对下一步研究高洁净度材料的变形抗力预测、成分设计和优化提供依据。

将不同变形条件下高洁净钢 3Y 以及 B3、B4 模拟值与实测值比较（图 5-50～图 5-52），发现采用了不同温度区域不同表示形式的数学方程后，两曲线吻合较好，但是由于影响变形抗力的因素复杂，图中部分变形条件下（如应变

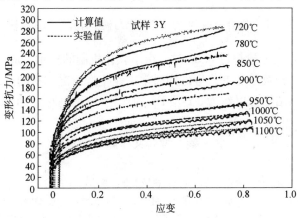

图 5-50　洁净钢 3Y 的实验结果与模型计算结果的比较

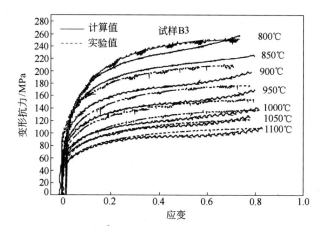

图 5-51　微合金钢 B3 的实验结果与模型的计算结果比较

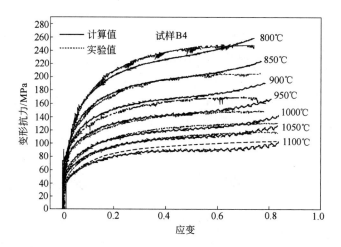

图 5-52　微合金钢 B4 的实验结果与模型计算结果的比较

速率为 $0.1s^{-1}$）变形量超过 0.35 时，由于软化机制的作用，应力-应变曲线变得不够规则，吻合效果变差。考虑到通常工业生产情况钢材的道次变形量低于 30%，所以回归结果可以作为 3Y 及 B3、B4 钢今后工业生产的参考。

参 考 文 献

1　周纪华，管克智. 金属塑性变形阻力. 北京：机械工业出版社，1989

2　康永林，韩静涛主编. 固态成形工艺原理及控制. 北京科技大学，2002（内部资料）

3　张艳. 洁净微合金钢的变形抗力及组织性能研究：[硕士学位论文]. 北京：北京科技大学，2000

4　钟定忠，彭涛，李平和. 汽车大梁板 WL510 的研制与应用. 见：2004 年全国炼钢、轧钢生产技术

会议论文集. 2004：582～586

5　毛新平，林振源，许传栆，苏东. 珠钢汽车大梁板系列产品开发与应用研究. 汽车工艺与材料，2004，No. 6：47～50

6　康永林，赵征志，谷海容，于浩，毛新平等. 低碳高强度汽车板 ZJ510L 力学性能及强化机理. 汽车工艺与材料，2004，No. 6：54～56

7　王克鲁. 微合金高强度低碳贝氏体钢组织与性能研究：［博士学位论文］. 北京：北京科技大学，2004

8　许勇顺，柳建韬，聂明等. 金属热变形应力-应变曲线数学模型的研究与应用. 应用科学学报，1997，15（4）：379～384

9　康永林，王艳丽，张艳等. 高洁净微合金钢变形抗力的研究. 中国机械工程. 2002，13（3）

10　王艳丽. 洁净微合金高强钢轧制工艺及组织性能的研究：［硕士学位论文］. 北京：北京科技大学，2002

6 薄板坯连铸连轧低碳钢的组织细化[❶]

6.1 钢的组织细化机理

6.1.1 快速凝固

钢的化学成分、凝固参数和凝固后的冷却速度是影响和决定钢中原始组织及第二相粒子的种类、尺寸、数量和分布的关键因素。在薄板坯连铸连轧工艺中，由于薄板坯在结晶器内的凝固速度与高温时的冷却速率分别比传统厚板坯工艺高约一个数量级[1,2]，其二次和三次枝晶更短，细小、均匀的原始组织为最终组织的细化创造了条件。由于板坯减薄而产生的快速冷却和凝固过程，不仅导致板坯内部宏观偏析的均匀分布，而且起到细化一次奥氏体晶粒的作用。这是由于较薄的铸坯厚度和高强度的冷却条件，在铸坯凝固过程和凝固后的 $\delta \rightarrow \gamma$ 相变过程中存在一个非常好的高形核速率条件。通过凝固过程的强冷已经使奥氏体组织明显细化，并且晶粒的细化作用随铸坯冷却过程（1500～1350℃）中冷却速率的提高而加强。

50mm 厚的板坯在 1.5min 内凝固完毕，而通常 200mm 厚的板坯则需 15min。二次枝晶间距 λ_2 与凝固时间 t_f 的关系式为[3]：

$$\lambda_2 = A(Mt_f)^{1/3} \tag{6-1}$$

式中　　M——常数，与合金成分有关；

t_f——局部凝固时间。

凝固速率的增加将导致细小的铸态结构，铸态组织的细化影响着微观偏析区的大小。实验结果证实，板坯厚由 230mm 减至 50mm，二次枝晶间距由 300μm 降至 100μm 以下。珠钢生产的 50mm 厚 CSP 薄板坯的一次枝晶间距为 0.25～1.83mm，平均为 0.69mm；二次枝晶间距为 52.0～180.0μm，平均为 99.0μm[4]。

钢在凝固过程中发生了溶质元素的再分配，因而凝固组织中的溶质元素浓度不是均匀分布的。由于钢液结晶时的分凝效应，凝固组织中溶质浓度波动的波长相当于枝晶间距，而浓度的大小可以在固相线成分以上很大一个范围波

---

❶ 本章由康永林教授、于浩副教授共同撰写。

动。因为薄板坯的枝晶间距仅为传统板坯的几分之一，其成分波动的波长小得多，成分起伏的程度也小得多，同时由于冷却强度大，所以板坯的微观偏析也可得到较大的改善，分布也更均匀。快速凝固有利于夹杂物的形成，使它们成为细小的球状。长条状夹杂物的减少有利于获得各向同性的弯曲性能，故产品的性能更加均匀稳定。

由于薄板坯的溶质元素分布比传统坯的相对均匀，可以减少或避免由于杂质元素的枝晶间富集而在高温生成大尺寸的夹杂物。钢中的常见元素如 Mn、Si、S、P、Al、Ti 和 Cu 在钢液凝固时分配系数都小于 1，它们在凝固组织中的偏聚情况不同将引起钢中第二相粒子析出行为和组织演变规律的差别。

因原始晶粒尺寸对成品组织晶粒度的影响较大，所以传统工艺控制轧制的主要目的是细化晶粒，从钢坯加热起就对 γ 晶粒实行有效的控制。目前，控轧前的钢坯加热温度通常控制在 1200℃ 以下，使 γ 晶粒的原始尺寸保持在 100μm 左右，所以 CSP 工艺的铸坯组织比传统工艺下的铸坯组织细。

6.1.2 溶质拖曳

钢中杂质原子通常有向晶界和位错附近聚集的趋势，但不同元素的偏聚程度有所差异，根据已有的研究结果可知[5]，在低碳钢中 Cu、N、O、P 和 C 等都有很强的偏聚趋势。溶质拖曳理论指出，微量溶质原子偏聚在位错处，将阻止位错的滑移和攀移；溶质元素在晶界附近偏聚可以明显降低界面能，具有阻止晶界迁移的作用，故杂质元素在奥氏体晶界的偏聚在一定程度上细化了奥氏体晶粒。溶质原子在奥氏体晶界的偏聚与富集造成界面能的降低会导致 $\gamma\rightarrow\alpha$ 转变温度降低，使 α 相在更大的过冷度下形成，因而提高了 α 相的形核率，有利于铁素体晶粒的细化。微量杂质元素在晶界偏聚有阻碍晶界迁移、细化晶粒的作用。

合金元素无论是固溶还是形变诱导析出，对 $\gamma\rightarrow\alpha$ 相转变都有阻碍作用，使 Ar_3 点降低。相变温度 Ar_3 低的钢对获得细小的铁素体晶粒有利。因为铁在铁素体区中的自扩散系数比在奥氏体区中高一个数量级，即在同一温度处于铁素体状态下的晶粒长大要迅速得多。

6.1.3 第二相粒子的阻碍作用

钢中析出第二相粒子的结构、形貌及分布不同，将会极大地影响着产品的组织与性能。当第二相粒子在奥氏体中沉淀析出时，主要有基体内均匀形核、晶界形核和位错形核三种方式。大多数形核理论都认为在晶界缺陷处，特别是在晶界和位错线上的非均匀形核具有重要的意义。第二相粒子在扁平化的形变奥氏体中被诱导析出时，晶界、亚晶界和位错上形核占绝对优势，基体内均匀形核沉淀几乎完全不可能发生。晶界或亚晶界上沉淀析出的第二相粒子比均匀分布析出的第二相粒子更为有效地抑制奥氏体晶粒长大；然而它们易于聚集长大而粗化，因而其质点尺寸明显的比位错线上或基体内以均匀形核方式沉淀析出的质点粗大。这一方面将使其阻碍奥氏体晶粒粗化的作用减弱，另一方面还将使其对钢的韧塑性的损害作用增大。相对而言，位错线上析出的第二相粒子的分布状态要均匀得多，它们对位错线以及位错组态的钉扎作用能够既有效地阻碍形变奥氏体的再结晶，又能阻碍奥氏体晶粒的粗化（它们的尺寸较小补偿了其分布状态的不利因素）。位错线上析出的第二相粒子较晶界上析出粒子的粗化率小，因而其尺寸也比较小，再加上其均匀分布，因此对钢韧塑性的损害也要小得多，而且在一定程度上还能产生中等的沉淀强化作用。第二相粒子对组织的细化作用体现在以下两个方面：

（1）延缓或抑制奥氏体再结晶[6]。微合金元素的固溶塞积和拖曳作用以及微合金元素碳氮化物的析出，会显著延缓或抑制形变奥氏体的再结晶。微合金元素的这种作用是由于形变奥氏体晶内的位错排列或者回复的亚晶界被钉扎所致：1）加热时，一定量的微合金碳氮化合物发生溶解，固溶到奥氏体中，微量溶质原子往往偏聚在位错及晶界处，从而阻止了位错的滑移和攀移，以及晶界的迁移，阻碍了再结晶。2）未发生溶解或在形变时从固溶体中析出的弥散细小的碳氮化物颗粒，同时也钉扎了亚晶界或晶界，阻止了形变奥氏体中细小亚晶的合并或迁移，使再结晶核心长大受阻。第二相粒子抑制奥氏体再结晶的程度与加热温度、形变温度等因素有关，前者主要影响到微合金碳氮化物的溶解度，后者主要影响诱导析出相的量。

（2）阻碍晶粒的长大[6~9]。由于微量元素形成的高度弥散的第二相粒子，可以阻碍奥氏体晶界迁移及晶粒的长大，当第二相粒子阻止晶粒长大时，它们之间的相互作用不仅与第二相粒子的平均尺寸、体积分数和分布有关，还与晶粒本身的尺寸有关。它们之间的相互关系可由以下公式表示[10]：

$$D_c = \frac{\pi d}{6f}\left(\frac{3}{2} - \frac{2}{Z}\right) \tag{6-2}$$

式中　D_c——晶粒长大受阻时的尺寸阈值；

　　　d——析出粒子的直径；

　　　f——析出粒子的体积分数；

　　　Z——晶粒不均匀因子。

在晶粒长大的过程中，第二相粒子由于钉扎晶界而阻止其长大，但只能保证已有的晶粒尺寸不再进一步粗化或减慢粗化速度。粒子在晶界分布，使界面能降低。在晶粒长大过程中，晶界发生移动，这时界面能就会增加，因此粒子就相当于施加了一个阻碍晶界移动的钉扎力。这样，在一定的形核率下晶粒就会细化，而且在钉扎力的作用下，晶界会改变它的平面状态而发生局部松弛。

6.1.4 形变细化

变形的目的是为了在 $\gamma \rightarrow \alpha$ 相变前通过和热变形有关的再结晶和未再结晶过程得到理想的奥氏体组织状态。再结晶型控轧主要是利用再结晶过程去细化晶粒，用于调节 γ 晶粒尺寸和析出物；未再结晶型控轧是轧制中不发生奥氏体的再结晶过程，用于调节变形组织。总变形量可以用于通过完全再结晶细化奥氏体晶粒（奥氏体晶粒细化应变），以及在未再结晶区强化奥氏体（奥氏体强化应变），同时把在未再结晶区变形，作为控制相变、获得特定组织及性能的重要影响因素。

奥氏体晶粒细化应变和奥氏体强化应变的比例不同，将会极大地影响产品的组织及性能。在总压下率一定的情况下，应合理地分配再结晶和未再结晶区的总压下量，这种分配关系可以用 $\varepsilon_\Sigma = \varepsilon_R + \varepsilon_U$（$\varepsilon_\Sigma$ 为总压下量，ε_R 为再结晶区的总压下量，ε_U 为未再结晶区的总压下量）来表示，并合理地设定各道次的轧制温度及相对压下量[11]。必要的总变形量及变形规程的安排（包括总变形量，奥氏体细化变形量和奥氏体强化变形量）必须根据不同钢种的不同要求来确定。

若全部总应变都在高温下用作奥氏体细化应变，将导致粗大铸态组织的多次再结晶，使奥氏体组织均匀化和细化。在这种情况下，产生细小的奥氏体晶粒，低的位错密度，为铁素体形核提供了一个大的奥氏体晶界面积。反之，应变仅加在奥氏体未再结晶区时，将显著增加单位体积内有效的奥氏体晶界面积，主要体现在以下三个方面：（1）晶粒被拉长呈扁平状，增加了奥氏体的晶界面积；（2）在晶界产生的晶格畸变区增加了形核地点；（3）在晶内形成以高位错密度为特征的变形带。许多变形带在 $\gamma \rightarrow \alpha$ 转变的早期就能够形核铁素体，所以在这样的组织中，形核率足以导致细小的铁素体组织。

我们定义形变细化程度的公式如下：

$$R_{md} = \frac{d_{A_0}}{d_d} \tag{6-3}$$

式中　R_{md}——奥氏体晶粒细化程度；

　　　d_{A_0}——原始奥氏体晶粒尺寸；

　　　d_d——变形后相变前的奥氏体晶粒尺寸或等效尺寸。

变形过程是一个复杂的过程，合理的变形制度是晶粒均一和细化的前提条件之一。

6.1.5 相变细化

钢的性能取决于钢的组织结构，而组织结构主要是由相变决定的。相变有如下主要特征：钢的化学成分决定要有结构变化的原相（母相）；相变是一个形核和长大的过程，它有扩散与非扩散之别，在较高温度下的相变过程由扩散控制，低温下的相变为切变控制机制；变形和冷却是两个重要的驱动条件，在外力作用下，组织状态将失去平衡，由高能量状态向低能量状态转变。

变形与固态相变结合，是获得细小晶粒组织的有效手段。通过相变细化晶粒主要是提高形核率，可借助于提高形核密度或加大形核时的驱动力这两种方式实现。对于低碳钢，在发生相变时，为了使相变晶粒细化，可采用 4 种方法：（1）加快冷却速度；（2）细化母相奥氏体晶粒；（3）在加工硬化状态下使奥氏体发生相变；（4）使适量的析出相在 γ 晶粒内部均匀分布。第（1）种是提高冷却速度的方法，加大过冷度，使相变时形核的驱动力增加且临界核尺寸减小，同时温度低又限制了界面（相界，晶界）的运动能力，降低了长大速率，因而会使晶粒显著细化；第（2）、（3）、（4）种是使形核场增多的方法。在这四种方法中，尤以第（3）种的奥氏体加工硬化对相变时的晶粒细化最为有效。若用变形后相变前的奥氏体晶粒直径和相变后的铁素体晶粒直径的比值来表示 γ→α 相变细化效应的大小，实验结果表明：γ→α 相变虽然具有较强的晶粒细化作用，但其随着奥氏体晶粒的变小而逐渐减弱。

采用相变细化晶粒，通常与变形和冷却是分不开的，三者之间科学、有机的结合是钢获得不同的组织结构和优良性能的基础。

6.2　CSP 热连轧过程中的组织细化过程[12~15]

6.2.1　热连轧 6 道次轧卡件取样及试样制备

为了研究低碳钢板在热连轧过程中的组织变化过程，将珠钢提供的 ZJ330连铸坯及热连轧 6 道次轧卡件根据实验目的用线切割切成所需试样。铸坯厚度为 50mm，轧制成品板材厚度为 1.9mm。取样位置如图 6-1 所示，其化学成分见表 6-1。

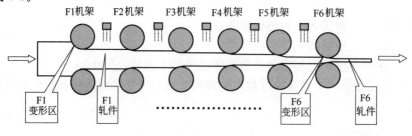

图 6-1　实验取样位置分布

表 6-1　实验用 ZJ330 钢的主要化学成分

成　分	C	Si	Mn	P	S	Alt	Als
含量（质量分数）/%	0.051	0.04	0.39	0.026	0.012	0.031	0.0306

对轧制前的铸坯及六道次轧卡件间的轧件取样制备金相试样，在光学显微镜下观察其轧向、横向和平行于板面方向的显微组织，并拍摄金相照片，以便进一步观察分析各道次的晶粒尺寸、形状及其分布规律。对晶粒尺寸的测量采用平均截线长法。

对连铸坯表面处、距表面 1/8 厚度处、距表面 1/4 厚度处、距表面 3/8 厚度处、距表面 1/2 厚度处、距表面 3/4 厚度处三个方向上的显微组织进行观察；分别对前 3 道次轧卡件进行表面处、距表面 1/4 厚度处、距表面 1/2 厚度处、距表面 3/4 厚度处三个方向上的显微组织进行观察；分别对后 3 道次轧卡件表面处、距表面 1/2 厚度处三个方向上的显微组织进行观察。

6.2.2　组织观察结果与分析

6.2.2.1　轧向晶粒组织观察与分析

F1～F6 道次轧向截面心部铁素体组织如图 6-2 所示。在变形温度 1090℃、变形量为 55.4% 的变形条件下，第一道次的变形使奥氏体发生完全再结晶，晶粒尺寸由变形前的 85μm 细化到 32μm，在随后的轧制道次中，随累积变形量的增加晶粒尺寸得到明显细化。从整个轧制过程来看，前 5 道次的变形使晶粒尺寸显著减

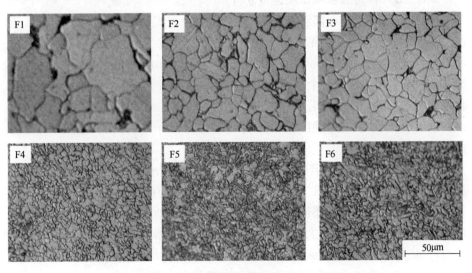

图 6-2　ZJ330 六道次轧卡件轧向截面心部铁素体组织变化

小，最后一道次的变形使晶粒得到进一步细化的效果不明显。前5道次使中心处晶粒尺寸由85μm细化到6.5μm，最后一道次中心处的晶粒尺寸为5.6μm。

轧向晶粒尺寸随轧制道次的变化趋势如图6-3所示，随着累积变形量的增加，组织晶粒逐渐细化。在F6道次，轧向表面与中心晶粒尺寸分别达到5.4μm和5.6μm。距轧卡件表面不同位置处的晶粒尺寸都有所差异，其变化趋势是由表面到中心晶粒尺寸逐渐变大，且随着累积变形量的增加，这种差异越来越小。F5~F6道次轧向组织，表面与中心处的晶粒尺寸差别都不大于0.2μm，这对ZJ330板带获得均匀的力学性能非常有利。

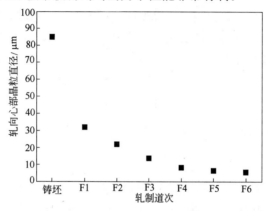

图6-3　ZJ330六道次轧卡件轧向心部铁素体晶粒直径的变化

6.2.2.2　横向晶粒组织观察与分析

F1~F6道次横向心部组织如图6-4所示，由组织对比可以发现F1~F2道次晶粒尺寸差别不大。因第一道次的变形使奥氏体发生完全再结晶，晶粒尺寸明显得到细化，中心处组织晶粒尺寸由连铸坯的80μm细化到26μm，此为室温下α晶粒的尺寸。从整个轧制过程来看，横截面组织变化规律与轧向组织变化规律基本一致，都是随着累积变形量的增加，晶粒组织得到明显细化。经过前5道次的变形，中心处组织晶粒尺寸可细化到7.2μm；最后1道次中心处的晶粒尺寸为5.3μm。

横向晶粒尺寸随轧制道次的变化趋势如图6-5所示，随着累积变形量的增加，晶粒组织逐渐细化。在F6道次，横向表面与中心晶粒尺寸分别达到5.1μm和5.3μm。距轧卡件表面不同位置处的晶粒尺寸都有所差异，其变化趋势是由表面到中心晶粒尺寸逐渐变大，且随着累积变形量的增加，这种差异越来越小。F5~F6道次横向组织，表面与中心的晶粒尺寸差别也都不大于0.2μm。

6.2.2.3　平行于板面方向的晶粒组织观察与分析

F1~F6道次平行于板面方向中心部组织如图6-6所示，由组织对比可以

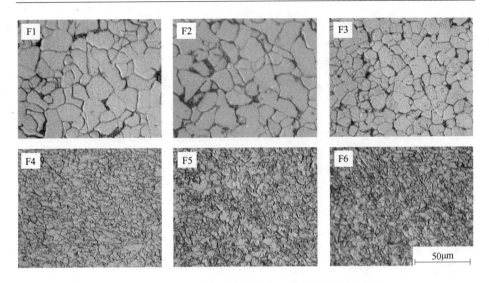

图 6-4 ZJ330 六道次轧卡件横向心部铁素体组织变化

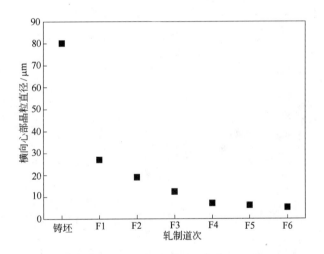

图 6-5 ZJ330 六道次轧卡件横向心部铁素体晶粒尺寸变化

发现 F1～F2 道次晶粒尺寸变化不大，F3 道次晶粒尺寸得到显著细化。因第一道次的变形使奥氏体发生完全再结晶，晶粒尺寸明显得到细化，之后随累积变形量的增加晶粒逐渐细化。从整个轧制过程来看，晶粒细化主要集中在前 5 道次，最后 1 道次对晶粒尺寸进一步细化的效果不明显，这一点与轧向组织变化规律及横向组织变化规律一致。经过前 5 道次的变形，中心处组织晶粒尺寸达到 7.9μm，这些晶粒多为等轴晶。

板面方向晶粒尺寸与轧制道次的关系如图 6-7 所示。在 F6 道次，板面方

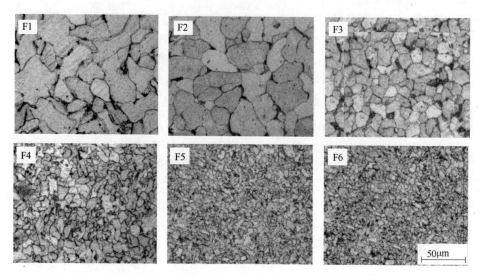

图 6-6　ZJ330 六道次轧卡件心部板面铁素体组织变化

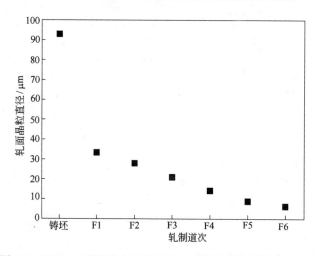

图 6-7　ZJ330 六道次轧卡件板面中心层处铁素体晶粒尺寸变化

向表面层与板厚中心层处晶粒尺寸分别达到 5.6μm 和 6.0μm。距轧卡件表面不同位置处的晶粒尺寸都有所差异，其变化趋势是由表面层到中心层晶粒尺寸逐渐变大，且随着累积变形量的增加，这种差异越来越小。F5～F6 道次板面方向组织，表面层与中心层处的晶粒尺寸差别分别为 1.0μm 和 0.4μm，与轧向及横向相比其表面与中心晶粒尺寸差别较大。

6.2.2.4　ZJ330 连铸坯组织分析

距铸坯表面不同位置处的 ZJ330 低碳钢连铸坯横向组织的变化如图 6-8 所示。由图可见：

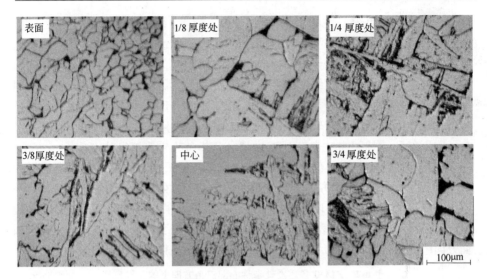

图 6-8 ZJ330 连铸坯横向组织距表面不同厚度处的组织

（1）表面组织存在由细小等轴晶组成的细晶粒带，其晶粒尺寸远小于连铸坯中心部位的晶粒尺寸，晶粒尺寸约为 $20\mu m$ 左右，细晶粒带厚度约 $220\mu m$。

（2）从铸坯表面到中心，晶粒尺寸明显变大，并开始出现枝晶组织。由距铸坯表面约 1/4 厚度处到中心，枝晶臂的宽度呈由细变粗的趋势，类似于竹林形状。在距连铸坯表面 1/4 厚度处的枝晶长度约 $150\sim230\mu m$，宽度约 $30\mu m$ 左右。而在连铸坯距表面 3/8 处枝晶长度约 $100\mu m$ 左右，宽度约 $38\mu m$ 左右。

（3）在连铸坯中心处，枝晶与少量的粗大等轴晶粒并存。因为 ZJ330 连铸坯的厚度仅为 50mm，同时由于枝晶的发展，中心等轴晶区非常窄。

（4）连铸坯的低倍组织具有不对称性。因为 ZJ330 连铸坯经过立弯弧连铸过程，晶体在连铸过程中因重力的作用要下沉，抑制了外弧侧枝晶的生长，造成内弧侧枝晶长度要稍长一些。在距连铸坯上表面 1/4 厚度处的枝晶长度约 $150\sim230\mu m$，宽度约 $30\mu m$ 左右；而在距连铸坯上表面 3/4 厚度处的枝晶长度约 $110\sim170\mu m$，宽度约 $35\mu m$ 左右。

在对连铸坯轧向组织观察中发现：连铸坯表面处存在细晶粒带，其厚度约 $220\mu m$ 左右；在距连铸坯表面 1/4 处靠近中心位置存在有部分枝晶，其长度约 $85\sim150\mu m$，宽度约 $38\mu m$ 左右；而在距连铸坯表面 3/4 处存在枝晶组织，长度约 $70\sim130\mu m$，宽度约 $40\mu m$ 左右。

在对连铸坯板面方向组织观察中发现：表面组织比较均匀，且表面晶粒尺寸与中心处晶粒尺寸的差别没有轧向和横向的那么明显；越靠近连铸坯中心处，枝晶现象越严重；距连铸坯表面 1/4 处，枝晶长度约 $230\mu m$ 左右，宽度约 $40\mu m$ 左右；中心层处存在少量粗大的等轴晶粒，尺寸达 $190\mu m$ 左右，其余是大量的枝晶组织。

连铸坯轧向、横向和平行于板面方向的组织都比较类似，其中轧向与横向组织的差别较小，而平行于板面方向与横向的组织差别稍大些。连铸坯轧向组织中的枝晶长度比横向组织中的枝晶长度要稍长些，组织随距表面位置的不同而有所差异，其变化趋势与横向相同。连铸坯平行于板面方向组织中的等轴晶粒所占比重远高于横向与轧向组织，而枝晶所占比重相对较少。

6.2.2.5　ZJ330轧卡件不同道次横向、轧向及轧面组织对比分析

测得各道次轧卡件中心处横向、轧向及平行于板面方向上晶粒组织的平均尺寸如表6-2所示，三个方向上晶粒组织的平均尺寸随道次变化的趋势如图6-9所示。对比ZJ330低碳钢1.9mm薄板各道次轧向、横向及平行于板面方向晶粒组织的平均尺寸，发现距表面同一位置处晶粒大小的变化呈以下规律：平行于板面方向组织中晶粒的平均尺寸最大，而横向组织中晶粒的平均尺寸最小。

表6-2　ZJ330各道次轧卡件心部三个方向上的晶粒直径　　　　　　（μm）

名　称	连铸坯	F1	F2	F3	F4	F5	F6
横　向	80.0	26.0	19.2	12.5	7.2	6.2	5.3
轧　向	85.0	32.0	22.0	13.7	8.2	6.5	5.6
板　面	93.0	33.4	28.0	22.0	13.2	7.9	6.0

随着累积变形量的递增，横向、轧向及平行于板面方向晶粒组织的尺寸差别及同一方向上的组织不均匀性都得到了改善。F6道次轧卡件的组织观察表明：各个方向上的组织差别不大，轧卡件表面与中心处的晶粒尺寸差别较小，一般在 $0.2\mu m$ 左右，最大也不超过 $0.4\mu m$。F6道次横向、轧向及板面方向的晶粒组织如图6-10所示。

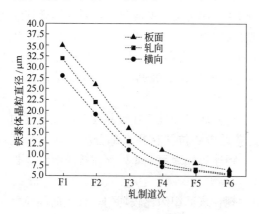

图6-9　ZJ330六道次轧卡件不同
方向心部晶粒直径

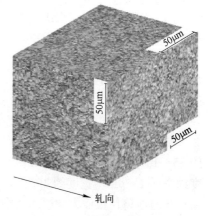

图6-10　ZJ330钢轧卡件F6道次横向、
轧向及板面方向的晶粒组织

再结晶区多道次轧制后，奥氏体晶粒的大小取决于总变形量的大小，同时也取决于道次变形量的大小，其中以道次变形量大小的影响较为显著，每道次较大的压下量促进了奥氏体的再结晶而使晶粒细化。珠钢 CSP 线生产 ZJ330 热轧带钢的开轧温度一般在 $1050\sim1100℃$、变形量在 50% 左右，应变速率低，再结晶进行得很充分，因而晶粒显著细化。前 5 道次轧制温度在 950℃ 以上，道次变形量均在 30% 以上，分析可知其属于 γ 再结晶区轧制，通过形变-再结晶反复交错进行，使 γ 晶粒得到显著的细化，这一过程再结晶 γ 晶粒尺寸受变形量和轧制温度的控制。最后 1 道次的轧制温度较低，奥氏体晶粒沿着轧制方向被拉长，并在其内部产生形变带。在轧后冷却过程中，铁素体不仅在奥氏体晶界形核，而且还在形变带上大量形核，这就进一步促进了铁素体晶粒的细化。整个轧制过程中，晶粒组织先通过 γ 再结晶区轧制细化 γ 晶粒尺寸，再通过 γ 未再结晶区轧制来提高 $\gamma\rightarrow\alpha$ 转变形核密度及 $\gamma\rightarrow\alpha$ 转变驱动力，为在轧后冷却过程中通过加速冷却来获得细小的铁素体晶粒奠定了基础。在 ZJ330 轧卡件最终道次组织观察中，铁素体平均晶粒尺寸约为 $5.3\mu m$ 左右。

6.3 CSP 热轧低碳钢再结晶规律的热模拟实验

自从金属的再结晶行为被发现以后，广大的科研工作者在这个领域内进行了大量的研究与探索工作，初步掌握了再结晶的机理，并将其分为动态再结晶、动态回复、静态再结晶及静态回复等过程。目前，再结晶机理已被成功地应用到生产实践中。在热轧板带钢生产中，再结晶型控轧主要是利用再结晶过程来细化晶粒，用于调节 γ 晶粒尺寸和析出物；未再结晶型控轧是轧制中不发生奥氏体的再结晶过程，用于调节变形组织。热轧时，总应变量可以用于通过完全再结晶细化奥氏体晶粒（奥氏体晶粒细化应变），以及在未再结晶区强化奥氏体（奥氏体强化应变），同时把在未再结晶区变形，作为控制相变、获得特定组织及性能的重要影响因素。因此无论在理论研究还是在生产实践中，人们对再结晶的有关参数、静态再结晶终止温度（T_{nr}）及其影响因素都表现得尤为关注。

CSP 工艺有其独特的特点，并不是传统热轧生产的补充或简单改造，一些基本原理和模型能否继续应用于其显微组织变化的研究是必须首先解决的问题。关于上述组织变化参数的确定，对组织演变模型形式的选取、准确建立以及对于金属热变形时组织演变的有限元模拟起着至关重要的作用。

利用 Gleeble-1500 热/力模拟机、经验公式及实测数据解析等方法研究了 CSP 低碳钢 ZJ330 的再结晶规律、有关参数及静态再结晶终止温度，建立了实验用钢的奥氏体动态再结晶数学模型[14]。

6.3.1　ZJ330 钢的动态再结晶

6.3.1.1　ZJ330 动态再结晶模拟实验方案

取 13 个试样以 100℃/s 的速度加热至 1050℃，再以 1℃/s 的速度加热至 1150℃，保温 10s，得到奥氏体化组织。试样以 5℃/s 的速度冷却至变形温度，在 Gleeble-1500 热/力模拟机上进行压缩实验，保温 10s。按不同的变形条件进行变形后淬火保留奥氏体组织。

$$变形条件\begin{cases} 变形温度：850℃，900℃，1000℃，1100℃ \\ 应变速率：0.01s^{-1}，0.05s^{-1}，1.0s^{-1} \\ 变形量：0.7（真应变） \end{cases}$$

该实验的工艺路线见图 6-11。

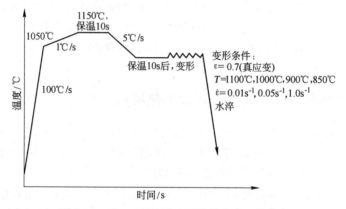

图 6-11　ZJ330 钢的动态再结晶实验工艺方案

实验分析了不同变形温度（1100℃，1000℃，900℃，850℃）、不同应变速率（0.01s^{-1}，0.05s^{-1}，1.0s^{-1}）下的 12 个试样的动态再结晶情况。其中未发生动态再结晶的 3 个试样仅用于讨论变形条件对动态再结晶的影响规律，不参与动态再结晶数学模型的回归。利用 NOSA 软件，应用最小二乘法多元非线性回归，得到动态再结晶数学模型的有关参数。

采用的动态再结晶数学模型如下：

$$Z = \dot{\varepsilon} \exp(Q_{\mathrm{def}}/RT) \tag{6-4}$$

$$Z = A_1 \sigma_{\mathrm{m}}^{n_1}，Z = A_2 \exp(A_3 \sigma_{\mathrm{m}}) \tag{6-5}$$

6.3.1.2　变形条件对 σ-ε 曲线的影响

图 6-12 给出了应变速率一定时，不同变形温度下的应力-应变曲线。从图中可以看出，其他条件相同时，随变形温度的升高，峰值应力（σ_{m}）降低趋势

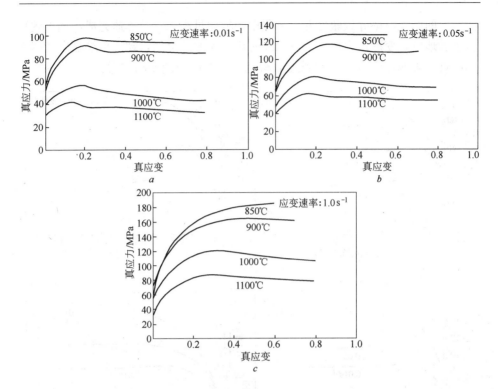

图 6-12 应变速率分别为 $0.01s^{-1}$，$0.05s^{-1}$，$1.0s^{-1}$ 时，
不同变形温度下的应力-应变曲线

a—应变速率为 $0.01s^{-1}$ 时，不同变形温度的应力-应变曲线；b—应变速率为 $0.05s^{-1}$ 时，
不同变形温度的应力-应变曲线；c—应变速率为 $1.0s^{-1}$ 时，不同变形温度的应力-应变曲线

明显；同时峰值应变（ε_m）也减小，说明越容易发生动态再结晶；随着变形温度的降低，应力峰值向着应变增大的方向移动，这表明了变形温度对动态再结晶发生时的临界变形量的影响趋势，即峰值应力越大，临界变形量越大，再结晶越难发生。变形温度升高时，空位原子扩散和位错进行攀移、交滑移的驱动力越大，容易发生奥氏体的动态回复和动态再结晶，即所谓软化作用，可消除和部分消除加工硬化现象，从而导致材料热变形过程中的峰值应力降低。同时，随着温度升高，原子的热运动加剧，动能增大，原子间结合力减弱，临界切应力降低，则流变应力必然降低[16]。变形温度较低时，加工硬化速率较高，回复及软化的进行比较困难。

变形温度一定，不同应变速率下的应力-应变曲线见图 6-13。其他条件相同时，随着应变速率的增大，应力-应变曲线上 σ_m 较大，同时 ε_m 较大，动态再结晶难以发生。随着应变速率的增加，位错运动速度加快，必然需要更大的切应力，则流变应力必然要提高[16]。应变速率增大，再结晶的驱动力也增大；

但是大的应变速率导致塑性变形过程中的软化过程来不及迅速完成，加工硬化占主导地位，变形抗力增加。所以随着应变速率的增加，动态再结晶启动越来越困难，表现在应力-应变曲线上，峰值应力与峰值应变均增大。

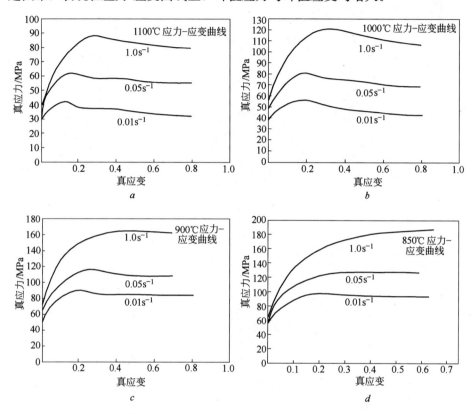

图 6-13　变形温度分别为 1100℃、1000℃、900℃、850℃时，
不同应变速率下的应力-应变曲线

a—变形温度 1100℃，不同应变速率的应力-应变曲线；b—变形温度 1000℃，不同应
变速率的应力-应变曲线；c—变形温度 900℃，不同应变速率的应力-应变曲线；
d—变形温度 850℃，不同应变速率的应力-应变曲线

当变形温度太低或应变速率较大时，金属很难启动动态再结晶软化（在变形抗力曲线上表现为变形抗力随应变增加上升到峰值应力后下降），再结晶发生不明显甚至不发生。850℃变形时，应变速率为 0.01s^{-1} 时再结晶很不明显；在 0.05～1.0s^{-1} 的应变速率范围内基本上不发生再结晶，如图 6-13d 所示。900℃ 变形时，$\dot{\varepsilon}=1.0\text{s}^{-1}$，也不能发生动态再结晶。由上述分析可以得到如下结论：在高的变形温度、大变形量和低应变速率条件下，动态再结晶易于发生。

表 6-3 给出应变速率、变形温度与峰值应力的对应关系，其中未标峰值应

力处表示未发生动态再结晶。

表 6-3　应变速率、变形温度与峰值应力 σ_m（MPa）的对应关系

变形温度/℃ 应变速率/s⁻¹	1100	1000	900	850
0.01	42.5	56.6	91.2	98.4
0.05	62.4	80.9	116.9	
1.0	88.2	121.5		

从表 6-3 可以看出，变形温度作为影响变形抗力诸因素中最为强烈的因素，对变形抗力的影响非常大。如在 $\dot{\varepsilon}=0.01s^{-1}$ 的条件下，850℃变形时的 σ_m 为 98.4MPa；1100℃变形时的 σ_m 为 42.5MPa，不到 850℃时应力峰值的一半。在 $\dot{\varepsilon}=0.05s^{-1}$ 的条件下，900℃变形时的 σ_m 为 116.9MPa；1100℃变形时的 σ_m 为 62.4MPa，接近 900℃时的二分之一。

应变速率对变形抗力的影响也很大，在变形温度为 1100℃的条件下，$\dot{\varepsilon}=0.01s^{-1}$ 时，σ_m 为 42.5MPa；$\dot{\varepsilon}=0.05s^{-1}$ 时，σ_m 为 62.4MPa；应变速率进一步提高到 $1.0s^{-1}$ 时，σ_m 增加到 88.2MPa。

6.3.1.3　显微组织

动态再结晶形成的晶粒结构与静态再结晶的晶粒结构不同。因为动态再结晶是在热变形过程中发生的，即在动态再结晶晶核长大的同时变形仍在继续进行，这样由再结晶形成的新晶粒又发生了形变，产生了加工硬化，富集了新的位错，并且开始了新的软化过程（动态回复甚至动态再结晶）。因此就整个奥氏体变形过程来说，任一时刻，在金属内部总存在着变形量由零到 ε_d 的一系列晶粒，也就是说动态再结晶的发生就奥氏体的整体来说并不能完全消除全部的加工硬化[17]。

图 6-14 是不同变形条件下，再结晶后的金相组织。同一试样内晶粒大小差别较大。定量分析测得在形变温度为 1100℃的条件下，$\dot{\varepsilon}=0.05s^{-1}$ 时，晶粒平均直径（$\overline{D}$）为 16.0μm；$\dot{\varepsilon}=1.0s^{-1}$ 时，$\overline{D}$ 为 12.5μm，在形变温度为 900℃的条件下，$\dot{\varepsilon}=0.05s^{-1}$ 时，$\overline{D}$ 为 13.8μm。动态再结晶后的晶粒尺寸与变形温度、应变速率和变形程度等因素有关。降低变形温度、提高应变速率和变形程度，会使动态再结晶后的晶粒变小，而细小的晶粒组织具有更高的变形抗力[16]。因此，通过控制热加工变形时的温度、速度和变形量，就可以改善材料的组织和力学性能。

6.3.1.4　动态再结晶模型

因为变形温度、应变速率都是通过 Zener-Hollomon 参数来影响组织演化模型，进而对静态再结晶模型也有着重要影响，所以动态再结晶激活能的精确

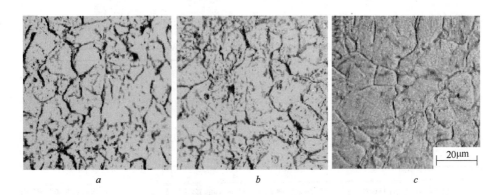

$$a\qquad\qquad\qquad\qquad b\qquad\qquad\qquad\qquad c$$

图 6-14　ZJ330 不同变形条件下，再结晶后的显微组织

a—1100℃，$\dot{\varepsilon}=0.05\mathrm{s}^{-1}$；$b$—1100℃，$\dot{\varepsilon}=1.0\mathrm{s}^{-1}$；$c$—900℃，$\dot{\varepsilon}=0.05\mathrm{s}^{-1}$

确定对组织演化模型及随后的一系列模拟都有着重要意义。

通过式 6-4 结合式 6-5 中的两个式子，回归得到了 ZJ330 钢热变形的表观形变激活能 Q_{def} 和均方差分别为：激活能 281.4kJ/mol，均方差 3.17；激活能 266.0kJ/mol，均方差 2.80。置信度皆为 95%。回归得到各模型系数结果如下：$n_1=6.36$，$A_1=0.017$，$A_2=7.24\times10^6$，$A_3=0.0775$。根据式 6-5 的实用范围，考虑到实验过程中未发生蠕变，这里取激活能为 266.0kJ/mol。

回归得到的动态再结晶数学模型表达式如下：

$$Z=\dot{\varepsilon}\exp(266000/RT)\tag{6-6}$$

$$Z=0.017\sigma_{\mathrm{m}}^{6.36}, Z=7.24\times10^6\exp(0.0775\sigma_{\mathrm{m}})\tag{6-7}$$

6.3.2　ZJ330 钢的静态再结晶

加工硬化奥氏体在变形后的期间内将发生静态回复和静态再结晶，目前，常采用金相观察法、应力松弛法和双道次压缩实验等方法来研究静态再结晶行为。钢种的化学成分对静态再结晶有显著的影响，这主要是通过化学成分影响激活能 Q_{rex} 来实现的，文献[18]通过比较双道次压缩实验和化学成分经验公式法求得的静态再结晶激活能 Q_{rex} 后，认为两种方法得到的结果基本一致，所以此处用化学成分经验公式法求静态再结晶激活能 Q_{rex}。

再结晶激活能与钢种化学成分的关系如下所示[19]：

$$Q_{\mathrm{rex}}=124714+28385.68[\mathrm{Mn}]+64716.68[\mathrm{Si}]+7277.540[\mathrm{Mo}]+$$

$$76830.32[\mathrm{Ti}]^{0.123}+121100.37[\mathrm{Nb}]^{0.100}\tag{6-8}$$

CSP 低碳钢 ZJ330 的化学成分见表 6-4。

表 6-4 ZJ330 钢的主要化学成分

成　　分	C	Si	Mn	P	S	Sn	Ni	Cr
含量(质量分数)/%	0.05	0.058	0.39	0.015	0.005	0.015	0.061	0.034

成　　分	Mo	As	Alt	V	Als	Ti	Nb	
含量(质量分数)/%	0.011	0.012	0.036	0.001	0.0338	0.0014	0.0004	

由式 6-5 据表 6-4 计算所得的静态再结晶激活能 Q_{rex} 约为 230kJ/mol。

6.3.3 ZJ330 钢的再结晶终止温度

在 CSP 工艺过程的初始机架，由于温度高，热变形使铸态组织变为晶粒细化的再结晶组织，消除了铸态组织的疏松等缺陷，使晶粒基本均匀和细化。在未再结晶区变形，引起有效变形增加，高的应变积累使奥氏体晶粒变形拉长成为饼状，晶界面积增加并出现变形带，这是晶粒均一和细化的前提条件。

若全部总应变都在高温下用作奥氏体细化应变，将导致粗大铸态组织的多次再结晶。在这种情况下，产生细小的奥氏体晶粒，低的位错密度，为铁素体形核提供了一个大的奥氏体晶界面积。反之，应变仅加在奥氏体未再结晶区时，少的奥氏体晶界面积充满着亚结构，许多变形带在 $\gamma \rightarrow \alpha$ 转变的早期就能够形核铁素体。在这样的组织中，形核率足以导致细小的铁素体组织。在直轧HSLA 钢薄板坯的显微组织中，可观察到沿着以前较大奥氏体晶粒的晶界，有明显细化的铁素体组织，但对于珠钢 ZJ330 钢，却未观察到这种情况。由于这种铁素体形核率的不均匀性，导致了直轧（没有粗轧）时的最终组织的不均匀性，但可以得到比具有粗轧时更为细小的铁素体晶粒尺寸。作为总应变的一部分，奥氏体强化应变增加了铁素体形核，在伸长的奥氏体晶粒边界形成形变软化多边形铁素体晶粒，这种组织比铁素体-珠光体基体更软，因此导致强度略有下降。

奥氏体晶粒细化应变和奥氏体强化应变的比例不同，将会极大地影响着产品的组织及性能。在总压下率一定的情况下，如何合理地分配再结晶和未再结晶区的总压下量，这种分配关系可以用 $\varepsilon_\Sigma = \varepsilon_R + \varepsilon_U$($\varepsilon_\Sigma$ 为总压下量，ε_R 为再结晶区的总压下量，ε_U 为未再结晶区的总压下量)来表示，并合理的设定各道次的轧制温度及相对压下量[20]。必要的总变形量及变形规程的安排（包括总变形量，奥氏体细化变形量和奥氏体强化变形量）必须根据不同钢种的不同要求来确定。奥氏体细化变形量在再结晶温度以上，奥氏体强化变形量在再结晶温度以下，因此得到较为准确的 T_{nr} 显得尤为重要。

目前，研究 T_{nr} 的方法有化学成分经验公式法、扭转实验法和实测数据解析法等方法[21]。因为 CSP 工艺过程与传统工艺过程的不同，物理实验过程中不可避免地存在第二相粒子的返向溶解现象，因此实验过程有一定程度的失真，与生产实际之间存在着差异。实测数据解析法与工艺参数密切相关，能够比较准确的反应工艺参数对再结晶终止温度的影响。实测数据解析法的数学模型推导如下（部分符号的含义见图 6-15）：

$$\cos\theta = 1 - \left(\frac{y-h}{2R}\right) \tag{6-9}$$

式中，θ 为轧制变形区中任一角度；y 为与角 θ 对应的轧件厚度；h 为轧件出口厚度；R 为轧辊半径。

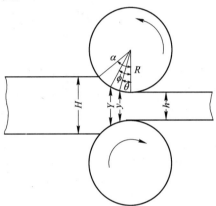

图 6-15　再结晶终止温度数学模型推导示意图

在中性面与出口之间的变形区内，轧制压力的表达式为：

$$\frac{s^+}{k} = \frac{\pi}{4}\ln\frac{y}{h} + \frac{\pi}{4} + \left(\frac{R}{h}\right)^{1/2}\mathrm{tg}^{-1}\left[\left(\frac{R}{h}\right)^{1/2}\theta\right] \tag{6-10}$$

式中，s^+ 为出口轧制压力；k 为平面变形抗力。

在中性面与入口之间的变形区内，轧制压力的表达式为：

$$\frac{s^-}{k} = \frac{\pi}{4}\ln\frac{y}{h} + \frac{\pi}{4} + \left(\frac{R}{h}\right)^{1/2}\mathrm{tg}^{-1}\left[\left(\frac{R}{h}\right)^{1/2}\alpha\right] - \left(\frac{R}{h}\right)^{1/2}\mathrm{tg}^{-1}\left[\left(\frac{R}{h}\right)^{1/2}\theta\right]$$

$$\tag{6-11}$$

式中，s^- 为入口轧制压力。

$$r = \frac{H-h}{H} \tag{6-12}$$

式中，H 为轧件入口厚度；r 为道次压下率。

若令出口轧制压力与入口轧制压力相等，即 $s^+ = s^-$，则：

$$\phi = \left(\frac{h}{R}\right)^{1/2} \text{tg}\left[\frac{\pi}{8}\left(\frac{h}{R}\right)^{1/2}\ln(1-r) + \frac{1}{2}\text{tg}^{-1}\left(\frac{r}{r-1}\right)^{1/2}\right] \quad (6\text{-}13)$$

式中，ϕ 为中性角。

$$Y = 2R(1-\cos\phi) + h \quad (6\text{-}14)$$

式中，Y 为中性面处轧件的厚度。

$$P = \frac{2}{\sqrt{3}}MFS \cdot W[R(H-h)]^{1/2}Q \quad (6\text{-}15)$$

式中，P 为轧制力；MFS 为平均流变应力；W 为轧件宽度。

$$Q = \frac{1}{2}\left(\frac{1-r}{r}\right)^{1/2}\left\{\pi\text{tg}^{-1}\left(\frac{r}{r-1}\right)^{1/2} - \left(\frac{R}{h}\right)^{1/2}\ln\left[\left(\frac{Y}{h}\right)^2(1-r)\right]\right\} - \frac{\pi}{4}$$

$$(6\text{-}16)$$

$$MFS = P\bigg/\left\{\frac{2}{\sqrt{3}}W[R(H-h)]^{1/2}Q\right\} \quad (6\text{-}17)$$

由上述的数学推导，我们可以求得平均流变应力 MFS。O. D. Sherby 和 P. M. Burke 在 1986 年发表的论文中指出[22]：在多道次变形的应力-应变曲线中，随着温度的降低应力峰值外包络线会出现几个拐点温度，其中就有静态再结晶终止温度 T_{nr}，T_{nr} 通过平均流变应力 MFS 与相应的绝对温度的倒数所作出的曲线来求解就显得更一目了然，图 6-16 是 ZJ330 低碳钢 1.0mm 板由现场测试数据解析所得的关系曲线图。

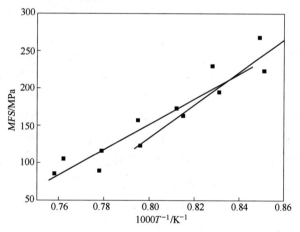

图 6-16 ZJ330 平均流变应力 MFS 与
绝对温度倒数的关系曲线

$$T_{nr} = 887 + 464C + 890Ti + 363Al - 357Si + 6445Nb -$$
$$644\sqrt{Nb} + 732V - 230\sqrt{V} \quad (6\text{-}18)$$

上式是由化学成分求解静态再结晶终止温度的经验公式，由其和数学模型

解析所得 T_{nr} 如表 6-5 所示。

表 6-5　不同方法求得的静态再结晶终止温度

名　　称	ZJ330	
$T_{nr}/℃$	成分经验公式	实测数据解析
	922	928

6.4　低碳钢热连轧过程中的奥氏体组织演变模型

在变形过程中，如果大奥氏体晶粒不能被有效细化，这将导致相变后形成粗大的铁素体晶粒；相变前的奥氏体晶粒越细，相变后形成的铁素体含量将越多，晶粒也越细小。奥氏体区终轧所产生的均匀、细小的奥氏体晶粒经相变后依然保持为均匀、细小的铁素体晶粒组织，相变前后的组织具有相关性，故了解热连轧过程中的奥氏体组织变化和状态，对于 $\gamma \rightarrow \alpha$ 相变及成品组织和性能的控制具有重要意义。

由于 CSP 线的铸坯加工始终在奥氏体区，热连轧过程中变形量大且应变速率高，故无法用物理热模拟方法再现生产实际。人们在长期的模拟研究和生产实践中，总结了大量的组织及性能规律，并以数学模型的方式加以表达，同时，伴随着计算机和计算技术的飞速发展，计算机作为组织演变研究的一种辅助工具，越来越受到人们的关注。

在大量实验研究的基础上，Sellars 首先提出了所有钢种再结晶行为所遵循的数学关系。20 世纪 80 年代末至 90 年代初，关于再结晶及再结晶后的晶粒长大数学建模预测研究又有了新的进展，不少学者提出了适合不同生产工艺条件的预报模型。尽管这些公式的表达形式不尽相同，但经过 Kwon 的对比研究发现，它们对 γ 晶粒尺寸的预报结果差别不大。因此，CSP 热连轧过程中 γ 晶粒尺寸模拟或预报可依据钢种的化学成分、部分工艺参数及再结晶参数来选取。

下面以生产 1.9mm 低碳钢成品板 6 道次轧卡件的 CSP 工艺规程为基础，模拟计算 6 道次连轧过程中奥氏体组织的演变。在变形过程中，根据金属所发生的冶金现象、化学成分及部分有关参数，所选用的与之相近的数学模型描述如下[23~27]。

6.4.1　动态再结晶过程

判断动态再结晶过程是否发生及动态再结晶后的晶粒尺寸，可表示为：

$$Z = \dot{\epsilon}\exp\left(\frac{Q_{def}}{RT}\right) \tag{6-19}$$

$$\varepsilon_c = 1.3 \times 10^{-5} \exp(11500/T) \tag{6-20}$$

$$\varepsilon_{0.5} = 1.07 \times 10^{-2} d^{0.28} \dot{\varepsilon}^{0.03} \exp(2650/T) \tag{6-21}$$

$$x_{dyn} = 1.0 - \exp\left[-0.693\left(\frac{\varepsilon - \varepsilon_c}{\varepsilon_{0.5}}\right)^2\right] \tag{6-22}$$

$$d_{dyn} = 1.6 \times 10^4 Z^{-0.23} \tag{6-23}$$

式中，Z 为 Zener-Hollomon 参数，Q_{def} 为动态再结晶激活能，ε_c 为发生动态再结晶的临界应变量，$\varepsilon_{0.5}$ 为再结晶分数为 50% 时的应变量，x_{dyn} 为动态再结晶分数，d_{dyn} 为动态再结晶结束时的晶粒尺寸。

动态再结晶后，晶粒的长大过程可由下式表示：

$$d^2 = d_{dyn}^2 + 3.61 \times 10^{12}/T \exp\left(\frac{-194460}{RT}\right)t \tag{6-24}$$

式中　d——动态再结晶晶粒长大后的尺寸。

6.4.2　静态再结晶过程

判断静态再结晶是否发生，其判据可由下式表示：

$$\varepsilon_a = \varepsilon_n + (1-x)\varepsilon_{n-1} \tag{6-25}$$

$$\varepsilon_a > \varepsilon_c, t_{0.5} = 0.53 Z^{-0.8} \exp\left(\frac{240000}{RT}\right) \tag{6-26}$$

$$\varepsilon_a < \varepsilon_c, t_{0.5} = 2.2 \times 10^{-12} S_v^{-0.5} \dot{\varepsilon}^{-0.2} \varepsilon^{-2} \exp(30000/T) \tag{6-27}$$

$$S_v = 24.0(0.4914e^{\varepsilon} + 0.155e^{-\varepsilon} + 0.1433e^{-3\varepsilon})/(\pi D_0)$$

$$x = 1.0 - \exp[-0.693(t/t_{0.5})^2] \tag{6-28}$$

式中，$t_{0.5}$ 为再结晶分数达 50% 时所需的时间，x 为再结晶分数，D_0 为原始奥氏体晶粒尺寸。

静态再结晶后的晶粒尺寸 d_{rex} 可由下式表示：

$$d_{rex} = Md^r \varepsilon^{-m} Z^{-u} \tag{6-29}$$

式中，$M = 1 - ([Nb] + [Ti])$，$r = 0.67$，$m = 0.67$，$u = 0$。

静态再结晶后的晶粒将发生长大现象，其长大过程可由下式表示：

$$d^2 = d_{rex}^2 + 4.27 \times 10^{12} \exp\left(\frac{-279720}{RT}\right)t \tag{6-30}$$

式中，d 为静态再结晶晶粒长大后的尺寸。

6.4.3　奥氏体未再结晶区变形

奥氏体未再结晶区变形，致使晶粒扁平化，变形后的未再结晶奥氏体晶粒的等效尺寸可按下式计算：

$$d_{nr} = \overline{d}\exp(-\varepsilon/4) \tag{6-31}$$

式中，$\overline{d}$ 为变形前奥氏体晶粒的平均直径。

热连轧过程中，模拟奥氏体组织演变规律所选用的数学公式汇总于表 6-6。

表 6-6　CSP 热连轧过程中奥氏体晶粒尺寸演变的数学模型

动态再结晶	$Z = \dot{\varepsilon}\exp\left(\dfrac{Q_{\text{def}}}{RT}\right)$ $\varepsilon_c = 1.3 \times 10^{-5}\exp(11500/T)$ $\varepsilon_{0.5} = 1.07 \times 10^{-2}d^{0.28}\dot{\varepsilon}^{0.03}\exp(2650/T)$ $x_{\text{dyn}} = 1.0 - \exp\left[-0.693\left(\dfrac{\varepsilon - \varepsilon_c}{\varepsilon_{0.5}}\right)^2\right]$ $d_{\text{dyn}} = 1.6 \times 10^4 Z^{-0.23}$ $d^2 = d_{\text{dyn}}^2 + 3.61 \times 10^{12}/T\exp\left(\dfrac{-194460}{RT}\right)t$
静态再结晶	$\varepsilon_a = \varepsilon_n + (1-x)\varepsilon_{n-1}$ $(\varepsilon_a > \varepsilon_c), t_{0.5} = 0.53 Z^{-0.8}\exp\left(\dfrac{240000}{RT}\right)$ $(\varepsilon_a < \varepsilon_c), t_{0.5} = 2.2 \times 10^{-12}S_v^{-0.5}\dot{\varepsilon}^{-0.2}\varepsilon^{-2}\exp(30000/T)$ $x = 1.0 - \exp[-0.693(t/t_{0.5})^2]$ $d_{\text{rex}} = Md^r\varepsilon^{-m}Z^{-u}$ $d^2 = d_{\text{rex}}^2 + 4.27 \times 10^{12}\exp\left(\dfrac{-279720}{RT}\right)t$
未再结晶	$d_{nr} = \overline{d}\exp(-\varepsilon/4)$

表 6-6 中的数学模型仅适合于等温过程，而实际生产过程为连续冷却过程，故把实际生产过程分为许多微段，每一微段认为是等温过程，整个实际生产过程便可使用叠加法通过计算机迭代来完成。计算过程中所用到的有关数据见表 6-7。

表 6-7　奥氏体组织演变模拟计算过程中所涉及到的有关数据

机架 工艺参数名称	F1	F2	F3	F4	F5	F6
入口温度/℃	1091	1052	1018	995	965	936
出口温度/℃	1071	1035	1010	980	948	896
变形量	0.807	0.772	0.609	0.414	0.392	0.223
	55.4%	53.8%	45.6%	33.9%	32.4%	20.0%
应变速率/s⁻¹	5.5	15.7	37.8	75.8	128.5	147.3
道次间隔时间/s	7.33	3.72	1.99	1.24	0.87	

　　在计算过程中发现，奥氏体的热轧终轧组织为再结晶奥氏体和变形奥氏体的混合组织，与成分经验公式法计算的结果吻合。在第 1 道次变形中，奥氏体发生了动态再结晶，再结晶分数为 99.31%；动态再结晶进行得非常充分，晶粒组织显著细化，再结晶后的晶粒尺寸约为 47μm（原始铸坯的奥氏体尺寸约为 80μm）。第 2~5 道次，奥氏体发生了静态再结晶，晶粒进一步细化；第 6 道次，静态再结晶分数达 50% 时所用的时间为 2.85s，由于薄板很快进入层流冷却系统，经计算知其静态再结晶分数小于 5%，故可认为奥氏体不发生静态再结晶。计算得到的奥氏体晶粒尺寸为变形奥氏体晶粒的等效尺寸，约为 8.33μm。总的来说，第 1~4 道次，由于变形温度高、变形量大、应变速率相对较低，奥氏体晶粒尺寸较大，轧后再结晶的细化效果明显；其后的机架，由于奥氏体晶粒尺寸变小，温度降低且应变速率增大，故晶粒的细化效果趋于平缓，各道次奥氏体晶粒尺寸的计算结果如图 6-17 所示。

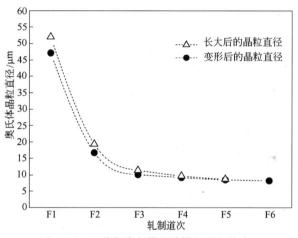

图 6-17　六道次轧卡模拟计算得到的轧向
奥氏体晶粒尺寸与变化趋势

　　由图 6-9 和图 6-17 可以看出，铁素体晶粒尺寸的变化趋势与模拟计算得到的奥氏体晶粒尺寸的变化趋势吻合较好，模拟结果也与文献 [28] 中的实验结果相符。从相变前后奥氏体与铁素体晶粒尺寸的比较来看，模拟结果是合理的，这从另一方面说明了相变和随后的强力冷却对晶粒细化的进一步影响。

　　在控制轧制中，为了充分发挥 $\gamma \rightarrow \alpha$ 相变的细化晶粒效应，需要在相变前的奥氏体未再结晶区对奥氏体晶粒施加足够大的形变量，这就要求相变前的未再结晶区有较宽的温度范围，以便实现多道次的变形积累。对于 ZJ330 低碳钢，其未再结晶区的温度范围很窄，约 100℃左右，难以在连续冷却条件下进行多道次形变积累，所以在 CSP 工艺中，再结晶细化是主要的细化方式，而不是未再结晶奥氏体的形变强化细化。

6.5　微观取向与奥氏体、铁素体状态的关系

从产品最终组织提供的信息来研究相变前奥氏体组织的状态，为探讨热连轧过程中工艺参数对组织演变的影响提供了依据。近几年发展起来的背电子散射衍射（EBSD）技术已迅速成为显微（亚微米）层次上的晶体分析手段，按取向确定的组织比直接得到的外观形貌能提供更多的组织细节和取向信息，为从织构角度来分析显微组织的演变及确定大角晶界的比例提供了目前常用的有效方法。

6.5.1　EBSD 微观组织分析

试样取自 1.9mm 成品板，制成所需试样，实验在 LEO-1450 型扫描电镜安装的附件 HKL-CHANNEL4.2 系统上完成。由图 6-18 和图 6-19 可知，虽然相变后产生的铁素体晶粒内有一定数量的亚晶存在，但铁素体晶粒间主要为大角度晶界（>15°），故在连轧过程中，奥氏体已发生部分再结晶。随着再结晶的进行，晶粒之间的取向差呈大角度关系所占的比例上升，呈小角度关系的比例下降，这是因为具有相近取向的亚晶数量随着再结晶的进行而减少的缘故。板带对应的热轧终轧组织为变形奥氏体和再结晶奥氏体的混合体，再结晶奥氏体所占的比例较大。

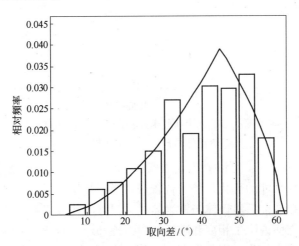

图 6-18　1.9mm 薄板晶粒取向差的分布图

由图 6-19 还可以看出，晶粒大多数不是等轴晶，其形状大多也是不规则的，晶界之间的夹角也未达到稳定的 120°，说明晶粒容易发生继续长大。由 EBSP 衍射图样可以看出，晶粒的取向不同，它们的尺寸大小有差异，从而在

一定程度上影响了产品的性能。图 6-20 为晶粒按取向差确定出的铁素体晶粒尺寸分布。由图可以看出，晶粒尺寸的概率分布在 $3\mu m$ 以下有一峰值，不是一般的正态分布或 Γ 分布，这可能是由较小的奥氏体再结晶晶粒引起的，因为 EBSD 扫描能够检测出由细小的奥氏体再结晶晶粒相变而得到的铁素体晶粒。

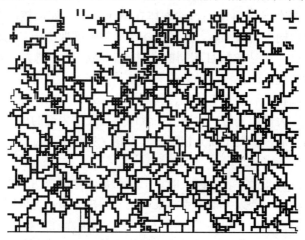

图 6-19　1.9mm 薄板按晶粒取向差绘制的组织图

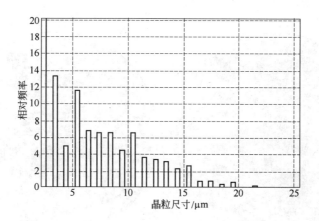

图 6-20　1.9mm 薄板按晶粒取向差确定的晶粒尺寸分布

6.5.2 EBSD 取向分析

因为相变前后的织构保持特定的取向关系，因此测定或研究成品板的织构可以间接地研究相变前奥氏体组织的状态。再结晶奥氏体和未再结晶奥氏体相变后形成的织构是不同的，相变后形成的织构与相变前的奥氏体织构保持特定的取向关系。再结晶奥氏体的宏观织构弱，而且可认为其织构组分是随机的，其相变后的织构强度弱而且杂；强变形奥氏体相变后形成的织构强度强而且取向较为集中。

如果奥氏体存在织构，那么其随后的相变组织也倾向于存在织构，且相变后贝氏体和马氏体具有的织构强度比多边形铁素体和珠光体具有的织构要强得多[29]。奥氏体发生部分再结晶，铁素体在奥氏体晶界处形核，在某种程度上削弱了奥氏体织构。再结晶后，某种织构组分的强度取决于与之相应的晶粒尺寸的大小及数目。在晶粒数目相同的条件下，晶粒尺寸越大，其织构强度越强。对于再结晶奥氏体，再结晶后的奥氏体晶粒细小，且再结晶后的奥氏体织构弱而杂，造成相变后的铁素体织构弱而杂。在未再结晶区变形，若在粗大的奥氏体内部存在大量形变带，大部分铁素体在奥氏体内部的形变带上形核，或在内部的亚晶上形核，每个新 α 核都与其母相 γ 遵循某种特定的取向关系且织构的强度较强。

在织构散点极图上，若有大量的点汇聚在某处，这说明织构取向不是随机的，并且强度较强；若无大量的点汇集，例如随机分布，这说明织构的组分杂（随机的），因而强度也是很弱的。图 6-21 中，因极点在织构散点极图上几乎均匀分布，没有明显的集中，所以热轧织构比较弱，并且织构组分比较杂[30]，故可认为其发生了再结晶。

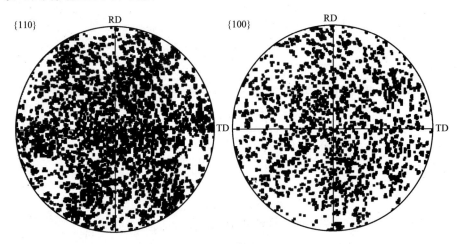

图 6-21　1.9mm 低碳钢薄板的 {110}，{100} 极图

体心立方金属轧制织构主要成分是 {001}〈011〉，若热轧组织的晶粒大小不均匀，容易形成 {110}〈100〉Goss 织构。从薄板的取向分布函数可得到 1.9mm 热轧薄板的主要织构为 {110}〈001〉织构，织构类型在 η 取向线附近，这说明在轧制过程中的变形不十分均匀。

6.6 550MPa级高强碳锰钢的奥氏体再结晶规律

奥氏体再结晶过程在控制轧制过程中占有重要的地位。因此，确定试验钢产生再结晶的条件，即再结晶区域图以及不同变形温度和变形量下奥氏体再结晶数量及晶粒大小尤为重要。这样就可以根据奥氏体再结晶区域图等合理确定工艺制度，包括加热温度、开轧温度、终轧温度和道次压下量，并且确定轧后冷却制度[31,32]。

6.6.1 实验材料及方法

采用试验轧机进行变形，轧制过程中通过采用不同的变形量、变形温度来确定各个参数对奥氏体再结晶程度和晶粒尺寸的影响规律，通过组织观察来确定奥氏体再结晶产生的条件。

为了简化工艺，通过一次轧制而获得不同的变形量对实验用钢奥氏体再结晶规律的影响，实验采用阶梯形试样（见图6-22）。这样，在试样轧后的七个台阶上取金相试样时，所有试样除了变形量以外，其他变形条件极为相似。为了使变形量严格达到规定的要求，阶梯试样上、下表面用磨床加工。试样的端部加工有 $\phi6.0$mm 的小圆孔，用于焊接测温热电偶，并且用计算机采集数据。

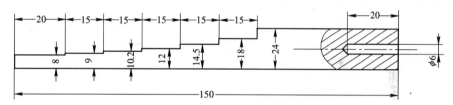

图 6-22 阶梯形试样尺寸简图

实验钢采用珠钢的 550MPa 级碳锰钢 ZJ550L 钢连铸坯进行实验，其化学成分如表 6-8 所示。

表 6-8 实验用高强碳锰钢 ZJ550L 的化学成分

成 分	C	Si	Mn	P	S	Cu	Alt
含量（质量分数）/%	0.18	0.28	1.21	0.023	0.004	0.110	0.024

阶梯形试样个数为 14 个（其中包括每种工艺留有一个备用样），变形量分别为：10%、20%、30%、40%、50%、60%、70%，试样加热温度为 1150℃，并保温 30min 奥氏体化，然后分别冷却至 1100℃、1050℃、1000℃、950℃、900℃、850℃和800℃进行轧制，轧后试样立即用冰盐水水淬以保留原始奥氏体组织的形貌。具体实验方案如图 6-23 所示。

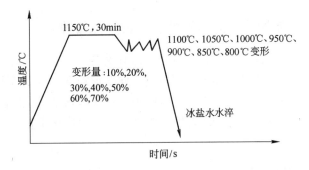

图 6-23　ZJ550L 钢再结晶规律研究具体实验方案简图

　　所有轧后试样均沿着轧制中心线纵向切开，再切取每一个台阶。将沿着轧制方向的面磨光按不同的变形量制成金相试样，用过饱和苦味酸水溶液加入少量洗涤剂（比例约为 5∶1）在 60～80℃左右进行热浸蚀，以显示原奥氏体的晶界，在光学显微镜和图像分析仪下用定量金相法观察和测定奥氏体晶粒大小及奥氏体再结晶百分数。

6.6.2　变形工艺参数对奥氏体再结晶数量的影响

6.6.2.1　变形量对 ZJ550L 钢变形奥氏体再结晶数量的影响
　　变形量对 ZJ550L 钢变形奥氏体再结晶数量的影响如图 6-24 所示。

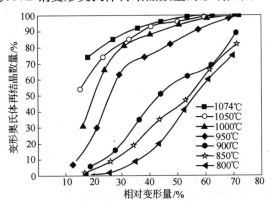

图 6-24　变形量对 ZJ550L 钢奥氏体再结晶数量的影响

　　从图上可以看出，在相同的变形温度条件下，奥氏体再结晶数量随变形量的增加而增加。并且，在一定的变形量范围内，热变形奥氏体再结晶数量急剧上升，当变形量增加到一定程度后，奥氏体再结晶数量的变化趋于平缓。变形量对变形奥氏体再结晶数量的影响与变形温度有很大关系。变形温度较高时，变形量不需太大，奥氏体再结晶数量就能达到较高的水平，而当变形温度较低时，则需要更大的变形量才能够达到同一奥氏体再结晶的数量。

图 6-25 为试样加热温度至 1150℃，并保温 30min 后，在 1050℃轧制，变形量为 15.2%～65.7%，轧后试样立即放入冰盐水中淬火所得到的变形奥氏体组织。

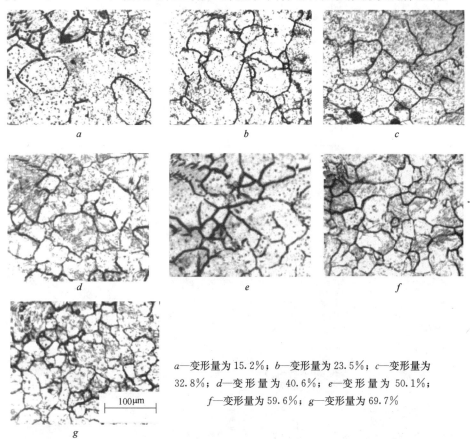

a—变形量为 15.2%；b—变形量为 23.5%；c—变形量为 32.8%；d—变形量为 40.6%；e—变形量为 50.1%；f—变形量为 59.6%；g—变形量为 69.7%

图 6-25　变形量对 ZJ550L 钢变形奥氏体组织的影响（变形温度为 1050℃）

6.6.2.2　变形温度对 ZJ550L 钢变形奥氏体再结晶数量的影响

变形温度对 ZJ550L 钢变形奥氏体再结晶分数的影响如图 6-26 所示。从图 6-26 可以看出，在变形量一定的前提下，随着变形温度的升高，奥氏体再结晶分数增加，增加的趋势与变形量的大小有关。当变形量较小时，需要很高的变形温度，奥氏体再结晶分数才有明显的增加。以变形量为 15% 为例，当变形温度从 800℃升高到 950℃时，奥氏体再结晶分数仅从 1% 升高到 7%，而当变形温度进一步升高到 1000℃时，奥氏体再结晶分数迅速升高到 31%，当变形温度达到 1074℃时，奥氏体再结晶分数达到了 74%。当变形量较大时，变形温度较低就能使奥氏体再结晶分数达到很高，并且随着变形温度的升高，奥

氏体再结晶分数缓慢增加。图 6-27 为试样加热温度至 1150℃，并保温 30min

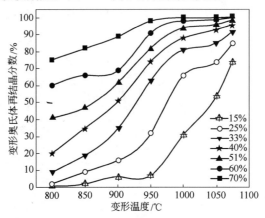

图 6-26　变形温度对 ZJ550L 钢变形奥氏体再结晶分数的影响

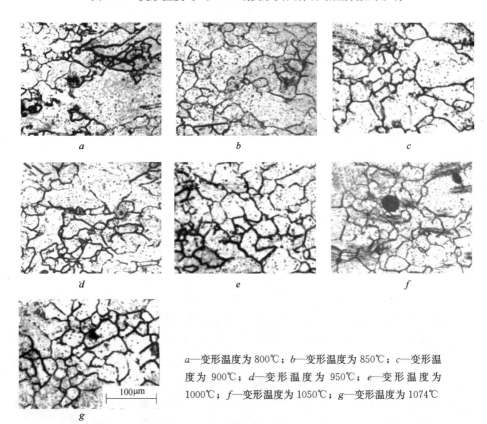

a—变形温度为 800℃；*b*—变形温度为 850℃；*c*—变形温度为 900℃；*d*—变形温度为 950℃；*e*—变形温度为 1000℃；*f*—变形温度为 1050℃；*g*—变形温度为 1074℃

图 6-27　变形温度对 ZJ550L 钢变形奥氏体组织的影响（变形量为 30％）

后，轧制温度为 800～1074℃，变形量约为 30％时，轧后试样立即放入冰盐水中淬火所得到的变形奥氏体组织。

　　根据以上分析，可以作出所研究钢种 ZJ550L 的再结晶区域图，如图 6-28所示。图中以变形奥氏体再结晶分数小于 10％和大于 90％作为判别未再结晶区、部分再结晶区和完全再结晶区的界限。再结晶区域图对制定合理的生产工艺有重要的实际指导意义，由再结晶区域图可以判别在给定变形温度、变形程度的条件下，变形奥氏体发生再结晶的状态。

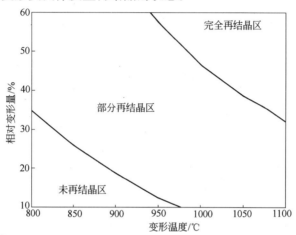

图 6-28　ZJ550L 钢奥氏体再结晶区域图

6.6.3　变形工艺参数对奥氏体再结晶晶粒尺寸的影响

　　奥氏体在热变形过程中的组织变化受到变形参数的影响，奥氏体晶粒大小与变形温度、变形量、轧后保温停留时间、化学成分、原始奥氏体晶粒度等密切相关。实验研究了变形量、变形温度对变形奥氏体晶粒尺寸大小的影响规律。

　　6.6.3.1　变形量对 ZJ550L 钢变形奥氏体晶粒尺寸的影响

　　变形量对所研究钢种的变形奥氏体晶粒尺寸有明显的影响，在不同的变形温度下，变形量对 ZJ550L 钢变形奥氏体再结晶晶粒尺寸的影响如图 6-29 所示。可以看出，在轧制温度一定的条件下，随着变形量的增加，奥氏体晶粒平均弦长均减小。当轧制温度较高，变形量较小时，随着变形量的加大，晶粒细化效果明显，当变形量达到一定值后，细化效果减小。

　　6.6.3.2　变形温度对 ZJ550L 钢变形奥氏体晶粒尺寸的影响

　　变形奥氏体晶粒平均弦长与变形温度也有很大的关系，如图 6-30 所示。

　　可以看出，在变形量一定的情况下，奥氏体再结晶晶粒尺寸随轧制温度的变化取决于奥氏体再结晶的情况。当在较高温度轧制时，奥氏体再结晶晶

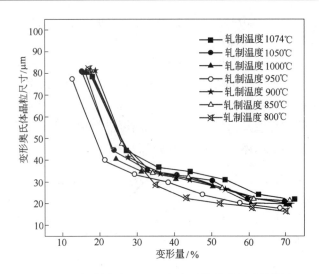

图 6-29　变形量对 ZJ550L 钢奥氏体晶粒尺寸的影响

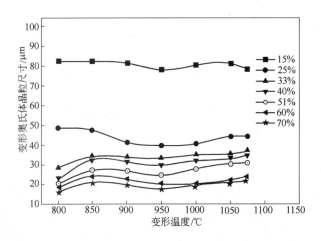

图 6-30　变形温度对 ZJ550L 钢奥氏体晶粒尺寸的影响

粒尺寸随着轧制温度的降低而减小；在较低温度轧制时，奥氏体再结晶晶粒尺寸随着轧制温度的降低而升高，但是当温度进一步降低时其晶粒尺寸迅速减小。

6.7　不同热历史条件下生产低碳钢板组织性能的实验分析

　　CSP 工艺的热机械历史、大的道次压下量和极高的应变速率等是热模拟机和实验室小型轧机所无法克服的困难，不能真实模拟现场的生产实际。鉴于此，研究人员利用珠钢的 CSP 线，分别得到了同一炉钢的薄板坯连铸连轧正常工艺和薄板坯连铸—冷装—连轧同规格成品板；针对所获得的成品板，利用力学性能实验、光学显微镜、扫描电镜和电子探针等手段，探讨了这两种工艺（即不同热历史）对其组织和性能的影响，为进一步深入研究组织演变、析出和强化等相关机理提供依据。

6.7.1 CSP与传统工艺生产低碳热轧板的生产性对比实验

实验材料为珠钢不同工艺试生产的低碳钢（牌号 ZJ330B）4.0mm 成品板，其化学成分如表 6-9 所示。

表 6-9 ZJ330B 钢的化学成分

成 分	C	Si	Mn	P	S	Cu	Al
含量（质量分数）/%	0.053	0.054	0.252	0.016	0.008	0.128	0.025

与 Q195 钢（国标 GB700—88）的化学成分比较，珠钢 CSP 线生产 ZJ330B 低碳钢的 Si、P、S、Cu 等元素的含量均较低。

在珠钢 CSP 生产线上，利用源于同一炉 ZJ330B 低碳钢的薄板连铸坯，根据两种不同的工艺生产了同规格 4.0mm 板。一种按常规薄板坯连铸连轧工艺生产（简称 CCSP）；另一种工艺是将进入均热炉前的该炉的最后一块薄板连铸坯冷却到室温后，再送入加热炉加热至与 CCSP 工艺相同的加热温度并均热，随后按 CCSP 的轧制规程进行轧制、冷却和卷取，即薄板坯连铸—冷装加热—连轧工艺，并以 TCSP 命名。两种工艺的主要区别在于 TCSP 工艺比 CCSP 工艺多经历了一次 $\gamma \rightarrow \alpha \rightarrow \gamma^*$ 的相变过程，其余全部相同，它们的工艺简图如图 6-31 所示。

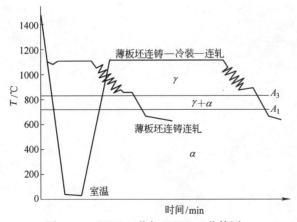

图 6-31 CCSP 工艺与 TCSP 工艺简图

6.7.2 两种工艺板材的力学性能与组织比较分析

6.7.2.1 力学性能

在常规力学性能实验中，按国标 GB228—87 做了力学性能拉伸实验。实验结果统计表明，两种工艺生产的同钢种同规格热轧薄板在力学性能上存在较大差异。针对本研究而言，CCSP 工艺生产的薄板其统计屈服强度可以稳定的比 TCSP 工艺高 30MPa 以上，分别为 359MPa 和 328MPa，而它们的伸长率基本相当，分别为 31％和 29％。

在冷至室温再加热过程中，会产生晶粒粗化和第二相粒子的溶解、长大，这与均热温度和均温时间有关。据文献 [33] 报道，对于原始组织相对比较粗大的 C-Mn 钢薄板连铸坯，因其没有微合金元素形成的第二相粒子的作用，且晶粒粗化不严重，均热方式对产品的强度和韧性影响极小，所以 CCSP 与 TC-SP 工艺生产的薄板的强度差异与反向加热方式关系不大，它们的强度差异是由相变过程和最终组织差异造成的。

6.7.2.2 光学显微组织

显微组织是力学性能的内在决定因素。为了探讨轧制工艺与组织、性能之间的关系，以下对两种工艺的显微组织进行了对比研究。

由图 6-32 的光学显微组织照片可以看出，两种工艺成品板的最终组织为大量铁素体和少量珠光体。TCSP 工艺生产的薄板组织中，其铁素体晶粒的尺寸比 CCSP 工艺的稍小，平均尺寸约为 8.0μm（见图 6-32b）。TCSP 工艺生产的薄板组织中，铁素体晶粒虽呈多边形状，但较为圆整和均匀；CCSP 工艺生产的薄板组织中，铁素体晶粒呈不规则的多边形状，不十分均匀，平均尺寸约

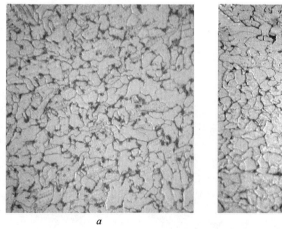

a   *b*

图 6-32　不同工艺生产的 4.0mm 板轧向光学显微组织
a—CCSP；*b*—TCSP

为 9.5μm，且珠光体不像 TCSP 工艺那样较为均匀的分布在铁素体晶界处。这是因为 γ→α→γ* 相变，系统的界面能向着较低的方向发展[34]，相变前后的组织具有遗传性，故 TCSP 工艺的最终组织较 CCSP 工艺的圆整。

TCSP 组织比 CCSP 组织细小但强度低，这与相变及 CCSP 工艺中的合金元素具有高固溶优势且析出效率高，使最终组织中位错、变形带等晶体缺陷的密度增加，导致强度值升高有关。

6.7.2.3 微观结构组织

图 6-33a 为 CCSP 工艺中珠光体的精细结构。珠光体组织中的渗碳体主要以短片状形式存在，可以清楚地看到片层状的珠光体间距较小，且几乎平行排列。在珠光体岛内部及边缘都有颗粒状的渗碳体存在，这些无规则分布的颗粒状渗碳体之间不存在明显的位向关系。TCSP 工艺的珠光体微观组织见图 6-33b。珠光体呈片层状且较为粗大，与传统工艺生产的热轧薄板的珠光体结构相似。

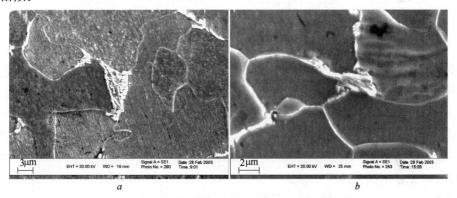

图 6-33 CCSP 和 TCSP 工艺 4.0mm 板中的珠光体组织
a—CCSP；b—TCSP

在 40000～50000 倍下的观察发现，采用薄板坯连铸连轧低碳钢的珠光体由点状或棒状的渗碳体与铁素体间隔而成（图 6-34a），传统连铸连轧低碳钢板中的珠光体为典型的渗碳体与铁素体片构成的片状珠光体（图 6-34b）[35]。

晶界及晶粒内部的位错、变形带是铁素体形核的有利位置，先共析铁素体在其上析出并把奥氏体分隔为许多小块；位错和形变带的密度越高，则奥氏体小块的分布越均匀分散。晶界上已形核的铁素体向晶内长大，位错和形变带上形核的铁素体向其周围长大。铁素体和奥氏体的相界面处存在着富碳区，铁素体形核数目越多，形成的富碳区域就越小，析出铁素体后的剩余奥氏体的相对量较少，碳扩散得不到充分进行，在晶界、位错及变形带等畸变能较高的部位直接以渗碳体的形式析出[36]。

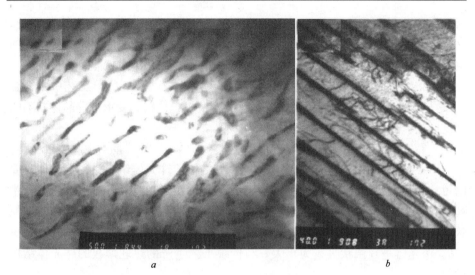

图 6-34   CSP 工艺和传统工艺生产的低碳钢板珠光体形状比较
a—CSP 工艺；b—传统工艺

对于 CCSP 工艺而言，由于没有经历 $\gamma \rightarrow \alpha \rightarrow \gamma^*$ 的相变过程，必然存在着碳的成分起伏，即存在碳的局部高浓度区；相变前的奥氏体晶粒较 TCSP 工艺的粗大，合金元素具有高固溶优势，变形奥氏体中位错密度高。先共析铁素体在晶界、晶内处形核密度不均匀，因而最终组织中的渗碳体以短片状及颗粒状形式存在。在 TCSP 工艺中，由于 $\gamma \rightarrow \alpha \rightarrow \gamma^*$ 相变作用，碳通过晶内、晶间扩散而在整个组织中的分布较为均匀；奥氏体晶粒细小，且最终组织中的位错密度低。先共析铁素体优先在晶界形核，并向晶内长大，形成了片层状的珠光体结构。这是 CCSP 和 TCSP 工艺在微观组织方面的重要差异，也是使屈服强度产生差异的重要原因之一。

6.7.2.4   夹杂物分析

大量扫描电镜观察发现，两种工艺生产的薄板组织中，夹杂物的数量不多，且多为脆性夹杂物，平均尺寸在 $5\mu m$ 左右。观察到的夹杂物皆为尺寸较小的内生夹杂物，未发现尺寸较大的外来夹杂物。在 TCSP 工艺生产的薄板组织中，夹杂物的尺寸稍大（见图 6-35b），可能是由于再加热时间较长，夹杂物长大的缘故。电子探针检测分析表明：CCSP 工艺生产的板组织中，夹杂物的成分主要为钙铝酸盐；TCSP 工艺组织中夹杂物的成分多为钙铝酸盐和硫化锰的复合夹杂。

珠钢低碳钢薄板连铸坯中的氧、硫含量很低，且铝与氧、锰与硫的质量比远高于各自的理想化学配比，析出的钙铝酸盐夹杂以孤立质点的形式存在，而 MnS 则多以Ⅰ、Ⅲ型析出为主。有害杂质元素（P、S）的含量低，夹杂物析

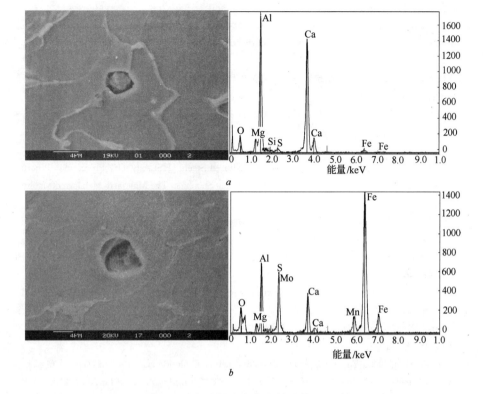

图 6-35　组织中的夹杂物形貌及其 EDS 谱

a—CCSP；b—TCSP

出的热力学温度低于均热温度，因而夹杂物的尺寸小[15]。显微组织中夹杂物的含量即使很少，也会对最终产品的组织和性能产生显著的影响。与 CCSP 工艺相比而言，虽然 TCSP 工艺组织中的铁素体晶粒尺寸稍小，但夹杂物尺寸稍大且有延性的硫化锰夹杂，这是其伸长率降低的原因之一。

以上这些组织状态的不同表明薄板坯连铸连轧钢具有其特殊的强化机制。关于这两种工艺薄板组织和强度差异的内在机理，仍在进一步深入研究中。

参 考 文 献

1　Hisashi Takada，Isamu Bessho，Takamichi Ito. Effect of Sulfur Content and Solidification Variables on Morphology and Distribution of Sulfide in Steel Ingots. Transaction ISIJ，18，1978：564～573

2　Ing Rob Gadellaa F，Dr. Ir. Piet Kreijger J，Dr. Ir. Marc C. M. Cornelissen，Ir. Boris Donnay，Ir. Jean Claude Herman，Dr. Ir. Vincent Leroy. Metallurgical Aspects of Thin Slab Casting And Rolling of Low Carbon Steels，2nd Europ. Conf. Continuous Casting（METEC 94），Volume 1，Dusseldorf，

June 20~22, 1994: 382~389

3 Garbarz. B. The effect of some continuous casting parameters and microalloying elements on the effectiveness of controlling austenite grain size. Journal of materilas Processing technology. 1995, 53: 146 ~158

4 周德光. CSP 工艺生产高强低碳钢的质量及钢中 TiN 的析出研究. 见: 北京科技大学博士后研究工作报告. 2002

5 柳得橹, 王元立, 霍向东等. CSP 低碳钢的晶粒细化与强韧化. 金属学报, 2002, 38 (6): 646~651

6 Kern. A. ISIJ International, 1992, 32 (3): 386~394

7 Gladman. T. Grain Refinement in Multiple Microalloyed Steels. HSLA Steels: Processing, Proerties and Applications. Edited by Geoffrey Tither and Zhang Shouhua. The Minerals, Metals and Materials Society, 1992: 3~14

8 Manohar P A, Dunne, D P. Chandra T. et al.. Grain Growth Predictions in Microalloyed Steels. ISIJ International, 1996, 36 (2): 194~200

9 Manohar P, Ferry M, Chandra T. Five Decades of the Zener Equatin. ISIJ International, 1998, 38 (9): 913~924

10 Gao N, Baker T N. Austenite Grain Growth Behavior of Microalloyed Al-V-N and Al-V-Ti-N Steels. ISIJ International, 1998, 38 (7): 744~751

11 Kaspar R, zentara N. 近终形产品直接装炉的工艺参数优化. 见: 薄板坯连铸连轧性能控制技术研讨会论文集, 1998: 25~31

12 Yonglin Kang, Hao Yu, et al. Study of Microstructure Evolution and Strength Mechanism of Low Carbon Steel of CSP Line, Proceedings of TSCR' 2002, Guangzhou, China, Dec. 3-5, 2002: 313~322

13 康永林, 于浩, 王克鲁等. CSP 低碳钢薄板组织演变及强化机理研究. 钢铁, 2003, Vol. 38, No. 8: 20~26

14 于浩, 康永林. CSP 线热轧薄板的组织演变及微观取向研究. 钢铁, 2002, Vol. 37, No. 10: 46~50

15 于浩. CSP 热轧低碳钢板组织细化与强化机理研究: [博士学位论文]. 北京: 北京科技大学, 2003

16 俞汉清, 陈金德. 金属塑性成形原理. 北京: 机械工业出版社, 1999

17 杨觉先. 金属塑性变形物理基础. 北京: 冶金工业出版社, 1988

18 曲锦波. HSLA 钢板热轧组织性能及预测模型: [博士学位论文]. 沈阳: 东北大学, 1999

19 Medina S F., Mancilla J E.. Static Recrystallization Modeling of Hot Deformed Steels Containing Several Alloying Elements. ISIJ International, 1996, 36 (8): 1070~1076

20 Kartmut Bruns, Radko Kaspar. 低碳钢薄板坯直装热轧工艺对冷轧板性能的影响. 见: 薄板坯连铸连轧性能控制技术研讨会论文集. 1998, 32~34

21 Maccagno T M., Jonas J J., Yue S. et al.. Determination of Recrystallization Stop Temperature from Rolling Mill Logs and Comparison With Laboratory Simulation Results. ISIJ International, 1994, 34 (11): 916~922

22 焦书军. 利用热模拟技术研究 Ti-IF 钢热轧过程中二相粒子析出规律: [博士学位论文]. 北京: 北京科技大学, 1997

23 Gaycia C I, Tokarz C, Graham C, et al., Niobium HSLA Steels Produced Using The Thin Slab

Casting Process. Hot Strip Mill Products，Properties and Applications. TSCR' 2002，Guangzhou，China，2002，194～210

24　Ohjoon Kwon. A Technology for the Prediction and Control of Microstructural Changes and Mechanical Properties in Steel. ISIJ International，1992，32（3）：350～358

25　Majta J. , Lenard J G. , Pietrzyk M. . Modeling the Evolution of the Microstructur of a Nb Steel. ISIJ International，1996，36（8）：1094～1102

26　Shigenobu Nanba, Mitsuru Kitamura, Masao Shimada et al. . Prediction of Microstructure Distribution in the Through-thickness Direction during and after Hot Rolling in Carbon Steels. ISIJ International，1992，32（3）：376～386

27　Wang S R, Tseng A A. Macro-and micro-modelling of hot rolling of steel coupled by a micro-constitutive relationship. Materials and Design，1995，16（6）：315～336

28　Michael Korchynsky, Stanislaw Zajac. 薄板坯工艺生产板材产品的技术经济性. 见：钒氮微合金钢文集，钢铁研究总院，1998

29　Bevis Hutchinson, Lena Ryde, Eva Lindh et al. . Texture in hot rolled austenite and resulting transformation products. Materials Science and Engineering. A257（1998）：9～17

30　Verlinden B. , Bocher Ph. , Girault E. . Austenite texture and bainite/austenite orientation relationships in TRIP steel. Scripta Mater. , 2001，45：909～916

31　Zhao Zhengzhi, Kang Yonglin, Mao Xinping, Chen Yinli, Chen Gujiang, Chen Xuewen. Study on Recrystallization Behavior of High Strength Automobile Steel Sheets Produced by CSP, Material Science Forum，Vols, 2005：153～156，475～479

32　康永林, 傅杰. 薄板坯连铸连轧组织性能综合控制理论及应用. 见：2004 年全国炼钢、轧钢生产技术会议论文集. 2004（5）：558～566

33　岳满堂, 杨德江, 吴隆华. 薄板坯直接轧制的组织性能. 钢铁, 1996, 31（4）：74～79

34　余永宁. 金属学原理. 北京：冶金工业出版社，2000：471～493

35　康永林. 薄板坯连铸连轧技术与钢的组织性能控制研究新进展. 见：2004 年中国材料研讨会. 北京, 2004（11）：266～268

36　Sun Z Q, Yang W Y, Qi J J, Hu A M. Deformation enhanced transformation and dynamic recrystallization of ferrite in a low carbon steel during multipass hot deformation. Mater. Sci. Eng. 2002, A334（1-2）：201～206

7 CSP 工艺低碳钢的组织及控制[❶]

7.1 连铸坯的组织

7.1.1 凝固组织的特征

钢的凝固结晶过程及其得到的凝固组织因化学成分、冷却速度等不同而不同。在低碳钢范围内碳含量足够小的钢冷却时不发生包晶反应。在 Fe-C 相图上发生包晶反应钢的碳含量范围为 $0.09\%\sim0.53\%$（见图 7-1），然而对于含碳量小于 0.09% 的钢，在冷却结晶过程中，由于碳不断从先结晶的 δ-铁素体内排出到周围剩余液相中，最终有可能导致少量液相的含碳量超过临界值而在局部区域发生包晶反应。本章将介绍含碳量小于 0.07% 和含碳在 0.09% 到 0.19% 范围的两类典型成分钢在 CSP 生产条件下的连铸坯组织特征，讨论它们与最终成品热轧板组织与性能的关系。

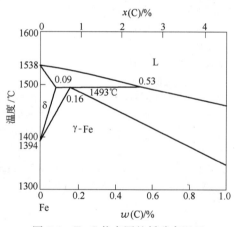

图 7-1 Fe-C 状态图的低碳高温区

与传统工艺的厚板坯相比较，薄板坯（50mm 厚）的凝固速度以及高温区（1400℃以上）的冷却速度均快了一个数量级，其冷速约为 2K/s，因此，薄板坯的铸态组织细小得多。有关资料已经报道了若干个关于枝晶间距与凝固速度关系的经验公式[1]，铸坯中的一次枝晶间距 l_1（μm）和二次枝晶间距 l_2（μm）可分别由下面的经验公式给出[2]：

$$l_1 = 29.0 \times 10^3 R^{-0.26} G^{-0.72} \tag{7-1a}$$

$$l_2 = 11.2 \times 10^3 R^{-0.41} G^{-0.51} \tag{7-1b}$$

式中，R 是凝固前沿的速度，mm·h^{-1}；G 是温度梯度，K·mm^{-1}。可见，

[❶] 本章由柳得櫄教授撰写。

铸坯的组织特征主要取决于凝固速度，而且和元素的扩散密切相关。由于传统厚板坯与薄板坯的凝固速度相差 10 倍之多，因而二者的枝晶间距也有明显差别，图 7-2 是含 0.1%C，1.45%Mn，0.07%Nb，0.08%V 的钢中 235mm 厚传统铸坯与模拟薄板坯（50mm 厚）中的二次枝晶间距比较[3]。薄板坯和传统厚板坯这种明显的差别将影响其热轧板带的最终组织。除了连铸坯原始组织的差别以外，薄板坯中夹杂物的尺寸、分布及形态和传统厚板坯也存在很大的不同（见第 8 章），本章讨论 CSP 工艺生产的低碳钢铸坯（50mm 厚）组织。

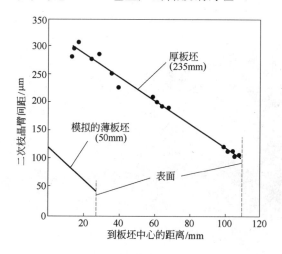

图 7-2　传统厚板坯与模拟薄板坯中的二次枝晶间距

(0.1%C，1.45%Mn，0.07%Nb，0.08%V)[3]

7.1.1.1　含碳量小于 0.09% 的钢

低碳钢（含碳量小于 0.09%）在凝固过程中直接由液相结晶生成 δ-铁素体枝晶，随着枝晶的生长，碳、锰、硫、磷等元素不断从 δ-相排出到周围的液相中，在枝晶间形成富溶质区。继续冷却到临界温度时，δ-铁素体转变成奥氏体，在薄板坯直轧的工艺条件下，铸坯经过均热后的奥氏体组织，即是热轧前的原始组织。为了便于讨论问题，对于含碳量足够小的钢，本节将忽略由于结晶时发生偏析，使少量残余液相的含碳量增高以至在局部小区域发生的包晶反应，主要考虑由 δ-铁素体和 δ→γ 转变得到的铸坯组织。

A　CSP 工艺生产的低碳钢 ZJ330（0.05%～0.07%C，≤0.1%Si，0.3%～0.5%Mn）

图 7-3 是含碳约 0.06%（质量分数）的低碳钢 ZJ330 薄板坯（50mm 厚）纵断面的低倍组织照片[4]，钢的成分（表 7-1）和 GB-Q195 的成分接近，但含碳量低得多。低倍组织观察表明，薄板连铸坯的表面层是细小的等轴晶区，内

部截面是发达的树枝晶，中心区域有极少量的等轴晶。

表 7-1　Q195 和 CSP 热轧钢板 ZJ330、ZJ460 的化学成分（质量分数）　（%）

钢　种	C	Si	Mn	P	S	Cu	Ni	Ti	Al
ZJ330	≤0.06	≤0.10	0.30~0.50	≤0.025	≤0.02	≤0.20			0.02~0.040
Q195 (GB700—88)	0.06~0.12	≤0.30	0.25~0.50	<0.045	<0.050	≤0.30			
ZJ460	0.05~0.07	0.30~0.50	0.30~0.50	0.09	≤0.02	≤0.25	微量	微量	0.02~0.040

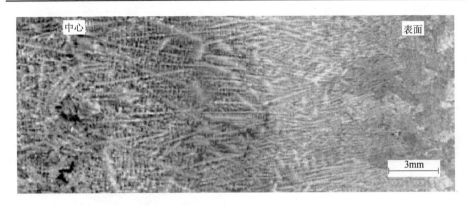

图 7-3　低碳钢 ZJ330 连铸坯的低倍组织

　　表面层的等轴晶区厚度约为几毫米。统计表明，低碳钢 ZJ330 连铸坯柱状晶区的一次枝晶间距为 0.25~1.83mm，二次枝晶为 52~180μm，平均99μm[5,6]，而传统板坯的二次枝晶间距一般在 200~500μm 之间，薄板坯的凝固组织要比传统连铸厚板坯细得多。

　　薄板坯纵剖面表面层和中心区的显微组织 SEM 二次电子像分别由图 7-4 和图 7-5 给出。连轧前铸坯的室温组织为粗大的针状或块状铁素体，表面层由于冷速较快，铁素体晶粒并不是通常的等轴晶形态（见图 7-4a、b），少量珠光体沿铁素体晶界不均匀分布，珠光体片层间距在 1μm 左右（图 7-4c）。

图7-4　CSP 低碳钢 ZJ400（约含 0.20%C）连铸坯（50mm 厚）热轧前表面层的室温组织（纵剖面）

a、b—铁素体＋珠光体；c—铸坯组织中的珠光体 SEM 二次电子像

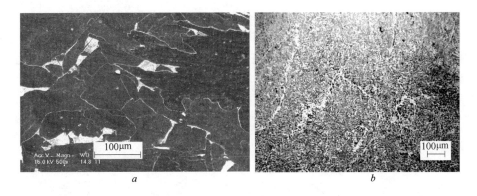

图 7-5 ZJ400 连铸坯心部的室温组织（纵剖面）

a—SEM 二次电子像；b—光学显微像

从图 7-5 可以看出原奥氏体晶界的位置，估计奥氏体晶粒大小为 500～1000μm。

B 耐候钢 ZJ460（0.05％C-0.4％Si-0.45％Mn-0.25％Cu-0.19％Ni）

耐候钢 ZJ460 进入均热炉之前空冷的铸坯和经过均热后水冷铸坯纵剖面的低倍组织分别示于图 7-6a 与图 7-6b。

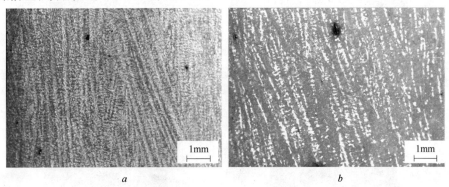

图 7-6 ZJ460 铸坯的低倍组织

a—ZJ460 进入均热炉之前空冷铸坯的室温组织；b—ZJ460 经过

约 1100℃均热后水冷铸坯的室温组织（SEM 像）

图 7-7 给出均热后水冷铸坯（50mm 厚）表面层至 1/5 厚度间的组织；图 7-8 是同一块铸坯试样 2/5 至 3/5 厚度间的组织，试样经苦味酸水溶液浸蚀。由于 CSP 生产中薄板坯均热后直接进行轧制，要从生产现场取样观察铸态组织的奥氏体晶粒尺寸比较困难。当铸坯冷速较快时，在冷却过程中，先共析铁素体或魏氏铁素体一般在原奥氏体晶界处形核，但也可在晶内非金属夹杂物等位置形核。因此，在较快的冷速条件下，沿奥氏体晶界形成的先共析铁素体

或针状铁素体保留了原奥氏体晶界的位置，据此可以推断铸坯原奥氏体晶粒的大小。图中由白亮的铁素体晶粒包围的区域是原奥氏体晶粒，经过均热后奥氏体晶粒的大小约为 0.2～1mm。而图中黑色区是原来的枝晶间隙区，因 Mn、C 等元素富集，被浸蚀较深。由图 7-7 可见，枝晶间隙区往往被包含在奥氏体晶粒内，看来形成这种分布的主要原因在于：枝晶间隙区因碳、锰含量比附近的 δ 枝晶臂内高，因而形成奥氏体的温度较高，首先发生 δ→γ 相变。从图中

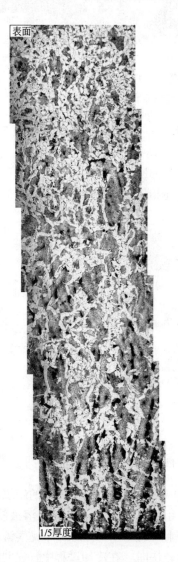

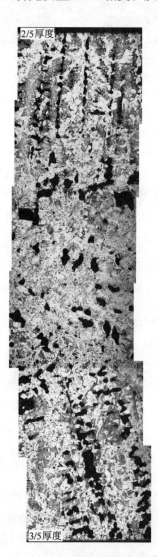

图 7-7　ZJ460 均热后连铸坯表面层至　　　图7-8　ZJ460 均热后连铸坯 2/5～3/5
　　　　1/5 厚度区的室温组织　　　　　　　　　　　厚度区的室温组织

还可以看出，柱状晶区的奥氏体晶粒往往不是等轴形，这些晶粒沿铸坯厚度方向或枝晶的长度方向比较长。这在图 7-7 和图 7-9 中显示得比较清楚。

由图 7-8 还可看出铸坯心部有一薄层等轴晶区，厚度约在 5mm 以下。

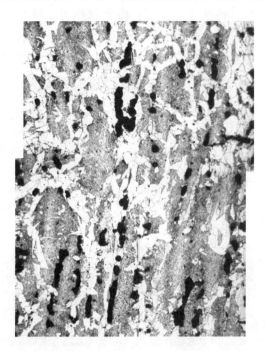

图 7-9　ZJ460 铸坯的原奥氏体晶粒与枝晶分布

7.1.1.2　含碳高于 0.09% 的低碳锰钢

含碳约 0.09%～0.16% 的低碳钢凝固时，首先由液相生成 δ-铁素体，随着 δ-相枝晶的长大，剩余液相中的 C、Mn 浓度不断增加，直至达到包晶转变温度，这时发生包晶转变，沿 δ-铁素体和液相界面生成奥氏体并向两种母相中生长。含碳在 0.09%～0.16% 之间的钢发生包晶反应前，δ-铁素体的量已达到 79.5% 以上，因此在包晶反应后还会留下一部分 δ-铁素体，形成 δ-铁素体＋奥氏体的两相组织，继续冷却到 δ→γ 转变温度时，δ-铁素体转变成奥氏体。直接经过包晶反应生成的奥氏体和先结晶成 δ-铁素体，再由 δ→γ 转变形成的奥氏体的差别将进一步讨论。

在 CSP 生产线现场将低碳锰钢 ZJ550 的连铸坯迅速冷却到室温，经过常规浸蚀得到如图 7-10 的低倍组织。钢的主要成分如表 7-2 所示，另外还含有废钢原料带入的微量残留元素，铸坯的厚度为 50mm。低倍组织观察表明，薄板坯铸坯组织和传统工艺普通连铸板坯的三层结构相似，但是薄板坯的中心等轴区不大明显，范围较小。铸坯的表层为厚度约几毫米的激冷层，由等轴晶组成，激冷层之后到心部为发达的树枝晶，枝晶的生长方向垂直于表面，接近心部的枝晶方向比较杂乱，厚度中心线部位存在一定程度的疏松，经浸蚀后观察到几条长度不同的裂纹，最长达几毫米。在传统连铸工艺钢水的凝固过程中，柱状晶形成之后向铸坯中心推进，由于散热速度减慢，温度梯度逐渐平坦，柱状晶生长速度减慢，最终在中心形成等轴晶区。而薄板坯连铸快速凝固和冷却的特点，导致铸坯中心没有条件形成较大范围的等轴晶区。

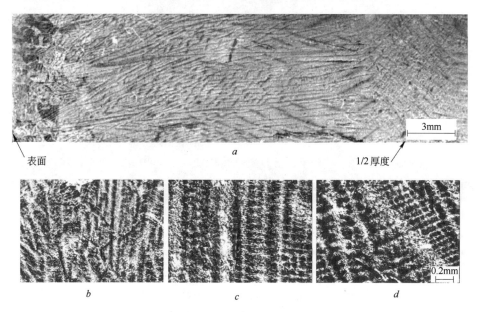

图 7-10　ZJ550 连铸坯的组织

a—铸坯表面到心部的低倍组织；*b*—铸坯表面层的等轴晶和枝晶组织；
c—柱状晶区的枝晶组织；*d*—铸坯中心部分（1/2 厚度处）的组织

表 7-2　实验钢 ZJ550L 的化学成分

元素	C	Mn	Si	P	S	Alt
含　量（质量分数）/%	0.17～0.19	1.0～1.2	约 0.3	≤0.023	≤0.02	0.02～0.04

上述同一块铸坯试样重新抛光，然后用过硫酸氨溶液浸蚀，得到的铸坯室温组织如图 7-11 所示。可以看出，铸坯表层和芯部的晶粒均匀、尺寸较小，它们是由铸坯的等轴晶区转变得到的组织，而二者之间的晶粒粗大，而且沿铸坯厚度方向较长，是由柱状晶区转变得到的。图 7-12 为铸坯由表面到约 1/2 厚度处的室温组织（用 4% 硝酸酒精浸蚀）。由于在 CSP 生产现场将 ZJ550 低碳锰钢的铸坯迅速冷却到室温，沿原奥氏体晶界形成的针状铁素体保留了原奥

图 7-11 ZJ550 连铸坯剖面（过硫酸氨溶液浸蚀）的室温组织全貌

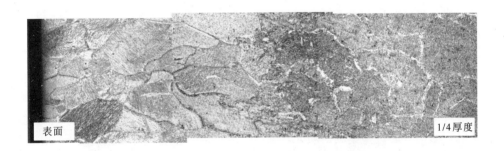

a

图 7-12 低碳锰钢 ZJ550 连铸坯的室温组织（4％硝酸酒精浸蚀）
a—表面层至 1/4 厚度处；*b*—1/4 厚度至 1/2 厚度处

氏体晶界的位置，据此可以推断铸坯原奥氏体晶粒的大小与形状，图 7-13 是其中一段晶界的放大图，清晰地显示出沿原奥氏体晶界形成的针状铁素体形貌及其勾画出的奥氏体晶界。图 7-11 和图 7-12 显示出了由晶界铁素体勾勒的原奥氏体晶粒形态，可见，铸态组织的原奥氏体晶粒尺寸约为 200~2000μm。

由于含碳高于 0.09％的低碳钢在凝固过程中将先后生成两种奥氏体，一

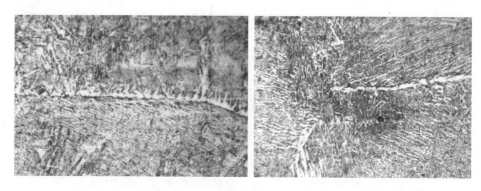

图 7-13　ZJ550 铸坯水冷后室温组织的原奥氏体晶界形态

种是钢液结晶时由 δ-铁素体和液相通过包晶反应生成的奥氏体，为了便于讨论问题，本书把这种奥氏体称为 I 类奥氏体；另一种奥氏体是包晶反应后残余的 δ-铁素体转变生成的奥氏体，称为 II 类奥氏体。图 7-14a 是 CSP 低碳锰钢 ZJ550 铸坯的表面层室温组织，图 7-14b 是图 7-14a 经过图像处理后的效果，突出显示了晶界。在图 7-14 上可以看出 I 类奥氏体晶粒尺寸粗大，经过浸蚀其晶界清楚，在图 7-14b 上呈现黑色。而 II 类奥氏体是残余的 δ-铁素体转变生成的，其晶界附近富集的溶质元素较少，因而经浸蚀后晶界不大明显，仔细观察可以看出这些晶粒的尺寸要细小得多。

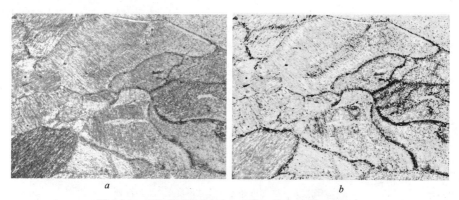

a　　　　　　　　　　　　　　　　　b

图 7-14　CSP 低碳锰钢 ZJ550 铸坯的表面层室温组织
a—光学显微镜图像；b—与图 a 同一视场但经过图像处理突出了晶界

7.1.2　CSP 薄板坯凝固组织与传统厚板坯的比较

在传统冷装工艺现场，将 16Mn 钢的铸坯（250mm 厚）迅速冷却到室温，用同样的浸蚀方法得到如图 7-15 所示的组织。初步统计，16Mn 铸态奥氏体的

晶粒尺寸在 $300\sim700\mu m$ 之间。

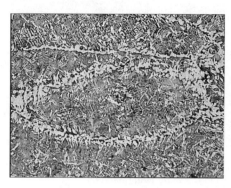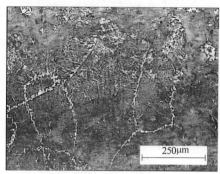

250μm

图 7-15 16Mn 钢 250mm 厚铸坯的室温组织（4%硝酸酒精浸蚀）

薄板坯的结晶条件和传统连铸板坯有很大不同。由于减小了铸坯厚度，增加了铸坯表面积（约为传统厚板坯的 4、5 倍），薄板坯与传统的厚板坯相比凝固速度快得多。厚度为 250mm 的传统板坯，其完全凝固时间为 $10\sim15min$，而 50mm 厚的薄板坯只需 1min；而在 $1560\sim1400℃$ 范围内，薄板坯的冷却速度是传统厚板坯的十几倍。钢液的快速凝固增加了结晶时的过冷度 ΔT，根据经典形核理论：

临界晶核尺寸

$$r^* \propto 1/\Delta T \tag{7-2}$$

临界形核功

$$\Delta G^* \propto 1/\Delta T^2 \tag{7-3}$$

高的凝固速率和冷速使结晶的形核率明显增加，并使二次枝晶间距比传统连铸板坯的更小，溶质元素的偏析程度减轻，改善了板坯的组织结构。凝固后的快速冷却提高了 $\delta\to\gamma$ 相变的形核率，而加速冷却减少了铸坯在高温停留的时间，使相变移向低温，限制了晶粒长大。

薄板坯连铸后经过均热直接进行轧制，而采用传统冷装工艺时，板坯连铸后被冷却到较低温度或室温，然后再加热到高温保温后进行轧制，由于经历了冷却时的 $\gamma\to\alpha$（或 α＋珠光体）转变和再加热时的 α（或 α＋珠光体）$\to\gamma$ 逆相变，传统冷装工艺的铸坯在轧制前的奥氏体晶粒尺寸要比 CSP 工艺轧制前的晶粒尺寸小得多。为此，需要用不同的加工工艺来细化组织。

图 7-16 为 ZJ550 铸坯均热后的室温组织，由图可见，它具有较粗大的奥氏体晶粒。

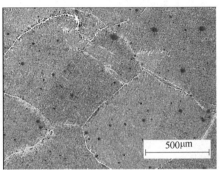

图 7-16　ZJ550 铸坯均热后（1050℃、30min）的室温组织

7.2　CSP 连铸坯中的成分偏聚

7.2.1　凝固过程导致的偏聚

凝固过程中的溶质分凝现象对钢的组织与性能控制十分重要，它不仅直接影响高温时的硫化物、氧化物等的析出过程，导致析出相颗粒的尺寸、数量与分布出现很大差异，而且，这种分凝效应还是热轧后钢板组织不均匀，特别是形成珠光体/铁素体带状组织的根本原因。为了有效控制钢的组织与性能，需对凝固过程因溶质分凝造成的枝晶偏析作一介绍。

凝固过程涉及到在固相与液相中的两个传输过程，即热的传输与溶质原子的传输，凝固开始后形成了固相/液相界面，以二元合金为例（示意的二元相图见图 7-17 ）溶质浓度为 C_0 的液相开始凝固后，其在固/液界面附近的固相中浓度为 C_S，而在界面附近液相中的浓度为 C_L，二者之比是溶质的分配系数 k，即 $k=C_S/C_L$。k 是溶质浓度 C 和固液界面迁移速度 v 的函数，在平衡状态（$v=0$）和平界面条件下有，$C_S=C_L k$ （C）。当溶质浓度增加使熔点温度下降时，分配系数 $k<1$，反之，随着溶质浓度增加，熔点温度上升，则分配系数 $k>1$。图 7-17 即是分配系数 $k<1$ 的情况。

溶质元素不仅在凝固过程发生重新分配，在固相转变时也发生重新分配，例如在低碳钢中的 $\delta \to \gamma$ 转变和 $\gamma \to \alpha$ 转变时，钢中的常见元素 C、Mn、Si、S、P 以及合金元素等都要发生再分配。凝固和相变过程的溶质元素再分配往往导致某些元素在晶界富集，这种晶界偏聚对钢的组织与性能有明显影响。本节只考虑常见元素在低碳钢连铸坯中的偏聚情况。

低碳钢中常见溶质元素在凝固时形成的枝晶间以及 δ/γ 转变时的再分配已经报道了一些理论和实验研究结果[7~9]，一些元素的平衡分配系数和扩散系

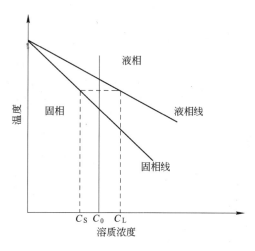

图 7-17　局部二元相图

数[10~12]也都可以从有关的文献或手册中查到，表 7-3 列出了其中一些常用的数据。表中 $k^{\delta/L}$、$k^{\gamma/L}$ 和 $k^{\gamma/\delta}$ 分别是溶质元素在 δ 相与液相间，γ 相与液相间以及 γ 相与 δ 相之间的分配系数。D^{δ} 是元素在 δ 相中的扩散系数，D^{γ} 是元素在 γ 相中的扩散系数。

表 7-3　钢中元素的平衡分配系数和扩散系数[7]

系数 元素	$k^{\delta/L}$	$k^{\gamma/L}$	$k^{\gamma/\delta}$	$D^{\delta}/cm^2 \cdot s^{-1}$	$D^{\gamma}/cm^2 \cdot s^{-1}$
C	0.19	0.34	1.79	$0.0127\exp(-19450/RT)$	$0.0761\exp(-32160/RT)$
Si	0.77	0.52	0.68	$8.0\exp(-59500/RT)$	$0.30\exp(-60100/RT)$
Mn	0.76	0.78	1.03	$0.76\exp(-53640/RT)$	$0.055\exp(-59600/RT)$
P	0.23	0.13	0.57	$2.9\exp(-55000/RT)$	$0.010\exp(-43700/RT)$
S	0.05	0.035	0.70	$4.56\exp(-51300/RT)$	$2.4\exp(-53400/RT)$

图 7-18 给出了钢在凝固过程中溶质元素 C、N、Nb、Ti、Al 在枝晶间液相中的富集情况，可见随着局部凝固区域体积分数的增加，剩余液相中溶质元素的浓度不断增高，有的元素如 Nb、Ti 其最终的局部浓度可达到平均成分的几倍。这是导致含微量合金元素钢在铸坯的枝晶间过早析出尺寸粗大氮化物的主要原因。

对含碳量分别为 0.05%、0.13% 和 0.24% 的碳锰钢的理论分析以及定向凝固实验研究结果表明[7]：在凝固过程中，C、Mn、Si、P 和 S 所有这些元素

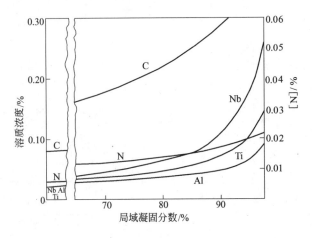

图 7-18　钢在凝固时溶质元素（C、N、Nb、Ti、Al）
在枝晶间液相中的富集

都由凝固的枝晶向液相扩散，富集在液相中。而在固态转变时，这几个元素的扩散方向与再分配方式却是不同的。当奥氏体（γ相）通过包晶反应从 δ-相和液相界面形成并长大时（对于有包晶反应的钢）或者在完全凝固后，通过 δ-γ 转变形成奥氏体时（结晶为 δ-铁素体的钢），元素 Si、P 和 S 在 δ/γ 相之间的分配系数 $k^{\gamma/\delta} < 1$，因此，这些元素从 γ 相向 δ 相枝晶扩散。而元素 C 和 Mn 的分配系数 $k^{\gamma/\delta} > 1$，在 δ-γ 相变时，它们从 δ 相即枝晶区向奥氏体（γ 相）扩散，有进一步浓缩在枝晶间区域的倾向。但是由于 Mn 的 γ/δ 分配系数 $k^{\gamma/\delta}$ 接近于 1，它在 δ-γ 转变时的再分配量很小，实际上可以忽略不计，因此 Mn 在枝晶间的富集主要是由凝固造成的。碳因其扩散速率很高，在凝固和 δ-γ 转变涉及的温度范围几乎都保持其平衡浓度。而 Si、S，尤其是 P 从 γ 相向 δ 相枝晶扩散发生的再分配现象则很明显。

　　此外，钢的含碳量和在高温区的冷速对溶质元素的再分配有一定影响，图 7-19 示出在含 1.52%Mn 和 0.016%P 的实验室制备钢中，含碳量和高温区冷速对 Mn 和 P 在枝晶间富集程度的影响[7]。由于枝晶间的元素富集量不仅取决于凝固时的分配系数，而且还受到元素在钢中的扩散系数以及扩散距离的制约。在铸态组织中，元素的扩散距离即是二次枝晶间距，当冷速很快以至枝晶间的元素来不及向枝晶臂中心扩散时，枝晶间溶质元素的富集程度提高。相反，在很慢的冷速下，溶质元素能够从枝晶间隙区充分地扩散开，枝晶间隙区溶质的富集程度将大大降低。和厚板坯相比较，薄板坯中的二次枝晶间距小得多（见图 7-2）。因此，在同样的冷速条件下，薄板坯由于元素的扩散距离短得多，其在枝晶间的偏聚程度要明显低些。

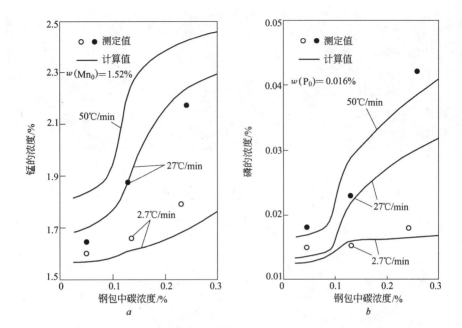

图 7-19　钢中（含 1.52％Mn，0.016％P）碳含量和高温区
冷速对 Mn 和 P 在枝晶间富集程度的影响[7]

a—碳含量和冷速对枝晶间 Mn 浓度的影响；b—碳含量和冷速对枝晶间 P 浓度的影响

7.2.2　低碳钢薄板坯的成分偏聚

对 CSP 线生产的低碳钢 ZJ460（含 0.05％C-0.4％Si-0.45％Mn）连铸坯的组织以及成分分布进行了观察分析，关于元素锰的分布可以用图 7-20 说明[13]。图 7-20a 为连铸坯中树枝晶的扫描电镜二次电子像，图 7-20b 是图 7-20a 方框区的局部放大。试样用苦味酸水溶液浸蚀，图中成长条状分布的白色区是枝晶间隙区，因溶质元素富集而被浸蚀得较深。白色带之间对应于原来的枝晶位置，黑色的是铁素体晶粒。

沿垂直于枝晶的生长方向在枝晶及枝晶间隙中分别逐点进行 X 射线能谱分析。与图 7-20 b 中各点对应的锰的浓度随距离的变化由图 7-20c 给出。在所分析的各个点中，锰含量最高可达到 0.54％，而最低仅为 0.27％。其中，枝晶臂中心部分 Mn 含量最低，Mn 元素富集在晶界或枝晶之间，偏聚现象明显。但是图中第 5、6 两点的实验测定值远远低于预期结果，造成实验测定值过低的原因可能是试样在浸蚀剂作用下选择性浸蚀的结果。

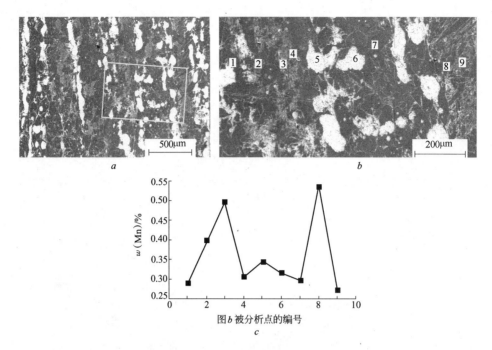

图 7-20   ZJ460 连铸坯的组织及成分分布
a—ZJ460 连铸坯中树枝晶的扫描电镜二次电子像；b—图 a 方框区的局部放大；
c—与图 b 中各点对应的锰浓度随距离的变化

7.3   以 γ→α 相变为基础的组织控制

7.3.1   钢中奥氏体分解转变动力学的应用

　　在传统的冷装工艺条件下，铸态组织粗大的奥氏体晶粒经过冷却时的 γ→α （或 α＋珠光体）相变和再加热时的逆相变后得到细化，在精轧前轧件的奥氏体晶粒尺寸通常小于 50μm。和传统冷装工艺相比，薄板坯直轧工艺的铸坯热轧前没有经历这个相变与逆相变，初始奥氏体晶粒粗大，低碳钢薄板坯的原奥氏体晶粒尺寸达 500～2000μm 左右（见 7.1 节）。而且由于采用 50～70mm 厚的铸坯使得轧制过程中的总应变较小，这些因素显然对钢板成品组织的晶粒细化不利。但是 CSP 工艺生产的低碳钢热轧钢带得到了比传统冷装工艺细小得多的铁素体晶粒尺寸。实验观察结果表明，CSP 工艺生产的大量热轧板的铁素体晶粒平均直径远远小于 10μm，薄规格钢板为 4～5μm，最小的接近 3μm。和传统冷装工艺生产的带钢相比组织大为细化，同时强度明显提高。因此，低碳钢在薄板坯直轧工艺的热机械过程中有其明显不同于传统工艺的细化晶粒机制。图 7-21 给出了传统厚板坯工艺和薄板坯直轧（TSCR）工艺热机械过程的比较示意图。

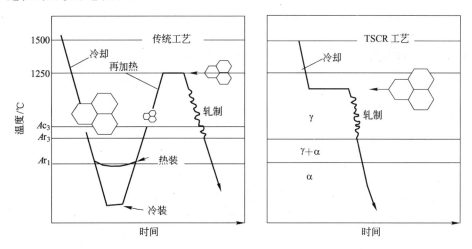

图 7-21 传统厚板坯工艺和薄板坯 CSP 工艺热机械过程的比较示意图[14,15]

由相关章节的讨论知道，在热轧过程中 1~5 道次的变形是奥氏体的动态和静态再结晶区，单道次大压下的连轧工艺使奥氏体晶粒显著细化。由再结晶晶粒尺寸的计算公式，按照实验钢的轧制情况，第一道次变形后粗大的奥氏体晶粒尺寸骤减到 $46\mu m$ 左右，这已接近传统冷装工艺精轧前的奥氏体晶粒尺寸（$<50\mu m$）。一般认为，通过再结晶控制轧制不能产生晶粒尺寸小于 $20\mu m$ 的奥氏体组织，因而依靠控制钢的再结晶过程能够得到的显微组织，其最小铁素体晶粒尺寸约为 $10\mu m$ 水平，而以相变为基础可能获得的最小 α 相晶粒尺寸可达到 $2\mu m$，甚至更为细小[16~18]。实践表明：大量 CSP 工艺低碳钢的铁素体晶粒平均直径远小于 $10\mu m$，最小的接近 $3\mu m$。本工作实验测得低碳锰钢（ZJ550）厚 4mm 和 2mm 带钢的铁素体平均晶粒直径分别为 $5.0\mu m$ 和 $4.5\mu m$[19]。显然，除了热轧时的奥氏体再结晶细化晶粒作用，这是钢板在热轧时以及终轧后的冷却过程中由 γ→α 相变导致晶粒进一步细化的结果。因而控制钢板在终轧后的冷却工艺是获得组织细化的最重要步骤之一。

由于低碳钢的终轧温度通常都在奥氏体区范围内，变形奥氏体的分解过程基本上发生在冷却过程中，根据冷却制度及卷取工艺的不同，热轧后的变形奥氏体可以转变为铁素体/珠光体、贝氏体或马氏体等不同组织，而且可能具有不同的晶粒尺寸。因此，控制钢中的 γ→α 相变过程是决定钢铁材料显微组织和力学性能的关键因素。影响钢中 γ→α 相变及其细化晶粒作用的主要因素有：

（1）γ→α 相变前奥氏体的有效晶界面积 S 或奥氏体晶粒有效直径 D；

（2）相变温度 Ar_3 以下至 γ→α 相变终了温度范围内的冷却速度 $-\Delta T/\Delta t$；

（3）合金元素在奥氏体中的固溶量和碳、氮化物的尺寸、体积分数及分布。

为了有效控制钢在终轧后的 $\gamma \rightarrow \alpha$ 相变，必须制定相应的冷却工艺，控制热轧后的冷却过程以便获得所需的钢板组织和晶粒尺寸，得到优良的综合性能。为此，作者对 CSP 生产线的层流冷却系统及其控制进行了系统研究。

7.3.2 层流冷却系统

钢板热轧后的冷却工艺是通过控制层流冷却系统的有关参数实现的。薄板坯 CSP 工艺生产线的层流冷却装置设置在热轧机组最后机架出口与卷取机之间，通过对该装置冷却水工作集管的控制操作可以有效控制钢板轧后的冷速，从而通过控制相变达到所希望的成品显微组织。以珠钢 CSP 生产线的设备为例，CSP 线层流冷却段分为喷淋区、微调区和精调区，如图 7-22 所示。微调区是层流冷却的主体，具备头部连续、头部间隔、尾部连续和尾部间隔四种冷却方式。控制冷却的作用不是调整单个喷嘴的压力和水量，而是根据目标卷取温度，通过模型计算确定打开集管的数目，控温的误差在 ± 5℃ 范围内。层流冷却段的长度为 $9m \times 4.8m$，最后一架轧机 F6 到喷淋区的入口距离为 7.07m，到卷取机的距离为 73.825m 。热轧后的钢板在输出辊道上的冷却速度与钢板厚度和冷却方式有关。

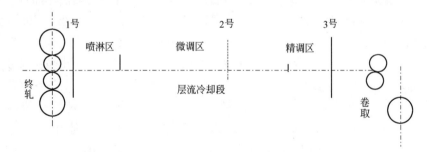

图 7-22 广州珠钢 CSP 线层流冷却装置示意图

在珠钢 CSP 生产线对同一浇次生产的低碳钢 ZJ330 钢板（含碳 0.05％左右）热轧后经不同冷却制度冷却的组织和力学性能进行了系统的研究。分别用不同厚度的板带、不同冷却方式、不同的终轧和卷取温度，连续进行了多组实验，测定了板带在层流冷却阶段的温度变化规律，分析了工艺参数对成品组织和力学性能的影响，为通过对过冷奥氏体的相变控制组织、细化晶粒获得了可靠的技术参数和依据。

实验中采用手持式红外线测温仪测量钢板运行到不同位置的温度，图 7-

22 中 1 号和 3 号测温点分别在层流冷却段的入口和出口，由于层流集管开启的顺序和数量是根据冷却方式和目标卷取温度的需要而不断变化的，因此 2 号测温点选择在微调区内空冷和水冷的分界处，其位置不固定，在图 7-22 中用虚线表示。在每个测温点测量多个数值，去掉最高值和最低值各两个，对其余温度取平均值，作为钢板运行到这一点的温度。表 7-4 给出了厚度为 2mm 和 4mm 的低碳钢 ZJ330 在不同冷却方式下的冷速[20]。可见热轧后钢板的冷速可以在相当大的范围内变化，越薄的产品冷速越快，通过采用不同的冷却方式可以实现对冷却速度的控制。因而，与相关钢种的 CCT 曲线相结合可以对轧后钢中的相变进行控制，获得所希望的组织。

表 7-4 CSP 线不同冷却方式下不同厚度低碳钢板轧后的冷却速度

钢板厚度/mm	冷却方式	冷却速度/℃ · s^{-1}
2	头部或尾部连续冷却	75～90
	头部或尾部间隔冷却	约 60
	空　冷	约 12
4	头部或尾部连续冷却	40～50
	头部或尾部间隔冷却	约 30
	空　冷	约 8

7.3.3 轧后冷却制度对低碳钢组织的影响

钢板热轧后的冷却过程可分为三个阶段，从终轧温度开始到变形奥氏体向铁素体开始转变温度 Ar₃ 或二次碳化物开始析出温度 Arcm 这个温度范围内的冷却控制是第一阶段冷却（一次冷却）。这时的主要作用是控制变形奥氏体的组织形态，阻止碳化物析出，降低相变温度，为相变作组织准备；第二阶段（二次冷却）是指从相变开始温度到相变结束的温度范围的冷却控制，目的是控制相变时的冷却速度和停止控冷的温度，即控制相变过程，以保证钢材得到所要求的显微组织和力学性能；第三阶段（三次冷却）是相变后到室温范围内的冷却，通常是空冷，这一阶段冷却速度对低碳钢的组织没有很大影响，而对于微合金钢来说在空冷时还可能会发生碳化物的析出。

由第 6 章关于奥氏体再结晶的分析可知：CSP 低碳钢在第 6 道次热轧时是在奥氏体的非再结晶区变形，因此轧后的冷却过程中将发生变形奥氏体的转变，通过这个相变可以进一步细化组织。作者对低碳钢 ZJ330 热轧后经不同冷却制度冷却的钢板组织以及力学性能进行了系统的研究。为了排除化学成分变化对成品组织和力学性能的影响，所有的实验均安排在同一个浇次的钢水进行，保证了所有试样具有相同的化学成分和凝固组织。试验钢的层流冷却实验工艺及得到的钢板力学性能由表 7-5 给出。

表 7-5　低碳钢 ZJ330 的层流冷却实验工艺及其力学性能

工艺编号	钢板厚度 /mm	终轧温度 /℃	卷取温度 /℃	冷却方式	屈服强度 /MPa	抗拉强度 /MPa	伸长率 /%	屈强比
A1	4.0	880	600	头部连续冷却	317	398	28	0.796
A2	4.0	880	600	头部间隔冷却	302	384	30	0.786
A3	4.0	880	600	尾部连续冷却	318	401	28	0.793
B1 (D3)	2.0	880	600	头部连续冷却	330	400	28	0.825
B2	2.0	880	600	头部间隔冷却	329	394	30	0.835
B3	2.0	880	600	尾部连续冷却	330	398	27	0.829
C1 (D4)	2.0	880	550	头部连续冷却	344	412	29	0.834
C2	2.0	840	550	头部连续冷却	357	410	25	0.870
C3	2.0	800	550	头部连续冷却	367	409	15	0.897
D1	2.0	880	660	头部连续冷却	334	386	28	0.865
D2	2.0	880	640	头部连续冷却	320	381	30	0.839

　　表 7-5 中的工艺 A 和 B 分别是 4.0mm 厚和 2.0mm 厚钢板采取不同冷却方式得到的结果；工艺 C 为头部连续冷却，卷取温度为 550℃时，不同终轧温度的影响；工艺 D 是头部连续冷却而终轧温度为 880℃时，不同卷取温度的影响。

　　采用同样的终轧温度（880℃）和卷取温度（600℃），分析了不同厚度的低碳钢板在不同冷却方式下的成品组织，厚度为 4mm 和 2mm 的钢板热轧后经不同冷却方式得到的成品钢板纵剖面（平行于钢板轧向）显微组织见图 7-23。其中图 $a \sim c$ 分别是 4mm 厚板采取头部连续、头部间隔和尾部连续冷却方式得到的组织；它们在卷取前对应的冷速分别是 43℃/s、27℃/s 和 41℃/s。图 $d \sim f$ 分别是 2mm 厚板采取头部连续、头部间隔和尾部连续冷却方式得到的组织，在卷取前这组钢板对应的冷速分别为 88℃/s、59℃/s 和 73℃/s。所有试样中最主要的组成部分是铁素体，其平均晶粒直径在 $10 \mu m$ 以下，未见大块珠光体存在，在铁素体的晶界上分布着渗碳体。4.0mm 钢板的珠光体团尺寸小、数量少并且分布弥散，而 2.0mm 钢板中很难观察到珠光体，但沿晶界分布有渗碳体。

　　冷却速度增加时奥氏体→铁素体转变温度 Ar_3 降低，使 $\gamma \rightarrow \alpha$ 相变的过冷度（ΔT）增大，从而提高了铁素体的形核率。另一方面，相变温度降低使铁素体长大速率降低，这两方面因素都导致铁素体晶粒细化[21]。钢板的厚度由 4mm 减小到 2mm 时，在相同的终轧温度、卷取温度以及同样冷却方式的条件

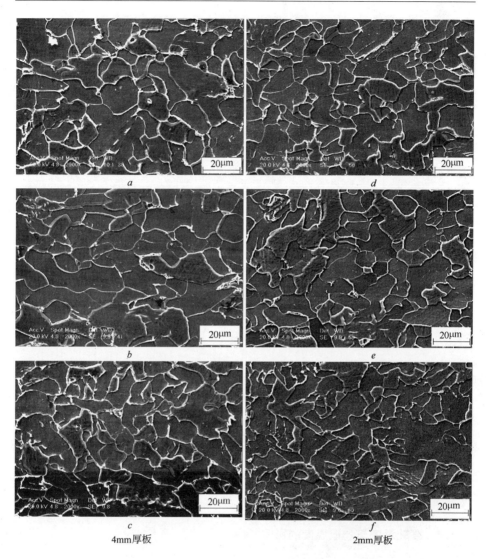

图 7-23 终轧温度 880℃、卷取温度 600℃时不同冷却方式的成品钢板组织

a—4mm 板头部连续冷却（43℃/s）；b—4mm 板头部间隔冷却（27℃/s）；

c—4mm 尾部连续冷却（41℃/s）；d—2mm 头部连续冷却（88℃/s）；

e—2mm 头部间隔冷却（59℃/s）；f—2mm 尾部连续冷却（73℃/s）

下，2mm 厚钢板的实际冷速比 4mm 厚板快一倍左右，分别达到 88℃/s、59℃/s 和 73℃/s。实验钢板的试样是在卷取完切取的，尽管卷取后已经发生相变的组织还可能继续长大，但对比两组显微组织的照片可以看出：由于薄规格板带（2mm 厚）的冷却速度明显更高，因此得到的成品组织晶粒更细。在冷速较快的 2mm 厚板试样中（见图 7-23d、f）除了有多边形铁素体外，还出现了贝氏体的形貌特征。而且同样规格的板带采用连续冷却方式比采用间隔冷却的冷速更快，因而得到的成品组织更为细小。

借助成分与 ZJ330 相近的 06TiA 的 CCT 曲线（见图 7-24）进行分析[22]，可以得出该成分钢的贝氏体开始转变温度在 600℃ 附近，当冷速大于 45℃/s 时（图 7-24 的曲线 c）开始进入贝氏体相变区，有少量贝氏体生成，冷速大于 95℃/s 时（图 7-24 的曲线 b），生成铁素体＋贝氏体混合组织。因而在冷速达到 70～90℃/s 的薄规格钢板中会形成一部分贝氏体，这与图 7-23 所示的实验结果相符。由此可见，对于贝氏体淬透性比较高的钢，例如添加了提高贝氏体淬透性的微量元素的钢，通过控制冷却工艺获得超细晶贝氏体组织是可能在 CSP 生产线上实现的。

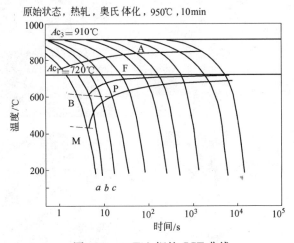

图 7-24 06TiA 钢的 CCT 曲线
（成分为 0.06％ C，0.05％ Si，0.30％ Mn，0.02％ S，0.007％ P，0.17％ Ti）

7.3.4 终轧温度与卷取温度的影响

7.3.4.1 终轧温度对成品组织的影响

终轧温度和卷取温度的改变对成品组织，特别是晶粒尺寸具有明显影响。对于同样厚度规格（2mm）的板带，在相同的卷取温度 550℃ 和相同的冷却方式（都采取头部连续冷却方式）情况下，不同终轧温度对成品组织的影响可由图 7-25 说明。终轧温度为 880℃ 时，铁素体晶粒粗大，尺寸不均匀，而且形状不规则；终轧温度降低到 840℃ 时，铁素体晶粒比高温终轧试样的细一些，但晶粒大小仍很不均匀；继续降低到 800℃ 终轧时，铁素体晶粒尺寸进一步减小，并形成尺寸较为均匀的多边形铁素体，其平均尺寸在 6μm 左右。因此在适当的卷取温度和相同的冷却方式下，随着在奥氏体区的终轧温度降低，铁素体的平均晶粒尺寸减小，可以得到晶粒大小均匀的铁素体组织。

终轧温度对组织细化的作用可以用变形奥氏体的转变来说明，由于实验条件下低碳钢在第 6 道次轧制时已经进入奥氏体非再结晶区，随着终轧温度降低，有效奥氏体晶界面积 S_V（包括晶界面积和变形带）和单位有效奥氏体晶界面积的铁素体形核数量 n_s 都显著增加[23]，即铁素体的形核率明显增加，γ→α 相变后的铁素体晶粒尺寸 D_α 可以表示为：

$$D_\alpha \propto \left(\frac{1}{n_s S_V}\right)^{1/3} \tag{7-4}$$

从上面公式可以看出，成品钢板的铁素体晶粒尺寸随着 S_V 和 n_s 的增大而减小。降低终轧温度使有效奥氏体晶界面积 S_V 和铁素体形核数 n_s 增加。因此在上述试验钢中，随着终轧温度降低，成品钢板的晶粒尺寸进一步细化。

图 7-25　不同终轧温度得到的成品板组织
（2mm 厚钢板，卷取温度为 550℃，头部连续冷却方式）
a—880℃终轧；b—840℃终轧；c—800℃终轧

7.3.4.2　卷取温度对成品板组织的影响

卷取温度对应着层流冷却的终冷温度，文献[24～27]指出：OLAC（在线加速冷却）参数中对显微组织影响最大的是加速冷却的终止温度（终冷温度）。因此，卷取温度对低碳钢的最终组织有很重要的影响，通过对低碳钢 ZJ330 厚度为 2mm 的板带进行的实验对比，可以说明卷取温度的影响。终轧温度设定为 880℃，全部试样采取相同的头部连续冷却方式，而卷取温度分别为 660℃、600℃ 和 550℃。不同卷取温度得到的成品钢带组织如图 7-26 所示。随着卷取温度由 660℃ 降低到 550℃，得到的成品板组织逐渐细化，但同时可以看到组织构成发生的变化。卷取温度为 660℃ 和 640℃ 时，得到的组织基本上是铁素体，而在 550℃ 卷取的钢板中，可以观察到有贝氏体的形貌特征。

根据图 7-24 的 CCT 曲线可知，所研究低碳钢的贝氏体开始转变温度 B_s 略高于 600℃，因此在卷取温度高于 B_s 温度，即高于 600℃ 时，卷取前试样中只能发生奥氏体-铁素体（＋珠光体）转变。而卷取后钢板卷的冷速相当慢，现场实测卷取后钢卷的冷却速度平均约为 1.6℃/min，这相当于一组温度逐渐降低的等温转变过程，残余奥氏体在卷取后发生的转变已经不能直接用上述 CCT 曲线描述。对于卷取温度低于 B_s 温度（例如 ZJ330 钢为 600℃）的情况，只要采用的冷却工艺可以得到足够快的冷却速度，即在对应的 CCT 曲线上通过贝氏体区，就能获得贝氏体组织或贝氏体＋铁素体＋珠光体的混合组织，从而控制产品性能。

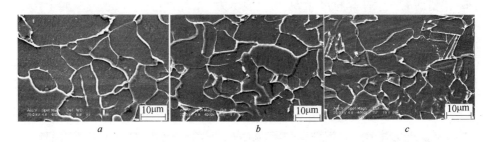

图 7-26　终轧温度为 880℃时不同卷取温度对成品组织的影响

a—660℃；b—600℃；c—550℃

在多数情况下，轧后空冷的钢板将产生多边形铁素体，随后在较低温发生残余奥氏体的珠光体转变，得到等轴铁素体＋珠光体组织。当采用层流冷却时，冷却速度提高，铁素体形核率显著提高，如果终冷温度较高，卷取时相变进行的不完全，在随后的空冷或卷取过程中冷却缓慢，继续发生铁素体相变，如果终冷温度降低，就会生成贝氏体转变产物，如尖角形 α 铁，形成铁素体和贝氏体的混合组织。

由此可见，通过终轧温度、层流冷却工艺和卷取温度的配合可以在一定范围内控制钢板冷却时的 γ→α 相变过程，根据相变类型和相变产物的不同，获得不同的成品板组织，特别是不同的晶粒尺寸，最终得到所需的力学性能。但是，对于不同化学成分的钢或者成分相同但厚度规格不同的钢板，需要应用不同的工艺配合。图 7-27 给出了所研究的低碳钢 ZJ330 用不同工艺条件配合获得不同组织的一例。在终轧温度（880℃）和卷取温度（660℃）都比较高时，得到比较粗大的铁素体组织，其中有很少量的珠光体分布在晶界上（见图 7-27a）；当采用较高温终轧（880℃）而较低温卷取（卷取温度为 550℃，明显低于贝氏体转变 B_s 温度）时，得到贝氏体与铁素体的混合组织（见图 7-27b）；当终轧温度（800℃）和卷取温度（550℃）都比较低时得到细小均匀的铁素体组织以及沿晶界分布的少量珠光体（见图 7-27c）。比较图 7-27a 和 c 可以看出，终轧与卷取温度都较低的试样，其晶粒尺寸比高温终轧与卷取试样的要细小得多。

与组织变化相对应，钢的力学性能也有明显差别，从表 7-5 可以看出：在相同的工艺条件下，与较厚规格（4mm 厚）的成品板相比，薄规格板（2mm）具有更高的屈服强度，而抗拉强度和伸长率则相差不大，屈强比明显较高；在实验的温度范围内，降低终轧温度，使屈服强度升高，但抗拉强度基本不变，伸长率的变化则没有明显的规律；随着卷取温度降低，钢板的屈服强度呈上升的趋势，而抗拉强度升高的规律更为明显。

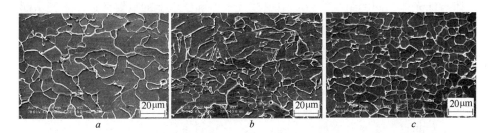

图 7-27　不同终轧温度和卷取温度对应的成品组织
a—终轧 880℃，卷取 660℃；b—终轧 880℃，卷取 550℃；c—终轧 800℃，卷取 550℃

力学性能的这些变化不仅与晶粒尺寸的细化有关，而且还和钢中贝氏体的体积分数以及碳化物析出情况密切相关。但是不论用哪种冷却工艺，低碳钢 ZJ330 成品板的屈服强度都在 300MPa 以上（在 302～367MPa 范围），抗拉强度为 381～412MPa，伸长率为 25%～30%，和成分相近的传统钢 Q195 相比，屈服强度大大提高，可以高出一倍，而仍有良好的塑性。有关不同钢种采取不同冷却工艺卷取后得到的组织和性能变化，还需要进一步研究。

由上面的论述可知：

（1）在层流冷却系统的三种冷却方式中，通过厚度为 2.0mm 和 4mm 带钢的冷却曲线可以看出，头部连续冷却和尾部连续冷却方式下的冷却速度较大，而头部间断冷却方式下的冷却速度较小。2.0mm 带钢在头部连续冷却方式下，平均冷却速度最高可达 88.2℃/s。

（2）实验研究表明，根据钢的连续冷却转变动力学特点，采取不同匹配的轧后冷却方式、终轧温度以及卷取温度，可以在低碳钢中得到粗大铁素体、铁素体＋贝氏体或者细小铁素体为主的成品板组织，从而获得不同的力学性能。

（3）在层流冷却段分别采用头部连续、头部间断和尾部连续冷却方式得到的实验用钢，屈服强度范围为 302～367MPa，抗拉强度范围为 381～412MPa，伸长率基本相同，为 27%～30%；屈强比为 0.79～0.89。

（4）在层流冷却段采用同一种冷却方式时，随着卷取温度的降低，带钢的屈服强度和抗拉强度升高。卷取温度降低到贝氏体形成温度 B_s 以下（550℃）时，实验钢获得较高的屈服强度（344MPa）和抗拉强度（412MPa），钢的屈强比约为 0.83。在不同的卷取温度下，成品板的伸长率相差不大。

7.4　低碳锰钢的带状组织及其控制

由于钢液凝固时的分凝效应导致的溶质元素不均匀分布,最常见的后果之一就是钢板出现带状组织。几十年来热轧钢中的铁素体/珠光体带状组织一直是个普遍现象[28~30],在热轧钢板的纵剖面上容易观察到这种沿轧向拉长的铁素体与珠光体相间的组织。带状组织在技术上和学术上的重要性近年来又引起人们的关注。铁素体/珠光体带状组织与钢中某些性能的降低有关:如导致抗氢致开裂性能降低;临界热处理及随后快冷钢的冲击韧性降低。在理论方面,具有带状组织钢的各向异性行为,如具有铁素体/珠光体带状组织钢的各向异性膨胀改变了对膨胀实验结果的解释。预计带状组织还会影响对钢中相变某些实验研究的解释。带状组织降低钢的横向塑性和断裂韧性这个问题对"洁净钢"尤为明显,在含有大量氧化物和其他夹杂的"不洁净钢"中,夹杂物在轧制时被拉长,由于钢的性能已经被夹杂物损坏,而带状组织对性能的影响相对比较小,不至于凸现出来。

7.4.1　薄板坯工艺低碳锰钢的铁素体/珠光体带状组织

在薄板坯 CSP 工艺生产的低碳锰钢(ZJ550)中,观察到两类带状组织,第一类带状组织即为人们熟知的钢板内部的铁素体/珠光体带状组织,在传统工艺生产的碳锰钢板剖面上经常可以见到,文献中已经报道了许多有关的研究。在薄板坯 CSP 工艺生产的低碳锰钢中,也出现这种带状组织。此外,作者还在热轧钢板表面层(轧面上)观察到另一种带状组织,可称为"表面带状组织"。

7.4.1.1　钢板内部的铁素体/珠光体带状组织

CSP 工艺低碳锰钢 ZJ550(含 0.17%～0.19%C-0.3%Si-1.2%Mn)不同厚度热轧板组织的 SEM 二次电子像由图 7-28 给出,可见,普遍形成了带状组织。图中白色区域是珠光体,黑色区域为铁素体。图 7-28a、b、c、d 分别是厚度为 2mm、4mm、6mm 和 8mm 钢板 1/2 厚度处的组织。可以看出,铁素体/珠光体带间距随着板厚的增加(变形量减小)而变宽。

图 7-29 为厚度 8mm 钢板的纵剖面由外弧表面到约 1/2 厚度范围沿厚度方向不同距离处的二次电子像。比较这些图像可以看出,在钢板表面层附近没有形成带状组织,而且晶粒细小(见图 7-29a、b),接近表面附近的晶粒尺寸约在 5μm 以下。在 1/4 厚度附近开始出现带状组织(见图 7-29c),但不大严重。在钢板心部附近一定距离内形成了严重的带状组织(见图 7-29d～f),而且珠光体的量明显增多。钢板组织沿厚度的变化主要由两个原因造成,一是板厚的中心部位有碳和锰的偏聚,局部含碳与锰量高于表面层;二是钢板中心

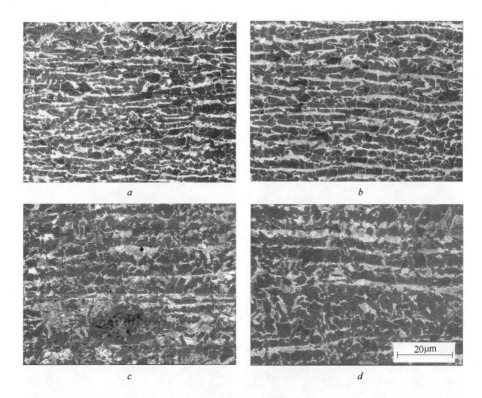

图 7-28　低碳锰钢 ZJ550 不同厚度钢板中心区的组织（SEM 二次电子像）
a—厚度为 2mm；b—厚度为 4mm；c—厚度为 6mm；d—厚度为 8mm

区的冷却速度比表层的慢。在下一节将结合带状组织的形成机制进一步讨论钢板产生这种组织不均匀性的原因。

7.4.1.2　带状组织的形成原因

已有的研究表明，产生铁素体/珠光体带状组织的主要原因是凝固组织中溶质元素尤其是锰的枝晶偏析。另外，相变过程中冷却速度的影响和奥氏体晶粒的大小也是产生带状组织的重要原因。

导致带状组织形成的过程由凝固过程开始，分配系数小于 1 的合金元素（如 Mn，Si，S，P）凝固时被从一次 δ-铁素体枝晶排出，使得枝晶间隙区的溶质浓度越来越高，这种溶质元素的偏聚在 δ-相→奥氏体转变时将保留下来。由于碳的扩散能力相当高，在奥氏体中碳可以按照热力学平衡分布，而置换式元素如锰则因扩散系数较小，在生产条件下，热轧前将板坯加热到较高温度均热的处理很难达到真正的均匀化，树枝晶间偏聚被保留下来。热轧时在奥氏体区的大变形量轧制使凝固组织中的合金元素富集区（枝晶间隙）和贫化区（枝晶臂）都被拉长变成带状区。通过图 7-30 的低倍组织图片可以形象地说明 CSP

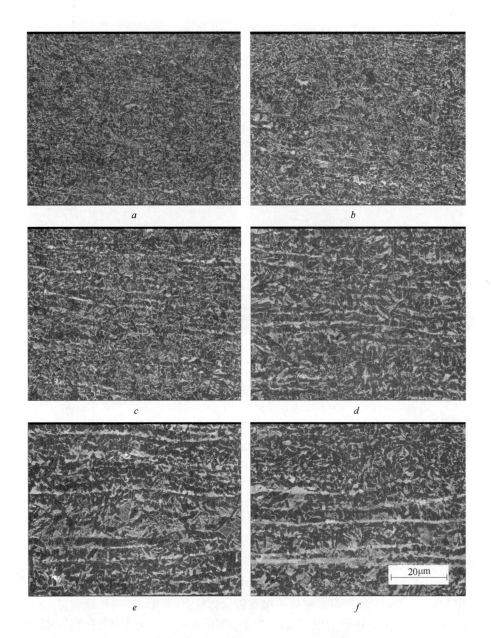

图 7-29　CSP 低碳锰钢（ZJ550）8mm 厚钢板纵剖面由外弧
表面到约 1/2 厚度范围不同距离处的显微组织（SEM 二次电子像）
a—接近外弧表面处；b—外弧表面下方；c—约 1/4 厚度附近；
d—在 1/4 厚度与 1/2 厚度之间；e—钢板约 1/2 厚度附近；
f—钢板约 1/2 厚度下方的组织

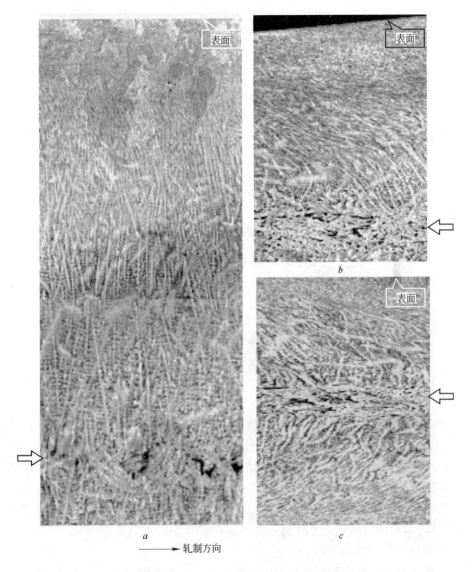

图 7-30 CSP 低碳钢连铸坯的低倍组织
（白箭头所指为薄板坯或轧件的 1/2 厚度位置）
a—未变形的连铸坯；b—轧制变形 25% 左右；c—轧制变形 50% 后

工艺低碳锰钢连铸坯在轧制变形时的组织变化，图 7-30a 是经过约 1100℃ 均热 30min 左右的薄板坯（50mm 厚）纵剖面，经酸蚀后清晰地显示出铸坯的枝晶组织，一次枝晶垂直于铸坯板面向心部生长。图 7-30 b、c 是同一块铸坯被轧制压缩 25% 左右和压缩 50% 后的低倍组织。由图 7-30b、c 可以看出：由于轧制变形使得原来的枝晶弯曲，由原先大体垂直于轧向的排列逐渐趋向于平行轧制方向排列，形成富溶质区（枝晶间隙）和贫溶质区（一次、二次枝晶）相间的带状组织形态。经过随后几道次的进一步轧制变形后得到如图 7-31 所示的铁素体/珠光体带状组织。在图 7-31 的光学显微镜照片中，白色区是铁素体，黑色区为珠光体，由图可见在该试样中这种铁素体/珠光体带的间距（或称波长）约为 10μm 左右。在含碳与锰稍高的热轧钢板纵剖面或横断面上，常常可以观察到这样的带状组织。

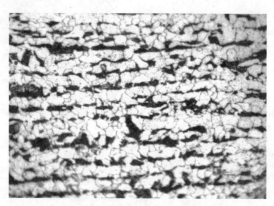

图 7-31　CSP 低碳钢的铁素体/珠光体带状组织
（含 0.16%C，1.22%Mn，0.3%Si）

　　由此可见，尽管连铸坯在轧制前已经完全转变为奥氏体组织，原来的 δ 相枝晶已不复存在，但由于枝晶臂与枝晶间隙区所含溶质元素的浓度有明显差别，通过酸浸显示出了 δ→γ 相变前的原来的枝晶形貌。这一事实也表明薄板坯的凝固组织经过 1100℃、30min 左右的均热后，并没有达到成分的均匀化，这是最终导致成品钢板中出现带状组织的根本原因。用电子探针微区分析方法（EPMA）对钢的实验研究表明，在高温退火几小时可以消除偏聚，从而也消除了带状组织[31,32]。

　　由于合金元素的浓度波动将引起奥氏体中碳的不均匀分布，某些元素有效地吸引碳（如 Mn，Cr），而另一些元素则排斥碳（如 Si）[33]。钢中 Mn、Cr 和 Si 的浓度变化导致碳浓度的变化 ΔC_C，可以用中碳钢为例（含碳 0.364%）来说明。按照 Kirkaldy 发展的方法[34]，对钢中由 Mn、Si、Cr 偏聚引起的碳在奥氏体中的浓度波动 ΔC_C 计算的结果，含碳量 $C_C = 0.364\%$ 的钢，由 Mn、Si、Cr 的偏聚引起的碳浓度波动 ΔC_C 为：

$$\Delta C_C = 0.061\Delta C_{Mn} - 0.138\Delta C_{Si} + 0.156\Delta C_{Cr} \qquad (7\text{-}5)$$

式中，ΔC_{Mn}、ΔC_{Si} 和 ΔC_{Cr} 分别是钢中 Mn、Si、Cr 局部浓度的最大值与最小

值之差。可见，由于锰和铬的偏聚引起的碳在奥氏体中的浓度波动将被硅偏聚的相反作用部分抵消。应用电子探针测定实验中碳钢的 ΔC_{Mn}，ΔC_{Si} 和 ΔC_{Cr}，由上式得到：$\Delta C_C \approx 0.005\%$（质量分数）。和碳含量为 0.364% 相比较，其波动值 ΔC_C 很小，因此，当锰、硅、铬偏聚时，可认为碳在奥氏体中是近似均匀分布的。

由合金元素偏聚引起的碳浓度波动将改变局部的奥氏体-铁素体相变 Ar_3 温度，同时合金元素的浓度变化本身也提高（如 Si、P）或降低（如 Mn 和 Cr）Ar_3 温度。在缓慢冷却时，稳定奥氏体的元素（如 Mn）浓度较低的区域，其局部 Ar_3 温度较高，铁素体首先在这些区域开始形核与生长，伴随着铁素体的生长，溶质元素将再次发生重新分布。碳、锰等从新生成的铁素体中被排出到周围富 Mn 的奥氏体中，使富 Mn 奥氏体区的碳和锰进一步增加，并导致该区域的 Ar_3 温度进一步降低。由于 $\gamma \rightarrow \alpha$ 相变的继续进行和温度不断降低，剩余未转变奥氏体中的碳、锰含量不断增高，与之对应区域的局部 Ar_3 温度不断降低，这些区域的成分最终可以达到共析成分在温度降到 A_1 以下时形成珠光体，结果形成铁素体/珠光体的带状组织。

7.4.2 表面带状组织

除了上面所讨论的钢板内部铁素体/珠光体带状组织外，作者的实验研究证实在钢板表面层还存在一种表面带状组织[35]。将含锰低碳钢（成分如表 7-6 所示）热轧钢板的轧面用细砂纸稍稍打磨，去掉氧化铁皮后即进行抛光，用光学显微镜或扫描电镜可以观察到其表面带状组织。

表 7-6 CSP 低碳锰钢热轧板的成分

成 分	C	Si	Mn	P	S	Cu	Alt	Cr
含量（质量分数）/%	0.16	0.3	1.22	0.015	0.003	0.1	0.037	0.026

图 7-32a 是厚度为 8mm 的 CSP 低碳锰钢热轧板轧面表面层组织的扫描电镜二次电子像。由于 SEM 像的成像衬度机理与金相显微镜不同，在 SEM 二次电子像上，白色区是珠光体或者是碳化物与晶界，而黑色的区域是铁素体。较高放大倍数的观察揭示出表面带状组织有两种，一种是铁素体/珠光体带状组织如图 7-32b 所示，另一种带状组织由粗晶粒的铁素体带和细晶粒铁素体带相间组成（见图 7-32c）。在粗晶铁素体带内还可见到若干尺寸特别粗大的晶粒，呈现出"混晶"的组织，晶界上析出粒子比较少。而在细晶粒带的晶界上有相当多的析出粒子和小的珠光体团（见图 7-32d）。铁素体/珠光体带的平均间距约为 $20 \sim 30 \mu m$。

表面带状组织的形成机制基本上和钢板内部带状组织的相同，因此可以按

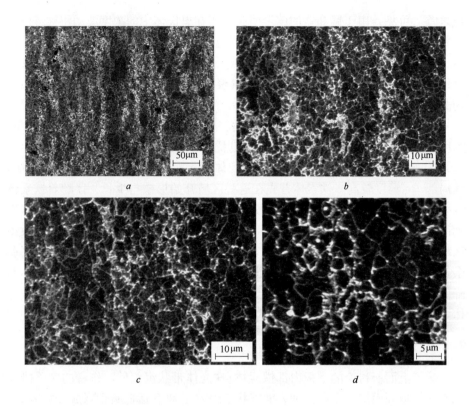

图 7-32　低碳锰钢板的表面带状组织（SEM 二次电子像）

a—表面带状组织；b—表面的珠光体/铁素体带状；

c—粗晶铁素体/细晶铁素体组成的带状组织；d—细晶

铁素体区的晶界上有许多析出粒子

照 7.3.1.2 节所述的原理来说明。钢液凝固时在铸坯表面形成厚度约几毫米的等轴晶区，分配系数小于 1 的合金元素（如 Mn、Si、S、P）富集在 δ 相的晶界附近，热轧时表面等轴晶区的晶界偏聚区沿轧向被拉长，当轧后冷速不够快时，就会出现表面带状组织。由于表面层等轴晶区的晶界附近溶质元素富集的程度远不如枝晶间的元素富集程度高，而且表面层的冷却速度明显比钢板心部快，因此，表面带状组织往往不十分明显。

表面带状与钢板内带状组织的区别在于：表面带状组织的形成原因是连铸坯表面层等轴晶区的成分偏聚，而钢板内带状组织则是由柱状晶区的枝晶间偏聚所造成的。由于等轴晶区的晶粒大小、形状和柱状晶区有明显差别，在这两个区内的成分偏聚其浓度变化间距（或浓度起伏的波长）和浓度差都不同，得到的带状组织形态、波长和浓度差也不同。

粗晶/细晶铁素体带状形成的原因和铁素体/珠光体带状基本相同，但是由于表面层的冷却速度比钢板内部的快，而且轧制时钢坯表面层的温度比内部低100℃左右[36]，当奥氏体的富溶质区与贫溶质区浓度差别相对比较小时，二者的相变温度 Ar_3 差别也比较小。在冷却过程中局部 Ar_3 温度较高的区域（贫溶质区），铁素体首先形核，伴随着铁素体的生长，新相中的碳、锰等元素进一步向周围尚未转变的奥氏体内扩散，直至这些富碳、锰区发生相变。当铁素体在富碳区开始形成时，贫碳区的铁素体已经生长到一定尺寸，经过继续冷却，最终形成了粗晶粒与细晶粒铁素体带相间的带状组织。而且稳定奥氏体区的元素，如碳、锰以及某些残留元素进一步富集在细晶带内，导致许多第二相粒子在细晶区或其中的晶界上析出。

另外，由于实际连铸坯的内弧面和外弧面的受力状态不同，其对板材表面组织及析出差别的影响有待进一步研究。

7.4.3　带状组织的控制原理

控制带状组织形成、提高材料的均匀性要从它的基本过程，即 $\gamma \rightarrow \alpha$ 相变时铁素体的形核与生长过程出发。按照经典形核理论，铁素体的形核率为：

$$\frac{\mathrm{d}N}{\mathrm{d}t} = N_n \frac{kT}{h} \exp\left(-\frac{\Delta G^* \lambda}{kT}\right) \exp\left(-\frac{Q_D}{kT}\right) \tag{7-6}$$

式中，N 为铁素体的核数，N_n 为潜在的形核地点数，$k = 1.38 \times 10^{-23} \mathrm{J \cdot K^{-1}}$（Boltzmann 常数），$h = 6.626 \times 10^{-34} \mathrm{J \cdot s}$（Planck 常数），$\lambda = 10^{-4}$ 是一个换算因子，Q_D 为铁的自扩散激活能。

当奥氏体晶粒的几何形状用一个十四面体来近似时，在奥氏体晶界形核铁素体的能垒 ΔG^* 为[28]：

$$\Delta G^* = \frac{4(Z_2 \gamma_{\alpha\gamma} - Z_1 \gamma_{\gamma\gamma})^3}{27 Z_3 \Delta G_V^2} \tag{7-7}$$

式中，$\gamma_{\alpha\gamma}$ 为奥氏体/铁素体界面的界面能，$\gamma_{\gamma\gamma}$ 为奥氏体晶界的界面能，Z_1、Z_2、Z_3 是几何参数，取决于奥氏体晶粒中形核地点的类型，如在晶界、棱边或角隅形核等。铁素体形核的驱动力 ΔG_V 可以通过 Fe-C-Mn 系的平行切线法用标准数据如 SGTE（Scientific Group Thermodata Europe）确定。硅和铬浓度对 ΔG_V 的影响可用有效锰含量计入。

局部相变温度 Ar_3 随着锰、硅、铬浓度的变化可用热力学数据库 MTDA-TA 进行计算。对于浓度变化很小，不至于明显影响相变温度的合金元素，可以采用标称成分来近似。在钢中最高 Ar_3 和最低 Ar_3 温度区的铁素体形核率之差 r 定义为：

$$r = \frac{(\mathrm{d}N/\mathrm{d}t)_{Ar_{3max}} - (\mathrm{d}N/\mathrm{d}t)_{Ar_{3min}}}{(\mathrm{d}N/\mathrm{d}t)_{Ar_{3max}}} = 1 - \exp\left[\frac{\lambda}{kT}(\Delta G^*_{Ar_{3max}} - \Delta G^*_{Ar_{3min}})\right]$$

$$\tag{7-8}$$

　　它是温度 T 的函数，当铁素体形核率之差 r 大于一定值时（例如 $6\%\sim$ 8%），大部分铁素体形核发生在具有最高 Ar_3 温度的区域，相变时碳进一步由新生成的铁素体扩散到周围剩余的奥氏体中（即相变温度 Ar_3 较低的区域），使形核率之差进一步加大，出现带状。而形核率之差 r 较小时，试样中不同区域的形核率很接近，近似于均匀形核，因而没有带状形成。

　　此外，由于中、低碳钢中铁素体的生长速率是由碳在奥氏体中的扩散控制的，因而带状组织的形成，还取决于珠光体形成之前碳在奥氏体内可以扩散的距离 d，如果在最高 Ar_3 和最低 Ar_3 温度的铁素体形核率之差 r 大到足以形成带状，但是碳的扩散距离达不到高 Ar_3 温度区的半宽，带状也不能形成或仅部分生成。碳在奥氏体中扩散的距离近似地表达为：

$$d \approx (D_C^\gamma t)^{1/2} \tag{7-9}$$

式中，t 是在珠光体形成之前，碳可以在奥氏体内扩散的时间，D_C^γ 是碳在奥氏体中的扩散系数，它取决于温度和钢的碳含量。

　　因此，在连续冷却条件下，存在一个临界冷速，尽管钢中仍然存在溶质元素的偏聚带，但只要钢的冷却速度大于这个临界值，则不出现带状组织。Kirkaldy 等对带状组织做出了第一个定量说明[34]，给出了临界冷速的半经验表达式。后来 Grossterlinden 等[31]发展的有限差分析方法（finite difference analysis），可以预算出钢中出现带状组织的临界冷却速度。

　　设钢中富溶质区与贫溶质区的铁素体相变 Ar_3 温度之差为 ΔT，冷却速度为 dT/dt，碳的扩散时间为 $\Delta T/(dT/dt)$，如果偏聚带的间距为 d，碳的扩散系数 D_C^γ，则生成铁素体/珠光体带的条件是：

$$dT/dt < D_C^\gamma \Delta T/d^2 \tag{7-10}$$

当存在成分偏聚带的钢冷却速度大于上式的 $D_C^\gamma \Delta T/d^2$ 时，就不会生成带状组织。但是成分偏聚带仍然存在，还可能在随后热处理时出现铁素体/珠光体带状组织。

　　根据以上讨论可见，在给定化学成分的中碳钢和低碳钢中直接影响铁素体/珠光体带状组织形成的因素主要有以下几方面：

　　（1）钢坯凝固时的冷却速度。凝固时的分凝效应造成枝晶间偏聚，加快凝固时的冷速将减轻偏聚的程度，使枝晶间偏聚的浓度差减小，足够快冷时可能达到无偏聚状态。

　　（2）热加工前的均热温度与时间。显然，较高的均热温度和较长的均热时间有利于溶质元素的扩散，使奥氏体中的溶质元素趋向于均匀分布，从根本上消除带状组织的形成原因，但是在实际生产条件下，往往难以达到所需的均匀化温度和时间。

　　（3）热加工。高温大变形量的热轧使溶质元素的偏聚带被压扁拉长成带状，大大减小了溶质富集区与溶质贫化区的间距，使碳的扩散距离减小，需要更大的冷速才能避免带状组织出现。

（4）奥氏体-铁素体相变时的冷却速度或热处理后的冷却方式。在溶质元素浓度仍然存在带状分布的情况下，增加奥氏体区热加工后的冷却速度使富溶质区的铁素体形核率与贫溶质区形核率的差别足够小，可以防止生成带状组织。

另一方面，如果能在一定范围内适当调整钢的成分，例如适当增加硅的含量，延缓碳向富溶质区的扩散，对防止带状组织的形成是有帮助的。

对于非再结晶区轧制后的变形奥氏体来说，由于变形促进扩散、影响相变温度与速度，而且在奥氏体晶界和晶粒内存在的大量晶体缺陷提供了许多非自发形核地点，对铁素体的形核率有明显影响，这方面的工作有待深入研究。

7.4.4 带状组织与冷弯裂纹

研究表明[37]：含碳与锰稍高的热轧钢板出现的冷弯裂纹缺陷与表面带状组织密切相关。这种表面缺陷的特征是横向钢板在弯曲时，外表面出现不规则分布的小裂纹，裂纹都大体平行于轧向，其长度约几毫米。但相同成分而厚度较小的钢板在弯曲时则不出现表面裂纹。作者根据对高强低碳钢（ZJ510L）的实验研究结果，认为上节所述的表面层带状组织是产生表面冷弯裂纹的主要原因。试验方法与结果简介如下：

在厚度5mm和8mm的热轧钢板上，切下尺寸为3cm×20cm的直条样品，试样的长度方向为热轧板的横向，在试样表面上分别沿平行轧向方向画上等间距的平行线若干条，平行线的间距$L=2mm$。再用材料实验机将钢条试样冷弯180°，冷弯半径与板厚相等，即分别为5mm和8mm。冷弯时把画有等间距平行线的表面作为外弧表面，测量弯曲后表面每两条平行线间距的变化ΔL，从而得到试样弯曲表面层的局部相对延伸量$\Delta L/L$。图7-33是厚度为5mm板的表面局部相对延伸量$\Delta L/L$与钢板表面弯曲中心线之间距离的关系，在钢板弯曲中心轴的外表面变形量最大，随着与该轴距离的增加，弯曲表面层局部相对延伸量减小。

实验结果表明：ZJ510钢8mm厚板弯曲180°后，表面层局部相对延伸量主要集中在30%~50%范围，而5mm厚板的局部延伸量集中在20%~30%范围。钢板厚度越大，弯曲表面层局部延伸量越大。存在表面带状组织的钢样弯曲后出现了一系列沿轧向排列的表面裂纹，而没有表面带状组织的钢样弯曲后不出现表面裂纹。可见，在存在表面带状组织的钢中，由于表面层局部高锰高碳区形成了珠光体含量较高的带，这些富碳带沿轧向排列，而且沿晶界析出了大量的第二相粒子或晶界碳化物膜，使表面局部区域塑性下降，在弯曲时特别

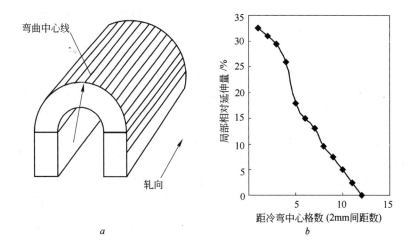

图 7-33　厚度为 5mm 热轧板的表面局部相对延伸量
随钢板弯曲中心线距离的变化
a—冷弯 180°后试样示意图；*b*—厚度为 5mm
钢板局部相对延伸量变化图

是较厚的试样弯曲时，如果变形量超过一定限度，这些塑性较差的高碳区将裂开，产生大体平行于轧向的表面裂纹。而较薄的钢板（厚度 4mm 以下）在弯曲时，其表面局部延伸量较小，不足以引起表面高碳带变形开裂，因而不出现裂纹。

　　综上所述，可以总结如下：

　　（1）薄板坯 CSP 工艺生产的低碳锰钢中存在两类带状组织，即钢板内部的铁素体/珠光体带状组织和热轧钢板表面层（轧面上）的表面带状组织。

　　（2）产生铁素体/珠光体带状组织的主要原因是，铸坯中溶质元素的枝晶间偏聚以及奥氏体区终轧后的冷却速度，原奥氏体晶粒尺寸对带状组织的形成也有重要影响。而轧面上出现的表面带状组织主要是由连铸坯表面层等轴晶区的成分偏聚引起的。

　　（3）在溶质元素尤其是锰的浓度存在带状分布的情况下，提高奥氏体区热加工后的冷却速度，使富溶质区与贫溶质区的铁素体形核率差别足够小，可以防止生成带状组织。

　　（4）钢中出现的带状组织会损害钢的力学性能，而表面带状组织则可能引起钢板产生表面冷弯裂纹。

参 考 文 献

1 Zentara N，Kasper R. Mater. Sci. Technol.，1994，10：370～376

2 Cornelissen M C M. Mathematical model for solidification of multicomponent alloys，Ironmaking and Steelmaking，1986，13（4）：204～212

3 Cobo S J and Sellars C M. Microstructural evolution of austenite under conditions simulating thin slab casting and hot direct rolling，Ironmaking and Steelmaking，2001，28（3）：230～236

4 霍向东，柳得橹，陈南京，康永林，傅杰，周德光，王中丙，李烈军，梁建宝. CSP 连轧过程中低碳钢的组织变化规律，钢铁，2002，37（7）：45～49

5 周德光，傅杰，金勇，柳得橹，康永林. CSP 薄板坯的铸态组织特征研究. 钢铁，2003，38（8）：47

6 Kaspar R. Microstructural aspects and optimization of thin slab direct rolling of steels，Steel Research，2003，74（5）：318～326

7 Yoshiyuki Ueshima, Shozo Mizoguchi, Tooru Matsumiya, Hiroyuki Kajioka. Analysis of solute distribution in dendrites of carbon steel with δ/γ transformation during solidification. Metal. Trans. B, 17B, Dec. 1986：845

8 Kaur, Mishin Y, Gust W. Fundamentals of grain and interphase boundary diffusion. wile. Chichester. UK：1995

9 韩志强，蔡开科. 连铸坯中微观偏析的模型研究. 金属学报，2000，36（8）：869～873

10 Lyman T，Boyer H E，Carnes W J，Chevalier M W，eds.. Metals Handbook，8th ed. Metals Park，OH，1973，Vol. 8

11 Tekko-Binran（Handbook for Steel），by ISIJ，3RD ed.，Maruzen，Tokyo，1981，Vol. 1：93～94

12 Nakamura Y，Esaka H. Tetsu to Hagane，1981，Vol. 67：140

13 倪晓青，薛润东，柳得橹. 低碳锰钢铸坯锰偏析的研究. 电子显微学报，2005，24（4）：305

14 田村今男，关根宽，田中智智，大内千秋. 高强度低合金钢的控制轧制与控制冷却. 王国栋译. 北京：冶金工业出版社，1992：271

15 Kaspar R. Microstructural aspects and optimization of thin slab direct rolling of steels，Steel Research 2003，74（5）：318～326

16 Choo W Y. Proc of Inter Sym on High Performance Steels for Structural Application. Cleverland，USA，1995：117

17 Kojima A. ISIJ Int，1996，36：603

18 DeArdo A J. Multi-Phase Microstructures and Their Properties in High Strength Low Carbon Steels ISIJ Int，1995，35：946

19 霍向东. 薄板坯连铸连轧低碳钢的晶粒细化和析出相研究：［博士学位论文］. 北京：北京科技大学，2004

20 孙贤文. 薄板坯连铸连轧高强低碳锰钢奥氏体分解组织的研究：［硕士学位论文］. 北京：北京科技大学，2004

21 Hutchinson B. Microstructure Development During Cooling of Hot Rolled Steels. Ironmaking and Steelmaking，2001，28（2）：145

22 张世中 编著. 钢的过冷奥氏体转变图集. 北京：冶金工业出版社，1993

23　Kasper R , Lotter U，Biegus C. The Influence of Thermomechnical Treatment on the Transformation Behaviour of Steels. Steel Research，1994，65（6）：242~247

24　Pereloma E V , Bayley C , Boyd J D. Microstructural Evolution during Simulated OLAC Processing of A Low-Carbon Microalloyed Steel. Materials Science and Engineering，1996，A210：16~24

25　R. W. 卡恩 主编. 物理金属学. 北京：科学出版社，1985

26　冯端 等著. 金属物理学（第二卷）相变. 北京：科学出版社，1990：224

27　Martin J W，Doherty R D，Cantor B. Stability of microstructure in metallic systems，2nd edition Cambridge University Press，1997：41

28　Offerman S E，van Dijk N H，Rekveldt M Th. et al. Ferrite/Pearlite band formation in hot rolled medium carbon steel，Materials Science and Technology，2002，18：297

29　Bastien P G. Iron Steel Inst. ，1957，187：281

30　Shigenobu Nanba，Mitsuru Kitamura，Masao Shimada et al. Prediction of Microstructure Distribution in the Through-thickness Direction during and after Hot Rolling in Carbon Steels. ISIJ International，1992，32（3）：377~386

31　Grossterlinden R，Kawalla R，Lotter U，Pircher H. Steel Res. ，1992，63：331

32　Thompson S W，Howell P R. Mater. Sci. Technol. ，1992，8：777

33　Manohar P A，Chandra T. Continuous Cooling Transformation Behaviour of High Strength Microalloyed Steels for Linepipe Applications. ISIJ International ，1998，38（7）：766~774

34　Kirkaldy J S，von Destinon-forstmann J，Brigham R J. Can. Metall. Q. ，1962，1：59

35　柳得橹，邵伟然，孙贤文，霍向东，毛新平，李烈军. 钢的表面带状组织及其引起的冷弯裂纹. 北京科技大学学报，2005，27（1）：40~44

36　康永林，柳得橹，傅杰，李晶，于浩，王元立，王中丙，李烈军. 薄板坯连铸连轧 CSP 线生产低碳钢板的组织特征. 钢铁，2001，36（6）：40~43

37　邵伟然. 偏聚对薄板坯连铸连轧钢板表面质量的影响：[硕士学位论文]. 北京：北京科技大学，2003

8 薄板坯连铸连轧钢在高温区的第二相粒子析出❶

与传统工艺相比,薄板坯连铸的重要特征之一是凝固速度以及凝固后高温区的冷速比传统工艺快得多,以厚度为 50mm 的薄板坯和 250mm 厚的传统板坯为例,薄板坯的凝固时间不到传统板坯的十分之一,凝固后的冷速加快了十几倍。薄板坯工艺的加速凝固和加速冷却条件将明显改变高温区第二相粒子在钢中的析出行为。控制钢中第二相的析出过程,达到细化组织、提高综合性能的目的是研究与发展新一代钢的关键问题之一。本章介绍 EAF-CSP 工艺条件下,普通低碳钢中有关纳米尺寸硫化物和氧化物析出的研究新进展,并据以讨论薄板坯连铸连轧低碳钢中的硫化物析出及其影响。

8.1 钢中的硫化物与氧化物及其影响

在传统的钢铁冶金理论与实践中,硫化物一直被认为是钢中的有害夹杂,可导致钢在加工中发生热裂[1~3]。而近几年的研究表明,通过调整钢的成分和工艺,控制钢中有关转变过程的动力学,有可能改变硫化物的尺寸和分布,变害为利,改善钢的组织与性能。作者的实验研究表明:在薄板坯连铸连轧钢中,存在大量弥散分布的细小硫化物和氧化物颗粒,其尺寸在二、三十纳米至二、三百纳米范围。而化学成分与 Q195 接近的 CSP 工艺低碳钢,其屈服强度提高一倍,并具有良好的塑性(伸长率达 40% 以上)。因此,在薄板坯连铸连轧工艺的加速凝固和加速冷却条件下,对硫化物、氧化物以及其他第二相的析出行为需要重新认识。

国内外关于钢中硫化物和氧化物夹杂已经开展了大量研究[1~6],目的在于控制夹杂物的尺寸和分布,避免或减轻它们的有害作用,从而改善钢的力学性能。以往的研究表明,由于析出条件不同,硫化物可以以多种形态出现,以 MnS 类夹杂为例,按其形态可分为三种类型:

Ⅰ型:此类硫化物呈球形,多在氧浓度较高的钢中出现,往往是含氧化物的两相夹杂,在固相内析出。

---

❶ 本章由柳得橹教授撰写。

Ⅱ型：多数是枝晶间共晶状分布的析出物，常在氧浓度较低的钢中出现，它们是由共晶反应生成的，经过大的变形后形成团簇分布，对钢的力学性能损害最大。

Ⅲ型：是在固相内析出的多边形的孤立粒子，也是在氧浓度较低的钢中出现，对钢的塑性危害比Ⅱ型小。

以往的工作[7~9]对各类形态硫化物的形成机制作了研究。但是，由于观察方法的限制，这些工作仅观察到尺寸为微米级的夹杂物粒子。

文献[10]报道了δ→γ相变对硫化物形成的影响，MnS可以由δ→γ+MnS（固）共析反应形成，也可以由δ→γ+MnS（液）反应形成。观察到在γ相晶界或枝晶间的MnS团簇。

当碳钢硫含量超过0.003%或Mn与S之比小于20时，在钢的热加工过程中，容易发生晶间脆性断裂。Nagasaki等的工作认为脆性是由于硫在奥氏体晶界偏聚所致，硫在晶界上的偏聚弱化了晶界，引起纵向裂纹。通过AES（俄歇电子能谱）分析发现，由于发生偏聚，奥氏体晶界上的硫含量要比晶粒内的高出200倍左右[11]，其晶界偏聚层的厚度约为2nm或几个原子层。硫在晶界上的偏聚主要是在固溶时发生的，冷却后长时间保温会阻止硫在晶界上的偏聚[12]。当硫含量降低到0.001%以下，即使锰含量低于0.01%，脆断也不会发生。因此，为了改善热塑性，碳钢中的Mn与S之比不应小于20。

Mintz[13]及其合作者认为：在C-Mn钢中，热塑性降低的原因是由于细小硫化物在奥氏体晶界上的析出。通常在钢的连铸过程中会发生硫的偏聚，使局部硫含量较高。在冷却过程中形成的硫化物一般不仅是MnS，而是(Fe,Mn)S。当Mn与S的含量之比较小时，增加锰含量，会使低熔点的FeS被MnS代替，从而改善热塑性。提高冷却速度可以在奥氏体晶界上析出更为细小的硫化物粒子[14]。硫以细小硫化物的形式在奥氏体晶界再次沉淀，在钉扎晶界的同时，也促进了裂纹发展。在伸长率较小的断裂试样中，可以发现大量的细小硫化物颗粒分布在原奥氏体晶界上，也弥散分布于奥氏体晶粒内靠近晶界处。这种硫化物颗粒是立方结构的FeS，成分含有Fe、Mn、S，应为(Fe,Mn)S。颗粒尺寸减小时，其中的铁含量增加。

Yasumoto等人[15]的工作表明，晶间断裂与(Mn,Fe)S在晶界上和基体中的沉淀有关，认为由硫导致热塑性降低的原因有两个：一个原因是硫化物颗粒在原奥氏体晶界上密集沉淀；另一种原因是由于硫的偏聚造成晶界强度降低。当连铸坯不经过冷却和再加热的过程直接轧制时，由于大多数硫原子没有被固定在粗大的硫化物中，容易发生由硫偏聚引起的热裂[16]。为此，钢的热塑性可以通过以下方法来提高：降低固溶处理温度，降低固溶温度与变形温度之间的冷却速度，变形前进行等温处理等。这样可以形成更为粗大的MnS析出粒子，达到改善钢的热塑性的目的。在传统连铸工艺的厚板坯和钢锭中，所观察到的硫化物粒子尺寸基本上为几微米到十几微米，最小为 $0.5\mu m$ 左右。

传统工艺生产时，由于凝固过程和凝固后的冷却速度较低，在连铸坯试样中发生明显的元素偏聚，在枝晶间隙附近形成了粗大的 Nb(C,N) 和 MnS（含有少量的 Fe），而在再加热试样中，由于密集、细小的硫化物和 Nb(C,N) 沿奥氏体晶界析出，使热塑性降低[17]。因此，固溶温度的差别也会影响钢的热塑性。

对于熔化后再凝固，然后直接变形的试样，根据脆化机制的不同，可以把从熔点到 600℃ 范围的脆化分为三个温度区间：Ⅰ区在熔点附近，由液相引起脆化，钢的塑性与变形速率无关；Ⅱ区为稳定的奥氏体区，氧和硫处于过饱和状态，当试样凝固后，冷却到 1150～900℃ 时，过饱和的硫和氧以 (Fe,Mn)S 和 (Fe,Mn)O 的形式在晶界上析出。由于硫化物和氧化物在晶间沉淀引起脆化沿晶界发生。Ⅲ区在 900～600℃ 范围，可导致脆化的因素有以下几种：晶间沉淀、沿奥氏体晶界形成的先共析铁素体膜、晶界滑移[18]等。

在以往的大量研究工作和生产实践中，主要是探讨在传统的钢铁生产工艺条件下，硫化物、氧化物等一类非金属夹杂物损害钢的性能的原因，提出防止它们的有害作用，改善钢材性能的措施。随着技术的进步以及对钢材生产过程中各个工艺参数控制水平的提高，在新的工艺控制条件下，不仅可以控制和利用钢中的相变获得所希望的微观组织，也有可能控制如硫化物、氧化物这类非金属夹杂物在钢中的析出过程，改变析出物粒子的尺寸与分布，使之发挥有利作用，达到变害为利的目的。例如在生产中采用的氧化物冶金方法，即有效利用细小氧化物作为相变和沉淀的非均匀形核位置，调整夹杂物尺寸与分布，优化产品性能。而细小的硫化物粒子通过对晶界的钉扎作用可以抑制钢中晶粒长大，还可能作为细小针状铁素体的相变形核位置或碳化物的析出位置起到细化组织的作用。因而，在适当条件下，弥散分布的小尺寸析出粒子可以细化钢的晶粒与组织，改善钢的力学性能。

8.2 薄板坯连铸连轧低碳钢中高温区的纳米级析出相

8.2.1 薄板坯连铸的凝固与冷却条件

钢的化学成分、凝固参数和凝固后的冷却速度是影响和决定钢中硫化物与氧化物析出粒子的形态、尺寸、分布以及它们的成分和结构的关键因素。表8-1列出了低碳钢传统工艺连铸板坯（250mm 厚）和薄板坯（50mm 厚）两种工艺参数的比较[19]，传统厚板坯与薄板坯二者的完全凝固时间分别为 10～15min 和 1min，在 1560～1400℃ 温度范围的冷却速度分别为 9K/min 和 120K/min。换言之，薄板坯的凝固时间不到传统工艺的十分之一，而凝固后的冷速快了十几倍。由于薄板坯的凝固与冷却速度比传统工艺快得多，而其均热温度则比传统工艺的再加热温度低 100℃左右，这些工艺参数的差别会明显改变钢中氧化物和硫化物的析出行为，导致薄板坯中硫化物和氧化物的析出与传统工艺连铸坯的情况有很大差别。

表 8-1　传统厚板坯和 CSP 薄板坯典型工艺的对比

生　产　工　艺	传统板坯（250mm 厚）	薄板坯（50mm 厚）
完全凝固时间/min	10～15	1
冷却速度（1560 ～ 1400℃）/K·min^{-1}	9	120
热轧前发生的相变	冷却时奥氏体分解＋再加热时的逆相变	没有奥氏体分解及其逆相变
总变形量/%	99	95
总应变量	4.6	3.0
最大轧制速度/m·s^{-1}	20	10

根据显微偏析和夹杂物沉淀的复合模型计算结果[20,21]，传统厚板坯的冷速为 9K/min，其氧化物粒子的数量为 $10^7/cm^3$，而冷速为 120K/min 的薄板坯中，氧化物粒子的数量为 $10^8/cm^3$，比传统坯的高一个数量级。氧化物的沉淀和长大明显受冷却速度的影响。在洁净钢中氧化物夹杂的数量大约为 $10^8/cm^3$，增加冷却速度时氧化物粒子的数量增加，在冷速分别为 10K/min、100K/min、500K/min 时，氧化物颗粒的数量分别为 $10^7/cm^3$，$10^8/cm^3$、$10^9/cm^3$。据报道，在快速凝固和冷却以及随后直接轧制的薄板坯钢中，已经观察到形成了尺寸小于 5nm 的弥散 MnS 析出[12]。

与传统的厚板坯冷装工艺相比较，薄板坯连铸连轧工艺的另一个突出特征是，热轧钢板经历了不同的热历史和加工过程，CSP 工艺热轧钢板的生产流程是：薄板坯连铸—均热—连轧—层流冷却—卷取，在热轧前薄板坯没有经过冷却到低温或室温再加热的过程，因而钢坯没有经历冷却时的奥氏体分解转变和再加热时的逆相变，具有凝固组织的薄板坯经均热后直接进行轧制。因此，对于传统冷装工艺而言，铸坯冷却过程中可能发生第二相析出，在重新加热时则发生第二相粒子的部分溶解。由于薄板坯直轧工艺在热轧前的铸坯中没有这种析出-再溶解的过程，这必然影响微量元素（包括杂质元素）在 CSP 工艺条件下的析出行为，导致第二相粒子尺寸、数量和分布的改变。已有的工作表明，CSP 钢中很少形成尺寸较大的硫化物、氧化物夹杂，它们的尺寸很小，往往在微米级以下，甚至只有几纳米到十几纳米[22~25]。因而，对钢的组织和性能的影响也会不同于传统冷装工艺的情况。

由此可见，CSP 钢中的第二相析出行为与冷装工艺条件下的情况有所不同。本节讨论薄板坯在高温区发生的析出，关于中温区的第二相析出行为将在

第10章讨论。

8.2.2 EAF-CSP 低碳钢中纳米级硫化物与氧化物的实验观察

8.2.2.1 连铸坯和不同轧制道次轧件中的析出物

作者系统地研究了用薄板坯连铸连轧 EAF-CSP 技术生产的低碳钢，观察到该工艺生产的连铸坯和钢板中含有大量弥散分布的纳米尺寸氧化物、硫化物和碳氮化物等沉淀相粒子。为了澄清 EAF-CSP 热轧带钢中的析出粒子本质及其可能机制，对低碳钢中的析出相进行了系统的实验研究。试样直接取自广州珠江钢铁公司的 EAF-CSP 生产线，该生产线采用电炉冶炼、50mm 厚连铸坯和六机架连轧。实验钢的化学成分为：C：0.05％、Si：0.04％、Mn：0.38％、S：0.012％、P：0.027％、Cu：0.20％、Al：0.030％，与标准的 Q195 钢成分相近（见表7-1）。将一块正在轧制的钢坯停止轧制，并快速冷却到室温，这样就得到了经不同轧制道次、不同变形量的轧件。从连铸坯和每一道次轧后的轧件上切取试样，其编号如图8-1所示。一至六道次的变形温度分别为 1020℃、975℃、942℃、912℃、887℃和860℃，各道次的变形量分别为55％、54％、46％、34％、32％和20％。对同一块轧件但经过不同轧制道次的试样以及连铸坯和卷取后的成品板逐一进行了光学显微镜和电子显微镜观察分析[22,23]。

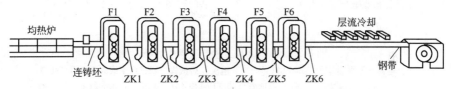

图 8-1　CSP 生产线和本工作研究的试样编号示意图

透射电镜观察表明：在连铸坯和经过不同道次轧制的试样中，都存在大量弥散分布的细小第二相粒子，其线度大多在 200nm 以下，许多粒子为几十纳米。图 8-2a～c 分别给出了连铸坯、第2道次和第4道次轧后试样萃取复型的TEM 像，从图中可以看出：在连铸坯、第二道次轧后和第四道次轧后的试样中，析出相粒子的尺寸、形态和分布没有明显差别。用 X 射线能谱（EDXS）对其中几十个析出粒子逐个进行了分析，证实试样中的纳米尺寸粒子大多数是硫化物或氧化物。

图 8-2d 是连铸坯中几个析出粒子的放大像，其中粒子 A 和 B 的 EDXS 谱分别由图 8-2e、f 给出。可见粒子 A 是硫化铁，还含有少量 Al、Si、O，可能是在铝硅的氧化物上形成长大的；而粒子 B 是硫化锰。硫化物粒子一般呈球形，线度约为 200nm 以下，往往由不同成分的二层甚至三层组成。图 8-3 给

出一个硫化物粒子的放大像（萃取复型试样 TEM 像），X 射线能谱分析证实图中黑色的球形粒子是硫化锰，在球形硫化锰颗粒的中心有一个浅色的"核心"，这意味着硫化物多半是在先行析出的其他粒子上生长的。由于 EDXS 能谱分析的空间分辨率所限制，本工作未能确定这种粒子每一层的成分。但是，根据该透射电镜图像的衬度可以判断中央核心是由原子序数比硫和锰明显小的元素所组成，而相应的 EDXS 能谱上出现了小的 O、Al、Si 或 Ti 峰。图 8-4

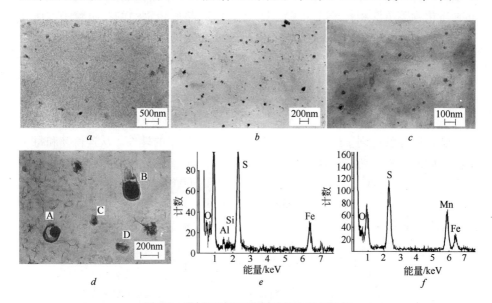

图 8-2　EAF-CSP 工艺低碳钢中的析出物

a—连铸坯萃取复型的 TEM 像；b—第 2 道次轧后试样（ZK2）萃取复型的 TEM 像；
c—第 4 道次轧后试样（ZK4）萃取复型的 TEM 像；d—连铸坯中几个粒子的放大像；
e—图 d 中粒子 A 的 X 射线能谱；f—图 d 中粒子 B 的 X 射线能谱

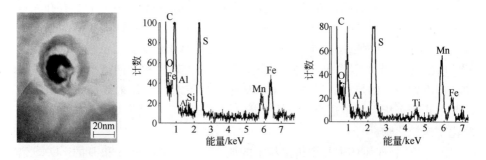

图 8-3　一个硫化物　　　　　图 8-4　两个小粒子的 EDXS 谱
　　　粒子的形貌像

是另外两个硫化物粒子的 X 射线能谱，不同硫化物粒子中 Mn 和 Fe 的比例不同，能谱中都出现了氧以及 Al 或 Si 的峰。可见，在硫化物中存在铝或硅的氧化物，除了硫化锰、硫化铁，析出粒子中还可能有硫化钛或者钛的氧化物存在。因而，相当多的硫化物颗粒很可能是在氧化物（例如 Al_2O_3，SiO_2 或 TiO_2 或者它们的复合氧化物）上形成与生长的。看来，硫化物中铁和锰的比例不同，在硫化物中有氧化物存在，这是比较常见的现象。

由于氧化物的析出温度比硫化物的高得多，根据氧化物和硫化物的析出行为以及上面的实验结果，可以推断出硫化锰可能是在先前析出的细小氧化物（如硅铝的氧化物）上形核生长的。在较高温度先行析出的细小氧化物粒子为硫化物的析出提供了非自发形核地点，因此，硫化物的分布会受到氧化物分布与尺寸的明显影响。需要说明的是，在上述实验中，透射电镜萃取复型试样采用了铜网作支持网，因而不能判断这些硫化物中是否含有铜。关于铜的硫化物将在 8.2.2.2 节讨论。

图 8-5a 是试样萃取复型的 TEM 像，显示出了两个氧化铁粒子的形貌，它们的尺寸在 200nm 以下，观察表明：这些氧化物粒子大多为不规则四边形或多边形，其中一个粒子的 X 射线能谱和电子衍射图由图 8-5b，c 分别给出。

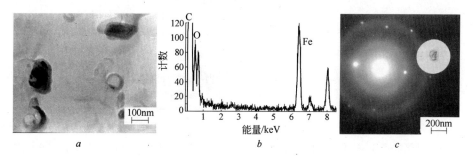

图 8-5 CSP 低碳钢中的 2 个氧化物粒子形貌及能谱和电子衍射图

a—萃取复型 TEM 像；b——个粒子的 X 射线能谱；c——个氧化物粒子及其电子衍射图

对大量实验结果的比较可以得出：在连铸坯和经过不同轧制道次的所有试样中都存在锰和铁的硫化物以及氧化物小粒子，与轧制道次无关。硫化物粒子的线度为 30～200nm，而氧化铁粒子的尺寸在 100～200nm 以下。不同轧制道次的试样之间硫化物和氧化物粒子的尺寸和分布没有显著差别。因此，尽管轧制变形可能对这类粒子的析出产生影响，但是，尺寸为几十纳米的硫化物和氧化物在轧制以前就已经存在于连铸坯中[24]。

8.2.2.2 不同含硫量低碳钢中的硫化物[25]

取不同硫含量的 EAF-CSP 成品板 L-330 和 H-330 为试样，其化学成分及力学性能由表 8-2 给出。

表 8-2 不同硫含量低碳钢试样的化学成分及力学性能

| 编号 | 成分（质量分数）/% | | | | | | 厚度 /mm | 力　学　性　能 | | | |
	C	Si	P	S	Mn	Cu		屈服强度 /MPa	抗拉强度 /MPa	伸长率 /%	冷弯
L-330	0.054	0.08	0.014	0.001	0.27	0.13	3.95	350	410	28	合格
H-330	0.054	0.06	0.015	0.01	0.26	0.17	5.80	325	430	35	合格

观察了 L-330 和 H-330 两种试样的金相组织，并制备了碳复型和薄膜试样在透射电镜（TEM）下观察比较硫化物析出粒子。不同硫含量的试样金相组织没有太大区别，都是 CSP 低碳钢典型的铁素体＋少量珠光体组织，晶粒细小。为研究硫含量对硫化物粒子析出的影响，实验比较了两试样中析出粒子的尺寸和数量差异。它们的 TEM 形貌及 X 射线能谱分别由图 8-6 和图 8-7 给出。

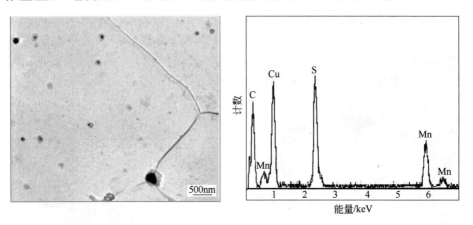

图 8-6　低硫试样 L-330（0.001%S）中的硫化物粒子萃取复型 TEM 像和一个粒子的 EDXS 谱

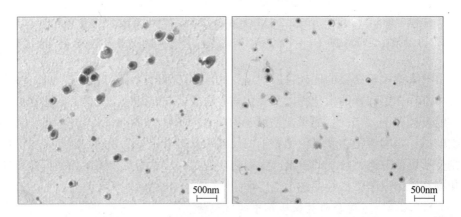

图 8-7　高硫试样 H-330（0.01%S）中的硫化物 TEM 像

在低硫试样 L-330 中，粒子尺寸较均匀，多在 100nm 左右，大于 150nm 的粒子较少。而在硫含量高的试样 H-330 中，析出粒子数量增多，平均尺寸有所增加，并且粒子尺寸分布变得相对分散，大尺寸和小尺寸粒子的数量统计分数都增大；大尺寸粒子变得更大，达 200~300nm；同时 100~50nm 左右及以下的粒子数量也明显增多。两试样的粒子分布统计结果由图 8-8 给出。实验结果表明，较高硫含量（0.01%S）导致钢中硫化物在较高温度析出，而且先析出的硫化物已经开始长大，因而这部分粒子的尺寸比较粗大。另一方面，由于硫在钢中的过饱和度提高了，当钢坯温度迅速降低时硫化物在降温过程以及较低温度时的形核率增加，而生长速率下降，使得较低温析出的硫化物尺寸较为细小弥散。因此，在含硫较高的钢中，硫化物粒子分布在较大尺寸范围内，而且相对分散。

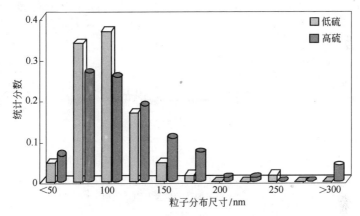

图 8-8　两种硫含量的试样 L-330 和 H-330 中硫化物粒子的尺寸分布统计

电炉冶炼的试验钢因采用废钢为原料，低碳钢中一般含有微量的铜，在 ZJ330 热轧钢板中，观察到纳米尺寸的硫化铜粒子，图 8-9a 给出的试样萃取复型 TEM 形貌像上显示出多个小颗粒，经 EDXS 分析确认，图中用箭头指出的细小粒子为硫化铜，一个硫化铜粒子的 EDXS 能谱由图 8-9b 给出，图 8-9c 则是一个硫化铜粒子的放大形貌和它的电子衍射谱，这些粒子的尺寸为 100~150nm 左右。

为了进一步分析硫化物粒子中的铜元素含量，对上述 L-330 和 H-330 钢样制备了金属薄膜试样以及采用 Mo 网支撑的萃取粉末试样，用低背景（铍）试样台进行了 TEM+EDXS 实验观察。对大量硫化物粒子逐个进行分析的结果表明，很多硫化物粒子同时含有 Mn、Cu 元素或只含有铜元素，即它们是（Mn、Cu）的硫化物或完全是铜的硫化物，而完全是锰的硫化物的数量较少。完全是铜的硫化物的粒子尺寸一般在 50nm 以下。采用 EDXS 对硫化物的半定量分析结果显示，对于完全是 MnS 的析出粒子，原子比 Mn/S≈1；对于铜的硫化物析出粒子，则原子比 Cu/S 在 1.2～2 之间变动。图 8-10 下方较大的球形粒子即完全是 MnS 粒子，其 Mn/S 原子比接近于 1；而图 8-11 中的粒子则完全是铜的硫化物，根据 X 射线能谱中各元素的质量分数得到 Cu/S 原子比接近于 2，说明铜的硫化物析出相的化学式形式可能为 Cu_2S。以往文献报道的一些研究[13, 26]大都认为传统工艺钢中硫化物主要是 MnS 以及铁的硫化物。但根据本工作的实验结果，在硫化物粒子成分中很少有铁元素存在，而铜元素占有相当的比重。看来，在电炉冶炼薄板坯工艺的钢中，铜的硫化物析出行为对钢的组织与性能控制有重要影响。

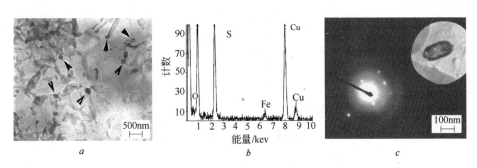

图 8-9　低碳钢中的硫化铜粒子（萃取复型试样 TEM 照片）
a—弥散分布的硫化铜粒子（小箭头所指）；b—一个粒子的 EDXS 谱；
c—一个粒子的放大像及其电子衍射

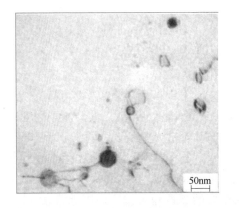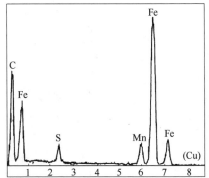

图 8-10　ZJ330 钢薄膜试样中的 MnS 粒子 TEM 像

　　为了确定硫化物粒子中 Mn、Cu 含量比例及其与粒子尺寸的关系，应用扫描电镜对硫化物粒子逐个进行了成分和尺寸的实验分析与统计。考虑到

SEM 及 X 射线能谱分析空间分辨率的限制，统计工作只对尺寸约为 100nm 及更大的粒子进行了分析，对小于 100nm 的粒子统一按 100nm 计算，以能够分辨出粒子的硫峰为准。实验得到许多个析出粒子的 S、Mn、Cu 元素的原子分数和尺寸，数据整理结果示于图 8-12。

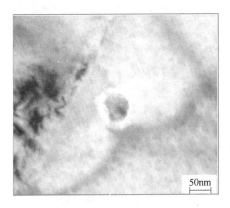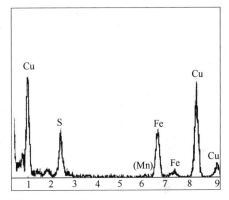

图 8-11　ZJ330 钢薄膜试样中铜的硫化物粒子 TEM 像及其 EDXS 谱

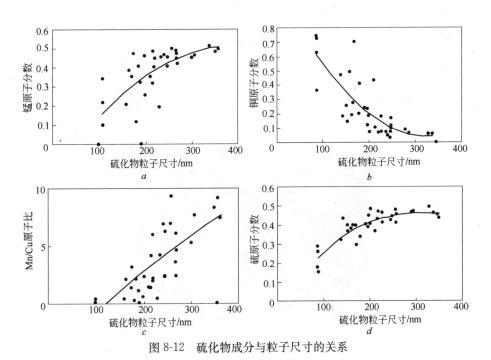

图 8-12　硫化物成分与粒子尺寸的关系

从图中的曲线可以看到，随着粒子尺寸增大，粒子中含有的锰原子分数上升，而铜的原子分数下降，Mn/Cu 的原子分数比随粒子尺寸的增大近似线性增加。

由于用扫描电镜对块状试样进行 X 射线能谱分析的空间分辨率较低，约为 1μm 左右，在对小粒子作成分分析时，由周围基体成分引起的误差影响较大，因此，小尺寸粒子的数据比较分散。但是从图 8-12 的数据仍然可以看出，随着尺寸的增大，析出粒子中 Mn、Cu 含量逐渐趋于稳定，即析出相的组成趋于稳定。尺寸大于 200～300nm 的粒子中，锰的原子比稳定在 0.5，而铜的原子分数很低。与 Mn、Cu 元素含量变化趋势相对应的是硫元素原子分数与粒子尺寸的变化关系（图 8-12 d），可见，随着粒子的尺寸增大，硫的原子分数也逐渐稳定并接近 0.5。由此可以推断钢中较大尺寸的粒子基本上是 MnS，常固溶有少量的铜，形成(Mn,Cu)S。

对于尺寸较小的粒子，其中硫元素的原子比低于 0.5，而铜元素比例较大。粒子在 100nm 左右时，其中硫的原子分数为 20%～30%，而铜的原子分数为 60%～70%。这说明小粒子主要是 $(Cu、Mn)_xS$，$x>1$，金属元素以铜为主。推断小尺寸的析出相粒子很可能是 $Cu_{1.8\sim2}S$。上述实验结果表明：硫化锰的析出温度要明显高于铜的硫化物析出温度，当硫化铜开始形核时，大部分硫化锰已经长大。可见，铜的硫化物形成温度相对比较低，尺寸更小，因而对低碳钢的力学性能影响可能也较明显。

在添加了微量钛（0.05% 左右）的低碳钢中，还观察到许多硫化钛的沉淀粒子，图 8-13 是均热前空冷到室温的 CSP 连铸坯的 SEM 像，显示出存在不少小棒状的析出物，EDXS 分析表明它们是硫化钛，长度约 2μm。同时在对成品钢板的 TEM 研究中，也观察到许多尺寸为几十纳米的椭球形或球形硫化钛析出粒子，有关硫化钛析出的研究工作仍在继续进行中。

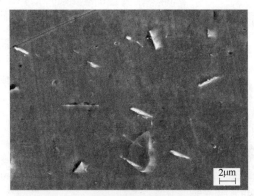

图 8-13　CSP 连铸坯的 SEM 二次电子像
（白色小棒是硫化钛粒子）

上面分析表明：在 CSP 低碳钢连铸坯中存在硫化锰、硫化铁、硫化铜和氧化物的析出粒子，它们的尺寸在几十纳米范围。和薄板坯工艺相比较，传统冷装连铸连轧工艺生产的低碳钢中，其硫化物和氧化物颗粒尺寸大得多，经过加工硫化物变形为沿轧向拉长的大夹杂物，对钢的力学性能产生了十分有害的影响。而在 CSP 薄板中，极少见到这种大的变形夹杂物，特别是钢板力学性能在轧向和横向几乎没有区别，横向的性能通常还略优于纵向的，这大概与硫化物的尺寸、分布有一定关系。

8.2.3　加速凝固与冷却条件下纳米级硫化物与氧化物的形成机制

硫化物与氧化物在钢中的析出、长大与粗化直接影响了钢材的力学性能，特别是塑性和韧性，因此多年来一直被广泛研究。关于这些析出物的结构、成分、析出的热力学、动力学等都有报道。但是，在传统的钢材生产工艺条件下，硫化物一般以粗大夹杂物的形式存在，严重影响了钢的性能。影响硫化物形态和尺寸的因素主要有：析出温度、形核率、生长和粗化的动力学条件。需要强调的是：硫化物的实际析出温度和长大温度并不是由化学分析得到的平均成分决定的（在以往的有些工作中往往以平均成分为出发点讨论问题）。由于钢在凝固过程中发生的分凝效应，许多溶质元素如硫、锰等发生枝晶间偏聚，在随后的加热过程中还会发生晶粒间偏聚。在这类偏聚区，局部的溶质元素浓度大大高于钢的平均成分，例如晶界附近的硫可高出 200 倍。因此，控制像硫化物这类析出物的尺寸与分布，其关键绝不仅限于控制有关杂质元素在钢中的总含量，通过调整工艺参数来控制硫化物以及其他析出物的析出动力学，有可能达到使其尺寸细小而且分布较为均匀的目的，从而避免大块夹杂物的有害作用，在一定条件下甚至还可能利用这些细小的弥散粒子改善钢的组织与性能。为此，需要深入了解硫化物的析出行为。

8.2.3.1　硫化物的热力学析出温度

以硫化锰为例，它在钢中的开始析出温度随钢中的硫和锰含量增加而升高。在低硫区，MnS 在奥氏体相析出，随着硫含量增加，MnS 开始析出的温度升高，达到 δ/γ 相变开始温度。当硫含量为 0.01% 时，MnS 在 δ 相中析出，当硫超过 0.04% 时，MnS 在 δ 相枝晶间的残余液相中形成。据文献报道：在钢中的硫化物往往是 (Fe,Mn)S，当 Mn 与 S 之比较低时，如果增加锰含量，低熔点的 FeS 被 MnS 代替，可改善热塑性。考虑到硅的影响，MnS 在 δ 相和 γ 相的溶度积分别由式 8-1 和式 8-2 给出[10]，即：

$$\lg[\%Mn][\%S] = -10590/T_\delta + 4.2489 - 0.07[\%Si] \tag{8-1}$$

$$\lg[\%Mn][\%S] = -9090/T_\gamma + 2.929 - (-215/T_\gamma + 0.097) \cdot$$
$$[\%Mn] - 0.07[\%Si] \tag{8-2}$$

按照上面公式计算，在 EAF-CSP 线生产的低碳钢 ZJ330 成分范围内（见

表 8-3), MnS 的析出温度 T_{MnS} 约在 1473K（1200℃）至 1663K（1390℃）范围。文献中还有若干类似的公式，如硫化锰析出的溶度积公式[26]为：

$$\lg [\%Mn][\%S] = -11625/T + 5.02 \qquad (8\text{-}3)$$

按上式得到试验钢中（含 0.05%C、0.04% Si、0.39%Mn、0.012%S）硫化锰的开始析出温度为 1309℃。对于含碳 0.05%（质量分数）左右的低碳钢，其 δ→γ 相变温度约为 1450～1425℃范围。这比热力学计算的硫化锰开始析出温度 1309℃高一百多度，因此试验钢中，绝大多数硫化锰不是在液相或两相区析出的，其沉淀过程主要是在 δ→γ 相变后的奥氏体中发生的。通常 CSP 薄板坯的均热温度在 1050～1100℃左右，可见，上述硫化物析出的热力学温度明显高于连铸坯的均热温度，即使考虑到硫化物实际析出时需要一定的过冷度，它们很可能是在均热前的铸坯中开始形成的，而对于含硫较高的 Q195 钢，MnS 则可能在 δ 相或两相区析出。

表 8-3   Q195 和 CSP 钢 ZJ330 的化学成分及 MnS 析出的热力学温度 T_{MnS}

钢　　种	成分（质量分数）/%							
	C	Si	Mn	P	S	Cu	Al	T_{MnS}/K
ZJ330-K	0.05	0.04	0.38	0.027	0.012	0.20	0.030	1663
ZJ330-1	0.054	0.10	0.34	0.014	0.002	0.16	0.029	1473
Q195（GB700—88）	0.06～0.12	≤0.30	0.25～0.50	<0.045	<0.050	≤0.30		1755～1679

由于热力学计算是建立在均匀系统的基础上，而在实际钢中，伴随着钢液的结晶过程钢中的各个溶质元素将发生再分配。分配系数小于 1 的元素如锰、硅、硫、铝等，在结晶过程中不断地由 δ-铁素体排出向液相富集，偏聚在枝晶间隙区中，导致枝晶间隙区的锰、硅、硫、铝等元素浓度明显高于钢中的平均值，因而在这些局部区域，硫化物的实际析出温度将高于上述计算值，而 δ-枝晶臂内溶质浓度相对较低区域的硫化物析出温度，则低于上面的计算值。由于溶质元素在结晶过程中产生偏聚的程度取决于钢的凝固速度、冷却速度以及相关元素的扩散速度，钢的冷速越快，元素在钢中的偏聚程度越小。元素的扩散越快，该元素的偏聚程度也越小。在足够快的冷速条件下，有可能接近无偏聚状态[27]。

EAF-CSP 线生产的低碳钢，具有低碳和高洁净度的特点。采用电炉终点碳控制和洁净钢生产技术，将低碳钢 ZJ330 的碳含量控制在 0.06%以下；同时将钢中的硫和其他杂质元素也控制在较低水平。

对碳含量小于 0.09%（质量分数）的 Fe-C 系，钢液结晶为 δ-相，凝固温度随碳含量的降低而升高，液相线和固相线温度之差减小（见图 7-1）。用文献［28］给出的公式计算试验钢的液相线和固相线温度分别为 1528℃和

1506℃，二者仅相差 22℃。而且，在加速冷却时，液相线将向下移动，使两相区更加狭窄。薄板坯（50mm 厚）的凝固时间比传统工艺 250mm 厚板坯的小一个数量级，在 1560°~1400℃范围，厚板坯的平均冷却速度约为 0.15K/s，而薄板坯冷速约为 2K/s，比厚板坯快一个数量级[19]，因此液、固两相区的温度范围很小。由于试验钢的液固两相区温度范围狭窄，薄板坯凝固速度很快、约在 10s 左右就越过了两相区。因而在加速冷却的薄板坯中，元素的偏聚程度明显小于传统厚板坯。由此可见，由偏聚造成少数硫化物在高温析出的情况将大为减轻，同时，溶质元素在钢中的过饱和度明显增加。

氧化物在钢中的析出温度一般要比硫化物高得多，大部分是在液态钢中沉淀形成大尺寸的夹杂物。但是有关研究表明：在熔化了再凝固后直接变形的试样中，氧和硫处于过饱和状态，凝固后冷却到 1150~900℃时，氧和硫以（Fe，Mn）S 和（Fe，Mn）O 的形式在奥氏体晶界上析出而引起晶界脆化[5,18]。

8.2.3.2 低碳钢中硫化物析出的动力学分析

第二相粒子在钢中的实际析出过程取决于有关析出的动力学，而不是热力学。固态中的第二相析出，一般包括形核、生长和粗化三个阶段[30]，当硫化物或氧化物粒子以均匀形核或非均匀形核机制形成临界尺寸的核后，便开始生长，由于析出粒子和基体之间的界面能体系下降的趋势将导致析出相粒子粗化，即"奥斯瓦尔德熟化"（Ostwald ripening）。

A　形核

根据经典形核理论，对于固态中第二相的均匀形核，系统在 t 时刻的形核率可近似表达为：

$$J(t) \approx 10^{30} \exp(-\Delta F^*/k_B T) \exp(-\tau/t) \tag{8-4}$$

式中，ΔF^* 是临界核的形核功；τ 为孕育时间，T 是发生析出的绝对温度；k_B 是玻耳兹曼常数。由上式可见：析出相的形核率随过冷度增加而迅速增大。关于形核的理论还指出：析出相的临界核半径 r^* 和形核功 ΔF^* 与过冷度 ΔT 存在下面的关系[31]：

$$r^* \propto 1/\Delta T \tag{8-5}$$

$$\Delta F^* \propto 1/\Delta T^2 \tag{8-6}$$

由于薄板坯在凝固后的冷却速度高，导致硫化物和其他第二相粒子形核时的过冷度增加，因此降低了形核功，相应提高了形核率。可见，在加速冷却的薄板坯中，硫化物等第二相在奥氏体中的形核率要比厚板坯中高得多。当冷速较快时可能出现变温形核过程，随着过冷度增加，临界核尺寸减小，导致第二相粒子的数量多而尺寸小。

除了均匀形核，硫化物还会在先前生成的其他第二相（如氧化物）粒子上非自发形核。根据扩散生长模型对锰脱氧钢凝固时氧化物沉淀与生长行为的理论分析表明：MnO-FeO 是在凝固时沉淀与生长的，而 MnO-FeO-Al$_2$O$_3$ 在凝固时的生长过程是 MnO 在含有 Al$_2$O$_3$ 的初次氧化物上沉淀的结果[5]。在用 Si/Mn 脱氧的钢中观察到，MnS 在氧化物 MnO-SiO$_2$ 上形成，而且 90% 以上的 MnO-SiO$_2$ 有 MnS 存在，随着在 1200℃ 等温时间的延长，锰在这两个相中的量都增加[6]。因此，硫化物的析出与氧化物有密切关系。傅杰等[29] 对同类钢中硫化物和氧化物析出的热力学计算结果表明：在 EAF-CSP 工艺生产低碳铝镇静钢 ZJ-330 过程中，从钢液温度至室温，Al$_2$O$_3$ 的析出均为自发过程，在有铁氧化物存在的条件下，更易生成 Al$_2$FeO$_4$，这为硫化物析出提供了有利的非自发形核地点。

　　薄板坯的快速凝固和快速冷却同样也使其他第二相析出（如氧化物）的形核率增大，生长受限制，导致较高温度析出的第二相粒子数量增多而尺寸减小，从而进一步提高了硫化物的形核率。本工作在对硫化物的 TEM 实验研究中，观察到了硫化物在其他析出粒子上形核生长的现象，作为硫化物形核的地点常有 Al$_2$O$_3$、TiN 等较高温度析出的第二相。图 8-14 是铜的硫化物在 TiN

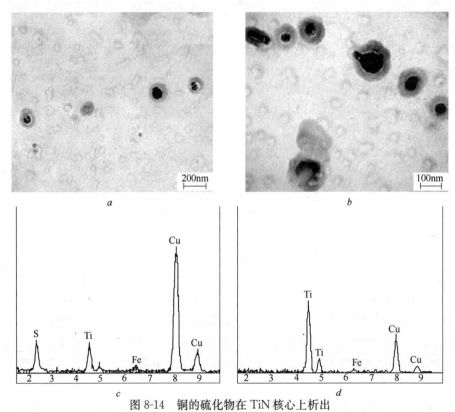

图 8-14　铜的硫化物在 TiN 核心上析出

a、b—复合析出的硫化物分布；c—复合析出粒子的 EDXS 谱；d—粒子核心区的 EDXS 谱粒子上生成的例子，由于 TiN 沿奥氏体晶界析出形成列状排列，所以在 TiN 上析出的铜的硫化物也表现出了这种排列的趋势。图 8-15 是以 Al_2O_3 为核心析出的（Cu、Mn）的硫化物粒子。

对多个硫化物粒子的 TEM 和 EDXS 分析结果表明：EDXS 谱上往往出现少量的氧，有时伴随有 Al、Si 甚至 Ti（见图 8-2e、f），可见，这些硫化物粒子是在非常小的氧化物，如氧化铝、氧化硅或氧化钛粒子上形核生长的。因此，钢中硫化物粒子的分布将受到比它更先析出的其他第二相（如氧化物或高温生成的氮化物）的影响。

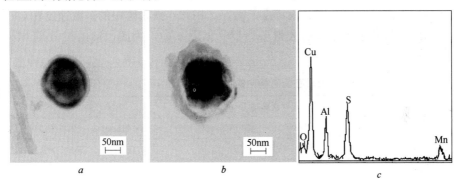

图 8-15 （Cu，Mn）的硫化物以 Al_2O_3 为核心析出

B 生长

硫化物或氧化物在钢中形成新相核心后将向母相推进而生长，长大过程就是新相界面向母相迁移的过程，其生长速度取决于相变的驱动力和原子迁移过程，钢中硫化物与氧化物的沉淀温度很高，它们的生长属于原子长程扩散控制过程，按照曾讷（Zener C）、沃特（Wert C）和哈姆（Ham F S）的长程扩散控制生长理论，对于等温生长过程，球形沉淀粒子的三维生长速度 v 有以下近似关系：

$$v = \alpha_\lambda (D/t)^{1/2} \tag{8-7}$$

在 t 时刻沉淀粒子的半径 r 为：

$$r \sim (Dt)^{1/2} \tag{8-8}$$

式中，D 是起控制因素的元素的扩散系数；α_λ 是与沉淀相的几何形状、生长维数以及母相过饱和度有关的参数。可见，在生长阶段，球形沉淀粒子的半径与时间 t 以及起控制因素的元素的扩散系数 D 的平方根成正比。对于钢的连续冷却过程，可以近似地看成是一系列温度不断下降、时间间隔很小的等温过程的累积。因此钢在凝固后冷却时，冷速越快，钢中析出相的形核密度越高，临界核尺寸越小，而粒子的生长则缓慢得多。

根据钢中硫含量和锰含量的不同，可以出现不同形态与尺寸的硫化物[7]。其尺寸主要取决于钢的凝固参数，尤其是冷却速度。球形的 1 类硫化物的平均尺寸与钢锭凝固后冷却速度 v（单位 K/min）的关系可表示为：

$$d = 13.9v^{-0.30} \tag{8-9}$$

即随着钢的冷速 v 增加，硫化物粒子的尺寸和 $v^{0.30}$ 成反比。可见，在低硫钢中，球形硫化物的平均尺寸随钢坯的冷速增加而减小，冷速越快，硫化物的尺寸越细小，数量越多。

在 CSP 工艺的均热温度（1000℃以上）或更高的温度范围，固态钢中硫化物的生长是扩散控制的过程，由于锰在 γ 相和 δ-铁素体中的扩散速度相对较慢，而硫的扩散系数比锰的大得多[32,33]（见表 8-4），因此，锰的扩散是 MnS 生长的控制因素。

表 8-4   元素在低碳钢中的扩散系数 D（$cm^2 \cdot s^{-1}$）[32]

钢中的元素	在 δ-铁素体中 D^δ	在奥氏体中 D^γ
C	0.0127exp（−19450/RT）	0.0761exp（−32160/RT）
Mn	0.76exp（−53640/RT）	0.055exp（−59600/RT）
Si	8.0exp（−59500/RT）	0.30exp（−60100/RT）
S	4.56exp（−51300/RT）	2.4exp（−53400/RT）
P	2.9exp（−55000/RT）	0.010exp（−43700/RT）

在相同温度下，锰在 δ-铁素体相中的扩散系数比在 γ 相中的高 100 倍左右，例如由表 8-4 的数据可得到在 1100℃时，锰在奥氏体和 δ-铁素体中的扩散系数分别为 $1.8×10^{-11}\,cm^2/s$ 和 $2.1×10^{-9}\,cm^2/s$，在 1400℃时分别为 $9.0×10^{-10}\,cm^2/s$ 和 $7.5×10^{-8}\,cm^2/s$。可见，即使在相同温度下锰在 γ 相区的扩散系数要比在 δ-铁素体中小 2 个数量级[32]。因此在奥氏体区，MnS 粒子的长大速度比在 δ 相中的长大慢得多（差一个数量级）。薄板坯冷却速度快的特点又缩短了析出相粒子的长大时间，限制了 MnS 粒子的长大。换言之，在奥氏体中沉淀的 MnS 粒子要比在 δ 铁素体中沉淀的尺寸小得多。同时，因在较低温度沉淀，形核率增加使其数量多得多。

由于扩散系数与温度有指数关系，将钢中硫含量控制在较低水平，使硫化物在较低温度析出，将进一步降低硫化物粒子的长大速度，获得尺寸更小的粒子。

C   粗化（Ostwald ripening）

第二相粒子（如硫化物）在过饱和固溶体中形核与生长后将发生粗化过程，即小尺寸粒子溶解而大尺寸粒子进一步长大的过程，该过程又称为奥斯瓦尔德熟化（Ostwald ripening）。由此造成硫化物析出粒子的平均半径随时间的延长而不断增大，粒子的数量则减少。

吉布斯-汤姆逊定理表明，沉淀粒子的半径 r 越小，则粒子中每个原子对应的平均相界面能越大，其化学位越高，在界面附近与之平衡的母相中溶质浓度也越高。当固溶体中存在尺寸不同的沉淀粒子时，小粒子（如图 8-16 中半径为 r_2 的粒子）界面附近母相中，溶质元素的浓度将高于大粒子（如图 8-16 中半径为 r_1 的粒子）周围母相中的浓度，导致溶质原子由小粒子附近向大粒子处扩散，图中的箭头示意地给出了一个小粒子和一个大粒子之间扩散流的方向，其结果是大的粒子进一步长大，而小的粒子不断缩小，直至消失，即发生"奥斯特瓦德熟化"（Ostwald ripening）过程。

图 8-16　沉淀粒子奥斯特瓦德熟化的示意图

关于沉淀粒子粗化的动力学已经报道了不同的处理方法和结果，根据里夫雪茨、斯里沃佐夫和瓦格纳的理论（即 LSW 理论），沉淀粒子的平均半径 $\bar{r}$、单位体积中的粒子数目 N_V 以及系统残留母相中溶质元素 B 的过饱和度 ΔC 随时间 t 的变化可分别由下面式子给出[31]：

$$\bar{r}_t^3 - \bar{r}_0^3 = 8/9 \times [D\sigma V_B C_\alpha^B(\infty)/k_B T] \times t \qquad (8\text{-}10)$$

$$N_V = k_B T / [4\,\sigma D V_B C_\alpha^B(\infty)] \times t^{-1} \qquad (8\text{-}11)$$

$$\Delta C = [Dk_B^2 T^2]^{-1/3} \div [9\,\sigma^2 (C_\alpha^B(\infty))^2 V_B^2]^{-1/3} \times t^{-1/3} \qquad (8\text{-}12)$$

D 为控制性溶质元素在基体中的扩散系数，可表示为：

$$D = D_0 \exp(-Q/kT) \qquad (8\text{-}13)$$

上式中，$\bar{r}_0$ 和 $\bar{r}_t$ 分别是初始时和 t 时间后析出粒子的平均半径；V_B 为溶质元素 B 的原子体积；$C_\alpha^B(\infty)$ 是溶质 B 在母相中的平衡浓度；σ 是沉淀粒子与母相间的界面能；T 为发生粗化的温度。LSW 理论已被大量实验结果证实。由式 8-10 可见：发生粗化过程时，沉淀相粒子的平均半径 $\bar{r}$ 随着时间 t 的立方根而增大，而单位体积中的沉淀粒子数目 N_V 随时间 t 增长成反比而减少。因此，随着保温时间的延长，析出相粒子的数目越来越少，它们的尺寸越来越大。保温温度越高，由于扩散更快，析出相粒子的粗化过程加快，它们的尺寸也越大、数目越少。

雍岐龙等[34,35]对奥斯瓦尔德熟化的理论研究提出了确定粗化过程控制性元素的方法，即 DC_0 乘积较小的元素是第二相粒子奥斯瓦尔德熟化过程的控制性元素。并给出了下面的粗化公式：

$$d_t^3 = d_0^3 + \frac{64D\sigma V_S^2 C_0}{9RTV_m C_p} \times t = d_0^3 + m^3 t \tag{8-14}$$

式中，d_t 和 d_0 分别为 t 时间和初始时第二相的平均尺寸，D 是控制性元素 M 在基体中的扩散系数，σ 为第二相与基体间的界面能，V_S 为第二相的摩尔体积，V_m 为基体的摩尔体积，C_0 和 C_p 分别为控制性元素 M 在基体和第二相中的平衡原子浓度，R 为摩尔气体常数，T 为绝对温度。粗化速率 m 为：

$$m = \left(\frac{64D\sigma V_S^2 C_0}{9RTV_m C_p}\right)^{1/3} \tag{8-15}$$

按照所述方法确定试验钢 ZJ330 中 MnS 粗化时的控制性元素是硫，考虑在薄板坯的均热过程（1373K 保温 30min）中，MnS 粒子在奥氏体中发生的粗化，扩散激活能的单位为 J/mol，气体常数 $R = 8.3145$ J/mol·K。

Sun WP 等[36]根据 Turnbull 模型计算出电工硅钢中，在 1373K 时，MnS 和基体间的比界面能 $\sigma = 0.65$ J·m^{-2}。根据公式 8-15 计算，求得试验低碳钢中球形 MnS 粒子的粗化速率约为 4.5nm^3/s。计算表明：直径 20nm 和 40nm 的粒子经 1373K 均热 30min 后，分别长大到 25nm 和 51nm 左右。可见，CSP 工艺的均热温度不高，而保温时间又较短，硫化锰粒子在均热时的粗化速率很小。

从上述公式还可看出，对于在 δ-铁素体中析出、生长并粗化的粒子，由于温度高，扩散系数比在奥氏体中的大得多，其粗化速度明显比在奥氏体中快得多。传统厚板坯工艺生产的低碳钢中，由于硫含量高、铸坯凝固和冷却速度慢（250mm 厚坯在 1100~1470℃ 范围平均冷速约为 9K/min）、液固两相区的温度范围较大等原因，硫化物可能在 δ 相甚至液态形成尺寸较大的夹杂物，并保留在铸坯中。由于硫化物的溶解温度很高，热轧前的再加热难以使其溶解，这些粗大的夹杂物最终被带入成品组织中，损害钢材的性能。

采用薄板坯 CSP 工艺生产时，通过冶金质量控制降低钢的含碳量，提高清洁度，硫通常在十万分之几的水平，少数在万分之几的水平，总氧为 0.002%~0.003%，因此硫化物和氧化物的析出温度通常比传统工艺的低，同时由于快速凝固和快速冷却（50mm 厚坯在 1100~1470℃ 冷速约为 120/min）的特点，使得低碳钢中的硫化物难以在液相、液固两相区或 δ 相区析出。钢坯凝固后随着温度降低，大量硫化物在 γ 相区沉淀，并通过锰的扩散控制而长大。在 γ 相晶界上形核的硫化物长大速度较快，形成尺寸为 200nm 左右或更大的粒子。而在 γ 相晶粒内形成的大量粒子，受锰扩散速度的限制，其长大速度缓慢，在均热过程中粗化程度较小，最终成为尺寸几十纳米的弥散分布粒子。

在铸坯均热或再加热时，由于加热温度以及保温时间的差别，高温时形核生长的硫化物和小的氧化物粒子发生的粗化程度不同，会进一步扩大薄板坯与传统厚板坯中沉淀粒子尺寸与数量的差别。传统工艺厚板坯一般再加热到 1200℃ 保持 3h 左右，而薄板坯的均热温度为 1050～1100℃，均热时间为 20～30min。与传统冷装工艺相比较，薄板坯的均热温度比较低，而且保温时间短，由于扩散系数与温度有指数关系，在较低温度保温时沉淀粒子的粗化速度较小。工艺上的这种差别无疑会对硫化物和小的氧化物粒子的粗化行为产生重要影响，导致高温长时间加热的钢中出现的硫化物、氧化物尺寸大，个数较少，而较低温短时间均热的薄板坯中硫化物、氧化物粒子的尺寸要比传统钢中的小得多，数量则多得多，使硫化物、氧化物以纳米尺寸形式较为弥散地分布在钢中。总之，钢的冷速越快，沉淀相形核率越高，发生粗化的程度越小，则最终组织中存在的粒子数目越多，其平均尺寸越小。

因此，传统工艺厚板坯与薄板坯在凝固速度、冷却速度以及加热温度和时间诸方面的差别正是造成两种工艺生产的钢中硫化物粒子尺寸与数量明显不同的重要原因。

由此可见，在低碳钢中，适当降低钢的含碳量，采用清洁钢生产技术，加快铸坯凝固速度和其后的冷却速度，采用较低的均热温度，限制保温时间等措施是控制钢中硫化物甚至氧化物析出粒子的尺寸、数量与分布的重要因素。这些控制因素不仅适用于 CSP 技术生产的低碳钢，其基本原理也适用于其他的钢铁生产工艺。

8.2.4 凝固与 δ/γ 相变时溶质元素再分布对硫化物析出的影响

前面的讨论是建立在钢中成分均匀分布的基础上的，而实际钢中由于钢液结晶时的分凝效应，分配系数小于 1 的溶质元素如 Mn、S、P、Si、Ti 等将不同程度地富集在枝晶间隙区，在凝固组织中形成溶质浓度分布的波动，这种浓度波动的波长相当于枝晶间距，而浓度波动的范围可以从略大于固相线成分变化到共晶成分（以共晶型为例）。当发生 δ→γ 相变时，如时间允许钢中的溶质元素将发生再分布，各个元素在液态（L）与 δ 相间的分配系数和 δ 与 γ 相之间的分配系数不同，例如在 δ→γ 相变时，锰向 γ 新相富集，而硫和磷则相反向母相 δ 中富集。此外，钢的含碳量、元素的扩散系数、枝晶臂的间距、冷却速度等诸多因素对元素的再分布都有重要影响。因此，需要对不同情况作具体的分析。但可以肯定，这种元素再分布过程将对硫化物的析出行为及其尺寸、分布等有明显影响。表 8-5 给出几种常见元素在钢中的平衡分配系数，供读者参考，其中 $k^{\delta/L}$、$k^{\gamma/L}$ 和 $k^{\gamma/\delta}$ 分别是元素在液相与 δ-铁素体之间、液相与 γ 相之间和 δ 相与 γ 相之间的分配系数。

表 8-5　元素在钢中的平衡分配系数[32]

元　素	$k^{\delta/L}$	$k^{\gamma/L}$	$k^{\gamma/\delta}$
C	0.19	0.34	1.79
Si	0.77	0.52	0.68
Mn	0.76	0.78	1.03
P	0.23	0.13	0.57
S	0.05	0.035	0.70

　　过去有一些工作对钢液凝固过程形成的成分偏聚与钢中硫化物析出的关系进行了理论和实验研究，如伊藤洋一等[26]实验研究了 0.04%C、0.03%S 和不同含锰量（0.3%～1.2%Mn）的钢在不同冷速下的硫化物形态、尺寸、体积分数和分布等，观察到有两类形态的硫化物，一类是团簇型的，除了在凝固过程中由共晶反应生成的外，还有在 δ→γ 转变后形成的，尺寸约几微米；另一类是非团簇型的，分为球形与多边形两种，可能在 δ 相析出，也可在 γ 相析出，根据其析出温度不同，尺寸在二、三十微米（约 1400℃析出）至几微米间变化。实验观察证实在固相中形成的团簇型硫化物明显集中分布在最后凝固的区域，即枝晶间隙区，非团簇型硫化物的分布因尺寸不同而不同，但粗大的硫化物粒子明显倾向于出现在最后凝固的区域。可见，凝固时的成分偏聚对硫化物的尺寸与分布有重要影响，这在含硫较高和含锰较高的钢中尤为明显。

　　Ueshima 等[10]发展了计算碳钢凝固和 δ→γ 相变时溶质元素在枝晶中分布的模型，应用该模型分析了结晶时元素 Si、Mn、P、S 在固相与液相间的分布以及 δ→γ 相变时在 δ 相和 γ 相之间的再分布，并且采用含碳分别为 0.05%、0.13% 和 0.24% 的实验钢（含 Si 约 0.35%，Mn 约 1.4%～1.52%，0.017% P，0.002%S）进行测试比对。研究结果指出：凝固时由于发生 δ→γ 相变，固相中的溶质将发生重新分布，稳定 α 相的元素磷从枝晶间区域向枝晶中心再分布；而稳定 γ 相的元素锰则从枝晶中心向枝晶间富集，但是锰再分布的量很小。图 8-17 给出在冷速分别为 2.7℃/min、27℃/min 和 50℃/min 的低碳钢中（0.13%C，0.35Si，1.52Mn%，0.016%P 和 0.002%S）含碳量对枝晶间锰浓度和磷浓度的影响。随着冷速降低，磷向枝晶中心再分布的量增加；对于碳含量小于 0.1% 的钢，由于结晶为 δ 相的分数增加，使得锰和磷的扩散加快，因

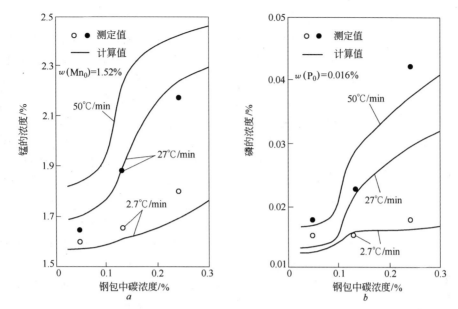

图 8-17　在冷速分别为 2.7℃/min、27℃/min 和 50℃/min 的低碳钢中
(0.13%C，0.35Si，1.52Mn%，0.016%P 和 0.002%S)
含碳量对枝晶间锰浓度和磷浓度的影响[38]
a—碳含量和冷速对枝晶间锰浓度的影响；b—碳含量和冷速对枝晶间磷浓度的影响

而在枝晶间区域锰和磷的浓度并不高。

应用上述数学模型对低碳硅钢中 δ→γ 相变时的 MnS 析出行为进行了分析[13]，理论计算与实验观察表明：由于 MnS 在 γ 相中的溶度积较 δ 相中的低，钢在凝固后并以一定冷速冷却的过程中，MnS 首先在奥氏体区内析出，但是因锰在 γ 相中的扩散速率较低，硫化锰的生长速率很小。与此相对照的是，MnS 一旦在 δ 相中形成，便因锰在其中的高扩散速率而快速生长和粗化，导致试样的 δ 相区中出现大尺寸的硫化物粒子，这些大的析出物显然将继续保留在钢中而损害钢的性能。遗憾的是该工作用于观察析出相的显微镜分辨率不足以观察到尺寸较小的析出粒子（例如 1μm 以下），没有观察到奥氏体中的细小硫化物。

刘中柱等进一步发展了溶质元素显微偏析和夹杂物沉淀析出的耦合计算模型[20, 21]，可以计算凝固过程中溶质元素在液固两相的偏聚情况，并对氧化物、硫化物的沉淀析出进行了模拟计算。

由此可见，由凝固和 δ/γ 相变引起的元素偏聚导致钢中成分的不均匀分布，在一定条件下富溶质区内硫化物与氧化物的析出温度可能明显高于按平均成分计算的热力学析出温度。当硫化物与氧化物在 δ 相枝晶区（即贫溶质区）内开始形核时，枝晶间隙区内（富溶质区）的析出相可能已经发生粗化，从而留下数量少而尺寸大的有害夹杂物。

　　然而，与传统工艺厚板坯（厚度 250mm 左右）相比较，薄板坯（约 50mm 厚）的重要特征在于凝固速度和冷却速度都快了一个数量级，因此其凝固组织中二次枝晶间距小得多。图 7-2 是含 Nb、V 的 0.1%C、1.45%Mn 钢薄板坯（厚度 50mm）与厚板坯（厚度 235mm）中二次枝晶间距的比较，可见薄板坯的二次枝间间距约为几十微米至 130μm 范围，而厚板坯的在 100～300μm 范围[37]。在 CSP 工艺生产的低碳钢中（含 0.18C%、0.09Si% 和 0.30Mn%）实验测得其二次枝晶间距为 90μm 至约 125μm，而传统厚板坯的在 200～500μm 范围[38,39]。由于薄板坯的枝晶间距仅为 100μm 左右，是传统板坯的几分之一，其成分波动的波长小得多，因此成分起伏的程度要小得多。这意味着在薄板坯中溶质元素的分布相对比较均匀，成分偏聚比传统厚钢坯中要小得多。这将明显减少由于成分偏聚导致少数硫化物或其他夹杂物在局部区域的高温生成与快速生长和粗化。

　　对 CSP 低碳钢薄板坯和热轧带的大量实验观察证实，钢中的绝大多数硫化物与氧化物尺寸都很小，基本上在亚微米级，许多分布在晶界上的硫化物尺寸在 200～400nm 范围，明显小于传统工艺钢中的情况。但是由于成分偏聚导致的析出相粒子不均匀分布现象仍然存在。图 8-18 的萃取复型 TEM 照片给出了低碳钢 ZJ330 的一个突出例子，试样内硫化物和氧化物小粒子的分布十分不均匀，可以看出试样中有的区域分布有密度很高的沉淀粒子，而相邻区域几乎没有多少沉淀粒子。这种不均匀分布现象是由钢液凝固时以及随后冷却相变时的成分偏聚所造成的后果。图 8-19 是 ZJ330 钢热轧板薄膜试样的 TEM 像，图 8-19a 是在三个晶界相交处形成的硫化物粒子团簇，其中单个硫化物粒子的尺寸在几十至一、二百纳米范围，比传统工艺钢中的粒子尺寸小得多，而且这种团簇很少在钢中见到；图 b、c 显示沿晶界形成的硫化物颗粒，粒子尺寸约

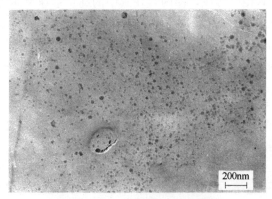

200nm

图 8-18　CSP 工艺低碳钢中不均匀
分布的析出粒子（萃取复型 TEM 照片）

为 100～400nm，显然这种粒子对钢的力学性能有害。

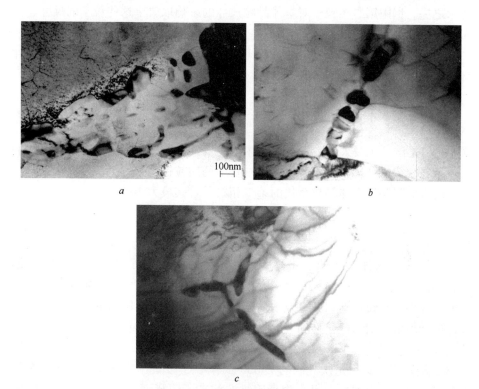

图 8-19　ZJ330 钢热轧板薄膜试样 TEM 像

a—CSP 工艺低碳钢中的硫化物粒子团簇；*b*、*c*—沿晶界析出的硫化物

8.3　纳米尺寸硫化物、氧化物对钢板组织与性能的影响

8.3.1　纳米级硫化物与氧化物的细化晶粒作用

在 CSP 工艺生产过程中，低碳钢（w（C）$\leqslant 0.07\%$）由凝固到成品钢板所经历的转变过程包括：$\delta \to \gamma$ 相变，γ 相的形变再结晶，γ 相冷却时的分解以及在 δ 相、γ 相、α 相中可能发生的第二相粒子析出等。发生相变时，一个新相的形成通常包括形核、生长和粗化三个阶段。而变形金属发生再结晶时，则是通过新的再结晶晶粒的形核、生长和粗化过程实现的。因此，不论是通过再结晶细化奥氏体晶粒，还是通过 $\gamma \to \alpha$ 相变来细化组织，这些不同温度范围的不同转变过程中都涉及到新晶粒（新相晶粒或再结晶晶粒）的形核、生长与粗化问题。因而细化晶粒的方法大体上包括两个方面，即：（1）提高形核率，生成尽可能多的新相核心（或再结晶核心）；（2）限制新晶粒长大以及防止晶粒

粗化。利用第二相粒子阻止晶粒长大达到细化晶粒是最重要而且应用最广泛的技术之一。钢中第二相粒子对基体晶粒尺寸的影响取决于这些粒子的尺寸、分布、体积分数以及析出温度。

已有的研究指出[40]：生长中的晶粒由于被第二相粒子钉扎，其晶粒尺寸将被限制为 D_Z，它与第二相粒子的半径 r 及其体积分数 f_v 之间有以下关系：

$$D_Z = \frac{\pi r}{3 f_v} \left(\frac{3}{2} - \frac{2}{Z} \right) \tag{8-16}$$

式中，Z 是试样中最大晶粒与平均晶粒尺寸之比，一般可采用 2 与 $\sqrt{2}$ 之间的值。上述规律也适用于奥氏体再结晶过程中的晶粒粗化。

能有效限制奥氏体晶粒粗化的第二相粒子，其最大半径 r_{crit} 为[41]：

$$r_{crit} = \frac{6 R_0 f_v}{\pi} \left(\frac{3}{2} - \frac{2}{Z} \right)^{-1} \tag{8-17}$$

式中，R_0 是奥氏体基体的初始晶粒尺寸。由实验结果可知：在 CSP 低碳钢 ZJ330 中，晶内的硫化物粒子大小为 30～60nm，晶界上硫化物的尺寸约为 200nm 左右，通过试验或理论方法求出硫化物和纳米氧化物的体积分数 f_v，可以估计出由于纳米硫化物和氧化物粒子的阻碍所限制的奥氏体再结晶晶粒尺寸范围。

图 8-20 是经第一道次轧制的 ZJ330 试样中迁移晶界被小粒子钉扎的实验观察。图中的晶界在长大过程中，因被沉淀粒子阻碍而呈现出弯弯曲曲的形状，图 8-20b 中的晶界 AB 正在向图片的左下方运动，这个迁移晶界由于受到小粒子的钉扎而在中间被拖出一段"尾巴"，并在后方留下一个小的球形晶界（如图中箭头所指）。

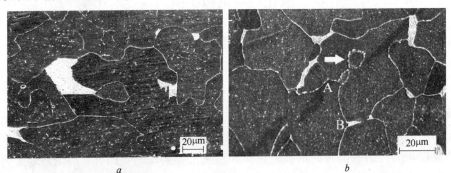

图 8-20 ZJ330 试样中迁移晶界被小粒子钉扎的实验观察
a—SEM 照片显示钢中晶界被沉淀粒子钉扎而呈现出弯曲形状；
b—正在向左下方运动的晶界 AB 因被小粒子钉扎而留下一圈小圆形晶界（箭头所指）

在高温下第二相粒子本身也会长大和粗化，由此导致被钉扎的基体晶粒继续长大，因此，只有在钢的冷速比沉淀粒子粗化速度更快的条件下，才可获得细化的组织。图 8-21a、b 分别给出 CSP 线生产低碳钢（0.18C%，0.09Si% 和 0.30Mn%）的铸坯与变形 55% 后快冷到室温的组织。粗略估计铸坯的奥氏体晶粒尺寸约 0.2～2mm，而第一道次轧后（变形 55%）的奥氏体晶粒尺寸急剧减小到约为 100～200μm，由于低碳钢在第一道轧制时发生动态再结晶，因此图 8-21b 是动态再结晶的奥氏体冷却到室温的组织。

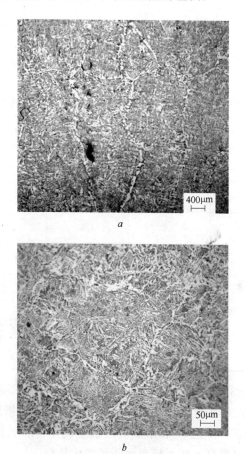

图 8-21　CSP 薄板坯的室温显微组织照片

a—铸坯的心部区域；b—轧制变形 55% 后冷却到室温的组织

8.3.2　纳米硫化物与氧化物粒子对 γ→α 转变的影响

当奥氏体随着温度降低发生 γ→α 转变时，相变前析出的第二相粒子对相变的可能影响有：（1）作为新相的择优形核地点，提高形核率；（2）阻碍新相的晶粒长大与粗化。当第二相粒子与 α-Fe 相的错配度足够小时，在 γ→α 转变之前析出的沉淀粒子就可以作为相变时铁素体的有效非均匀形核位置而促进相变。

钢中硫化物（包括硫化锰、硫化铁和硫化铜）和铁素体的低指数晶面 (hkl) 间的错配度计算结果示于表 8-6，氧化铁和铁素体的错配度也在该表中给出。在几种硫化物、氧化物中，除了 FeS_2 以外，其他几种析出相都具有相同的晶体结构，即具有面心立方晶体 $Fm\bar{3}m$ 结构，它们的点阵常数分别为：

MnS：a＝0.524nm；Cu_2S：a＝0.56286nm；

FeO：（Wustite），a＝0.4293nm；

FeS_2（pyrite），a＝0.5417nm, cubic。

表 8-6　铁素体和硫化物、氧化物低指数晶面 (hkl) 间的错配度　　（％）

晶面 $hkl_{\alpha-Fe}/hkl_{MnS}$	100/111	110/220	111/220	111/311
错配度（α—Fe/MnS）%	5.25	8.6	10.7	4.53
晶面 $khl_{\alpha-Fe}/hkl_{Cu_2S}$	100/200	110/220	111/311	111/222
错配度（α—Fe/Cu₂S）%	1.6	1.6	2.48	1.82
晶面 $khl_{\alpha-Fe}/hkl_{FeS_2}$	100/200	110/211	110/220	111/311
错配度（α—Fe/FeS₂）%	5.8	9.1	5.8	1.3
晶面 $khl_{\alpha-Fe}/hkl_{FeO}$	100/110	110/200	111/211	111/220
错配度（α—Fe/FeO）%	5.9	5.9	5.9	9.3

由此可见，MnS、FeS_2、Cu_2S 以及 FeO 等都是立方系晶体，它们与铁素体的低指数晶面间的错配度都很小，仅为百分之几，这些析出粒子都能作为铁素体的有效形核地点，促进 α-相形成。当这些硫化物和氧化物粒子的数量足够多时，它们可通过提高 α 相形核率而明显细化晶粒。

在奥氏体中生成的硫化锰粒子对相变时 α 相形核的影响主要有两方面作用：其一，由于 MnS 与铁素体晶体的错配度很小，铁素体在硫化锰粒子上形核时的界面能很小，因而是 α 相的有效择优形核地点；其二，在相变温度由于 MnS 粒子的析出与生长导致在粒子周围的基体中形成一个贫锰区，使该区局部的 Ar_3 相变温度提高而促进铁素体生成[42,43]。图 8-22 是对硅钢计算得到的奥氏体中一个 MnS 析出粒子周围元素锰和硫的分布，从理论上证实了在 MnS

析出粒子的界面处，基体中存在明显的贫锰区[10]，因而明显提高了在这个局部区域的铁素体形成温度，优先发生 γ→α 转变。但是这个相变过程与锰的扩散之间存在竞争关系，因此，对铁素体生成的影响还取决于 MnS 形成的温度和钢的冷却速度。

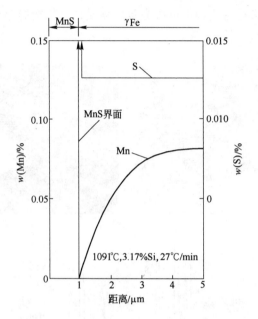

图 8-22 在奥氏体中一个 MnS 粒子周围
元素锰和硫的分布[10]

由于在 CSP 生产线的最后一道轧制是低碳钢的奥氏体非再结晶区，因此，终轧后冷却过程中变形奥氏体发生分解转变时，不仅奥氏体的晶界和变形带是铁素体新相的择优形核地点，先析出的硫化物与氧化物粒子也提供了择优形核地点，可起到进一步细化最终组织的作用。

8.3.3 硫化物对其他沉淀相的形核作用

在 EAF-CSP 工艺生产的低碳热轧钢板中，还观察到有细小的碳化物和氮化物粒子。而且用透射电镜观察到试样冷却时碳化物以硫化物粒子作为形核地点在硫化物上生长的现象。图 8-23 给出了这个现象的实验证据。EDXS 分析证实图 8-23a 的萃取复型形貌像上小球形粒子是硫化物（硫化锰或硫化锰铁），而杆状或十字形粒子是碳化物，其中一个有代表性的 EDXS 谱如图 8-23c 所示，碳化物中还含有少量的硅。绝大部分碳化物粒子都和球形硫化物相关联，看来它们是在硫化物粒子的表面上形核与生长的。图 8-23b、d、e 是薄膜试样用透射电镜得到的结果，进一步证实了碳化物在硫化物上形核生长的现象，图 8-23b 中一大一小两个粒子都以硫化铜为核心，其中较大粒子黑色心部的 EDXS 谱由图 8-23d 给出，可见主要为硫化铜，但还含有少量铁与锰。图 8-23e 是这个大粒子白色外围部分的 EDXS 谱，主要元素有铁、氧和碳，还有很少量的硅与锰。可见硫化铜也可成为碳化物或碳氧化物的形核地点，后者能够从它的表面形核与生长。

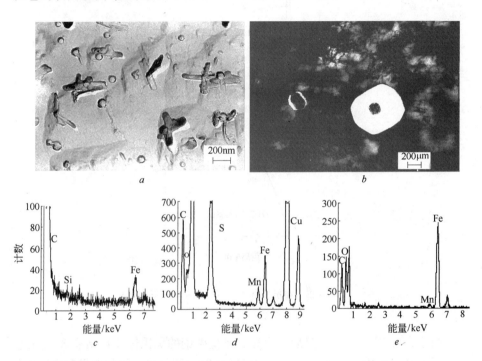

图 8-23　碳化物或碳氧化物在硫化物粒子上形成的实验观察
a—萃取复型试样的 TEM 像；b—薄膜试样中的硫化铜（含有铁、锰）粒子，该粒子周围白色的多边形粒子为碳氧化物；c—图 a 中杆状粒子的 X 射线能谱；d—图 b 中大粒子心部的 X 射线能谱；e—大粒子外围部分的 X 射线能谱

对低碳钢多个萃取复型试样和薄膜试样的透射电镜观察与分析结果表明：在硫化物上形核与生长的是碳化物或碳氧化物。观察到许多碳氧化物的小粒子，关于碳氧化物的本质及其析出过程还有待进一步研究澄清。因此，在一定条件下，碳化物的析出与硫化物有关，较高温度析出的硫化物可以作为其后较低温度析出碳化物的非自发形核地点，这将导致碳化物的析出行为和分布发生变化。但是硫化物的析出又和细小氧化物的析出与分布有关。

古原忠等人[44]的工作曾统计过在不同铁素体晶粒尺寸以及存在晶体缺陷

的情况下，渗碳体在硫化锰粒子上形核析出的比例，证实在晶粒粗大而且晶粒内没有多少位错等缺陷的条件下，晶粒内的 MnS 粒子是渗碳体在晶内的主要非均匀形核地点。但是在存在晶体缺陷（例如由于快速冷却发生 $\gamma \rightarrow \alpha$ 转变而引入位错）的钢中，渗碳体主要在铁素体内的位错上生成。

在添加微量钛的低碳钢中，硫化物也可能作为氮化钛的核心，图 8-24 给出一个实例，图 8-24a 是含微量钛的 CSP 低碳钢连铸坯的扫描电镜（SEM）二次电子像，显示出有几个 TiN 析出粒子，左边白色方形粒子中心有一个灰色的"核心"（用箭头指出），EDXS 能谱分析证实这个灰色"核心"是（Mn，Fe）S（图 8-24b），而方形粒子外围和其他方形粒子都是 TiN。

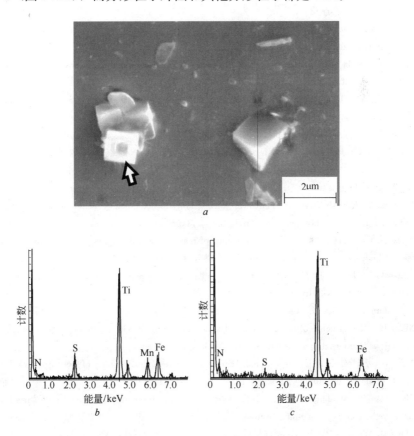

图 8-24 含微量钛的 CSP 低碳钢连铸坯中以硫化物为形核地点生成的 TiN 粒子

a—SEM 二次电子像；b—图 a 中方形粒子中心灰色球（箭头所指）的 EDXS 谱；

c—图 a 中方形粒子边沿区的 EDXS 谱

参 考 文 献

1　李代钟. 钢中的非金属夹杂物. 北京：科学出版社，1983

2　Mintz B, Mohamed Z. Influence of Manganese and Sulphur on Hot Ductility of Steels Heated Directly to Temperature, Materials Science and Technology, 1989, 5：1212~1219

3　Yoichi ITO, Noboru Yonezawa, Kaichi Matsubara. The Composition of Eutectic Conjugation in the Fe-Mn-S System, Transaction ISIJ, 1980, 20：19~25

4　Yoichi ITO, Noboru Yonezawa, Kaichi Matsubara. Effect of Carbon on the Composition of Eutectic Conjugation in the Fe-Mn-S System and Equilibriun Composition of Sulfide in Solid Steel, Transaction ISIJ, 1980, 20：301~308

5　Goto H, Miyazawa K I, Honma H. Effect of the primary oxide on the behavior of the oxide precipitating during solidification of steel, ISIJ International (Japan), 1996, Vol. 36, No. 5：537~542

6　Kim H S, Lee H G, Oh K S. Precipitation behavior of MnS on oxide inclusions in Si/Mn deoxidized steel, Metals and Materials (South Korea), 2000, Vol. 6, No. 4：305~310

7　Hisashi Takada, Isamu Bessho, Takamichi Ito. Effect of Sulfur Content and Solidification Variables on Morphology and Distribution of Sulfide in Steel Ingots, Transaction ISIJ, 1978, 18：564~573

8　Masamitsu Wakoh, Takashi Sawai, Shozo Mizoguchi. Effect of S Content on the MnS Precipitation in Steel with Oxide Nuclei, ISIJ International, 1996, Vol. 36, No. 8：1014~1021

9　Hiroshi Yaguchi. Manganese Sulfide Precipitation in Low-Carbon Resulfurized Free-Machining Steel, Metallurgical Transaction A, 17A, 1986：2080~2083

10　Ueshima Y, Yasushi Sawada, Shozo Mizoguchi, Hiroyuki Kajioka. Precipitation Behavior of MnS during δ/γ Transformation in Fe-Si Alloys, Metal. Trans. A, 20A, 1989, 1375~1383

11　Nagasaki C, Atzawa A, Kihaba J. Influence of manganese and sulphur on hot ductility of carbon steels at high strain rate, Transactions ISIJ, 1987, 27：506~512

12　Nagasaki C, Kihara J. Evaluation of intergranular embrittlement of a low carbon steel in austenite temperature range, ISIJ International, 1999, 39 (1)：75~83

13　Nakamura Y, Esaka H. Tetsu to Hagane, 1981, Vol. 67：140

14　Mintz B. The influence of composition on the hot ductility of steels and to the problem of transverse cracking, ISIJ International, 1999, 39 (9)：833~855

15　Yasumoto K, Maehara Y, Ura S, et al. Effect of sulphur on hot ductility of low-carbon steel austenite, Materials Science and Technology, 1985, 1 (11)：111~116

16　Yasumoto K, Maehara Y, Ohmori Y. Surface cracking mechanisms of lowcarbon lowalloy steel slabs, McMaster Symposium on Iron and Steelmaking (Proceedings), 1985, No. 13：74~107

17　Mintz B, Wilcox J R, Crowther D N. Hot ductility of directly cast C-Mn-Nb-Al steel, Materials Science and Technology, 1986, 2 (6), 589~594

18　Suauki H G, Nishimura S, Yamaguchi S. Characteristics of hot ductility in steels subjected to the melting and solidification, Transactions ISIJ, 1982, 22：48~56

19　Ing Rob F, Gadellaa, Dr Ir Piet J. Kreijger , Dr. Ir. Marc C. M. Cornelissen, Ir. Boris Donnay, Ir. Jean Claude Herman, Dr. Ir. Vincent Leroy. Metallurgical Aspects of Thin Slab Casting And Rolling of Low Carbon Steels, 2nd Europ. Conf. Continuous Casting (METEC 94), Volume 1, Dusseldorf，June 20～22，1994：382～389

20 Liu Zhongzhu，Kejing Gu，Kaike Cai．Mathematical Model of Sulfide Precipitation on Oxides during Solidification of Fe-Si Alloy，ISIJ International，2002，42 (9)：950～957

21 Liu Zhongzhu，Jun Wei，Kaike Cai．A Couple Mathematical Model of Microsegregation and Inclusion Precipitation during Solidification of Silicon Steel，ISIJ International，2002，42 (9)：958～963

22 Liu Delu，Chen Nanjing，Huo Xiangdong，Wang Yuanli，Fu Jie，Kang Yongling．Nano-Scaled Precipitates In Low Carbon Steels Produced By EAF-CSP Process．Proceedings of 2002 International Symposium on CSP Process (Proc. of TSCR' 2002)，Guangzhou，2002，3～6

23 霍向东，柳得橹，王元立，柏明卓 孙贤文 康永林．CSP工艺低碳钢中的纳米尺寸硫化物．钢铁，2005

24 霍向东．薄板坯连铸连轧低碳钢的晶粒细化和析出相研究：[博士学位论文]．北京：北京科技大学，2004

25 柏明卓．CSP工艺生产低碳钢中细小析出相的研究：[硕士学位论文]．北京：北京科技大学，2005

26 Ito Y，Narita N，Matsubara K．Precipitation behavior of manganese sulfide in the steel transformed from-ferrite to austenite after solidification，Tetsu to Hagane，1981，No. 6：107～115

27 Martin J W，Doherty R D，Cantor B．Stability of microstructure in metallic systems，2nd ed．Cambridge University Press，1997：87～99

28 Han Z Q，Cai K K，Liu B C．Prediction and analysis on formation of internal cracks in continuously cast slabs by mathematical models．ISIJ International，2001，41 (12)：1473～1480

29 傅杰，周德光，李晶，柳得橹，康永林，王中丙，李烈军，陈贵江．低碳超级钢中氧硫氮的控制及其对钢组织性能的影响．云南大学学报（自然科学版），2002，24 (1A)：158～162

30 R. W. 卡恩 主编．物理金属学，中册．北京：科学出版社，1985

31 冯端等著．金属物理学（第二卷）相变．北京：科学出版社，1990：224

32 Ueshima Y，Mizoguchi S，Matsumiya T，et al．Analysis of solute distribution in dendrites of carbon steel with δ/γ transformation during solidification．Metallurgical Transactions B，1986，17B (4)：845～859

33 Cornelissen MCM，Mathematical model for solidification of multicomponent alloys，Ironmaking and Steelmaking，1986，13 (4)：204～211

34 雍岐龙，李永福，孙珍宝等．第二相与晶粒粗化时间及粗化温度．钢铁，1993，28 (9)：45～50．

35 雍岐龙，刘清友，刘苏，白埃民．硫化锰在钢中的Ostwald熟化过程的控制性元素的理论分析．特殊钢，25 (6)，2004：7～9

36 Sun W P，Militzer M，Jonas J J．Strain-Induced Nucleation of MnS in Electrical Steels，Metallurgical Transactions A，1992，23A：821～830

37 Radko Kaspar．Microstructural aspects and optimization of thin slab direct rolling of steels．Steel Research，2003，74 (5)：318～326

38 Zhou Deguang，Fu Jie，Wang Zhongbing，Li Jing，Xu Zhongbo，Liu Delu，Kang Yonglin，Chen Guijiang，Li Liejun．Characteristics of Casting Structure of CSP Thin Slab，Proceedings of International Symposium on Thin Slab Casting and Rolling (TSCR' 2002)，December 3～5，Guangzhou，China，2002：355～360

39 Wang Yanfeng，Zhongbo Xu，Zhenbiao Zhang，En Tang．Investigation of solidification structure，

Proc. of International Symposium on Thin Slab Casting and Rolling (TSCR' 2002), Guangzhou, China, 2002, 361~367

40　Martin J W, Doherty R D, Cantor B. Stability of microstructure in metallic systems (Second edition), Cambridge University press, Cambridge, 1997: 326

41　Paimiere E J, Garcia C I, DeArdo A J. Compositional and microstructural changes which attend reheating and grain coarsening in steels containing Nb, Metal. and Mater. Trans. A, 1994, Vol. 25A: 277~286

42　赤松聡, 瀬沼武秀, 矢田浩. CAMP-ISIJ, 1989, 2: 193

43　Furuhara T, Yamaguchi J, Sugita N, Miyamoto G, Maki T. Nucleation of Proeutectoid Ferrite on Complex Precipitates in Austenite. ISIJ International, 2003, 43 (10): 1630~1639

44　古原忠, 下畠幸郎, 和田健司, 牧正志. 极低碳素钢におけるセメタイトのMnS上复合析出におよぼすフュライト下部组织の影响. 铁と钢, 1994, 80 (4): 64~69

9 薄板坯连铸连轧钢中氮化物析出形态与机制[❶]

9.1 钢中 AlN 粒子的析出

在过去的 40 多年里，人们对铸造[1]、热轧[2]、冷轧[3]及锻造[4]等传统工艺利用热处理（正火、回火、退火、淬火等）、热模拟机等辅助手段，研究了AlN 的形成、形貌及析出热力学和动力学规律，为理论和生产实践提供了有价值的参考。人们在研究中发现，AlN 在晶界上大量析出，容易导致脆性，使热塑性下降；当 AlN 在位错线上形核时，对热塑性影响较小，并可延缓再结晶及晶粒长大；AlN 粒子的尺寸范围波动很大，从几纳米到数十微米；表观形貌各异，有枝晶状、片状、针状、棒状及立方状等多种形状；具有立方晶体、NaCl 结构的立方晶体及六角晶体等多种晶体结构。立方 AlN 晶体是一种过渡状态，此时的 AlN 粒子尺寸细小，当 AlN 粒子长大到一定程度时，出现原子的重排，形成六角 AlN 晶体。

9.1.1 AlN 第二相粒子的形貌及分布

用常规工艺生产的普通低碳钢中，由于没有加入合金元素，一般认为不存在析出强化作用，但在用 CSP 工艺生产的低碳钢热轧薄板中却发现存在大量的、能起沉淀强化作用的细小弥散的第二相析出粒子。

在 H-800 透射电镜下发现 CSP 工艺热轧薄规格板（1.0mm）中形成了大量微小的弥散析出相粒子。在此仪器条件下，发现晶内析出的 AlN 粒子的含量极少，线度约在 30nm 左右，在晶界处没有观察到 AlN 粒子的存在。图 9-1为一典型的晶内析出的 AlN 粒子，其尺寸约为 50nm 左右。

TEM 薄晶体透射电镜实验，对在晶界上析出、尺寸为微米级的析出物粒子较为敏感和准确，而对在位错线上析出的尺寸为纳米级的第二相粒子则不敏感；对于小于 50nm 的析出相粒子，在薄晶体试样中无法采用传统的选区衍射进行识别[6]，萃取复型对尺寸大于 5nm 的析出相粒子较为有效，但却极大地依赖于操作者和操作过程。

---

❶ 本章由于浩副教授撰写。

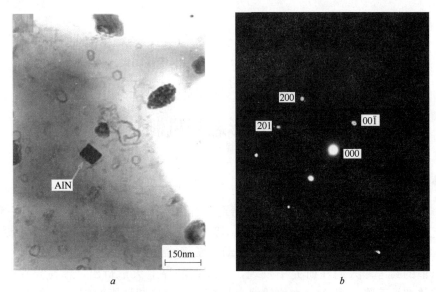

图 9-1　AlN 的 TEM 形貌及衍射斑指标化

a—形貌；*b*—衍射斑

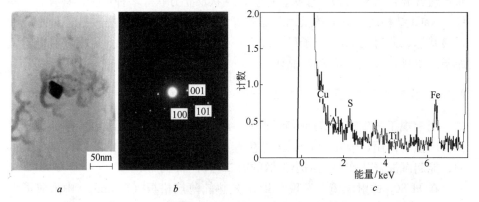

图 9-2　萃取复型试样中 AlN 粒子的 TEM 照片、衍射斑及 EDAX 谱

a—形貌；*b*—衍射斑；*c*—EDAX 谱

　　使用萃取复型试样在 JEM—2010F 型透射电镜下观察到的 AlN 粒子形貌如图 9-2 所示。此 AlN 粒子的尺寸约为 40nm，但没有观察到尺寸小于 10nm 的 AlN 粒子的存在。

　　文献 [6～8] 认为，电解萃取化学相分析技术是薄晶体透射、萃取复型等众多试验技术中最为准确和可靠的方法。图 9-3 是用电解萃取技术得到的析出物粉末的 X 射线衍射图，所用仪器为装有 Co 靶的 APD-10 型 X 射线衍射仪，由 ASTM（08-0262）卡片得到的 AlN 第二相粒子的三强线 *d* 值及 2*θ* 值见表 9-1，对比图 9-4 和表 9-1 中的相关数据，可认为析出物中有 AlN，且为六角晶体。

表 9-1 AlN 粒子的三强线 *d* 值及 *2θ* 值

d/nm			*2θ*/ (°)		
0.27000	0.24900	0.23720	38.694	42.106	44.309

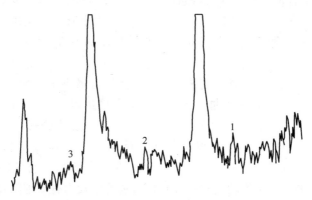

图 9-3 电解萃取化学相分析 X 射线衍射图

1—*d*=0.26861nm, *2θ*=38.9°；2—*d*=0.24959nm, *2θ*=42.1°；

3—*d*=0.23922nm, *2θ*=44.9°

取适量电解萃取化学相分析中得到的含 AlN 的析出物粉末放入无水乙醇中，利用超声波振荡将粉末充分打散，使之均匀地分布在乙醇溶液中；用铜网捞取少许，置于 H-800 透射电镜下观察，发现多数第二相粒子非常细小，形貌如图 9-4*a* 所示，另外部分第二相粒子尺寸较大（图 9-4*b*），第二相粒子的平均尺寸约为 8nm 左右。通过电解萃取化学相分析表明，ZJ330 低碳钢 1.0mm 热轧薄板中 AlN 析出相粒子的质量分数为 0.0064%。

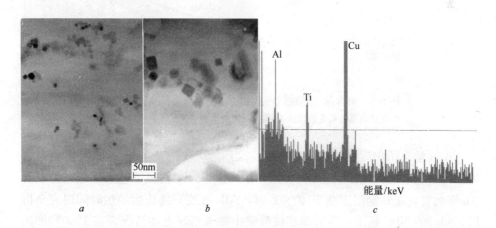

图 9-4 化学相分析中含 AlN 析出物粉末的 TEM 照片（*a*、*b*）及 EDAX 谱（*c*）

a—尺寸较小的粒子；*b*—尺寸较大的粒子；*c*—图 9-4*a* 中某粒子的 EDAX 谱

9.1.2 影响 AlN 第二相粒子析出的因素

文献[9]用热扭转实验研究了普碳钢中 [Al]、[N] 的固溶及 AlN 的析出规律。[Al] 的含量升高，在一定温度范围内，AlN 的析出速度增大，引起流变应力升高；而 [N] 含量升高，反而使流变应力下降。该文用晶格常数、弹性模量、外围电子团作用等方面对 [Al]、[N]、AlN 等的硬化及软化作用进行了探讨。

文献 [10] 指出：在常规工艺过程中，当铝含量小于 0.04％（质量分数）时，粗化温度随铝含量的增加而升高；当铝含量达到 0.04％时，粗化温度达到最大值，见图 9-5a。若铝含量继续增加，由溶解度积公式可知，AlN 在较高温度析出，此时 AlN 容易聚集长大，反而使粗化温度降低。铝含量为 0.0325％时，AlN 在 890～900℃析出，不易聚集长大，可有效的控制晶粒的生长，故晶粒的粗化温度较高。铝及其化合物可以较为有效地阻止高温奥氏体晶粒的长大，晶粒粗化温度与晶粒直径的关系见图 9-5b[11]；控制均热温度，使其低于奥氏体晶粒的粗化温度，是获得具有优良综合力学性能产品的前提条件之一。

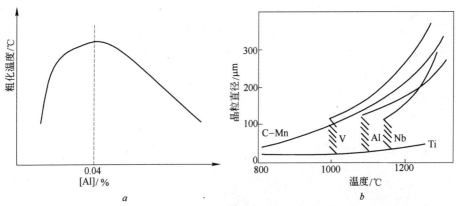

图 9-5 铝含量、晶粒粗化温度及与奥氏体晶粒直径的关系
a—铝含量与晶粒粗化温度的关系；b—微合金钢的奥氏体晶粒的粗化特性

AlN 动态析出时的应变速率很小，当 $\dot{\varepsilon} > 0.1\mathrm{s}^{-1}$ 时，就不能发生动态析出；轧制温度极大地影响着钢中 AlN 的析出[12]。在常规工艺条件下，对于含 Nb 钢而言，在轧制温度低于 1000℃时，AlN 在变形终止后的短时间内完全析出，80％的 NbC 析出；在普碳铝镇静钢中并未出现上述情况。在 1260℃加热 2h 可使晶间的 AlN 完全溶解，而在 1150℃加热 6h 只能使它部分溶解，可见 AlN 的溶解过程进行得很慢；在更低的温度保温 6h 并未发生任何溶解，在

850℃等温 48h，仍保持非常细小的状态，
没有长大的迹象，故其粗化过程是非常缓
慢的[10]。

　　AlN 析出的动力学行为与 Nb（CN）、
VN 的析出动力学行为相似，AlN 析出速度
最快的温度范围在 900～1000℃；在图 9-6
中[13]，AlN 的析出起始温度在 1050℃左
右。在常规工艺过程的冷却状态下，AlN
在奥氏体区的析出速度非常慢，这是因为
在奥氏体区，AlN 可以在一定的再加热温
度下溶解，且在冷却的条件下，仍能保持
固溶状态不变。

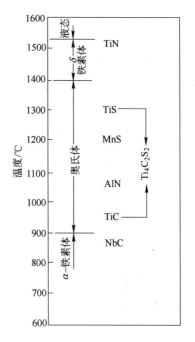

图 9-6　IF 钢中观察到的第二相
粒子的析出起始温度

9.2　AlN 粒子析出热力学分析

　　在过去的 AlN 析出研究中，由于不能
真实的再现 AlN 的形貌，便不能准确地描
述 AlN 析出的热力学和动力学规律。目前，
在 CSP 低碳铝镇静钢薄板坯连铸连轧研究
领域内，关于 CSP 技术变形过程中 AlN 第
二相粒子形貌及析出动力学规律等方面的研究尚未见报道。由电解萃取化学相
分析可知，在析出物的种类与含量中，AlN 占有较大的比例，且由文献[12]
了解到其对组织性能有重要的影响。以下从热力学角度出发，研究了 AlN 粒
子的平衡析出规律，这对于分析其动力学析出规律具有重要的理论意义。

9.2.1　AlN 粒子析出的热力学[14~17]

$$\text{Al}_{(l)} = [\text{Al}] \quad \Delta G_1^{\ominus} = -63170 - 27.91T \tag{9-1}$$

$$\frac{1}{2}\text{N}_{2(g)} = [\text{N}] \quad \Delta G_2^{\ominus} = 10795 + 21.00T \tag{9-2}$$

$$\text{Al}_{(l)} + \frac{1}{2}\text{N}_{2(g)} = \text{AlN}_{(s)} \quad \Delta G_3^{\ominus} = -327063 + 115.52T \tag{9-3}$$

$$[\text{Al}] + [\text{N}] = \text{AlN}_{(s)} \tag{9-4}$$

$$\begin{aligned}
\Delta G^{\ominus} &= \Delta G_3^{\ominus} - \Delta G_2^{\ominus} - \Delta G_1^{\ominus} \\
&= -327063 + 115.52T - (10795 + 21.00T) - \\
&\quad (-63170 - 27.91T) \\
&= -274688 + 122.43T
\end{aligned} \tag{9-5}$$

上述各式中，$\Delta G_1^{\ominus}$、$\Delta G_2^{\ominus}$、$\Delta G_3^{\ominus}$、$\Delta G^{\ominus}$分别为各反应在给定温度下的标准吉布斯自由能，T为绝对温度。

反应式 9-5 中的平衡常数 K 由下式确定：

$$K = \frac{\alpha_{AlN(s)}}{\alpha_{[Al]}\alpha_{[N]}} = \frac{1}{f_{Al}[\%Al]f_N[\%N]} \tag{9-6}$$

将式 9-6 两边取对数，整理得：

$$\lg K = -\frac{\Delta G^{\ominus}}{2.3RT} = -\frac{-274688 + 122.43T}{2.3 \times 8.314T} = \frac{14364.87}{T} - 6.4 \tag{9-7}$$

$$-\frac{14364.87}{T} + 6.4 = \lg[\%Al] + \lg[\%N] + \lg f_{Al} + \lg f_N \tag{9-8}$$

上述各式中，R 为气体常数，f_{Al}、f_N 分别为钢液中铝和氮的活度系数。

$$\lg f_{Al} = \frac{1873}{T}\lg f_{Al(1873K)} \tag{9-9}$$

$$\lg f_N = \frac{1873}{T}\lg f_{N(1873K)} \tag{9-10}$$

式中，$f_{Al(1873K)}$、$f_{N(1873K)}$分别为 1600℃时钢液中铝和氮的活度系数。

计算 AlN 溶解度积所需的活度相互作用系数如表 9-2 所示。

表 9-2　计算 AlN 溶解度积所需的活度相互作用系数

活度系数	C	Mn	Si	P	S	Cu	Al	N	O
Al	0.091	0	0.0056	0	0.03	0.006	0.045	−0.058	−6.6
N	0.13	−0.021	0.047	0.045	0.007	0.009	−0.028	0	0.05

则

$$\lg f_{Al(1873K)} = -0.0094396 \tag{9-11}$$

$$\lg f_{N(1873K)} = 0.004864 \tag{9-12}$$

$$\lg f_{Al} = \frac{1873}{T} \times \lg f_{Al(1873K)} = \frac{1873}{T} \times (-0.0094396) = \frac{-17.6803708}{T} \tag{9-13}$$

$$\lg f_N = \frac{1873}{T} \times \lg f_{N(1873K)} = \frac{1873}{T} \times 0.004864 = \frac{9.110272}{T} \tag{9-14}$$

将式 9-13 和式 9-14 的结果代入式 9-8 中得下式：

$$-\frac{14364.87}{T} + 6.4 = \lg[\%Al] + \lg[\%N] - \frac{17.6803708}{T} + \frac{9.110272}{T} \tag{9-15}$$

则有
$$\lg[\%Al][\%N] = -\frac{14356}{T} + 6.40 \tag{9-16}$$

根据溶解度积公式，可作出 AlN 粒子的溶解度曲线如图 9-7 所示。

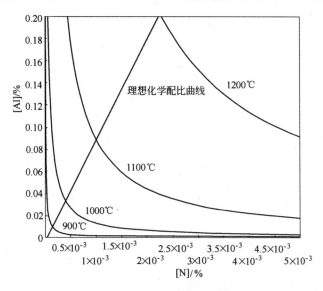

图 9-7　AlN 的溶解度曲线

9.2.2　薄板坯连铸连轧生产 ZJ330 钢中 AlN 粒子析出的影响因素

因为薄板坯连铸连轧工艺与传统工艺有着显著差异，所以在薄板坯连铸连轧工艺中，虽然 AlN 粒子的热力学析出规律同样受化学成分、温度等的影响，但有不同于传统工艺的特征。

9.2.2.1　ZJ330 钢的液、固相线温度[14]

为研究 CSP 技术生产的 1.0mm 热轧低碳钢（珠钢牌号 ZJ330）薄板过程中 AlN 第二相粒子的析出行为，首先研究其液、固相线温度，该钢种的化学成分如表 9-3 所示。

表 9-3　CSP 生产的 1.0mm 热轧低碳钢薄板的主要化学成分

成　分	C	Mn	Si	P	S	Cu	Als	N	O_{total}
含量(质量分数)/%	0.070	0.325	0.03	0.015	0.005	0.140	0.0338	0.0047	0.0028

该钢的液相线和固相线温度的计算公式如下：

$$T = 1538 - \Sigma\Delta T \times x\% \tag{9-17}$$

ΔT 是某种元素含量为 1%（质量分数）时熔点的降低值，℃；$x\%$ 为某元素的质量分数。表 9-4 为计算固、液相线温度所用到的 ΔT 值。

表 9-4 计算固、液相线温度所用到的 ΔT 值

元　素	C	Mn	Si	P	S	Cu	Al	N	O
液相线 ΔT/℃	65	5	8	30	25	7	3	90	80
固相线 ΔT/℃	175	30	20	280	575	0	7.5	0	160

冶炼过程中：

$$T_{液} = 1538 - [65 \times 0.07 + 5 \times 0.325 + 8 \times 0.03 + 30 \times 0.015 + 25 \times$$
$$0.012 + 7 \times 0.14 + 3 \times 0.035 + 90 \times 0.0047 + 80 \times 0.0028]$$
$$\approx 1529℃ = 1802K \tag{9-18}$$

$$T_{固} = 1538 - [175 \times 0.07 + 30 \times 0.325 + 20 \times 0.03 + 280 \times 0.015 +$$
$$575 \times 0.012 + 0 + 7.5 \times 0.035 + 0 + 160 \times 0.0028]$$
$$\approx 1504℃ = 1777K \tag{9-19}$$

所以本钢种的液、固相线温度分别为 1529℃ （1802K）和 1504℃ （1777K）。

9.2.2.2 化学成分的影响

从表 9-3 中可以看出，ZJ330 低碳钢与国标 GB 700—88 Q195 钢的化学成分相比，CSP 技术生产的 ZJ330 低碳钢的 C、Si、P、S、N 等的含量均较低，实际生产过程中，硫含量控制在 0.005% 以下。由于 ZJ330 低碳钢中 [N] 的含量比较低，因而在热力学平衡状态下析出 AlN 的温度相对较低。对于本钢种来说，由溶解度积公式 9-16 和表 9-3 计算可以得出：AlN 的开始析出温度为 1135℃，与有关文献的实验数据相符[18,19]。

随着钢液温度的降低，AlN 粒子在钢液中的溶解度下降，溶解度的大小直接影响着析出驱动力的大小。本钢种的液、固相线温度分别约为 1529℃ 和 1504℃，与生产现场的实测温度非常吻合[20]。由于 ZJ330 钢的液相线温度和固相线温度比较接近，液固两相区的温度范围非常窄。在高的冷却速率条件下，钢液很快越过液固两相区而成为固态，且 AlN 粒子的析出温度距固相线温度较远。在一定的温度范围内，AlN 第二相粒子的析出是一个自发过程，能否析出取决于其动力学条件。据文献[21]，AlN 粒子析出速度最快的温度区间为 900～1000℃；由实验动态 CCT 曲线可知，该钢种的相变温度 Ar_3 为 820℃ 左右，故析出先于 $\gamma \rightarrow \alpha$ 相变发生。由于 AlN 的析出在固相中进行，因而沉淀粒子析出反应受到元素在固相中扩散速度的限制而变得缓慢，析出物的尺寸比在液态条件下析出的尺寸要小。

9.2.2.3 析出位置的影响

当 AlN 第二相粒子在奥氏体中沉淀析出时，主要有基体内均匀形核、晶界形核和位错形核三种方式。大多数形核理论都认为在晶体缺陷处，特别是在晶界和位错线上的非均匀形核具有重要的意义。第二相粒子在扁平化的形变奥氏体中被诱导析出时，晶界、亚晶界和位错上形核占绝对优势，基体内均匀形核沉淀几乎完全不可能发生。晶界或亚晶界上沉淀析出的 AlN 粒子能有效地钉扎晶界和亚晶界，使其难于运动，从而比均匀分布析出的 AlN 粒子更为有效地阻止奥氏体晶粒长大。然而它们更易于聚集长大而粗化，其质点尺寸明显地比位错上或基体内以均匀形核方式沉淀析出的质点粗大，这一方面将使其阻止奥氏体晶粒粗化的作用减弱，另一方面还将使其对钢的塑、韧性的损害作用增大。相对而言，位错线上形核沉淀析出的 AlN 第二相粒子的分布状态要均匀得多，它们对位错线以及位错组态的钉扎作用能够有效地阻止形变奥氏体的再结晶，它们也能阻止奥氏体晶界的运动，从而阻止奥氏体晶粒的粗化（它们的尺寸较小补偿了其不利的分布状态）。位错线上形核沉淀的 AlN 第二相粒子较晶界上沉淀析出粒子的粗化率小，因而其尺寸比较小，再加上其均匀分布，因此它们对钢的塑、韧性的损害相对来说要小得多，而且在一定程度上还能产生一定的沉淀强化作用。适当降低沉淀温度和加大变形量，可以有效地增加位错密度，且这些位错不易运动而形成位错缠结或网络，可显著地增大位错形核沉淀所占的相对分量。

9.3 AlN 析出动力学研究

在 CSP 工艺过程中，某些氧化物、硫化物和氮化物的析出是一个自发的过程，能否析出取决于其动力学条件。在加工过程中，由于工艺参数影响着晶界面积及晶内的位错等缺陷，改善了析出的动力学条件，有利于析出，即所谓的形变诱导析出[22]。由电解萃取化学相分析可知，在析出物的种类与含量中，AlN 占有较大的比例，且由文献了解到其对组织性能有重要的影响。基于 9.2 节同样的原因，本节从动力学的角度出发，研究了 AlN 粒子的析出规律。

9.3.1 AlN 析出的动力学模型

9.3.1.1 形核速率

根据经典形核理论，等温过程中单位体积内第二相粒子析出的形核速率与析出时间的关系一般如下式所示[18,23~25]：

$$J = \frac{dN}{dt} = N_0 Z \beta' \exp\left(-\frac{\Delta G}{kT}\right) \exp\left(\frac{\tau}{t}\right) \tag{9-20}$$

式中，N_0 为单位体积中可供形核位置的数目，Z 为 Zeldovich 因子，与形核条件几乎无关，k 为 Boltzmann 常数，β' 为单位时间内与临界晶核相碰撞的原子数目，τ 为形核孕育时间。

单位体积中可供形核位置的数目 N_0，一般常用下式[26,27]表示：

$$N_0 = 0.5\rho^{1.5} \tag{9-21}$$

当第二相粒子在位错线上沉淀析出时，N_0 可被表示为位错网（位错缠结）中的接点。ρ 是刚开始析出时的位错密度，针对本研究钢种的特定工艺条件而言，其值可近似由正电子湮没技术（PAT）测得为 $2.80 \times 10^{13} \text{m/m}^3$。

Z 与 β' 的乘积常被表示为：

$$Z\beta' = \frac{D_{Al}x_{Al}}{a^2} \tag{9-22}$$

式中，D_{Al} 为奥氏体中 Al 原子沿位错管道扩散时的扩散系数。位错等缺陷处具有比奥氏体基体平均自由能更高的能量，此外溶质原子本身也易于偏聚在这些缺陷处，从而有利于析出物形核质点在这些地点生成。沉淀相晶核一旦形成，就开始长大。对于沿位错线形核的第二相粒子，沿位错管道方向上溶质原子的扩散速率比其他方向要快得多[28]。由于在奥氏体中，铝的扩散能力远小于氮，因此铝在奥氏体中的扩散被认为是控制析出的主要因素；又因为 AlN 在位错线上析出，铝沿位错管道的扩散对 AlN 粒子的析出及长大起着决定性的作用，所以 D_{Al} 是铝沿位错管道的扩散系数，而不是其体积扩散系数。x_{Al} 是某一温度下铝在奥氏体中的摩尔浓度，并可由溶解度积公式 9-23 间接求出；a 是奥氏体的晶格常数。

9.3.1.2 化学驱动力

AlN 析出的化学驱动力主要取决于钢液中铝元素和氮元素的过饱和度，AlN 析出的平衡常数 $K_{[Al][N]}$ 与温度及基体的结构密切相关。依据 9.2 节的热力学分析，AlN 的溶解度积如下式所示：

$$\lg K_{[Al][N]} = \lg k_s = \lg[\%Al][\%N] = -\frac{14356}{T} + 6.40 \tag{9-23}$$

式中，%Al、%N 为所研究钢液中的铝元素及氮元素的质量分数。

在第二相析出粒子为球形的假设前提下，形核时的临界驱动力 ΔG 主要包括因晶核形成时所引起的化学自由能的变化 ΔG_v 以及形成新相表面所需的界面能 σ。

$$\Delta G = \frac{16\pi\sigma^3}{3\Delta G_v^2}\lambda \tag{9-24}$$

式中，λ 为修正系数。均匀形核时，λ 取值为 1；非均匀形核时，λ 的取值小于 1。由于非均匀形核时 λ 的值难以具体确定，故在本节的研究中，λ 取值为 1。在半共格条件下，形核时界面能的值常取为 0.75J/m^2。

$$\Delta G_v = -(RT/V_P)\ln k_s \tag{9-25}$$

式中，R 为气体常数，T 为连续冷却时的绝对温度，V_P 为析出相的摩尔体积。

9.3.1.3 第二相粒子的形核与长大模型[29]

为简化起见，首先假定在位错线上析出的第二相粒子，其形核和长大是同时进行的。一般认为，AlN 粒子的生长受奥氏体中铝元素扩散速度的控制。析出粒子的半径与球形粒子长大所需要的原子及扩散到粒子表面的原子的质量平衡相关，其与时间的关系可表示为：

$$r = \alpha(D_{Al}t)^{1/2} \tag{9-26}$$

式中，r 为析出粒子的半径；α 为粒子的长大速率，它与析出物、基体及两者界面处溶质浓度的关系如下式所示：

$$\alpha = \left(2\frac{C_M - C_I}{C_P - C_I}\right)^{1/2} \tag{9-27}$$

式中，C_P、C_I 分别为析出相/奥氏体界面处析出相侧和奥氏体侧微合金元素的平衡体积浓度，C_M 为在扩散区末端处微合金元素的体积浓度。

对于此模型，在 t_1 时刻析出的粒子，其 t（$0 < t_1 < t$）时刻的半径可由公式 9-26 求得。析出的单个粒子的体积用 v 表示，则到 t 时刻其体积的增长速率可由下式表示：

$$\frac{dv}{d(t-t_1)} = 4\pi r^2 \frac{dr}{d(t-t_1)} \tag{9-28}$$

第二相粒子在奥氏体内的等温析出过程中，单位体积内的形核速率 J 被认为是常量。在 t_1 至 $t_1 + dt_1$ 时刻内第二相粒子的形核数目为 $J dt_1$，则在 dt_1 时刻内这些粒子的体积增长率为 $J dt_1 dv/dt$；那么在 $t = 0$ 至 $t = t_1$ 时刻内，所形成的第二相粒子的总体积 V 的增长率为：

$$\frac{dV}{dt} = \frac{8\sqrt{2}}{3}\pi D_{Al}^{3/2}\left(\frac{C_M - C_I}{C_P - C_I}\right)^{3/2} J(t-t_1)^{3/2} \tag{9-29}$$

为了将第二相粒子的析出体积转化为析出体积分数 Y，把公式 9-29 乘以 $(C_P - C_I)/(C_M - C_I)$ 和竞争参数 $(1-Y)$，然后积分可得：

$$Y = 1 - \exp\left\{-\frac{16\sqrt{2}}{15}\pi D_{Al}^{3/2}\left(\frac{C_M - C_I}{C_P - C_I}\right)^{1/2} J t^{5/2}\right\} \tag{9-30}$$

析出过程结束后，若已知第二相粒子析出的体积分数及数量，则析出的第二相粒子的平均半径可由下式估算[30]：

$$r = \left(\frac{3fV_P}{4\pi N_P}\right)^{1/3} \tag{9-31}$$

式中，N_P 为整个析出过程中第二相粒子的析出数量，f 为析出物的体积分数。

9.3.2 模型的计算方法与步骤

9.3.1 节中的公式是在等温条件下推导出来的，仅适用于等温过程；而实际生产过程是一个连续冷却过程，目前，常用迭加原理来解决这个问题。本节使用的迭加原理及方法引自文献[31]。

$$\sum_{i=1}^{n} \frac{\Delta t_i}{\tau_x(T_i)} = \sum_{i=1}^{n} \frac{1}{\tau_x(T_i)} \frac{\Delta t_i}{\Delta T_i} \Delta T_i = 1 \tag{9-32}$$

式中，$\tau_x(T_i)$ 为在 T_i 温度下，反应达 $x\%$ 时所需的时间；$\Delta t_i / \Delta T_i$ 为冷却速率的倒数。如果把连续冷却过程分为足够多的微段，每一微段看作是等温过程，那么该节中所列的所有公式便可被用于 CSP 工艺过程。

在 9.3.1 中有关第二相粒子的形核与长大模型一节中，曾假设第二相粒子在等温析出过程中的形核率为常量，这与实际析出过程有差异。在等温析出过程中，具有第二相粒子析出的奥氏体体积 V_u 将逐渐减少，若将析出开始时的奥氏体体积视为单位 1，它将由 1 逐渐变为 0，故实际形核速率 J^* 是时间 t 的函数，数学表达式如下式所示[32]：

$$J^* = V_u J \tag{9-33}$$

由于把形核速率 J 视为恒量，其值比实际形核大，这将导致第二相粒子尺寸的预测值偏小；但我们把实际连续冷却过程利用迭加原理分为许多微段，若微段分得足够多，那么这种影响可以忽略。

9.3.3　AlN 析出的动力学条件及其模拟结果

在轧制过程中，再结晶与析出是否相互作用、如何作用，是关心的焦点问题，它影响着第二相粒子析出动力学的建模及应用。据文献[33]可知，再结晶与析出在一定的工艺条件下（例如轧制、连续冷却等工艺过程）是相互影响的，因此再结晶终止温度的确定显得至关重要。由现场生产工艺过程中有关参数的计算机记录，可求得用 CSP 技术生产 1.0mm 超薄规格热轧带材的再结晶终止温度为 928℃。

当变形温度高于再结晶终止温度（T_{nr}）时，不发生第二相粒子的析出是由于奥氏体发生再结晶导致形变诱导析出的驱动力小而使其析出受到抑制。当变形温度低于 T_{nr} 时，由于变形奥氏体中的变形带、亚晶和位错密度等缺陷增加，将会加速 AlN 粒子的析出，这是因为 AlN 优先在位错线上形核的缘故。

在应变速率大于 $0.1s^{-1}$、再结晶发生之前，不会发生 AlN 粒子的动态析出[12]。

为阐明热轧过程中的组织变化，在珠钢生产 ZJ330 低碳钢 1.9mm 热轧薄板时，在每一道次变形区及变形后都进行了取样工作，取到了同一块坯的 6 道次轧卡试样。经离子减薄后，在透射电镜下观察了第二相粒子的析出形貌、数量及位错密度的变化情况。

大量的观察及分析表明，在前 5 道次的薄晶体透射样及电解化学相分析中未发现 AlN 粒子的存在，试样中析出的第二相粒子主要为 Al_2O_3 和 MnS，粒子的形貌及析出位置如图 9-8 所示。

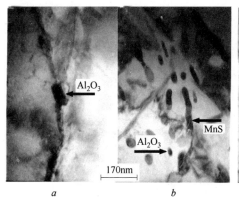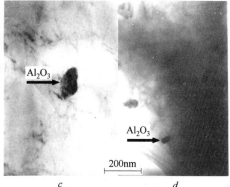

图 9-8　不同道次变形后的薄晶体透射样中析出物的 TEM 照片

a—第 1 道次；*b*—第 2 道次；*c*—第 3 道次；*d*—第 5 道次

在再结晶终止温度（T_{nr}）以上，因为再结晶及高的应变速率，AlN 粒子不会析出；在 T_{nr} 以下，因为应变速率非常高，AlN 粒子也不会析出；只是在轧制后，借助变形而产生的大量位错等缺陷，加速了 Al、N 的接触和 AlN 粒子的形成，即所谓的形变诱导析出。

在轧制过程中，随变形量的增加，位错密度明显增加；在未再结晶区，位错密度的增加尤为显著。在不同的变形道次中，位错的形貌及数量分别见图 9-9 和图 9-10。在第一道次变形区，因为变形量较小、应变速率低及温度高，所以位错密度不高；随着温度降低，变形量及应变速率增大，位错密度明显增高，出现了位错缠结和位错团。当累积变形量达 96％时，随位错缠结及位错团的继续增多和运动而产生位错墙。因而产生的高位错密度，将成为 AlN 析出时形核的有利位置。

在上述的分析前提下，应用上述第二相粒子析出的动力学模型对 CSP 工艺过程中 AlN 粒子析出的动力学特性进行了估算分析。运算过程中所需的有关参数见表 9-5。

表 9-5　模型计算过程中所涉及到的有关参数

参数名称、符号及单位	数　　值	参 考 文 献
奥氏体中铝的扩散速度 $D_{Al}/m^2 \cdot s^{-1}$	$1.6 \times 10^{-2} \exp(-19000/RT)$	[14]
界面能 $\sigma/J \cdot m^{-2}$	0.75	[18]
AlN 的摩尔体积 $V_P/m^3 \cdot mol^{-1}$	1.33×10^{-5}	[28]
基体晶格常数 a/m	3.65×10^{-10}	[32]
终轧温度 $T_F/℃$	900	
相变点温度 $T/℃$	820	
冷却速率 $\dot{T}/℃ \cdot s^{-1}$	20	
位错密度 $\rho/m \cdot m^{-3}$	2.80×10^{13}	

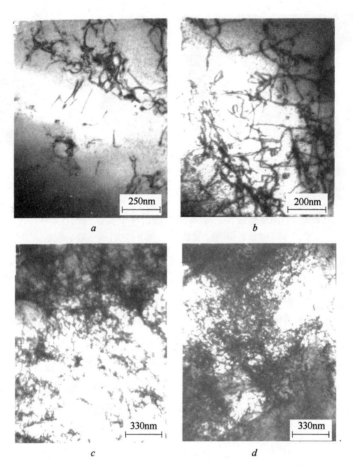

图 9-9　轧制过程中不同累积压下量后的位错形貌及密度
a—累积压下量 10%；b—累积压下量 30%；c—累积压下量 55%；
d—累积压下量 96%

　　结果表明：由于高的应变速率及再结晶，前 5 道次中未发生 AlN 析出；极高的应变速率，使 AlN 在第 6 道次变形过程中，也未发生动态过程析出，而是在形变诱导下使 AlN 在第 6 道次终轧后析出，整个析出过程所需时间小于 3s；析出的 AlN 粒子非常细小，析出结束时 AlN 粒子的直径约为 2nm，与化学相分析实验观测结果比较，计算结果比较合理。参考文献[10]，并与实验结果比较可以看出，CSP 工艺过程中 AlN 粒子的粗化速率是非常缓慢的。

　　CSP 工艺过程中析出的 AlN 粒子比传统工艺过程中析出的 AlN 粒子较小而尺寸比较均匀。

　　在常规工艺过程中，AlN 粒子优先在位错线上形核，起先形成具有 fcc 结构的过渡相，随后由于原子的重排，形成了 hcp 结构的 AlN 粒子[12]。CSP 工

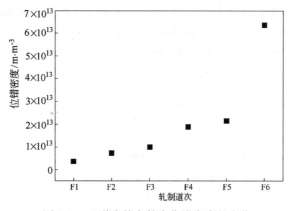

图 9-10　6 道次轧卡件中位错密度的变化

艺过程中，AlN 粒子的晶体学结构是否存在变化以及对随后 $\gamma \rightarrow \alpha$ 相变的影响，都是值得深入研究的课题。

9.4　AlN 粒子对钢板组织性能的影响

传统的观点认为：钢中加入铝的目的是用来细化钢的晶粒组织，从而改善钢的强韧性。铝的加入效果取决于钢液氧化的程度。当把铝作为控制晶粒长大的抑制剂的时候，必须考虑到脱氧前可能影响钢中氧化铁含量的各种因素以及铝加入量和加入的条件[34]。在 CSP 条件下，钢液纯净度高，LF 控制夹杂氧，铝回收率高。文献[35]研究了不同铝含量对 ZJ330 钢晶粒度及强度的影响，未发现铝的细化晶粒及提高钢的强度的作用，关于 AlN 粒子对钢板组织性能的影响有待研究。

过去由于客观条件的限制，观察到的 AlN 粒子的尺寸限于微米尺寸级，作者利用电镜和电解萃取化学相分析手段，首次在 TSCR 热轧 1.0mm 低碳钢 ZJ330 薄板中观察到纳米级 AlN 粒子的存在，而且 AlN 粒子为六角晶体结构，一般尺寸约在 8nm 左右。

基于 TSCR 工艺条件，本章提出并建立了 AlN 粒子析出的热力学和动力学模型。理论分析结果表明，大变形、高应变速率条件下，形变诱导使 AlN 粒子在第 6 道次终轧之后立刻析出，析出温度约为 900℃，与过去的研究结果——AlN 粒子析出速度最快的温度范围为 900~1000℃一致。上述结果表明，在高温时其析出速度很慢，要获得强化细沉淀组织，必须有足够高的冷却速度。

高温时在奥氏体中形成的粒子对控制晶粒长大有一定作用，但沉淀强化效果较弱；具有沉淀强化效果的粒子，是低温时在奥氏体或铁素体内形成的。细小弥散的 AlN 粒子，具有共价键结构的六角晶体，在 TSCR 条件下，低温析出。第 6 章的研究分析表明，再结晶细化是 TSCR 工艺中的细化方式之一，随后的强力层流冷却阻碍晶粒长大及粗化。AlN 粒子对阻碍晶粒长大可能起到一定的作用，但主要是起沉淀强化作用。

参 考 文 献

1　Croft N H，Entwisle A R，Davies G J. Origins of dendritic AlN precipitates in aluminium-killed-steel castings. Metals Technology, 1983, 10 (4)：125～129

2　Vodopivec F，Gabrovsek M，Kmetic M，et al. Interpass recrystallization of austenite in some steels during rolling. Metals Technology, 1984, 11 (11)：481～488

3　Gladman T，Mcivor I D，Pickering F B. Effect of carbide and nitride particles on the recrystallization of ferrite. Journal of The Iron and Steel Institute, No. 5, 1971：380～390

4　Erasmus L A，(Eng.) B Sc，Mech G I. Effect of aluminium additions on forgeability, austenite grain coarsening temperature, and impact properties of steel. Journal of The Iron and Steel Institute, 1964, No. 1：32～41

5　黄维刚，郑燕康. 晶内析出铁素体非调质钢. 机械工程材料，1995，19 (2)：5～8

6　Rainforth W M，Black M P，Higginson R L. et al.. Precipitation of NbC in a model austenite steel. Acta Materialia, 2002, 50：735～747

7　Palmiere E J，Carcia C I，Deardo A J. Compositional and Microstructural Changes Which Attend Reheating and Grain Coarseing in Steels Contenting Niobium. Metallurgical and Materials Transactions. 1994, 25A：277～286

8　Dutta B，Sellars C M. Effect of Composition and process variables on Nb (C, N) precipitation in niobium microalloyed austenite. Materials Science and Technology, 1987, No. 3：197～206

9　Michel J P，Jonas J J. Precipitation Kinetics and Solute Strengthening in High Temperature Austenite Containing Al and N. Acta Materialia, 1981, 29：513～526

10　Gladman T，Pickering F B. Grain-Coarsening of Austenite. Journal of The Iron and Steel Institute, 1967, No. 6：653～664

11　Speich G R，Cuddy L J，Gordon C R，DeArdo A J. Proceedings of Phase Transformation in Ferrous Alloys. Philadelphia. TMS-AIME, Warrendale, PA, USA, 1984

12　Wilson F G，Gladman T. Aluminium nitride in steel. International Materials Reviews. 1988, 33 (5)：221～286

13　Klaus, Hulka. 欧洲铌微合金化的最新进展. 见：铌钢和铌合金—中国和巴西学术研讨会论文集. 章洪涛，王瑞珍，庞于云主编. 北京：冶金工业出版社，2000：61～92

14　陈家祥. 炼钢常用图表数据手册. 北京：冶金工业出版社，1984

15　黄希祜. 钢铁冶金原理. 北京：冶金工业出版社，1995

16　陈襄武. 钢铁冶金物理化学. 北京：冶金工业出版社，1990

17　翟启杰，关绍康，商全义. 合金热力学理论及其应用. 北京：冶金工业出版社，1999

18　Leno M，Cheng E，Bruce Hawbolt，Ray Meadowcroft T. Modeling of AlN Precipitation in low Carbon Steels. Scripta Materialia, 1999, 41 (6)：673～678

19　Liu W J, Jonas J J. Calculation of the Ti （C_yN_{1-y}）－$Ti_4C_2S_2$－MnS Austenite Equilibrium in Ti-Bearing Steels. Metallurgical Transactions, 1989, 20A （8）: 1361～1374

20　王中丙. 中国第一条 CSP 生产线的生产实践. 见: 电炉 CSP 工艺与材料研究文集. 2002: 107～112

21　Craven A J, He K, Garvie L A J. Complex Heterogeneous Precipitation in Titanium-Niobium Micro-alloyed Al-Killed HSLA Steels-Ⅱ. Non-Titanium Based Particles. Acta mater. , 2000, 48: 3869～3878

22　傅杰, 周德光, 李晶等. 低碳超级钢中氧硫氮的控制及其对钢组织性能的影响. 云南大学学报, 自然科学版, 2002, 24 （1A）: 158～162

23　Zurob H S, Brechet Y, Purdy G. A Model for Competition of Precipitation and Recrystallization In Deformed Austenite. Acta mater. , 2001, 49: 4183～4190

24　Kyung Jong Lee. Recrystallization and Precipitation interaction in Nb-Containing Steels. Scripta Materialia, 1999, 40 （7）: 837～843

25　Sun W P, Militzer M, Bai D Q, et al. Measurement and Modelling of the Effects of Precipitation on Recrystallization under Multipass Deformation Conditions. Acta metall. mater, 1993, 41 （12）: 3595～3604

26　Dutta B, Valdes E, Sellars C M. Mechanism and Kinetics of Strain Induced Precipitation of Nb （C, N） in Austenite. Acta metall. mater, 1992, 40 （4）: 653～662

27　Dutta B, Palmiere E J, Sellars C M. Modeling The Kinetics of Strain Induced Precipitation in Nb Microalloyed Steels. Acta mater, 2001, 49: 785～794

28　Sun W P, Militzer M, Jonas J J. Strain-Induced Nucleation of MnS in Electrical Steels. Metallurgical Transaction A, 1992, 23A （3）: 821～830

29　Park S H, Yue S, Jonas J J. Continuous-Cooling-Precipitation Kinetics of Nb （C, N） in High-Strength Low-Alloy Steels. Metallurgical Transactions, 23A （1992）: 1641～1651

30　Shuji Okaguchi, Tamotsu Hashimoto. Computer Model for Prediction of Carbonitride Precipitation during Hot Working in Nb-Ti Bearing HSLA Steels. ISIJ International, 1992, 32 （3）: 283～290

31　Bai D Q, Yue S, Sun W P, et al. Effect of Deformation Parameters on the No-Recrystallization Temperature in Nb-Bearing Steels. Metallurgical Transactions, 1993, 24A （10）: 2151～2159

32　Liu W J, Jonas J J. Nucleation Kinetics of Ti Carbonitride in microalloyed Austenite. Metallurgical transactions, 1989, 20A （4）: 689～697

33　Kwon O, Deardo A J. Internations between Recrystallization and Precipitation in Hot－Deformed Microalloyed Steels. Acta metall. mater, 1991, 39 （4）: 529～538

34　S L 凯斯, K R 范·郝恩. 钢铁中的铝. 北京: 中国工业出版社, 1965

35　傅杰. 新一代低碳钢——HSLC 钢. 中国有色金属学报, 2004, 14 （S1）: 82～90

10 微合金元素碳、氮化物和弥散沉淀[❶]

钢中碳、氮化物的类型、尺寸、数量与分布对钢的组织和性能有非常重要的影响。多年来，人们对各种不同成分钢在不同热加工与处理条件下的碳、氮化物及其行为作了大量研究。然而，由于传统厚板坯冷装工艺与薄板坯直轧工艺之间的差别导致钢中碳氮化物的析出行为存在明显差别，因而它们对钢的组织与力学性能的影响和作用也有相当的差异。根据现有的研究结果，这种差别至少包括以下两个方面：

(1) 传统工艺条件下钢坯凝固后以一定的冷速冷却到较低温度，例如室温（冷装时）或 A_{r1} 以下（热送），同时由于铸坯较厚（比如约 250mm厚）冷速较慢，在空冷过程中会有许多碳、氮化物在钢中析出，热加工之前在钢坯再加热以及均热过程中，原先析出的碳、氮化物将溶解在奥氏体中。由于生产条件的限制，通常所采用的固溶处理温度和保温时间往往难以使钢中已析出的沉淀相完全固溶。因此，在随后的热加工和轧后冷却时仅有一部分碳、氮化物形成元素可以再次析出，发挥细化晶粒或者沉淀强化作用。与此不同，薄板坯直轧条件下钢坯没有冷却到较低温度就直接进入均热炉，因此，对于那些析出温度低于均热温度（一般为 1050～1100℃）的碳、氮化物来说，热轧之前没有析出—溶解—再析出的过程，加入钢中的有关碳、氮化物形成元素绝大部分保留在固溶体中，为在变形过程和轧后冷却时发生的沉淀过程提供了明显高得多的固溶度和过饱和度。可见，这时发生沉淀的热力学和动力学条件与同样成分钢在传统工艺条件下的情况有重要差别。

(2) 薄板坯 CSP 工艺的凝固和冷却速度均比传统工艺快一个数量级，如第 8 章所介绍的，这将导致大量硫化物以及氧化物以极为细小弥散的形式在钢中析出，最小仅为几纳米。这些细小的析出粒子为中温范围碳化物的析出提供了有效的非自发形核地点，使得碳化物在 α 相（铁素体或贝氏体）晶粒内广泛析出呈弥散分布的小粒子，相对地减少了珠光体的量，因而明显影响钢的力学性能。在厚板坯传统工艺钢中可供碳化物作为形核地点的晶粒内细小硫化物粒子很少，而且尺寸较大，这种差别直接导致碳化物粒子在数量和分布上明显不

---

❶ 本章由柳得橹教授撰写。

同，从而对改善钢的力学性能的作用不同。

此外，晶界和晶粒内的晶体缺陷如位错、滑移带等都是碳化物的有效形核地点，而且其形核效率优于硫化物等夹杂粒子，当钢板的终轧温度处于奥氏体非再结晶区而终轧后的冷速比较快时，大量位错等晶体缺陷保留在钢中，渗碳体以及其他碳化物将在这些缺陷上大量形核生长，可提供有效的强化作用。

对于 Nb、V、Ti 等在钢中的作用以往已经开展了大量研究，这些微合金元素主要以氮化物、碳化物或碳氮化物沉淀形式在钢中析出，由于它们的溶度积不同，析出的温度范围不同，这三种元素的作用也有所区别[1]。总的来说，它们的作用可以归纳为以下几方面：通过钉扎晶界和溶质拖曳两种作用阻碍晶界迁移而细化原始奥氏体晶粒或铁素体晶粒；阻碍热加工时的奥氏体再结晶晶粒长大以及弥散析出强化作用[2~7]。由于 TiN 的溶度积最低，钢在凝固后的冷却过程中 TiN 首先在高温区析出，在凝固组织中或者在加热过程中细化原始奥氏体晶粒；VN 也有类似的作用，但是它的溶度积比 TiN 的高；Nb 通常以碳氮化物形式析出，难以形成纯粹的 NbN 或NbC。铌碳氮化物的析出温度范围一般在奥氏体区，因而其主要作用是阻碍奥氏体的再结晶，提高奥氏体再结晶温度、细化奥氏体晶粒。钒碳氮化物/碳化物的析出温度范围较低，在微合金钢中通常在 900℃ 以下析出，因此，弥散强化的作用比较突出。但是，在同时加入两种或两种以上微合金元素时，它们之间的交互作用是复杂的。根据微量元素添加量以及钢的化学成分、热加工工艺不同可能得到不同的效果。

本章将结合在薄板坯 CSP 工艺钢中得到的结果讨论有关碳、氮化物的沉淀及其影响。

10.1 Nb、V、Ti 的碳、氮化物沉淀的一般规律

10.1.1 微合金元素在钢中的碳、氮化物

微合金元素 Nb、V、Ti 都是强碳、氮化物形成元素，通常在钢中生成稳定的碳化物、氮化物或碳氮化物，常见的碳、氮化物 MC 和 MN 是面心立方点阵（FCC）NaCl 结构[8~11]。它们的碳化物并不是严格按照化学式MC，而是存在一个相当宽的成分范围，一般可以表示为 M_xC_y，其点阵常数随含碳量增加而增大。碳化物的最大含碳量（原子分数）在 50% 附近[12]。NbC 中含碳（原子分数）为 41.8%～49.7% 时，点阵常数为0.4433～0.4470nm。VC 有 δ 和 ε 两个相：δ-VC 含碳量（原子分数）为38.6%～44.1%，点阵常数为 0.4118～0.4141nm；ε-VC 含碳量（原子分

数)为 44.1%～47.9%，点阵常数为 0.4154～0.4165nm。NbN 和 VN 的点阵常数分别为 0.4389nm 和 0.4136nm。表 10-1 列出了常见碳氮化物晶体的点阵常数。

表 10-1　碳氮化物的点阵常数

碳　氮　化　物	点阵常数/nm	文　　献
VC	0.41600	ASTM (or JCPDS)：1-1159
VN	0.40900	ASTM (or JCPDS)：25-1252
TiC(FCC)	0.43285	ASTM(or JCPDS)：6-0614
TiN(FCC)	0.42400	ASTM (or JCPDS)：6-0624
NbC(碳的原子分数为 41.8%～49.7%)	0.4433～0.4470	[12]
NbN	0.4389	[12]
VN	0.4136	[12]
δ-VC(碳的原子分数为 38.6%～44.1%)	0.4118～0.4141	[12]
ε-VC(碳的原子分数为 44.1%～47.9%)	0.4154～0.4165	[12]

由于这些元素的碳化物和氮化物晶体结构相同、点阵常数相近，它们可以互溶，以碳氮化物 M（C，N）形式出现在钢中。在不同温度范围生成的立方系碳氮化物中，碳和氮的比例不同，由于氮化物比同一元素的碳化物更稳定，因此在较高温范围生成的沉淀粒子中 N/C 比较高，随着反应温度下降，沉淀粒子中的碳含量增加。同时，随着沉淀粒子中的相对碳含量增加，其点阵常数线性地增大。根据点阵常数的变化可以判断出碳氮化物中碳和氮的相对含量[11,13]。例如 0.01%C-0.04%Nb-0.007%N 的钢热轧后在 600℃ 等温析出的立方系 Nb（C，N）中，C/N 约为 3∶1，而 725℃ 析出的 C/N≈2∶3。而 0.1%～0.2%C-0.04%～0.05%Nb-0.003%～0.008%N 钢在 900℃ 时，典型的沉淀相为 $NbC_{0.8}N_{0.2}$。

此外，在某些条件下还可以生成非立方系的碳氮化物。例如钢中存在六方系的 δ-NbN 或 ε- NbN，以及 Nb_2N 和 Nb_2C。

10.1.2　碳、氮化物析出的温度范围

根据钢的化学成分、反应温度、钢的冷却速度以及应力状态不同，微合金元素在钢中可能发生不同的碳、氮化物沉淀反应，得到不同尺寸、不同分布和体积分数的沉淀相，从而对材料的强度与韧性产生显著影响。一般说来，强碳氮化物形成元素 Nb、V、Ti 有以下几种沉淀过程：

（1）在液相钢中沉淀；

（2）在奥氏体区沉淀；

（3）在铁素体区沉淀和 γ→α 转变过程中在相界面沉淀。

碳、氮化物析出的热力学温度可以由各自的溶度积公式计算得到，已经报道了许多这类公式，表 10-2～表 10-4 分别列出了 Nb、V、Ti 的碳、氮化物在钢中的溶度积及有关参数。不同研究工作得到的溶度积之间有明显的差别。出现差别的原因可能有多种，其主要原因在于获得溶度积的方法不同，例如有热力学计算法、化学分离法、硬度测定法、甲烷平衡分析法等，而每一种方法都有各自的假设条件与局限性，因而有一定的近似性，而且往往在一定条件下才适用。但是表中提供的溶度积仍然可以为分析微合金元素的沉淀行为及其对钢的组织与性能影响提供很有用的参考。Turkdogan[2,3] 给出了钢中几种碳化物、氮化物与碳氮化物以及 AlN 在奥氏体中的溶度积随温度的变化曲线，如图 10-1 所示，其中的 Nb（C，N）是 $NbC_{0.7}N_{0.2}$，它的溶度积为：

$$k = [\%Nb][\%C]^{0.7}[\%N]^{0.2}$$

可见微合金元素析出相在奥氏体中的溶度积大致按下列顺序递增：TiN、BN、AlN、NbN、VN、Nb（C，N）、TiC、NbC、VC。这些微合金析出物在铁素体中的溶解度也以同样的次序增加，其溶解度比在奥氏体中的大约小两个数量级。

由表 10-2～表 10-4 的溶度积公式可以看出 Nb、V、Ti 三种元素的碳、氮化物在钢中不同相区的溶解度有明显差别，例如在将钢加热时，0.20%C-0.2%V 钢中钒的碳化物在不到 900℃ 已完全固溶于奥氏体中，0.005%N-0.2%V 钢氮化钒的固溶温度约为 1040℃，而 0.20%C-0.05%Nb 钢的碳化铌在 1185℃ 开始固溶，0.005%N-0.05%Ti 钢中氮化钛的溶解温度则是 1754K（1481℃），0.2%C-0.05%Ti 钢的碳化钛在 1474K（1200℃）固溶。尽管上述计算仅是简化的情况，没有考虑碳和氮的综合作用及其他元素的影响，但是清楚地表明这三种微合金元素的沉淀温度范围不同，因而它们在钢中的作用也有明显区别。铌、钒、钛合金元素的碳、氮化物溶度积计算公式如下：

$$\lg k = A - B/T(K) \tag{10-1}$$

表 10-2　铌的碳、氮化物溶度积及有关参数[2,8,11,14,15,16]

种　类	k	A	B	备　注
碳化物	[Nb][C]	−0.63	2500	1000～1300℃ 纯系
		3.7	9100	
		7.58	14000	
		3.04	7290	0.2%C-1.2Mn 钢
		1.54	5860	0.03%C 钢
		3.42	7900	
		3.31	7970	
		2.96	7510	
	$[Nb][C]^{0.87}$	2.81	7020	在铁中

续表 10-2

种　类	k	A	B	备　注
氮化物	$[Nb][N]$	4.04	10230	1190～1340℃纯系
		2.89	8500	
		3.79	10150	
		4.2	10000	
	$[Nb][N]$	3.70	10800	
碳氮化物	$[Nb][C+N]$	1.54	5860	
	$[Nb][C+(12/14)N]$	2.26	6770	900～1200℃固溶 1h
		2.32	6700	
	$[Nb][C+(12/14)N]$	3.97	8800	
	$[Nb][C]^{0.24}[N]^{0.85}$	4.09	10500	
	$[Nb][C]^{0.83}[N]^{0.14}$	4.46	9800	
	$[Nb][C]^{0.7}[N]^{0.2}$	4.12	9454	

注：表中的 $[Nb]$、$[N]$、$[C]$ 分别表示钢中 Nb、N 和 C 的质量分数。

表 10-3　钒的碳、氮化物溶度积及有关参数[2,8,11]

相　区	k	A	B	备　注
奥氏体区	$[V]^4[C]^3$	22.08	30730	0.5%C
		23.02	30400	0.1%C
		21.58	30400	0.3%C
		20.88	30400	0.5%C
	$[V][C]$	3.314	5440	0.5%C
		6.72	9500	
	$[V][C]^{0.75}$	4.45	6560	铁　中
	$[V][N]$	2.27	7070	纯　系
		2.98	7710	
		2.35	6900	
		3.63	8700	
		3.46	8330	
铁素体区	$[V]^4[C]^3$	16.96	28200	
	$[V][C]$	2.72	6080	
	$[V][C]^{0.75}$	4.24	7050	铁　中
	$[V][N]$	2.45	7830	
		0.12	5250	

注：表中的 $[V]$、$[N]$、$[C]$ 分别表示钢中 V、N 和 C 的质量分数。

表 10-4 钛的碳、氮化物溶度积及有关参数[6,7,11,14]

相 区	k	A	B	备 注
液 相	[Ti] [N]	6.40	17040	在铁中
		4.01	13850	
	[Ti] [C]	3.25	6160	在铁中
奥氏体	[Ti] [N]	5.40	15790	在铁中
		5.0	14400	
	[Ti] [C]	2.75	7000	在铁中
铁素体	[Ti] [N]	6.40	18420	在铁中
	[Ti] [C]	4.45	10230	在铁中

注：表中的 [Ti]、[N]、[C] 分别表示钢中 Ti、N 和 C 的质量分数。

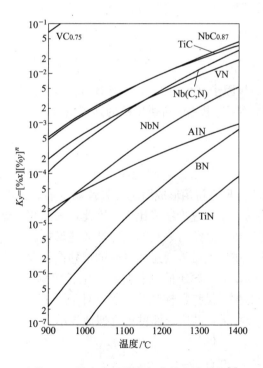

图 10-1 微合金元素碳氮化物的溶度积[3]

在低合金钢的成分范围内，通常不必考虑碳化钒在奥氏体区的沉淀；氮化钛和碳氮化钛主要是在钢坯再加热或均热的温度范围沉淀，因而会对原奥氏体晶粒的长大与粗化产生影响，细化原奥氏体晶粒；而氮化钒、碳氮化铌或碳化铌则是在工业生产的热加工温度范围沉淀，它们在奥氏体区的沉淀行为和钢的热加工工艺以及钢的组织与力学性能密切相关。碳化钒主要在铁素体区析出，可造成有效的弥散强化。这里应该说明的是固溶状态的这些元素也有抑制奥氏体再结晶、细化晶粒的作用，已有的研究工作提出了不同的机制来说明固溶状态下微合金元素，特别是铌抑制再结晶的原因，主要有晶界偏聚和溶质拖曳等。

10.1.3 微合金元素碳、氮化物的沉淀动力学

为了控制钢中碳氮化物的析出从而得到所需的沉淀粒子尺寸、分布和体积分数，有效发挥微合金元素的作用，必须研究各个碳氮化物的析出动力学。钢中微合金元素碳、氮化物沉淀过程与其他的固态第二相粒子沉淀动力学有着共同的规律，包括三个阶段，即沉淀相粒子的形核、生长和粗化三个阶段，并受合金元素的长程扩散控制。相关理论的详细论述可参考有关的专著[17,18]，根据经典的相变理论沉淀相的形核率、生长与粗化过程可由以下关系式描述：

对于温度 T 时的均匀形核过程，沉淀相在时间 t 时，在母相中的形核率为：

$$\frac{\mathrm{d}N}{\mathrm{d}t} = N_0 Z \beta' \exp\left(-\frac{\Delta G}{kT}\right) \exp\left(-\frac{\tau}{t}\right) \tag{10-2a}$$

式中，Z 为 Zeldovich 因子（$\approx 1/20$），k 为 Boltzmann 常数，β' 为原子的碰撞率，τ 为孕育时间，N_0 为母相中可供形核的地点密度，ΔG 为形核功，T 为绝对温度。

形核功为：

$$\Delta G \propto \sigma / (\Delta G^V + E)^2 \tag{10-2b}$$

式中，σ 为相界面能，E 为新相形成引起的弹性畸变能，ΔG^V 为新相发生沉淀的相变驱动力，它的大小与过冷度成比例。因此，在新相与母相的热力学平衡温度，沉淀相不能生成，必须有一定的过冷度才能形核。

沉淀新相的核形成后便可能通过相界面的推移而长大，进入生长阶段。生长速度取决于相变驱动力和原子的迁移过程，生长机制不同，则速度也不同。钢中碳氮化物沉淀的生长是扩散控制的过程，对于原子长程扩散控制的生长和半径为 r 的球形沉淀粒子，其生长速度可近似地表示为：

$$\frac{\mathrm{d}r}{\mathrm{d}t} \approx \frac{(C_0 - C_\alpha)^{1/2}}{\sqrt{2}(C_\beta - C_\alpha)^{1/2}} \times \left(\frac{D}{t}\right)^{1/2} = \alpha_\lambda \left(\frac{D}{t}\right)^{1/2} \tag{10-3}$$

式中，C_0 为溶质在母相基体中的初始浓度，C_α 为在沉淀相界面附近 α 母相中

的溶质浓度，C_β 为溶质在沉淀相 β 中的浓度，α_λ 为和生长维数、几何形状以及母相过饱和度有关的常数。

　　沉淀过程进入粗化阶段后，发生大尺寸沉淀继续长大、小尺寸沉淀粒子溶解的过程。在温度 T 的粗化过程中，沉淀相粒子平均尺寸随等温时间 t 的变化可由 Wagner-Lifshitz 关系[17]给出：

$$\bar{r}_t^3 - \bar{r}_0^3 = \frac{8D\,\sigma V_m C_\infty}{9RT} \times t \tag{10-4}$$

式中，$\bar{r}_0$、$\bar{r}_t$ 分别为沉淀粒子的初始平均尺寸和在时间 t 时的平均尺寸，C_∞ 为基体的平衡浓度，σ 为沉淀相与基体的界面能，V_m 为起控制作用元素的摩尔体积，D 为起控制作用溶质元素的扩散系数，R 为气体常数。

　　然而，在实际的沉淀过程中，形核、生长和粗化三个阶段往往是互相重叠、难以截然分隔开的。一般情况下，第二相的临界尺寸核心一旦形成后即开始生长，与此同时合金系统中的形核过程仍在继续，而且当系统中出现了尺寸差别较大的沉淀粒子时，粗化过程就可能发生。为了说明实际的沉淀或相变过程，发展了相变的形式理论，根据这个理论可以求得在等温转变时新相的体积分数与转变时间的关系[16]，即在时间间隔 t 形成的新相体积 W 为：

$$W = 1 - \exp(-Kt^n) \tag{10-5}$$

式中，K 为与生长速率有关的常数，n 值则根据转变机制不同而不同，可取 1 至大于 4 的数。式 10-5 称为 JMA 方程（或约翰逊-迈尔-阿弗拉密方程）。在由原子长程扩散控制的沉淀反应中，如果沉淀粒子为球形而且形核率为常数时，沉淀相的总体积可以表示为：

$$W = \left(\frac{C_0 - C_\alpha}{C_\beta - C_\alpha}\right) \times \left[1 - \exp(-Kt^{5/2})\right] \tag{10-6}$$

　　等温过程新相转变量与时间的关系还可以用时间-温度-转变图即 TTT 曲线来表示。可以采用不同的方法实验测定钢中碳、氮化物析出的沉淀量-温度-时间图（或称为 PTT 曲线）动力学曲线，例如应力弛豫法等[19,20]。图 10-2 是应用应力弛豫法在不同成分微合金钢中测定的碳氮化物沉淀动力学曲线[20]。P_s 和 P_f 分别为沉淀开始（通常用沉淀量 5% 代替）和沉淀完成（可用沉淀达到 95% 表示）的曲线。由图可见，在 1000℃ 以上的高温区钛的碳氮化物首先沉淀，而在 950℃ 以下钛的沉淀变得缓慢。但是，在 950~1000℃ 温度范围实验用的低碳微合金钢都在 140s 内完成了沉淀过程。由于这个温度范围通常是低碳钢的热加工温度，因此，这时的碳氮化物析出情况与奥氏体的变形、再结晶密切相关，对奥氏体的晶粒细化有重要影响。影响碳氮化物沉淀动力学的因素有：应变、化学成分、基体的晶粒尺寸（提供了非自发形核地点并促进扩散）、材料的热历史如奥氏体均匀化的温度与时间等。研究表明：较高温度变形和再结晶因为引起晶界沉淀而显著促进碳氮化物的沉淀过程[20]，根据沉淀的动力学曲线可以调整均热温度和热加工工艺以便控制碳、氮化物的析出，获得所希望的组织与性能。

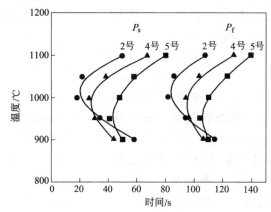

图 10-2　微合金钢中碳氮化物等温析出的动力学曲线[20]

图中实验钢的主要成分（质量分数，%）：

2 号钢：0.12C，1.47Mn，0.34Si，0.07Ti；

4 号钢：0.05C，1.36Mn，0.25Si，0.12V，0.03Ti；

5 号钢：0.10C，1.37Mn，0.35Si，0.13V，0.12Nb

10.1.4　应变诱导沉淀

大量研究表明，变形明显促进碳氮化物的沉淀过程，在微合金钢终轧阶段应变诱导沉淀是钢的组织控制的一个关键。由于微合金钢最后几道次热轧时往往位于奥氏体的非再结晶区，轧制变形在钢中引入了高密度的位错与晶体缺陷，这些缺陷为碳氮化物沉淀提供了大量非自发形核地点，碳氮化物形核后，沿着位错管道的快速扩散又促使这些碳氮化物迅速生长与粗化。研究表明在沉淀过程的早期阶段粗化就已开始并导致沉淀物数量密度明显下降，而且在沉淀过程中生长与粗化同时出现。可以认为早期出现粗化过程是应变诱导沉淀的基本特征[21]，因而，应变诱导沉淀动力学很大程度上取决于变形状态下的位错密度。与没有变形的钢相比较，应变诱导沉淀与未变形材料中的沉淀有以下重要差别：

（1）未变形材料中除了晶界、相界上的形核外，沉淀相在晶粒内主要是以均匀形核机制生成。而在应变诱导沉淀情况下，由于变形引入了高密度的位错与晶体缺陷，沉淀相主要在位错和各种晶体缺陷上非均匀形核。由于在位错上形核的激活能低，因此形核率很高，可得到很高的沉淀粒子密度和很小的沉淀物尺寸。

（2）变形使等温沉淀过程的孕育时间大大缩短，Dutta 和 Sellars 等提出了一个综合模型[21]对变形和未变形铌钢（质量分数为：0.084%C，0.015%

N，0.06%Nb）的沉淀动力学进行了计算，结果表明：950℃变形 33%（真应变 0.33）试样中 Nb（C，N）开始沉淀的时间（约 5%沉淀量的时间）比未变形试样的差不多小 3 个数量级。图 10-3 是变形（真应变 0.33）与未变形铌钢中 950℃等温时沉淀粒子的数量密度与体积分数随等温时间的变化。由图可见，变形试样中不到 1s 沉淀的体积分数即达到约 5%，在几秒内单位体积的沉淀粒子数量超过 $15×10^{22}\,m^{-3}$，而未变形试样等温几十秒后开始沉淀，将近 1000s 时沉淀体积分数约 5%、粒子数才达到 $4×10^{18}\,m^{-3}$。

（3）应变诱导沉淀的一个显著特征是沉淀粒子的粗化行为与未变形条件下的明显不同，由于应变引入了大量位错和晶体缺陷，沉淀相主要以非自发形核方式在位错上形核，溶质原子通过位错管道快速扩散，使通过位错网互相连接的沉淀粒子很容易发生粗化，粗化过程大大提前与加速。形核之后粗化很快开始，因而粗化过程可以与形核、生长两个过程重叠进行。比较而言，未变形钢中沉淀粒子的粗化主要通过溶质元素（Nb）的体扩散进行，速度慢得多。比较图 10-3a 和 b 可以看到：沉淀相发生粗化时单位体积的沉淀粒子数开始下降，同时沉淀的总体积继续增长，在图 10-3 的例子中，未变形铌钢 950℃等温时 Nb（N，C）在大约 $10^4\,s$

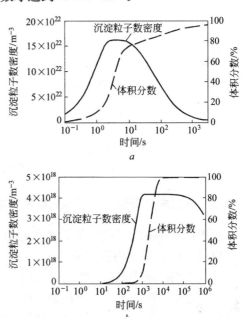

图 10-3 变形 33%（a）与未变形（b）铌钢（0.084%C，0.015%N，0.06%Nb）950℃等温时沉淀粒子的数量密度与体积分数随时间的变化

后发生粗化，而变形 33%的钢中不到 10s 就开始粗化。二者的沉淀体积分数都达到 80%以上，但单位体积的沉淀粒子数却相差 4 个数量级。显而易见，应变诱导的沉淀粒子数目多得多，而尺寸小得多。图 10-4 是在上述铌钢变形条件下，950℃等温时计算得到的沉淀粒子尺寸随等温时间的变化，可见，直到等温 1000s，应变诱导沉淀的平均半径一直保持在 3~4nm 以下，而未变形钢中 Nb（N，C）的尺寸在等温 1000s 时已达到 20nm 左右，而且随等温时间的延长继续快速增大。

影响应变诱导沉淀动力学的因素很多，如：钢的成分、起始晶粒尺寸、变形温度、应变量、应变速率和变形方式以及变形前钢的固溶状态等。另一方面，由于应变诱导沉淀的碳氮化物粒子尺寸很小，通常只有几纳米，在实验观察和对这样小的沉淀粒子进行统计时，因各个实验技术的灵敏度不同和处理试样的方法不同，得到的数据可能比较分散，有时会引入较大误差。

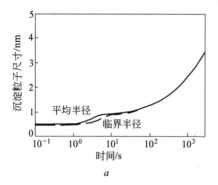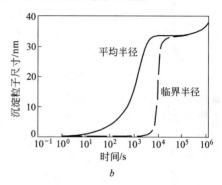

图 10-4　变形 33%（a）与未变形（b）铌钢（0.084%C，0.015%N、0.06%Nb）
950℃等温时沉淀粒子的尺寸随时间的变化

10.1.5　钢的成分偏聚对碳、氮化物析出的影响

由于钢液在凝固过程中发生溶质元素的偏聚，在枝晶间隙区的浓度要明显高于钢的平均含量，而且即使经过 1300～1400℃ 的固溶处理，在微米尺度上溶质元素在固态钢中仍是不均匀分布的。因此在这些区域实际发生氮化物或碳氮化物沉淀的温度将大大高于按照平均成分计算出的析出温度。在铸态组织中最后凝固的枝晶间隙区，即溶质富集的区域，氮化物和碳氮化物将在高得多的温度优先沉淀。研究并掌握不同元素在枝晶间的浓度变化对控制沉淀具有重要意义。应用 Scheil 方程[2]计算了钢液在凝固过程中元素 Ti、Nb、Al、C 和 N 在树枝晶间残留液相中富集的情况，钢的成分为 0.08%C、0.006%N、含有 Ti、Nb、Al 各 0.02%。图 10-5 给出了计算结果。研究表明：尽管 Ti、Nb、Al 在钢中的总量仅为 0.02%，但是随着结晶凝固过程的发展，最后枝晶间隙钢液中 Ti、Nb 的浓度可以分别超过 0.1% 和 0.2%，Al 的分凝系数较小，枝晶间隙浓度约达 0.08% 左右。对于含 0.04%Nb、0.02%Al、0.08%C、0.006%N 的情况，奥氏体晶界的溶质浓度可分别达到 1.15%Nb 和 0.13%Al，C 和 N 因扩散速率快可以认为是均匀分布的。因此，在这些枝晶间隙区，氮化物或碳氮化物在很高温度就开始析出并快速长大，计算结果表明在 AlN 和 Nb（C，N）共同沉淀的情况下，其中约有五分之一的沉淀相是在奥氏体晶界上形成的。

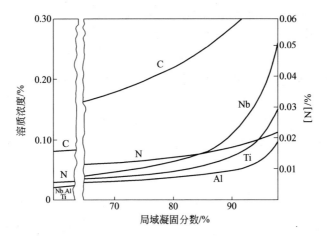

图 10-5　计算的枝晶间液相的溶质富集[2]

图 10-6 是计算出的含 0.02％Ti、0.006％N 的钢凝固时在枝晶间液相中沉淀的 TiN 的体积分数以及沉淀相中的氮占总氮量的质量分数[2]。可见，在局部凝固 99％时有 55％的氮都生成了 TiN，随着钢的凝固过程，枝晶间液相沉淀的 TiN 体积分数最后达到 0.02％以上。

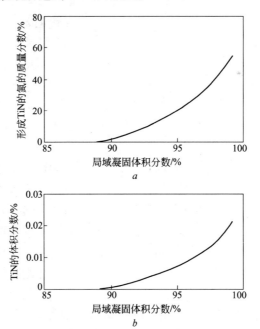

图 10-6　含 0.02％Ti、0.006％N 钢凝固时在枝晶
间液相中沉淀的 TiN 计算结果[2]
a—形成 TiN 的氮的质量分数；b—TiN 的体积分数

由于微观偏析是受扩散控制的，凝固速度及凝固后的冷速直接影响了凝固组织和偏聚的浓度起伏。在大截面钢坯或钢锭冷速相当慢的情况下，某些元素的偏聚可能导致严重问题。例如：1250℃时，NbC 在奥氏体中的固溶度约为1%，在一般低碳低合金钢的成分范围内，NbC 通常不在钢液中沉淀。而根据NbC-Fe 相图；NbC 和铁的共晶温度为 1310℃，这时 NbC 在 Fe 中的溶解度为0.98%左右。按照钢的平均成分不足以在 δ-Fe 晶界产生共晶碳化物。但是，缓慢冷却时由于结晶过程伴随的 Nb 和 C 在枝晶间偏聚，在工业含铌钢（如成分为 0.22%C-0.48%Si-0.76%Mn- 0.012%P-0.016%S-0.068%Nb）的大型铸、锻件断裂后，观察到 NbC-Fe 的共晶组织，而且和 MnS 夹杂共同出现[24]。这种共晶组织对大型铸钢件的韧性十分有害。

当钢坯重新加热到奥氏体区时，按溶度积公式计算钢中的 NbC 在 1250℃以上应完全固溶，但是由于凝固时的枝晶间偏聚导致在接近 δ→γ 转变的高温区沉淀出厚度 100～200nm 的大片 NbC 分布在晶界上。通常的加热、热锻、热轧都不能使这种沿晶界的碳化铌膜溶解，它们对钢的力学性能也很有害。

可见，在比较缓慢的凝固过程中，Ti、Nb、V、Al 等微量元素将聚集到枝晶间隙，造成局部小区域的浓度大大增加，并导致有关氮化物或碳氮化物在比热力学按均匀成分计算高得多的温度析出和长大。显然，这些大尺寸析出物对钢的性能很有害，往往会导致塑性降低甚至开裂。

在薄板坯连铸条件下的溶质元素偏聚情况可通过图 10-7

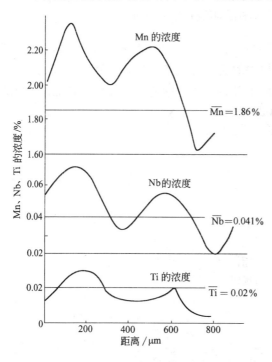

图 10-7　0.06%C 的 Ti-Nb 微合金钢铸态组织中的元素浓度分布[25]

来说明，该图给出了含 0.06%C 的 Ti-Nb 微合金钢薄板坯铸态组织中 Mn、Nb和 Ti 的浓度分布[25,26]，溶质浓度的极小值出现在 δ-枝晶的中心位置，而最大浓度位于枝晶臂之间[27]，由于铸坯厚度薄、冷速快使二次枝晶间距比传统厚坯小得多，导致溶质元素的分布趋向比较均匀，这一特点对偏聚倾向较强的微合金元素尤为重要，在薄板坯中可以获得比较均匀的成分分布。

10.2 薄板坯连铸连轧钢中的微合金元素碳、氮化物

10.2.1 薄板坯连铸连轧条件下的碳、氮化物沉淀

关于薄板坯连铸连轧（以下简称"热直轧钢"）工艺条件下微合金元素碳、氮化物的析出行为及其对组织性能的影响已经报道了一些研究结果。碳、氮化物的析出在薄板坯直轧工艺情况下的沉淀行为与传统冷装再加热的钢之间存在重要的差别。在传统工艺下，厚的铸坯通常冷却至 Ar_1 温度以下，钢中的微合金元素在冷却过程中以碳氮化物或碳化物形式大量析出。在随后热加工前的再加热过程中，根据加热温度、微合金元素含量以及钢中 C、N 量的不同，相关的碳、氮化物发生部分或全部溶解。

在微钛钢中，由于 TiN/Ti（C，N）的稳定性，而且加热温度往往低于粒子的析出温度，碳氮化物粒子不能完全溶解。图 10-8 是微钛低碳钢（0.07%C、0.86%Mn、0.017%Ti、0.007%N）经不同温度加热后钢中非共格 Ti（C，N）粒子的量与加热温度的关系。可见，在传统工艺的再加热温度范围（约 1250℃），大的 Ti（C，N）沉淀粒子几乎不能溶解。大于 25nm 的钛的碳

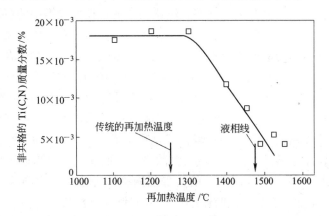

图 10-8 微钛低碳钢中（0.07%C，0.86%Mn，0.017%Ti，0.007%N）
非共格 Ti（C，N）粒子的量与加热温度的关系[25]

氮化物粒子在 1300℃以上才开始溶解，直到液态时才能完全溶解[25,26]。因此与冷装工艺相比，热直轧钢中粗大沉淀粒子少得多，大量钛保留在固溶体中，即使加入很少量钛也会在钢的强化和改善低温韧性两方面有明显效果，而这样少的添加量对传统冷装工艺钢几乎没有影响。

还有工作证实[28]，微钛钢在 1200℃下热处理 2h，第二相粒子的平均尺寸

减小，而且奥氏体晶粒没有异常长大现象，表明钛的碳氮化物粒子在1200℃保温时部分溶解导致其平均尺寸减小，但即使在2h内也不能完全溶解，仍能有效钉扎奥氏体晶界。可见，在传统工艺下再加热后，热轧前的奥氏体中钛的固溶量很低，而在加热保温过程中，尺寸较大的碳氮化物粒子不但不溶解，反而会进一步发生粗化。这些大尺寸的析出物不能有效阻碍晶粒长大，因而传统工艺下钛的微合金化效果比较低。

　　然而，在薄板坯热直轧的条件下，凝固后的钢没有冷却到较低温然后再加热的过程，亦即，在热轧之前钢中的微合金元素没有先形成碳氮化物然后再重新固溶的过程，因而保持着较高的固溶量，在一定冷却速度下能以高得多的过饱和度发生沉淀。Kunishige对热直轧工艺下和传统工艺下微钛钢的研究结果表明[29]，1150℃加热保温20min后，在传统工艺条件下只有20％的钛在固溶体内，80％的钛留在了TiN沉淀中。但在热直轧工艺条件下固溶的钛量却占总钛量的80％以上。Kunishige还指出，微钛（0.01％～0.02％）钢在以大于36℃/min冷速冷却时，观察不到钛沉淀相的析出。这证实了传统工艺钢中再加热保温后只有少量钛溶解的分析，同时指出CSP的热直轧工艺下钛在热轧前仍有较高的固溶量，大部分的钛不是在均热过程中析出，而是在热轧时甚至轧后沉淀为碳氮化物或碳化物。

　　上述分析表明，微合金元素碳、氮化物在薄板坯低碳钢中的沉淀行为及其控制对充分发挥微量元素作用、控制与改善钢的性能具有重要意义。

　　根据前面介绍的溶度积公式计算了几个典型碳、氮含量和微合金元素添加量的碳化物、氮化物和碳氮化物析出温度（表10-5）。由这些计算结果可见：在钢中添加0.05％Nb时对于含碳小于0.1％和含氮0.006％的钢，铌的碳、氮化物析出温度恰好在CSP薄板坯均热温度范围或略高于均热温度。因此，在薄板坯中铌和钛在高温析出的碳、氮化物主要影响铸坯的原始奥氏体组织。热加工前保留在固溶体中的Nb量大幅减少，因而在热轧时阻碍奥氏体再结晶的作用可能受影响。而传统工艺的再加热温度约为1250～1300℃，可使多数Nb的碳、氮化物固溶，热轧时以细小弥散的形式沉淀出来。然而，对传统工艺钢经再加热到900～1250℃范围的不同温度保温30min后试样的实验研究证实：含0.12％C-0.035％Nb-0.1％V钢在1050℃以下加热30min后，第二相粒子仍保持细小弥散分布，经约1100℃加热试样中，第二相粒子的形貌、尺寸与分布和1050℃加热相比没有明显变化，而1200℃加热30min后，试样中出现尺寸超过50nm的第二相粒子，但仍然存在大量15nm以下的小粒子。可见，在1200℃固溶处理时碳氮化物粒子在奥氏体中的溶解和粗化过程同时进行，导致第二相粒子的尺寸分布由原始的相对细微弥散变成稀疏粗大的分布。这是造成奥氏体晶粒尺寸不均匀，即混晶的主要原因。而且由于均热时仍有大量析出粒子未溶解,使得奥氏体中微合金元素的固溶量低于预期含量,直接影响了热轧过程中的碳氮化物析出行为及其细化晶粒效果。有工作指出:在CSP工艺生产含铌微合金管线钢时容易引起混晶组织[30]。

表 10-5 低碳钢中计算的碳、氮化物在奥氏体中的析出温度 T_γ

碳氮化物	w (C) /%	w (N) /%	w (Ti) /%	w (Nb) /%	w (V) /%	T_γ/℃
TiN		0.006	0.05			1496
TiC	0.06		0.05			1054
NbN		0.006		0.05		1022
		0.006		0.03		986
NbC	0.05			0.05		1171
	0.1			0.05		1243
Nb (N, C)	0.05	0.006		0.03		1085
	0.05	0.003		0.03		
VN		0.006			0.1	997
VC	0.05				0.1	780
	0.18				0.1	849

Jacobs 等[31]研究了含铌 EAF-CSP 钢中的析出,实验钢的主要成分(质量分数)约为:0.2%C,1.5%Mn,1.5%Si,0.034%～0.038%Nb,0.007%Ti,结果表明:钢中 (Nb, Ti) (N, C) 的析出量在 1050～1150℃范围急剧增加,质量分数由约 0.0001% 增加到 0.0005% 左右。含氮较高的钢(0.0097%N)比较低氮钢(0.0053%N)析出量更大。当均热温度为 1150℃时,这两个钢中析出粒子平均尺寸分别为 120nm 和 400nm,而均热温度为1050℃时,粒子尺寸分别变成 90nm 和 210nm。而且较高温度析出的碳氮化物粒子中的 Ti/Nb 比增大。由此可见,在 CSP 工艺生产含 Ti、Nb 钢时,均热温度的选择必须充分考虑到与碳氮化物的析出行为相协调。

Garcia 等[32]对 CSP 生产线生产的两种含铌钢(其成分分别为 0.059%C-0.004%Ti-0.035%Nb 和 0.069%C-0.039%Ti-0.063%Nb)50mm 厚铸坯均热前、后的组织进行了研究,结果表明:均热(1150℃,20min)对两种铌钢的原始奥氏体晶粒尺寸没有明显影响,而且含铌量与奥氏体平均晶粒尺寸关系不大,晶粒尺寸为 623～750μm。但是含铌较高的钢奥氏体晶粒尺寸较为均匀。固溶的 Nb 和 Ti 有减小二次枝晶间距的作用,图 10-9 给出在这两种铌钢薄板坯中二次枝晶间距沿铸坯厚度方向的变化。加 0.063% Nb 的薄板坯二次枝晶间距为 90(表面)～200μm(中心区),与此对应,230mm 厚板坯的二次枝晶间距为 90(表面)～300μm(中心区)。

在 0.063%Nb 钢铸坯中观察到的沉淀有:立方形 TiN、星形的 (Ti, Nb) (C, N) 和少量针状的 (Nb, Ti) (C, N)。TiN 粒子的平均尺寸为

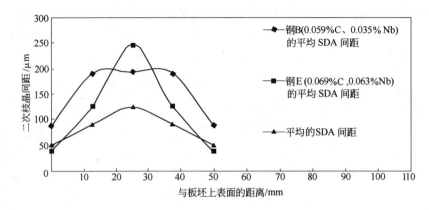

图 10-9　含 0.035％Nb 和 0.063％Nb 钢沿薄板坯（50mm 厚）
厚度方向的二次枝晶间距 SDA 的变化

40～60nm，体积分数为 1.15×10^{-3}，分布在枝晶间隙区。而在含铌（0.035％）和钛较低的实验钢中，TiN 粒子非常少。铸坯表面层的星形（Ti，Nb）（C，N）析出粒子尺寸（60～180nm）比 1/4 厚度处（约 40～100nm）的粗大。钢中的铌、钛含量不同，则（Ti，Nb）（C，N）析出粒子中铌的比例不同，上述铌较低的钢中 Nb 与（Nb+Ti）之比为 0.27～0.45，而铌较高的钢中 Nb 与（Nb+Ti）之比为 0.28～0.37，经均热后两种钢中碳氮化物的成分趋向一致，Nb 与（Nb+Ti）之比的差别很小，约为 0.30～0.40。研究还表明：1150℃、20min 均热后，两种试样中碳氮化物的体积分数分别由 0.67％、0.55％下降到 0.43％和 0.48％，说明碳氮化物在均热过程中发生了部分溶解。

　　应用 25mm 厚的球墨铸铁模对 CSP 工艺薄板坯连铸进行模拟的研究结果表明[33]：在成分为 0.074％ C、0.32％Si、1.42％Mn、0.038％Nb 和 0.01％N 的实验钢中，析出的碳氮化铌质量分数为 0.046％，其中尺寸小于 35nm 的析出粒子占 67％，而且有 30％以上小于 18nm。但是该模拟的实验钢热轧工艺和实际 CSP 生产线工艺参数差别较大，其第一和第二道次的变形率仅为生产线相应压下量的一半[34]，而且轧后的冷却模拟与生产线的冷却也有差距[35]。这个实验研究证实了模拟 CSP 的钢在热轧前的固溶铌量高于经过冷却再加热的钢中固溶量。

　　而钒的碳、氮化物固溶度较大，析出温度比较低，有利于发挥沉淀强化作用。因而，微合金元素的添加量要综合考虑钢的碳、氮含量和均热温度以及冷却速度等因素的作用，在不同温度范围沉淀的碳氮化物对钢的组织与性能有不同的作用。

　　Glodowski[36]根据 CSP 工艺的特点，详细论述了应用 CSP 工艺生产钒微合金高强度钢的优势。在微合金化元素中，钒的溶质阻碍参数最低，而溶解度最高，因此对于电炉冶炼的高氮钢，可以充分发挥 V（C，N）的析出强化作用。

Li 等[37]对模拟薄板坯连铸连轧工艺（TSCR）条件下 5 种含钒微合金钢（包括 V、V-N、V-Nb、V-Ti-N 以及 V-Nb-Ti 钢）的组织与力学性能进行了细致研究，分析比较了不同均热温度（1200，1100 和 1050℃）、均热后以及热轧后实验钢的晶粒尺寸和碳氮化物沉淀。在含 V-Ti-N（0.10% V-0.01% Ti-0.017%N）钢的铸坯中，存在形状不规则的列状析出粒子，其尺寸在 40～200nm 之间，粒子的 V/Ti 比为 1∶1，还有少量富钛（V/(V＋Ti)＝0.07）的立方形粒子以及复杂的枝晶状颗粒；在含 V-Nb-Ti（0.11% V-0.031% Nb-0.007%Ti）钢的铸坯中，主要析出相是较大的枝晶状颗粒和少量的针状颗粒，析出相成分中均包括钒、铌和钛。

研究结果表明：经 1050℃均热的钢，由于 （V，Nb）（N，C）沉淀阻碍再结晶奥氏体晶粒的长大，以及固溶铌的溶质拖曳作用延缓了再结晶，经 5 道次热轧后奥氏体晶粒尺寸由约 1mm 细化到 4.5～6.5μm。在所有实验钢卷取后的板材中，都观察到分布在铁素体基体上的弥散沉淀，析出粒子的尺寸小于15nm，它们是富钒的氮化物并固溶有少量碳。在 V-Nb 和 V-Ti-Nb 钢中，这些小沉淀粒子的合金元素约 70% 为钒，23%～27% 是铌，Ti 仅为 7%。根据微合金化的情况不同以及均热温度不同，这些富钒的细小沉淀可提供的弥散强化量约为 100～400MPa。

此外，电炉钢中不可避免的残铜量也是重要的影响因素，在铜含量较高（约 0.1%）的钢中观察到粗大的（约 400nm）和细小的 CuS（约 20nm）析出颗粒，粗大的 CuS 颗粒是在铸坯或均热时形成的，而细小的颗粒则是较低温度在晶界与变形带上析出的。这些 CuS 颗粒为 （Nb，Ti）（C，N）的沉淀提供了形核地点，因而会改变碳氮化物的析出行为与分布。在 CSP 低碳钢中也观察到碳化物在氧、硫化物颗粒上形成的现象[38,39]。

总的来说，根据钢的化学成分、均热温度、变形制度和冷却速度的不同，Nb、V、Ti 在低碳微合金钢中，可以发生不同的沉淀析出反应，得到不同尺寸、分布、体积分数以及不同晶体结构的沉淀相粒子，并且对钢的组织和性能带来不同的影响。另一方面，钢中的其他析出相还可能影响碳氮化物的形成。

从低碳钢组织细化和微合金碳氮化物沉淀控制的角度来看，CSP 工艺区别于传统冷装厚板坯工艺的显著特点可以归纳为：

（1）铸坯薄（以 50～70mm 厚度为例）、凝固速度与随后的冷速分别比传统工艺快一个数量级，对于析出温度较高的氮化物，因冷速快而使形核率增高，但是来不及充分长大，也有可能来不及析出。

（2）采取热直轧工艺，钢坯在热加工之前没有经过冷却到较低温或室温再加热到奥氏体区的过程，因此薄板坯铸态组织的奥氏体晶粒粗大，并保留了枝晶与偏析等铸态的组织特征。对于大多数碳、氮化物则没有析出-溶解-再析出的过程，和这些碳氮化物相关的大部分微合金元素仍保留在固溶状态，这一特点有利于充分发挥微量添加元素的作用。

（3）薄板坯均热一般在1050～1150℃范围保温约30min，必须避免碳氮化物在均热过程中析出长大和粗化，应使微合金元素尽可能保留在固溶体中，以便在较低温度沉淀。例如在加工时沉淀以阻止奥氏体再结晶或者在铁素体区沉淀而提高钢的强度。

（4）薄板坯铸态组织中的成分偏聚程度远比厚板坯的弱，因而高温时在溶质富集区形成并快速长大的粗大沉淀很少。

这些区别导致微合金元素碳氮化物的沉淀行为与传统工艺条件下不同，因而对钢的组织和性能的影响也有差异。

10.2.2　CSP微钛低碳锰钢中析出相的实验研究

柏明卓[39]对EAF-CSP工艺生产的微钛低碳汽车用钢进行了研究，观察到大量细小的含钛沉淀粒子，分析了钢中含钛粒子的析出行为和作用及其与传统工艺钢的区别。

实验材料取自广州珠钢公司CSP生产线的汽车用热轧板和连铸坯，铸坯试样从还未进入均热炉的坯料剪下并水冷至室温，试样成分如表10-6所示。

表10-6　EAF-CSP含钛实验钢的成分（质量分数）　　　　　　（%）

名　　称	C	Mn	Si	P	S	Cu	Als	Ti	N
试样A	0.179	1.21	0.28	0.023	0.004	0.11	0.021	0.005	0.006
试样B	0.170	1.18	0.32	0.019	0.002	0.10	0.019	0.016	0.006
铸　坯	同试样B								

对含残量钛（试样A）和微量钛（试样B）的热轧板分别切取试样，制备萃取复型和薄膜试样，在透射电镜（TEM）下，对析出相粒子的形貌、尺寸和数量进行了观察，并统计粒子的尺寸分布。同时，采用X射线能谱仪（EDXS）对析出粒子逐个进行成分分析。对微钛试样B的铸坯在表面层、1/4厚度处和1/2厚度位置分别取样并制备萃取复型和薄膜试样，进行TEM＋EDXS观察分析。

10.2.2.1　微钛钢铸坯中的析出相

根据实验钢的成分（表10-6），可以计算出TiN和TiC在奥氏体的析出温度分别为1404℃（TiN）和1044℃（TiC）。在铸坯试样中观察到了钛的析出相。图10-10a、b分别是铸坯1/4厚度和1/2厚度部位的萃取复型的TEM照

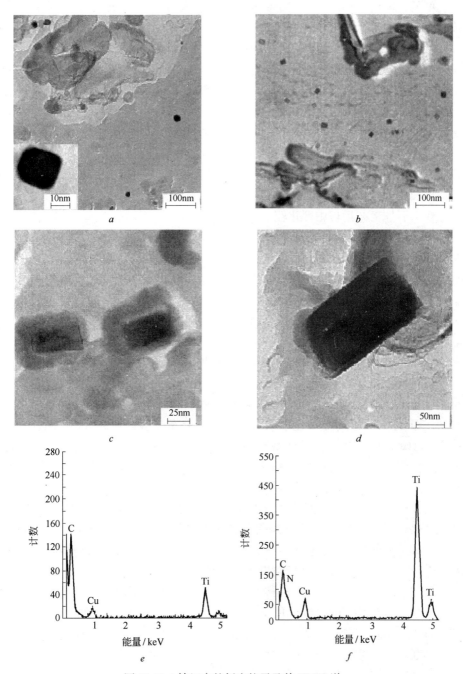

图 10-10　铸坯中的析出粒子及其 EDXS 谱

a—铸坯 1/4 厚度处萃取复型的 TEM 像；b—1/2 厚度处萃取复型的 TEM 像；c、d—铸坯萃取
复型中的大尺寸粒子；e—小粒子（<20nm）的 EDXS 谱；f—大粒子（>50nm）的 EDXS 谱

片。可见，铸坯中小的析出粒子数量比较少，粒子尺寸一般不大于 20nm，形状大多接近方形，但 1/4 厚度处粒子的棱角不分明，接近圆角，一些尺寸更小的粒子则为球形；1/2 厚度处粒子的棱角则相对清晰。这是因为析出相开始形核时为了保持总的界面能最小，粒子呈球状，随着粒子的长大其外形渐渐趋向于多边形，对于 TiC、TiN 或 Ti（C，N）粒子通常形成立方体外形。铸坯表层部位的复型试样中很少观察到钛的析出粒子，仅在薄膜中观察到数量很少的更细小的钛析出粒子。

图 10-10c、d 是在铸坯中观察到的少数大粒子，尺寸在 50nm 以上，EDXS 分析表明这些大的粒子是 TiN 或含氮较高的 Ti（C，N）。它们在较高温度析出并已长大，由于 TiN 粒子在尺寸大于 30nm 以后，具有很好的稳定性[40]，因此在以后的工艺过程中变化较小。

尺寸小于 20nm 的小粒子则是在连铸坯剪下来之后在冷却过程中析出的。粒子在铸坯表面、1/4 厚度以及 1/2 厚度处的数量依次增多，形状渐趋于完整。这是因为铸坯在水冷过程中其表面冷速很高，Ti（C，N）析出的动力学条件不满足而不能形成。从铸坯表面到中心的冷速逐渐减慢，在 1/4 厚度处粒子能够析出并生长，而在铸坯 1/2 厚度部位冷速更慢，Ti（C，N）析出粒子的长大相对更为充分。

10.2.2.2 热轧钢板中的 Ti（C，N）析出粒子

透射电镜观察表明，CSP 热轧成品板试样 A 和 B 中都有方形或长方形的小析出粒子。在试样 A（0.005％Ti）中，粒子数量较少，在随机视场中很难找到，图 10-11a 为试样 A 在萃取复型中粒子分布较多区域的 TEM 照片。但试样 B（0.016％Ti）的 TEM 观察显示，析出粒子明显增多，随机视场中都可以观察到一定数量的粒子，见图 10-11b；粒子尺寸同试样 A 相比没有差别。

在 TEM 下对萃取复型试样随机取 20 个视场，统计 Ti（C，N）粒子的尺寸，结果如图 10-11c 所 F 示。由图可见，析出粒子尺寸多分布于 15～30nm，大于 50nm 的粒子很少，粒子的平均尺寸约为 23nm，没有观察到微米级以上的 TiN 夹杂。EDXS 能谱分析结果表明，此类方形或长方形粒子均为 Ti（C，N），图 10-11e 是尺寸 15～30nm 的析出粒子的 X 射线能谱。由于能谱仪分辨率的限制和复型中碳膜的影响，不能有效区分能谱中的碳峰和氮峰；而且，TiC 和 TiN 的晶格常数非常接近。所以，无法通过 X 射线能谱或电子衍射确切地判断粒子为 TiC、TiN 或 Ti（C，N）。但是通过对比粒子能谱和复型中 Fe$_3$C 的能谱（图 10-11f），可以确定析出粒子含有氮元素。

图 10-11d 是一颗稍大粒子的电子衍射花样及其指数标定结果，计算出其晶格常数约为 0.42nm，与 TiC/TiN 相近，进一步证明析出相为立方系的 Ti（C，N）。

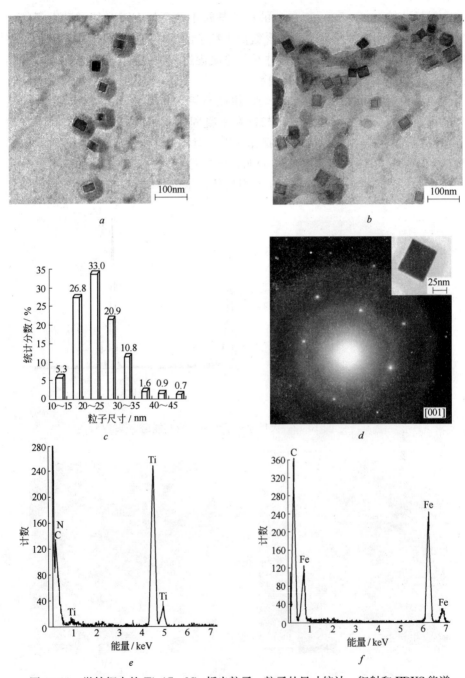

图 10-11 微钛钢中的 Ti（C，N）析出粒子、粒子的尺寸统计、衍射和 EDXS 能谱
a—试样 A（0.005％Ti）中的析出粒子；b—试样 B（0.016％Ti）中的析出粒子；
c—粒子尺寸的分布统计图；d—一个析出粒子的电子衍射花样及其形貌；
e—小粒子的 EDXS；f—Fe₃C 的对比 EDXS

　　对尺寸较大（>50~60nm）的粒子与较小粒子的 EDXS 能谱和电子衍射对比的结果表明：大尺寸粒子中含氮比小粒子的高，而由电子衍射得到的晶格常数比小粒子稍小。可见，大尺寸粒子是凝固过程中或凝固后高温阶段在铸坯局部析出的 TiN 或富氮的碳氮化物。

　　成品板中粒子的分布不大均匀，往往呈一定排列趋势，如图 10-12 和图 10-13a 所示。粒子的不均匀分布与钛在钢凝固过程中的枝晶偏聚有关；列状分布的粒子往往是沿奥氏体晶界析出的[41]。对比 Ti（C，N）粒子在铁素体区和珠光体区的分布（见图 10-13）表明，析出粒子在这两个区域的分布、数量和尺寸无明显差异，说明该类粒子在奥氏体向铁素体转变前已经充分析出。

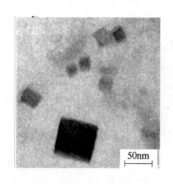
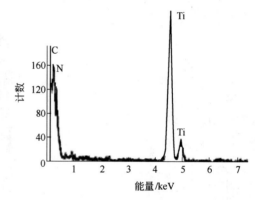

图 10-12　大尺寸粒子形貌像及其能谱

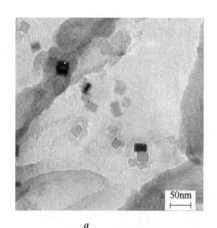
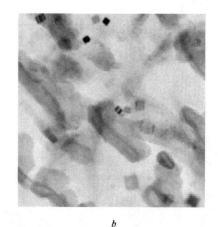

a　　　　　　　　　　　　　　　　　　b

图 10-13　试样 B 中的 Ti（C，N）析出

a—铁素体区；b—珠光体区

10.2.3　CSP 工艺条件下微量钛的沉淀行为

钛作为常见的微合金添加元素，在传统工艺下通常以 TiN 形式析出，在铸坯凝固后和再加热时可以有效阻碍奥氏体晶粒长大，从而细化热轧前的初始奥氏体晶粒[5]。TiN 的析出温度较高，对含 0.005%～0.007%N 和 0.05%Ti 的钢其析出温度通常在 1400℃左右或更高。氮化物的形核在凝固后的冷却过程就已经开始。根据形核理论，形核功与过冷度有下面关系：

$$\Delta G^* \propto 1/\Delta T^2 \tag{10-7}$$

形核功随着过冷度 ΔT 的增大而急剧减小。在薄板坯（TSCR）工艺条件下由于铸坯在凝固后均热前（约 1000℃以上）的温度范围内的冷却速度快、过冷度大，所以 TiN 的形核率远高于传统工艺。同时，由于快的冷速，使析出粒子的生长受限制，导致均热前的铸坯试样中大尺寸的析出粒子很少，在微钛钢（0.016%Ti-0.006%N-0.17%C）中甚至观察不到。

随着析出相稳定核心的形成和长大，其周围基体中的溶质原子贫化，与远处的基体形成浓度梯度，使溶质原子通过长程扩散向析出相附近迁移，从而所有的稳定核心都将生长。钛的长程扩散是控制 TiN 析出相生长的因素，根据 Zener 的扩散控制理论在时间 t，粒子的直径生长成 d，即：

$$d = \alpha\sqrt{Dt} \tag{10-8}$$

式中　d——析出粒子直径；

t——粒子长大时间；

α——生长系数，$\alpha = \left(2\dfrac{C_{Ti}^0 - C_{Ti}^\gamma}{C_{Ti}^{TiN} - C_{Ti}^\gamma}\right)^{1/2}$，$C_{Ti}^0$、$C_{Ti}^\gamma$、$C_{Ti}^{TiN}$ 分别是钛在基体中的初始浓度、平衡浓度以及在析出相中的浓度；

D——起控制作用的溶质原子（Ti）的扩散系数，m^2/s。

$$D_{Ti} = 1.5\exp\left(-251.2 \times 10^3/RT\right) \times 10^{-5} \tag{10-9}$$

TSCR 铸坯在约 1050～1150℃直接进入均热炉保温 20～30min。在假设基体中钛的过饱和度不变的条件下，根据上式计算，在 1150℃保持 100s 的时间里，TiN 粒子长大约 16nm。但实际上随着析出粒子的生长，基体中溶质原子的过饱和度迅速降低，粒子附近与基体间的浓度梯度减小，使其生长速率变慢，因而这一结果是粗略的。

进入 Ostwald 熟化阶段后，发生小尺寸析出粒子溶解，而大尺寸粒子继续长大的粗化过程。这个过程及粒子的稳定性可以由吉布斯—汤姆逊定理[17]来说明。

在析出粒子与奥氏体基体的系统中，恒温恒压条件下的平衡条件为：$dG=0$，G 为系统自由能，假设只考虑钛元素的迁移，则：

$$dG = \sigma dA + (\mu^{TiN} - \mu^{\gamma}) \, dn = 0 \tag{10-10}$$

式中，σ 为沉淀相与 γ 间的界面能，A 为粒子表面积，μ 为钛元素在各相中的化学位，dn 为发生迁移的钛的摩尔数。

所以
$$\mu^{\gamma} = \mu^{TiN} + \sigma dA/dn \tag{10-11}$$

即
$$\mu^{\gamma} - \mu^{TiN} = \sigma dA/dn = \sigma \, (dA/dV) \, (dV/dn) \tag{10-12}$$

TiN 粒子为方形，边长为 a，则 $A = 6a^2$，$dA/dV = 6/a$，dV/dn 为钛的摩尔体积 V_m，则

$$\mu^{\gamma} = \mu^{TiN} + 6\sigma V_m/a \tag{10-13}$$

$$a = \infty, \ \mu^{\gamma} \, (\infty) = \mu^{TiN}$$

因此
$$\mu^{\gamma}(a) = \mu^{TiN}(\infty) + 6\sigma V_m/a \tag{10-14}$$

钛在 γ 相中的固溶度很低，所以 $\mu = \mu^0 + RT\ln C$，代入上式有：

$$\ln(C_a/C_{\infty}) = 6\sigma V_m/RTa \tag{10-15}$$

上式就是吉布斯-汤姆逊方程，C_a 表示溶质元素在尺寸为 a 的析出粒子周围基体中的浓度，C_{∞} 为平衡浓度。已知 $\sigma = 0.65 \text{J/m}^2$，$V_m = 1.14 \times 10^{-5} \text{ m}^3/\text{mol}$[40,42]，1100℃时的计算结果由图 10-14 给出。

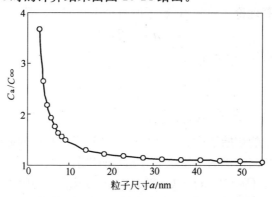

图 10-14　1100℃时 TiN 的稳定性图

由图 10-14 可见，TiN 析出粒子在奥氏体基体中的稳定性与粒子尺寸有关。小的粒子周围基体中钛的平衡浓度高，而大粒子周围的低，这一由高到低的浓度梯度使小粒子周围的钛向大粒子周围扩散，结果造成小粒子溶解而大粒子长大。但随着粒子长大，C_a/C_{∞} 越来越小，当粒子尺寸 $a > 35\text{nm}$ 以后，$C_a/C_{\infty} \approx 1$，即在析出粒子周围基体中的浓度趋近于平衡浓度，大小粒子间的浓度梯度非常小，这时析出粒子的熟化过程会越来越缓慢。

在粒子的粗化过程中，析出粒子平均尺寸的变化可以由 Wagner-Lifshitz 关系[17]描述：

$$\bar{r}_t^3 - \bar{r}_0^3 = \frac{8D\sigma V_m C_\infty}{9RT} \times t \tag{10-16}$$

$\bar{r}_0$、$\bar{r}_t$ 分别为粒子的初始平均尺寸和在时间 t 时的平均尺寸，其他参量意义同上。

根据上式，估计 TiN 粒子在 1150℃ 的长大速度 1h 最多只有几个纳米，因此，在均热过程中析出粒子的粗化非常缓慢。

比较而言，传统工艺下高温析出的氮化物是在铸坯冷却过程中逐渐形核与长大的。由于冷速慢，形核率低，核心数量较少，而且沉淀发生在一段时间间隔和温度范围内，析出粒子的形核、生长与粗化三个阶段重叠效应更明显，先、后析出的粒子间其尺寸差别比较大。先期析出的粒子在长大、粗化两个阶段占优势，大的粒子会长大更充分，形成的颗粒尺寸更粗大而数量较少。此外，传统工艺在凝固阶段有微米级夹杂析出，使部分钛失去微合金作用；在加热保温过程中，由于 TiN 的热稳定性高，较难溶解，导致在奥氏体中的固溶量低，而且一些尺寸较大的粒子还会继续粗化，失去有效阻碍晶粒长大的作用。

综合上面的分析可见，CSP 工艺条件下钛碳氮化物的析出主要集中在均热过程和前两道次的热轧中。铸坯在均热炉 1150～1050℃ 保温 30min 过程中，Ti (C, N)开始大量形核并长大。随着进入热轧，大的变形量促使 Ti (C, N) 的析出加剧，应变诱导析出的粒子通过位错管道扩散机制长大[25]至 20～30nm 左右逐渐稳定。

传统工艺厚板坯的冷速较慢，一方面，使钛的偏聚较严重，造成局部区域 TiN 的开始析出温度升高。另一方面，铸坯冷却过程中冷速慢使得 TiN 在较高温度析出并容易长大至较大尺寸，甚至长成微米级以上夹杂物[42]。另外，传统工艺中铸坯要经过冷却—再加热的过程，再加热时，已析出的 TiN 将重新溶解或长大。据报道，大于 25nm 的钛的碳氮化物在 1300℃ 以上才开始溶解（见图 10-8），而且直到液态时才能完全溶解。因此，在约 1250℃ 左右，再加热时已析出的 TiN 粒子不会溶解，而会进一步长大，仅有 TiC 和部分 Ti (C, N) 粒子溶解。所以，传统工艺下铸坯在热变形前钛的固溶量不大，热变形中析出的细小沉淀相数量很少。因此传统工艺下，加入微量钛的主要作用是在铸坯中析出氮化物固定氮，在铸坯凝固后和再加热过程中阻碍原始奥氏体的晶粒粗化，对热轧过程中再结晶奥氏体的晶粒细化贡献不大。

和传统厚板坯的冷速 9℃/min 相比较，CSP 工艺薄板坯的冷速快得多，可达 120℃/min[43]。CSP 铸坯在 1000℃ 高温直接进入均热炉，钛的析出相没有重溶的过程，使得钛在奥氏体中的固溶量大大提高，因而，均热前很少有 Ti (N, C) 粒子析出，而在均热特别是热轧时大量析出。在再结晶控制轧制时细小的 Ti（C，N）对阻碍再结晶奥氏体晶粒长大十分有效，因此，在薄板坯工艺条件下添加微量钛（0.02%以下）有明显的细化晶粒作用。

10.3　低碳微合金洁净钢中的沉淀

本工作设计并在试验室冶炼了三组成分不同的洁净试验钢，它们的洁净度可分为三个水平：第一组（A 组）为高纯净超低碳微合金钢，用 10kg 真空感应炉冶炼，每个钢锭 4kg 左右，钢锭的化学分析结果如表 10-7 所示，钢中的杂质元素 O+S+P+H 分别小于 0.0077%、0.0052%、0.0061%，硫含量为0.0005%。第二组（B 组）试验钢和对比钢每个钢锭约 25kg，钢 B3 和 B4 的硫含量分别为 0.002%、0.0019%，对比钢 B1 和 B2 的硫含量分别为0.0087%和 0.011%，相当于一般工业钢的水平，但磷的含量远远低于工业钢，仅为 0.0025%～0.0053%。B 组试验钢在铸锭后破真空使钢锭加速冷却。

A 组试验钢均在钢锭底部中央取样分析，钢锭再加热到 1200℃保温 3h 后锻造成 φ15mm 试棒，再加热到 1200℃保温 1h 后空冷，对这些试棒也取样进行光学显微镜和电子显微镜观察。B 组试验钢锻造成尺寸为 160mm×100mm×40mm 的钢坯，再加热到 1200℃保温 30min 使其中的微合金元素固溶，然后经 5 道次热轧成 6mm 厚钢板。道次变形量分别为 40.0%，33.3%，31.3%，27.3%和 25.0%，终轧温度分为 860～880℃和 760～780℃两组，轧后用水冷、风冷和喷淋等不同冷却方式冷却到室温。

表 10-7　试验钢 A 组（5kg 锭）和 B 组（25kg 锭）的化学成分（质量分数）（%）

No	C	Mn	Si	Nb	V	Ti	P	S	N	Bt	Als	O	H
A1	0.029	1.48	0.18	0.052		0.025	0.0028	0.0005	0.0070	0.0015	0.011	0.0043	<0.0001
A2	0.047	1.54	0.18	0.046		0.044	<0.001	0.0005	0.0065	0.0016	0.041	0.0037	<0.0001
A3	0.043	1.54	0.14	0.044		0.042	0.0024	0.0005	0.0045	0.0020	0.046	0.0031	<0.0001
B1	0.044	1.79	0.45	0.049	0.018	0.030	0.0053	0.0087	0.0067	0.0037	0.19		
B2	0.062	2.34	0.47	0.044	0.032	0.029	0.0038	0.0110	0.0063	0.0067	0.20		
B3	0.049	1.67	0.32	0.052	0.037	0.011	0.0030	0.0020	0.0096	0.0048	0.033		
B4	0.020	2.01	0.35	0.047	0.038	0.011	0.0025	0.0019	0.0044	0.0058	0.020		

10.3.1　凝固过程中的析出[45]

微合金钢在液态或凝固过程中析出的氮化物对于连铸坯裂纹的产生有重要影响，有些氮化物会在随后的加热及轧制过程中保留下来，进而对钢材的加工性能和最终成品的韧性与疲劳性能产生不利影响。由于 NbN，VN 在钢液中的溶度积相当大，一般很难在微合金钢的液态析出。而 TiN 的溶度积较小，在钢中常能看到在液态或 δ-铁素体中析出的大颗粒多边形粒子，尺寸为微米级，在以后的热处理中不溶解，对阻止晶粒粗化及沉淀强化没有作用[46,47]。因此，通过控制钢液成分和凝固冷却的速度以控制 TiN 析出相的尺寸与数量是含钛微合金钢生产中的一项重要任务。

对 5 个试验钢进行计算得到各个钢的固相线、液相线温度由表 10-8 给出。根据文献［42］对上述试验钢进行了热力学计算，得到实验钢中液相的 TiN 溶度积公式，并作出了各试验钢 TiN 析出相的稳定性图，由图可以看出，5 种钢的 TiN 析出温度均距固相线温度很近，这时在液相析出的 TiN 尺寸比较小。图10-15给出了钢 A1 和 B3 的 TiN 析出相稳定性图。

试验钢 A1 和 B3 中 TiN 在液相的溶度积如下：

实验钢 A1： $\lg\ [\%N]\ [\%Ti] = -\dfrac{15083}{T} + 5.61$ (10-17a)

实验钢 B3： $\lg\ [\%N]\ [\%Ti] = -\dfrac{15095}{T} + 5.62$ (10-17b)

表 10-8　实验钢的液相线和固相线温度以及 TiN 析出温度

实 验 钢	A1	A2	A3	B3	B4
液相线温度/K	1799	1797	1797	1794	1794
固相线温度/K	1752	1747	1748	1738	1733
液相中 TiN 析出温度/K	1612	1650	1618	1575	1521
奥氏体中 TiN 析出温度/K	1644	1685	1651	1604	1546

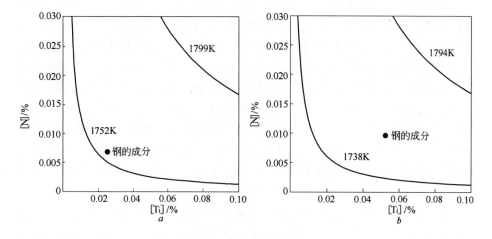

图 10-15　实验钢 A1（a）和 B3（b）的 TiN 析出相稳定性图

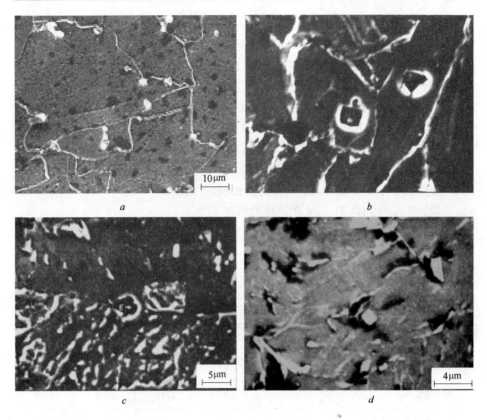

图 10-16　微合金钢铸态及锻造后的组织及析出相粒子（SEM）二次电子像

a—A1 铸态试样；b—B3 铸态试样；c—B4 铸态试样；d—A3 锻造试样

　　金相显微镜和扫描电镜（SEM）观察结果表明：在 A1、A2、A3 三个实验钢的铸锭和锻棒试样中，尺寸最大的析出物线度约 $1\sim3\mu m$ 左右，形状为规则的方形或多边形，X 射线能谱（EDXS）分析表明：这些析出颗粒是氮化钛，其中固溶有少量的铌，因而是氮化钛铌。图 10-16 给出其中几个粒子的扫描电镜（SEM）二次电子像。金相方法统计结果表明：平均每平方毫米试样面积上有析出物颗粒 60～70 个。未发现变形或拉长的夹杂物。氮化钛中还可能有少量碳而形成 $Ti(C,N)$[48] 或碳氮化钛铌。实验中还观察到沿晶界有较多的析出粒子，但晶界析出相尺寸明显小得多，它们应是在固相析出的，对奥氏体晶粒长大会有阻碍作用[49]。由图 10-16a 可以看到由于析出相粒子的阻碍，被拖曳的晶界呈现出弯曲形状、晶粒生长受到限制。

　　钛的氮化物不仅以均匀形核方式析出，同时也以非均匀形核方式生成，晶界、先行析出的第二相粒子包括夹杂物颗粒等都可以作为氮化物析出的非均匀形核地点。图 10-17 示出一个例子，图中是一个方形氮化物颗粒，EDXS 能谱分析表明它是（Ti，Nb）N，该粒子包含有一个暗色的"核心"，X 射线能谱分析证实其核心是氧化铝粒子，表明这个（Ti，Nb）N 粒子是在更早析出的氧化铝粒子上生长的。

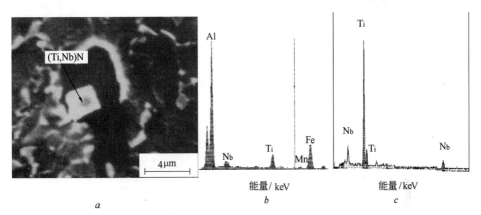

图 10-17 以氧化铝为核心生长的(Ti，Nb)N 颗粒及 EDXS 谱

a—SEM 形貌像；*b*—方形颗粒"核心"处的 EDXS 谱；*c*—方形颗粒的 EDXS 谱

10.3.2 碳、氮化物在奥氏体及 α 相中的析出

根据 Turkdogan 的关系式对微合金元素氮化物、碳化物以及碳、氮化物析出的溶度积进行了计算，在奥氏体的某一温度，微合金析出物溶度积大致按下列方式递增：TiN、BN、AlN、NbN、VN、Nb(C,N)、TiC、NbC、VC。考虑到在较高温度的析出相对于碳、氮的消耗将会对低温的析出相产生重要影响。同时，在碳化物、氮化物或碳、氮化物析出过程中还有明显的交互作用。上述试验钢的成分较为复杂，难以对每种析出相进行定量研究。因此，主要应用分析电子显微镜对实验钢中析出相的大小、成分以及分布等进行了定性研究。

10.3.2.1 热模拟试样中的析出相

按照图 10-18*a* 所示的变形等温处理工艺，实验研究了高纯含铌钢 A3 在热机械处理过程中碳、氮化物的析出行为。试样加热到 1200℃保持 30min，快冷到 780℃压缩变形 70％后分别在 500℃等温 500s（试样编号为：A3-7D₁）和 800s（试样编号为：A3-7D₂）后水冷至室温[50]。

应用透射电子显微镜对 A3-7D₁ 和 A3-7D₂ 试样的萃取复型进行了观察并对析出相进行了电子衍射及 X 射线能谱分析。图 10-18*b* 所示为 A3-7D₁ 试样中析出相的透射电镜明场像。由图可见析出相的尺寸在 100nm 左右，X 射线能谱与电子衍射分析结果表明：这些析出相主要为钛铌的碳、氮化物，但铌的含量相当少。

对萃取复型试样的 TEM 观察表明：经 780℃压缩 70％再经 500℃等温处理的试样中存在尺寸不同的两类析出物，一种是线度为 100～200nm 的方形颗粒（见图 10-19）。电子衍射分析证实是 FCC 结构的 Ti 、Nb 的碳氮化物，其点阵常数与氮化钛接近。由于钢中常见的立方系 Ti、Nb 的碳、氮化物结构相同、点阵常数接近（如 TiC 为 0.43285nm，TiN 为 0.42400nm），通常形成碳化物与氮化物的固溶体，随着析出温度的降低，氮化钛中可固溶铌或碳，形成氮化钛铌、碳氮化钛或碳氮化钛铌等，点阵常数则随固溶的碳量或铌量不同而变化。所观察到的这种方形颗粒可认为是氮化钛中固溶了少量铌。

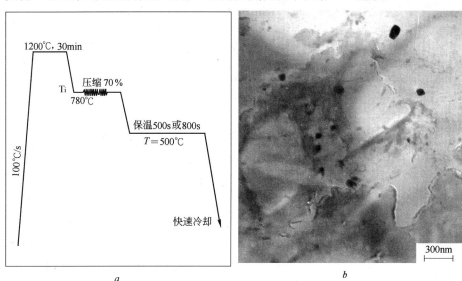

图 10-18   试样的热处理工艺及碳氮化物透射电镜像

a—试样的热处理工艺；b—A3-7D₁ 试样中的碳、氮化物透射电镜像

第二种析出相线度在二、三十纳米以下，衍射分析指出它们也是立方系，但点阵常数比上述常见立方碳氮化物的约大一倍，图 10-19c 是一个尺寸小于 20nm 的这种小粒子的 [124] 晶带轴衍射谱，看来有可能是碳氮化物的固溶体。这些弥散粒子的析出可阻止变形奥氏体的再结晶和晶粒长大，使奥氏体晶粒细化。而细小的弥散粒子可明显提高钢的强度。在经过锻造或热变形的试样中还观察到二、三十纳米以下的粒子和许多沿晶界析出的粒子。

研究表明：尺度 100～200nm 左右的（Ti 、Nb）N 主要是在高温形成的，按溶度积公式计算表明，实验钢 A3 中 TiN 的析出温度约为 1650K（约 1378℃）（见表 10-8），因而，试样重新加热到 1200℃并等温 30min 时，那些氮化物不仅不能溶解，反而会进一步粗化。这些较大的析出相粒子在随后的变形和处理中变化不大，一直保留在试样中。实验观察证实：试样在 500℃保温

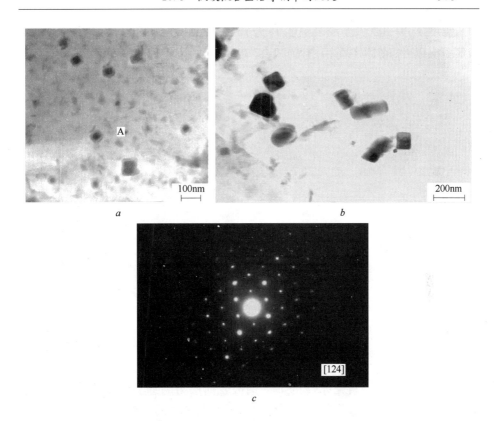

图 10-19 A3-7D$_2$ 试样中的碳氮化物透射电镜像

a、b—钛铌碳氮化物的形貌与分布；c—图 b 中一个尺寸小于 20nm
粒子的电子衍射谱（[124] 晶带轴）

由 500s 延长至 800s 时，这些氮化物析出相的尺寸未发现有明显变化。

而尺寸二、三十纳米以下的小粒子是 780℃变形时在奥氏体中应变诱导析出的，在应变诱导沉淀的情况下，（Nb、Ti）（CN）在奥氏体中发生的沉淀反应大大提前，且沉淀粒子数量增大，而沉淀粒子尺寸则细小得多。由于应变诱导析出的 Nb（CN）量增加，使得奥氏体中的固溶铌量减少，因而固溶铌推迟 $\gamma \rightarrow \alpha$ 相变的作用将会减弱。这类沉淀能够有效抑制变形奥氏体的回复和再结晶，并为 α 相提供了大量形核中心，有利于最终细化 α 相组织。

在随后 500℃的等温过程中，还可能有碳氮化物在 α 相中析出，这些析出粒子具有很好的沉淀强化作用，但是尺寸非常细小，实验观察的难度比较大。

10.3.2.2　轧后水冷试样中的析出相

实验钢 B3（σ_s 为 758MPa，σ_b 为 933 MPa）的贝氏体转变开始温度 B_s 为 550～640 ℃，转变结束温度 B_f 在 511～577 ℃之间。钢坯经 5 道次热轧成 6mm 厚钢板，

开轧温度 T_s 为 1020 ℃，终轧温度 T_f 为 750 ℃，从轧后水冷的 B3c 钢板上切取试样制备成金相和薄膜样品，用扫描和透射电子显微镜进行观察。

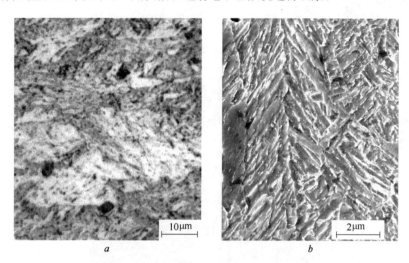

图 10-20　B3c 轧后水冷试样的心部组织

a—金相组织；*b*—SEM 二次电子像

实验观察表明：轧后水冷的 B3c 钢板表面层为超细晶粒的等轴铁素体组织，晶粒尺寸在 5μm 以下，大部分在 1～2μm 左右。而心部组织主要由非常细的贝氏体组成，其金相与扫描电镜二次电子像分别由图 10-20*a* 和 *b* 给出。在图中可以看到有尺寸为微米级的析出颗粒，它们是高温时在铸坯中析出的钛的氮化物；贝氏体束的长度约 2～3μm，在贝氏体板条之间分布有非常细小弥散的残留奥氏体或马氏体小岛。图 10-21 是 B3c 钢板心部薄膜试样的透射电镜照片，观察表明水冷试样中超细贝氏体亚单元的宽度在 100～200nm 左右。贝氏体亚单元内部位错密度很高，并且有亚结构存在（图 10-21*b*）。从图 10-21 的 TEM 像上，还可以看到试样中沿贝氏体亚单元边界的细小析出粒子（图 10-21*a*）以及贝氏体片内位错和亚结构上有许多细小析出粒子（图 10-21*b*）。

沿着贝氏体亚单元界面分布有尺寸 3～10nm 的析出相粒子。这些超细的析出相应是在相变过程中析出的，能够阻止贝氏体亚单元长大，使贝氏体组织的有效晶粒尺寸大大减小。

对 B2d 轧后直接水冷钢板的一次萃取复型样品进行透射电子显微镜观察的结果表明，试样中存在大量尺寸为 50nm 左右的析出相，超薄窗口 X 射线能谱分析证实这些析出相为铌钛的硼化物和碳化物。图 10-22 给出了 B2d 萃取复型试样的 TEM 明场像。图 10-22*a* 的析出相为铌钛的硼化物及其电子衍射谱，其对应的 X 射线能谱为图 10-22*c*，要确定铌钛的硼化物结构还需要进一步的

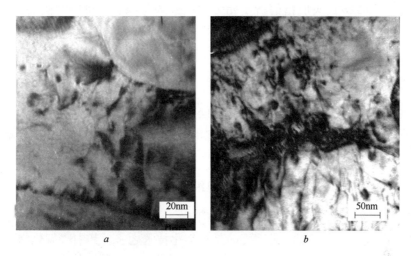

图 10-21　沿贝氏体亚单元和超亚单元边界的析出相（a）
与贝氏体中的析出粒子（b）

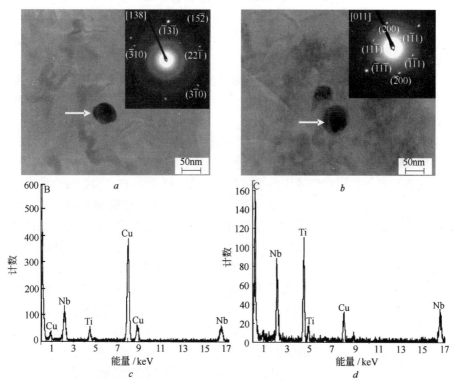

图 10-22　B2d 萃取复型试样的 TEM 明场像及 X 射线能谱

a、b—B2d 萃取复型试样 TEM 明场像；c—图 a 中析出相粒子的 X 射线能谱；
d—图 b 中箭头所指粒子的 X 射线能谱

工作。图 10-22*b* 箭头所指的析出相为铌钛的碳化物，其对应的能谱为图 10-22*d*，电子衍射分析结果表明，这种析出物晶体为面心立方结构，其点阵常数为 0.406nm。图 10-22*c*、*d* 中的铜峰来自支撑样品的铜网。

10.4　碳、氮化物在钢中的作用

关于微合金元素碳氮化物对钢的组织与性能的影响，国内外已经进行了大量的研究与总结。下面就薄板坯连铸连轧低碳钢与传统工艺产品中微合金元素碳氮化物的影响作一比较。

10.4.1　钛的碳、氮化物对低碳钢的组织与性能的影响

利用钢液中少量的、非常细小的析出物（合金相或传统工艺中的某些"夹杂物"）来细化铸态组织，是重要的晶粒细化技术之一。其中"氧化物冶金方法"的实质是利用在钢液中形成的弥散分布的细小氧化物颗粒作为钢液结晶的形核中心来细化铸态组织，提高钢的强韧化水平。在一定条件下，液相析出的氮化物也可以发挥类似作用。对于先结晶为 δ-铁素体的低碳钢，在液相析出的 TiN 颗粒可以作为钢液结晶时 δ-铁素体的形核中心，提高形核率，从而细化铸态组织。

钢中的 δ-Fe 为 BCC 结构，点阵常数为 0.293nm，TiN 为 FCC 结构，点阵常数为 0.4240nm（见表 10-1）。对 δ-铁素体和 TiN 的晶面错配度计算结果表明：在 δ-Fe 和 TiN 的低指数晶面中，TiN 的 {110} 面间距 $d=0.2998$nm，δ-铁素体的 {100} 面与 TiN 的 {110} 面之间的错配度 θ 很小，约为 2.27% 左右。因而在液相析出的 TiN 可以作为钢液结晶时 δ-铁素体的形核中心。而铌或钒的碳、氮化物因在钢液中的溶度积相当大，一般很难在微合金钢的液相析出。因此，通过调整氮、钛含量和过冷度使 TiN 在接近液相线温度的钢液中析出，并有适当的尺寸、数量和分布可细化钢的铸态组织，获得等轴细晶的铸态组织。据报道[5]，氮化钛体积分数大于 0.03% 时，铸造组织中等轴晶的比例可以超过 50%，这为提高钢的强韧化提供了新的重要手段。

传统工艺中，在铸坯中大量析出的钛的沉淀相容易使钢的高温塑性降低，并引发铸坯表面裂纹[51]。而在 CSP 工艺条件下，由于凝固速度和高温区冷速快，而且铸态组织的成分分布相对比较均匀，加入微量钛时在铸坯凝固与随后冷却时的沉淀很少，均热前钛的析出粒子还没有大量形成，对轧前铸坯组织的影响不太大。因而可以避免上述高温塑性降低并引发表面裂纹的问题。

实验研究表明：CSP 工艺下钢中添加的微量钛主要在均热和热轧过程中大量析出为细小沉淀粒子，因而有延迟奥氏体再结晶和明显阻碍再结晶晶粒长大的作用。在传统工艺下微量钛对奥氏体再结晶的阻碍作用远不如铌的作用，而 CSP

工艺下由于钛在钢中的析出行为的改变，阻碍奥氏体再结晶的作用变得相当突出，细化再结晶奥氏体晶粒的能力大大增强。由于钛能够提高钢的再结晶温度，增加钢在未再结晶区的累积变形量，在 $\gamma \to \alpha$ 转变时提高铁素体的形核密度，导致最终组织的细化，从而提高钢的强度和韧性。有关研究和实际生产经验表明，在 CSP 工艺钢中添加适量的钛，可大幅度提高钢的强度并保持良好韧性[52]。

在 EAF-CSP 工艺生产条件下添加适量钛的低碳高强钢中，在适当的冶炼加工工艺条件下，屈服强度随钛含量增加而增加，在含钛 0.045%～0.095% 范围内，屈服强度随钛含量增加呈线性增高趋势，高于 0.095% 时强度基本不变，最高可达 700MPa 以上[52,53]。电子显微镜观察[54]揭示出在这些含钛钢中普遍出现了以相间沉淀方式形成的细小碳氮化物粒子带，但含钛小于 0.1% 的钢仅在铸坯中观察到相间沉淀，没有在热轧板（6mm 厚）中出现。而含 0.12%Ti 的热轧板中则大量形成相间沉淀粒子列。图 10-23 的透射电镜照片给出了含钛钢（0.045%～0.07%C, 0.4%～0.6%Mn, ≤0.6%Si, 0.006% N, 0.12%Ti）热轧板中相间沉淀形貌的一个典型例子，沉淀带内碳氮化物小，粒子平均直径在 10nm 以下，带间距为 35～60nm。此外，还观察到大量弥散分布的细小沉淀粒子，其尺寸远小于 10nm，这些碳氮化物为钢的屈服强度提供了可观的强化增量。总的说来，关于微量钛在薄板坯工艺条件下的沉淀行为仍需要进一步深入研究。

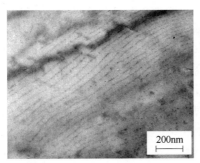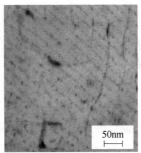

图 10-23　含钛高强钢（0.045%～0.07%C, 0.4%～0.6%Mn, ≤0.6%Si, 0.006%N, 0.12%Ti）热轧板中的
相间沉淀 TEM 明场像（薄晶体试样）

但是在应变诱导条件下如果碳氮化钛的析出动力学与奥氏体再结晶及晶粒生长动力学匹配不当，也可能引起严重混晶等问题，导致力学性能恶化[30,54]。因而需要控制钛碳氮化物的沉淀过程，避免其不良影响。

据报道[37]，热变形前已经存在的析出相粒子对再结晶的延迟没有显著影响，但能在轧制过程中或轧后有效阻碍再结晶的晶粒长大。可以利用这一作用进一步控制 CSP 工艺下 Ti（C，N）粒子的析出，从而充分发挥粒子对再结晶奥氏体晶粒长大的抑制作用，避免阻碍再结晶引起的组织不均匀性。

另外，由于合金元素沉淀强化的贡献主要是 $\gamma \to \alpha$ 转变过程中和相变后铁素体中的大量弥散析出，而 Ti（C，N）的析出温度较高，在相变前钛的固溶量已经很低，而且已有的实验工作[39]也证实，在微钛钢中（钛的质量分数不大于 0.02%），$\gamma \to \alpha$ 相变时和相变后基本上没有多少钛的碳氮化物粒子析出。因此，微量钛（≤0.02%）对提高强度的贡献主要来自细晶强化，沉淀强化作用不高。但是钛的添加量增加到 0.05% 左右或更高时，在 CSP 钢板的铁素体晶粒内观察到大量细小沉淀粒子，而且获得了明显的沉淀强化效果。

10.4.2　铌的碳、氮化物

添加铌的一个主要优点是可使钢在成分和成品尺寸范围较广的情况下都得到优良的力学性能，可提高成材率。传统工艺厚板坯在凝固过程或高温区析出的氮化物，有利于细化铸造组织。热加工前再加热时，未溶的碳氮化物粒子能阻止或延缓高温奥氏体晶粒长大。但是如前面所讨论的，由于 NbN 的溶度积比 TiN 的大，在薄板坯的加速凝固与冷却条件下，钢中的微量铌一般难以在均热前的铸坯中沉淀。

铌在钢中的主要作用是通过阻碍奥氏体再结晶而细化晶粒，其细化晶粒的效果最为显著[56,57]。研究表明[58~60]，热加工时在应变诱导下铌以碳氮化物的形式在钢中析出大量弥散细小的沉淀粒子，这些粒子对奥氏体再结晶有强烈的阻碍作用，可有效提高奥氏体的再结晶温度。固溶铌则通过溶质拖曳作用阻碍奥氏体再结晶以及降低 $\gamma \to \alpha$ 转变温度、改变相变动力学而细化 α 相晶粒。因此，通过形变诱导 Nb（N，C）沉淀推迟轧制时发生的回复再结晶过程，使钢在较高和较宽的加工温度区间内实现非再结晶区奥氏体变形，通过适当的热机械处理可使晶粒得到最大程度的细化[57]。

小林洋等[49]考察了当含铌钢中添加钛后奥氏体晶粒的长大行为以及这种条件下形成的析出相的成分、结构、数量、形态和大小，结果表明在传统工艺条件下：

（1）当铌与钛共存时，同时形成两种化合物，它们分别是固溶有钛的（Nb，Ti）C 和固溶有铌的（Ti，Nb）N。

（2）添加钛虽然有抑制奥氏体晶粒长大的作用，但是，如果钛与铌一起添加，这一作用将减弱。这是因为对抑制晶粒长大有效果的（Ti，Nb）N 与（Nb，Ti）C 以整体组合的状态析出，析出颗粒的有效半径增大所致。在（Nb，Ti）C 能完全固溶的高温条件下，（Ti，Nb）N 抑制奥氏体晶粒长大的作用又重新恢复。

（3）与 Nb（C，N）相比，固溶有钛的（Nb，Ti）C 热稳定性较差，在较低的温度下就能固溶解。

（4）Nb（C，N）、TiN 和（Nb，Ti）C 的析出量随着温度的升高而减少，而（Ti，Nb）N 却在 1220 ℃附近达到它析出量的最大值。

在适当条件下通过析出细小弥散的 Nb（C，N）沉淀还可提供一定的沉淀强化作用。微量钛的加入和 Nb-Ti 复合微合金化钢中，有利于细化高温时的凝固组织和再结晶奥氏体晶粒；而 Nb-V 复合微合金化钢则更有利于成为低温变形奥氏体回复和再结晶以及铁素体晶粒长大的抑制剂并可能强化铁素体。

由此可见，要得到添加铌的最佳效果，其关键环节在于控制 Nb（C，N）沉淀的温度范围与沉淀动力学，为此需要仔细考虑，使钢坯的均热温度、时间与热加工工艺和钢中碳氮化物沉淀过程相适应。

参 考 文 献

1　Rune Lagneborg. The significance of precipitation reactions in microalloyed steels，HSLA Steels' 2000，Proc. Of The 4th Inter. Conf. On HSLA Steels，Oct. 30-Nov. 2，2000，Xi'an，China，ed. By Liu Guoquan，Wang Fuming，Wang Zubin，Zhang Hongtao，Metallurgical Industry Press，2000：61～70

2　Turkdogan E T. Causes and Effects of Nitride and Carbonitride Precipitation During Continuous Casting. Steelmaking conference proceedings，1987，70：399

3　Turkdogan E T. Causes and Effects of Nitride and Carbonitride Precipitation During Continuous Casting. Iron & Steelmaker，1989，16（5）：61～75

4　王淑清，陈秀芳，赵秉军. 微钛低碳钢板的微观组织观察与分析. 材料科学与工艺，1996，4（2）：25～28

5　肖锋. 微钛处理钢中 Ti（C，N）第二相质点析出、长大行为及其对晶粒长大的阻止作用研究. 四川冶金，1998，4：48～49

6　李永良，陈梦谪，柯俊. 微钛 0.1%C 钢 TiN 析出和长大，钒铌钛等微合金元素在低合金钢中应用基础的研究. 北京：北京科学技术出版社，1992：230

7　柏明卓，柳得橹，娄艳芝. CSP 低碳微 Ti 钢中 Ti（C，N）的析出行为. 北京科技大学学报，2005，27（6）：679

8　梶晴男，木下修司，林登. 鉄と鋼，1972，58（13）：11，1759

9　Hannerz N E. Lindborg U and Lehtineu B，JISI，1968，206：68～78

10　Gray J M，Metall，Trans. Strength toughness relations for precipitation strengthened low alloy steels containing columblum. 1972，3（6）：1495～1500

11　Hoogendoorn T M，Spanraft M J，Microalloying 75，（Proc. Conf.）1977：75

12　桶谷繁雄. 电子线回折による金属碳化物の研究. 1971

13　Gauthier G，Alain B Le Bon. Microalloying 75，（Proc. Conf.）1977：88

14　Palmiere E J，Garcia C I，DeArdo A J. Compositional and microstructural changes which attend reheating and grain coarsening in steels containing Nb，Metal. And Mater. Trans. A，25A（1994）：277～286

15　Dulieu D. Low carbon structural steels for the eighties. 1977，I/8-14

16　Meyer L. Dieter schauwinhold, stahl and eisen. 1967，87（1）：8～21

17　冯端. 金属物理学，第二卷 相变. 北京：科学出版社，1998：150，180

18　Wagner R, Kampmann. R. in：Mater. Sci. Tech. A Comprehensive Treatment，ed. R. W. Cahn，P. Hassen and E. J. Krammer. VCH Verlagsgesselschaft mbH，Weinheim，Germany，1991，5：213

19　Liu W J, Jonas J J. Ti（CN）Precipitation in Microalloyed Austenite during Stress Relaxation. Metallurgical Transactions A，1988，19A（6）：1415～1424

20　Bai Yuguang, Wang Jianjun, Wang Tieli, Sun Zhenyan, Liu Chunming. Role of microalloying elements in high strength steels，HSLA Steels' 2000，Proc. of The 4th Intern. Con. on HSLA Steels，Oct. 2000，Xi'an,China，288～293

21　Dutta B, Sellars C M. Effect of composition and process variables on Nb(C, N) precipitation in niobium microalloyed austenite. Mat. Sci. Technol. ，1987，3（3）：197～206

22　Dutta B, Valdes E, Sellars C M. Mechanism and kinetics of strain induced precipitation of Nb(C, N) in austenite. Acta Metall. Mater. ，1992，40（4）：653～662

23　Dutta B, Palmiere E J, Sellars. Modelling the kinetics of strain induced precipitation in Nb microalloyed steels，Acta mater. 2001，49：785～794

24　Heikkinen V K, Packwood R H, On the occurrence of Fe-NbC eutectic in niobium bearing mild steel. Scand J. Metall. 1977—6（4）：170～175

25　Kaspar R. Microstructural aspects and optimization of thin slab direct rolling of steels，Steel Research 2003，74（5）：318～326

26　Kaspar R, Zentara N, Herman J. Direct charging of thin slabs of a Ti-microalloyed low carbon steel for cold forming. Steel Research，1994，65（7）：279～283

27　倪晓青，薛润东，柳得橹. 低碳锰钢铸坯锰偏析的研究. 电子显微学报，2005，24（4）：305

28　李永良，陈梦谪. 微钛钢中TiN析出对奥氏体晶粒长大的影响. 北京师范大学学报（自然科学版），1999，35（1）：38～41

29　Kunishige K, Nagao N. Strengthening and toughening of hot-direct-rolled steels by addition of a small amount of titanium. ISIJ International，1989，29（11）：940～946

30　刘清友，董瀚，孙新军. CSP工艺中含Nb钢的混晶问题及改善方法. 钢铁，2003，38（6）：16～19

31　Sigrid Jacobs, Bart Soenen. 通过析出模型在CSP上开发高强度钢. 见：2002薄板坯连铸连轧国际研讨会论文集（中文版），中国·广州，2002：295

32　Garcia C I, Ruiz-Aparicio A, Cho K, 马玉平, Graham C, et al.. 带钢生产线生产的含铌微合金钢的凝固和均匀化处理后微观结构特性. 见：2002薄板坯连铸连轧国际研讨会论文集（中文版），中国·广州，2002：309

33　章洪涛，刘苏，王瑞珍，庞干云. 薄板坯连铸连轧工艺对铌微合金钢的组织和力学性能的影响的实验室研究，见：2002薄板坯连铸连轧国际研讨会论文集（中文版），广州，2002：221

34　霍向东，柳得橹，陈南京，康永林，傅杰，周德光，王中丙，李烈军，梁建宝. CSP连轧过程中低碳钢的组织变化规律. 钢铁，2002，37（7）：45～49

35　孙贤文，霍向东，柳得橹，康永林，毛新平，陈贵江，李烈军. 控制冷却对CSP低碳锰钢组织和性能的影响. 北京科技大学学报，2004，26（3）：268

36　Robert J Glodowski. 薄板坯连铸连轧技术生产钒微合金高强度钢. 见：2002薄板坯连铸连轧国际研讨会论文集（中文版），中国·广州，2002：262

37 Li Y, Wilson J A, Crowther D N, et al.. The effects of vanadium, niobium, titanium and zirconium on the microstructure and mechanical properties of thin slab cast steels. ISIJ International. 2004, 44 (6): 1093～1102

38 柳得橹，王元立，霍向东 等. CSP 低碳钢的晶粒细化与强韧化. 金属学报，2002，38（6）：647～651

39 柏明卓. CSP 工艺生产低碳钢中细小析出相的研究：［硕士学位论文］. 北京：北京科技大学，2005

40 李永良，李唯超，马辉 等. 低碳微钛钢中 TiN 沉淀相的稳定性. 金属热处理，2000，3：15～17

41 马福昌，刘永龙，宋瑞甫，郑京辉. Nb、V、Ti 微合金元素对连铸坯表面质量的影响. 宽厚板，2003，9（4）：14～18

42 傅杰，朱剑，迪林，佟福生，柳得橹，王元立. 微合金钢中 TiN 的析出规律研究. 金属学报，2000，36（8）：801

43 Gadellaa I R F, Piet D I, Kreijger J, et al.. Metallurgical Aspects of Thin Slab Casting and Rolling of Low Carbon Steels, MENEC Congress 94, 1994, 1: 382～389

44 F. Brian Pickering 主编，钢的组织与性能. 刘嘉禾译. 北京：科学出版社，1999：168

45 王元立. 800MPa 级含铌钢的晶粒细化研究：［博士学位论文］. 北京：北京科技大学，2003

46 刘嘉禾. 钒钛铌等微合金化元素在低合金钢中的基础研究. 北京：北京科学技术出版社，1992

47 Maehara Y, Yotsumoto K, Tomono H, et al.. Surface crack mechanism of continuously cast low carbon low alloy steel slabs, Mater. Sci. Technol. 1990, 6 (9): 793～806

48 张德堂，施炳弟. 钢中非金属夹杂物图谱. 北京：国防工业出版社，1980

49 小林 洋，笠松 裕：添加 Nb 和 Ti 的高强度钢中析出物和奥氏体晶粒的长大行为. 鉄と鋼，1981，No. 11：124

50 柳得橹，林昌，傅杰，柯俊. 形变对奥氏体中温等温转变组织与性能的影响. 北京科技大学学报，1999，21（2）：166

51 吴冬梅，王新华，王万军 等. 含铌钛微合金化钢连铸坯高温变形试样中碳氮化物的析出. 化工冶金，1997，18（3）：273～276

52 毛新平，孙新军，康永林，林振源，周健. EAF-CSP 流程钛微合金化高强钢板的组织和性能研究. 钢铁，2005，40（9）：65

53 毛新平. 薄板坯连铸连轧 Ti 微合金化高强耐候钢理论与工艺研究：［博士学位论文］. 北京：北京科技大学，2005

54 倪晓青. 薄板坯连铸连轧低碳含钛钢的组织与力学性能研究：［硕士学位论文］. 北京：北京科技大学，2006

55 Islam M A, Bepari M M A. Effects of niobium additions on the structure, depth, and austenite grain size of the case of carburized 0.07% C steels, Journal of Materials Engineering and Performance (USA), 1996, 5 (5): 593～597

56 Maruyama N, Uemori R, Sugiyama M. The role of niobium in the retardation of the early stage of austenite recovery in hot-deformed steels, Materials Sci. and Eng., A250, 2, 1998

57 Tamehiro H, Murata M, Habu R. Optimum Microalloying of Niobium and Boron in HSLA Steel for Thermomechaical Processing. Trans. JSIJ. 1987, Vol. 27: 130～138

58 Kestenbach H J. Dispersion Hardening by Niobium Carbonitride Precipitation in Ferrite, Materials Science and Technology (UK), Sept. 1997, 13 (9): 731～739

59　Hiroshi Kobayashi. Influence of Nb (carbide nitride) precipitation in austenite on the mechanical properties of high strength steels. J Jpn Inst Met, 1976, 40 (2): 1270

60　Pereloma E V, Crawford B R, Hodgson P D. Strain induced precipitation of NbC during hot deformation, National Research Institute for Metals (Japan), 1997: 185～191

11　薄板坯连铸连轧钢的强化机制[❶]

与传统连铸连轧厚板坯冷装工艺相比较，在化学成分相近的条件下，采用 EAF-CSP 工艺生产的低碳钢热轧薄板具有优良的力学性能，尤其突出的是在保持良好塑性的同时，强度大幅度提高，成分与 Q195 相近的低碳钢其屈服强度提高一倍左右。因此，探讨在薄板坯连铸连轧条件下钢的强化机制显然具有重要意义。本章结合对我国第一条薄板坯 CSP 生产线的有关研究进展，分析讨论了薄板坯连铸连轧条件下热轧钢板的力学性能特点。

11.1　钢的强化机制

一般来说，钢的主要强化方式有以下几种：固溶强化，晶粒细化强化，珠光体强化，沉淀强化，位错及位错亚结构强化等。然而除了晶粒细化能同时提高强度与韧性外，其他强化手段都不同程度地损害钢的韧性，各种强化方式对韧性的影响已有许多研究[1,2]。本章将重点讨论有关 EAF-CSP 低碳钢的主要强化原理。

11.1.1　固溶强化

固溶强化是利用间隙原子或置换溶质原子提高固溶体强度的方法，本质在于溶质原子在基体中的应力场和运动位错的互作用。可以粗略地用溶质原子和基体原子的尺寸错配来估计其强化效果，设基体原子的半径为 R_0、溶质原子 i 的半径为 R_i，则原子尺寸的错配度参数可表示为：$\varepsilon = (R_i - R_0)/R_0$。图11-1 给出了一些元素对铁的固溶强化作用，但是当溶质原子尺寸比铁原子小时，线性关系不再存在。Pickering[3]认为置换型溶质元素对强度的贡献与溶质浓度 C 的关系为：

$$\Delta\sigma_s \propto \varepsilon C^{1/2} \tag{11-1}$$

式中，ε 为溶质原子尺寸错配参数。而间隙原子浓度 C_{in} 对强度的贡献可表示为：

$$\Delta\sigma_{si} \propto C_{in} \tag{11-2}$$

不同合金元素对钢的固溶强化效果有明显差异，图 11-2 给出了部分元素

---

❶　本章由柳得橹教授撰写。

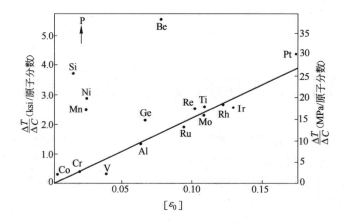

图 11-1　铁的二元合金固溶强化与尺寸错配参数 ε 的关系[3]

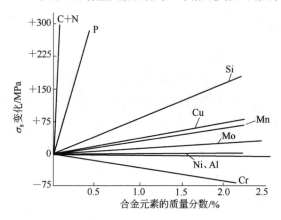

图 11-2　溶质元素对 α-Fe 的固溶强化作用

对 α-Fe 的固溶强化影响。实践证明，由于 C、N 等元素在 α-Fe 中引起不对称的点阵畸变所产生的强化效果远大于置换型溶质元素（如 Cr、Ni、Mn、Si、Mo 等）引起的球面对称畸变（约为 10～100 倍）。间隙固溶强化特别是碳的间隙固溶强化，是一种最为经济和有效的强化方式。大量的研究证实，在一般的稀固溶体中，溶质的固溶强化造成的屈服强度增量可用下式表示：

$$\Delta\sigma_{in}=k_i\ [C_i]^m \tag{11-3}$$

式中，$[C_i]$ 为溶质元素 i 溶解在固溶体中的质量分数，常数 k_i 和 m 取决于基体及溶质元素的性质，m 介于 0.5 和 1 之间。当溶质元素的硬化能力较弱时，$m=1$；当溶质元素的硬化能力较强时，如 α-Fe 中间隙固溶的 C、N 等，则 $m=0.5$。当钢中间隙元素 C、N 的固溶量很小时，可在一定范围内用直线关系代替抛物线关系，即强化效果近似地用下式表述：

$$\Delta\sigma_{in}=k_i\left[C_i\right] \tag{11-4}$$

已证实，钢中淬火马氏体的强度随固溶碳量可线性增加到 0.4%C（每增加 0.01%C 可提高强度 40~50MPa）。然而间隙固溶强化的脆化矢量相当高，对韧性和塑性损害明显。

置换型固溶元素对铁素体的强化作用比较平缓，不同元素的固溶强化和脆化效果不同，一般来说，与基体性质（如化学键结合力，原子直径等）相差较大的置换固溶元素具有较大的强化效果，除了磷以外，通常添加百分之一的合金元素仅能得到几十兆帕的强度增量。

用 EAF-CSP 工艺生产的低碳热轧钢 ZJ330，屈服强度达到 310~430MPa，该钢的含碳量小于 0.06%，含锰与硅分别在 0.4% 和 0.1% 以下，可见固溶强化作用很小，约为二、三十兆帕。而屈服强度 450~500MPa 钢的含碳量为 0.16%~0.18%，由于大部分碳以碳化物形式存在，固溶强化作用也不大，锰与硅含量分别在 1.3% 和 0.3% 以下，其固溶强化效果约为 70MPa 左右。由于采取了低氮技术炼钢，钢中的总氮量不大于 0.006%，固溶氮对屈服强度的贡献约为 10~20MPa。

但是，间隙溶质原子以及体积与基体原子有一定差别的置换式溶质原子可能在位错线上偏聚，形成溶质原子气团或者析出沉淀相[4]。在体心立方晶体的铁素体中间隙溶质原子（碳、氮）与位错的交互作用尤其明显，可能在位错线上形成柯垂尔气团或斯诺克气团。低温下由于溶质原子在位错上的偏聚而在应力-应变曲线上引起明显的屈服点。而在中温区由于间隙溶质原子具有一定的扩散速度，它们可以伴随着位错一起运动。当位错运动比较快时气团落后于移动的位错，从而对位错运动产生一定阻力。粗略估计位错线以临界速度运动时柯垂尔气团所产生的阻力为：

$$\Delta\sigma_{cs}=kl^2C_cN/b \tag{11-5}$$

式中，k 为常数，与位错和溶质原子的作用力有关；l 为滑移面上位错运动点状障碍物的平均间距；N 为单位体积晶体中的原子数；C_c 为气团的平均浓度，$C_c=C_0\exp\left(l/r\right)$，$C_0$ 是基体中的溶质原子浓度。

11.1.2 晶粒细化强化

晶粒细化的强化作用可用 Mclean 提出的 Luders 带模型形象地说明，该模型表明晶界的主要作用是阻塞位错运动，晶粒越细小，总的晶界面积越大，阻塞位错滑移的作用也越强，导致材料的屈服强度升高。Hall-Petch 根据这个观点对低合金钢的晶粒细化强化总结出下屈服点和晶粒尺寸的关系式，晶粒细化的强化效果可以用 Hall-Petch 公式描述[5,6]，由于存在晶界导致的屈服强度为：

$$\Delta\sigma_G=\sigma_0+K_yd^{-1/2} \tag{11-6}$$

对于给定的钢，式中的 σ_0 和 K_y 是常数，σ_0 包含了晶体的点阵摩擦力和溶质原子的影响，K_y 与激活滑移位错源所需的应力集中有关；d 是晶粒的平均截距，它对钢的韧脆转变温度起着决定性的作用。许多研究工作报道过有关的 σ_0 和 K_y 值，大量试验研究表明，在应变速率为 $6 \times 10^{-4} \sim 1 \mathrm{s}^{-1}$ 以内，晶粒直径由 $3\mu\mathrm{m}$ 到无限大（单晶）时，室温下 K_y 的数值为 $14.0 \sim 23.4$ MPa·$\mathrm{mm}^{1/2}$，在低合金钢中一般取 $K_y = 17.4$ MPa·$\mathrm{mm}^{1/2}$。而 Mangonon[7] 等对两种热轧钢（成分分别为 0.05%C，0.33% Mn 和 0.07%C，1.04% Mn）得到了：$\sigma_0 = 23.5$MPa，$K_y = 28.30$MPa·$\mathrm{mm}^{1/2}$，并指出这些常数与充分退火的钢得到的数据不同。对含铌钢的研究表明未加铌和添加的铌量分别为 0.01% Nb、0.03% Nb、0.06% Nb 时，σ_0 的值分别为 108MPa、185.3MPa、270.3MPa、324.3MPa。即随溶质元素 Nb 的增加而增加。可见，不同研究工作得到的数据有相当明显的差别，钢的成分、珠光体量和变形状态都可能改变 Hall-Petch 公式中的常数，由于钢中的情况十分复杂，不容易把一种强化机制完全独立出来进行定量分析。

图 11-3 给出了铁与低碳钢（Morrison 等）和 Fe -21%Ni（Miller）的晶粒尺寸与屈服应力的关系[8]。由图可见当晶粒尺寸为 $2.5\mu\mathrm{m}$ 时，低碳钢的屈服应力可达到 400MPa 以上。

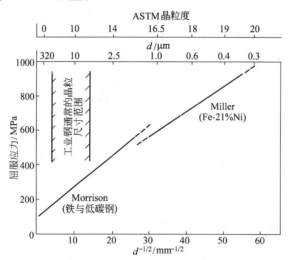

图 11-3　晶粒尺寸和屈服应力的关系
（左半部为铁与低碳钢，右半部为 21%Ni 钢）

Petch 根据断裂应力与晶粒直径关系的研究，得出了材料韧脆转变温度与晶粒尺寸的关系：

$$\beta T_c = B - \ln d^{-1/2} \tag{11-7}$$

式中，β 和 B 为常数，T_c 为材料的韧脆转变温度。由于晶粒细化是唯一能够同时提高强度和韧性的强化方法，因此多年来人们一直致力于晶粒细化的研究。

根据化学成分、轧制工艺和冷却制度的不同，由 EAF-CSP 工艺生产的厚度 1～8mm 低碳钢板，其铁素体晶粒尺寸约为 4～8μm，因此由晶粒细化可以得到的强度在二、三百兆帕范围。大量低碳钢 ZJ330 的成品板组织铁素体平均晶粒尺寸约为 6μm 左右，通过晶粒细化可获得的强度增量在 200MPa 以上。

11.1.3 亚晶强化

由于铁素体中存在亚晶而引起的强化效果可以处理成附加的晶粒细化强化作用，如果所有铁素体晶粒内都包含有亚晶，就可以用 Hall-Petch 关系估计亚晶对材料强度的贡献，这时，要把公式中的晶粒尺寸 d 换成亚晶的尺寸。亚晶对屈服强度的贡献可以表示为：

$$\Delta \sigma_{sg} = \kappa \mu b d_{sg}^{-1/2} \tag{11-8}$$

式中，κ 为比例系数，d_{sg} 为亚晶尺寸，μ 为切变模量，b 为位错的柏氏矢量。

亚晶的强化效果取决于含有亚晶的铁素体晶粒所占的体积分数和亚晶的尺寸，而这二者又和加工温度及变形密切相关。当钢材在接近 Ar_3 温度终轧时，具有亚晶的铁素体不到 5%，因此没有多少亚晶强化作用。亚晶的体积分数及其对强化的贡献随终轧温度升高而下降。而在 Ar_3～Ar_1 之间温度加工甚至稍稍低于 Ar_1 加工变形时形成的亚晶对强化有相当大的贡献。由应变诱导产生的细小碳氮化物或在亚晶界上的沉淀能够阻碍亚晶长大，显著细化有效晶粒尺寸，获得明显的强化作用。

11.1.4 位错亚结构强化

已有的工作表明：在 Ar_3～Ar_1 温度区间变形而形成的亚晶和位错有显著的强化作用，由于铁素体中的位错密度增加，位错亚结构提高了铁素体的强度。位错密度 ρ 与铁素体的屈服强度 σ_d 之间的关系为：

$$\sigma_d = \sigma_0 + \alpha \mu b \rho^{1/2} \tag{11-9}$$

式中，α 为比例系数，μ 为切变模量，b 为位错的柏氏矢量，ρ 为位错密度。图 11-4 是在室温（25℃）和低温下铁素体中的位错密度与流变应力关系[9]，位错与晶界对铁素体的强化作用强烈地取决于间隙原子在位错上的偏聚情况，原子偏聚越多，对位错运动的阻力越大，强度越高，因而强化效果随温度而变化。

在易于交滑移的金属中，应变量超过一定程度后位错将排成三维亚结构，形成"胞状结构"或"亚晶"。胞状亚结构对屈服强度的贡献可表示为：

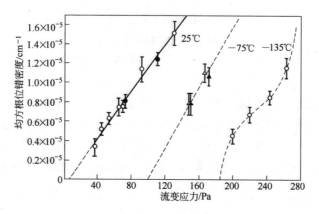

图 11-4　铁素体中的位错密度与流变应力关系

$$\sigma_{cs} = \beta \mu b D_{cs}^{-1} \tag{11-10}$$

式中，β 为比例系数，D_{cs} 为位错胞状结构的尺寸。

11.1.5　沉淀强化

沉淀强化是钢中特别是微合金钢中常用的强化机制，作者的实验研究证实在 EAF-CSP 低碳钢中形成了大量纳米尺寸的第二相粒子，这些粒子包括极其细小的氧化物、硫化物、碳化物和氮化物，由于硫化物和氧化物粒子可以作为碳（氮）化物析出的择优形核地点，导致大量碳（氮）化物粒子在弥散分布的细小硫化物和氧化物上形成。尽管这些细小第二相粒子的本质及其沉淀行为有待进一步研究澄清，但是对它们的形貌、数量、尺寸以及分布的观察表明：这些析出粒子对低碳钢强度的贡献是相当可观的。

沉淀强化的本质在于钢中的第二相粒子对位错运动的阻碍作用，学术界围绕弥散第二相粒子导致材料屈服强度增高的现象提出了多种理论模型。它们的主要区别在于：(1) 运动位错越过第二相粒子的机制不同；(2) 阻碍位错滑移的障碍物分布不同。总的来说，由第二相粒子引起的屈服强度增量主要来自基体位错与弥散分布的沉淀粒子之间的直接相互作用，按照不同的互作用过程分别提出了不同的理论模型，而每个模型都只在一定条件下才适用，其中有的模型还存在不同意见。这里将第二相粒子分为与基体保持共格与半共格关系的析出粒子和非共格的粒子两类，其主要的强化机制如下。

11.1.5.1　共格与半共格的沉淀粒子

位错切过沉淀粒子的现象已经得到电子显微镜观察证实。但是由位错切割小粒子所引起的强化效应比较复杂，和钢铁材料有关的主要机制有以下几方面：

(1) 共格错配应变机制。当沉淀粒子与基体完全共格或形成溶质原子的聚团（cluster）时，它们和基体间的晶格错配引起的内应力场是强化的原因。按照 Mott-Nabarro 理论[10]，由沉淀粒子的共格应变引起的强化增量可表示为：

$$\Delta\sigma_{p1} = 6\mu \, (rf)^{1/2}\varepsilon^{3/2}/b \tag{11-11}$$

式中，μ 为沉淀粒子的切变模量；r 为粒子半径；f 为共格粒子的体积分数；ε 为沉淀相与基体的原子错配度函数，即：

$$\varepsilon = 1 - (r_d/r_m) \tag{11-12}$$

式中，r_d 和 r_m 分别是沉淀相和基体的原子半径；b 是位错柏氏矢量。

上式表明 r、f、ε 越小，其强化作用也越小，因此，在沉淀的早期阶段，如果沉淀相的体积分数不大，则强化作用不大。

（2）弥散相粒子切变机制。当第二相粒子在沉淀初期与基体保持共格界面时，运动位错能够切过粒子或使粒子切变，这时合金的屈服应力由引起粒子切变的应力控制。与位错切过第二相粒子相关的情形比较复杂，可能影响强度的效应包括：由于位错切割在粒子上形成表面台阶；在小粒子内部的扩展位错宽度不同（层错能不同）；位错切过有序结构的粒子形成了反向畴界等。Kelly-Nicholson理论[11]认为位错切过可变形的共格或半共格沉淀粒子时，将产生所谓"化学强化"效应。位错线的切割会在小粒子的边缘形成宽度为位错柏氏矢量 b 大小的台阶，使得粒子的表面积增加，增加的强化量为切割粒子所做的功：

$$\Delta\sigma_{p2} = 2\sqrt{b}f\gamma_s/\pi r \tag{11-13}$$

式中，γ_s 为小粒子与基体间的界面能。

当位错线切过细小的沉淀粒子时，使粒子内部出现新界面而产生额外强化量：

$$\Delta\sigma_{p3} = 2f\gamma_d/b \tag{11-14}$$

式中，γ_d 为粒子内部新界面无序程度参量。可以看出，共格或半共格粒子的半径 r 越小，f、γ_s、γ_d 越大，其强化作用就越强，这是合金时效峰前的强化原因。

11.1.5.2 非共格的弥散粒子

当第二相粒子与基体间具有非共格界面时，一般认为位错不能直接切过粒子，只有基体的运动位错引起粒子内位错运动时，才能发生第二相粒子的切变而引起强化。为此，提出了不同的位错越过粒子的机制，合金的屈服应力将由启动这些越过机制所需的应力控制。主要机制有以下两种：

（1）位错弯曲绕过机制：即所谓 Orowan 机制[12]。Orowan 机制适用于非共格的弥散相粒子，小粒子与基体具有非共格的界面而且有足够强度，在位错弯弓越过的过程中，小粒子既不切变也不断裂。在外力作用下位错线绕过小粒子继续运动并留下位错环，位错绕过小粒子运动的临界切应力可近似表示为[13]：

$$\tau = (\mu b / 2\pi\lambda)\phi\ln\ (\lambda/2b) \tag{11-15}$$

其中
$$\phi = 1/2\ [1 + 1/\ (1-\nu)] \tag{11-16}$$

当小粒子的平均间距 λ 比较大时，可近似地有：

$$(\phi/2\pi)\ln(\lambda/2b) \approx 1$$

因而，这时临界切应力简化为：

$$\tau = \mu b/\lambda \tag{11-17}$$

上面式子中，μ 为基体材料的切变模量，λ 为弥散第二相小粒子之间的平均距离，ν 是泊松比，b 是位错的伯格矢量大小。可见粒子间的有效间距 λ 越小，强化效应越大。而且在相同的体积分数下，针状或片状沉淀粒子的强化量比球形粒子的大一倍[14]。但是围绕这个模型存在不同意见的争议，Ansell 等认为第二相粒子的切变比位错弯曲机制更能控制这类合金的屈服行为，按照这个观点，位错弯曲所需的应力可能和粒子与基体的微观屈服强度相联系，只有在一定条件下才能将合金的屈服强度归结为位错弯曲所需应力与基体屈服应力之和。

（2）交滑移机制。位错越过弥散小粒子的第二种机制是位错交叉滑移机制。分析表明塑性变形时如果第二相粒子的平均间距近似地大于粒子平均直径的 10 倍，交滑移机制就可能发生，而且会先于 Orowan 机制越过小粒子。

这种强化作用通常用 Ashby-Orowan 公式[15]计算，其表达式为：

$$\Delta\tau_p = 0.85 \times \frac{\mu b \ln \dfrac{r}{b}}{2\pi\ (1-\nu)^a\ (L-2r)} \tag{11-18}$$

式中，a 为常数（对刃型位错 $a=1$；对螺旋位错 $a=0$），r 为小粒子的平均半径，L 为小粒子中心的间距，μ 为基体的切变模量，b 为位错的柏氏矢量对于铁素体 $b=0.25\mathrm{nm}$，ν 为泊松比。

按 Gladman 等[16]的处理，对于球形的沉淀粒子，当体积分数 f 很小，即粒子间距 $\lambda \gg d$ 时，可将 Ashby-Orowan 模型的析出强化简化为：

$$\sigma_p = \frac{5.9f^{1/2}}{d}\ln\left(\frac{d}{2.5\times10^{-4}}\right) \tag{11-19}$$

式中，f 是析出相粒子的体积分数，d 为小粒子在滑移面上截取的直径，$d = D\ (2/3)^{1/2}$，D 是小粒子的平均直径，以 μm 为单位。图 11-5 是 0.04% Nb 钢和 0.15% V-N 钢中不同尺寸碳氮化物沉淀粒子的体积分数与屈服强度增量的关系。可以看出，对于尺寸小于 10nm 的沉淀，如果体积分数在 0.001 以上，由沉淀粒子可使屈服强度增高几百兆帕，而尺寸在 50nm 左右的析出粒子，可获得的强度增量约在几十兆帕以下。

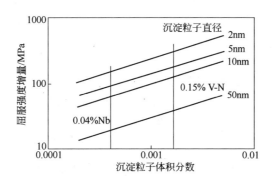

图 11-5 碳氮化物沉淀粒子的体积
分数与屈服强度增量的关系

11.2 薄板坯连铸连轧低碳钢的性能强化特点

11.2.1 工业钢的强度

在 11.1 节分别介绍了钢中可能出现的各种强化机制，有关的研究与处理工作表明上述各种强化模型都有一定的适用范围，超出这个范围便不再成立。特别是有些理论模型还存在不同观点，不同研究工作得到的数据有时出现相当大的差别。在将这些理论应用于实际材料的强化问题时，应特别注意到这一点。此外，由于工业生产钢的复杂性，而且不同的强化因素之间常常存在相互作用，往往很难把每一种强化机制的贡献准确地独立出来，进行定量说明。一般的做法是用多重回归方法分别独立地求出各个强化分量，再将它们叠加得到材料的屈服强度，铁素体＋珠光体钢的屈服强度可表示为：

$$\sigma_s = \sigma_0 + \Sigma k_i \, [C_i]^m + \Sigma k_j \, \sigma_{pj} + K_y d^{-1/2} + \sigma_d + \sigma_{sg} \qquad (11\text{-}20)$$

式中，σ_0 是基体固有的强度，可用纯铁的数据作为近似值，例如约 20MPa。但在材料受到变形时，应变速率和应变量将改变 σ_0 的值[17]，而且在添加不同的合金元素以及合金元素含量变化时，可能引起 σ_0 值的变化。而 K_y 在 3%～25% 的变形量范围内基本不变。$\Sigma k_i \, [C_i]^m$ 是钢中各个溶质元素 i 的固溶强化项，可以通过对大量工业钢的回归分析得到各元素的固溶强化效果。$\Sigma k_j \sigma_{pj}$ 是各种沉淀相 j 的强化作用之和。

$K_y d^{-1/2}$ 是晶粒细化强化项。σ_d 是位错强化项。σ_{sg} 是亚晶强化项。

韧性转折温度为：

$$ITT = C_1 - K_1 (d^{-1/2}) + K_2 (ppt) + K_3 (plt) \qquad (11\text{-}21)$$

式中，第二项是晶粒尺寸的贡献，第三项（ppt）和第四项（plt）分别是弥散沉淀的作用和珠光体含量的影响。

　　式 11-20 与式 11-21 要在各个强化因子的有效范围内应用，并要求各项是互相独立的，否则得出的结果不能代表实际钢中的情况。

　　田村今男等[18]认为加速冷却导致钢的强度增高，其主要的强化效果来自三个方面：（1）晶粒细化；（2）沉淀强化；（3）贝氏体相变强化。这三方面对屈服强度和抗拉强度的贡献分别由式 11-22 和式 11-23 给出：

$$\Delta\sigma_s = \Delta\ (K_y d^{-1/2}) + \Delta\sigma_p + \alpha \tag{11-22}$$

$$\Delta\sigma_b = \Delta\ (k d^{-1/2}) + \Delta\sigma'_p + K_B f_B + \beta \tag{11-23}$$

式中，$\Delta\sigma_s$ 为试样的屈服强度增量；$\Delta\sigma_b$ 为试样的抗拉强度增量；k 为常数；d 为晶粒尺寸；$\Delta\sigma_p$ 和 $\Delta\sigma'_p$ 为沉淀强化项；K_B 和 f_B 分别为贝氏体强化因子和贝氏体体积分数。

　　对比上面两式可知，贝氏体强化项只对抗拉强度有贡献。因此以超细贝氏体组织为主的钢板，在屈服强度大幅提高的情况下其抗拉强度也由于贝氏体强化而大大提高，从而得到比较低的屈强比。徐祖耀[19]也指出贝氏体组织存在的内应力可以降低屈强比。

　　各个强化因素对钢的韧性的影响可用该强化项的脆化矢量 **K** 来表示：

$$\boldsymbol{K} = \Delta T_C / \Delta\sigma_s \tag{11-24}$$

式中，$\Delta\sigma_s$ 是某一强化因素对屈服强度的贡献；ΔT_C 是由于该项强化引起的韧性转折温度的变化。在各种强化机制中唯有晶粒细化强化的脆化矢量为负值，在提高强度的同时使脆化温度 ITT 移向低温。其余强化均提高脆性转变温度，损害钢的韧性。

　　对于不同类型的钢，人们应用式 11-20 得到了有关屈服强度的具体表达式，例如：对于微合金钢，采用 Pickering 的公式并考虑到沉淀强化项和位错强化项后则有：

$$\sigma_s = 15.4(3.5 + 2.1[\%Mn] + 5.4[\%Si] +$$
$$23[\%N_{free}] + 1.13d^{-1/2}) + \sigma_p + \sigma_d \tag{11-25}$$

　　对于含碳 $0.05\%\sim0.25\%$ 的低碳锰钢，不变形从奥氏体区冷却并具有铁素体-珠光体组织时，其屈服强度 σ_s（MPa）可表示为：

$$\sigma_s = \sigma_0 + 37[\%Mn] + 83[\%Si] + 2900[\%N_{free}] +$$
$$15.1d_L^{-1/2} + \sigma_p + \sigma_d \tag{11-26}$$

式中，σ_p 是钢中沉淀粒子的 Ashby-Orowan 机制强化项；σ_d 是位错强化项；d_L 是 α 相的晶粒尺寸或贝氏体片的板条尺寸，可以定义为钢中大角晶界的平均间距（mm）或者板条宽度；N_{free} 是钢中自由氮的量；常数 σ_0 因钢从奥氏体区冷却的方式不同而不同，对于空冷的钢 $\sigma_0 = 88$MPa，而对于缓冷的钢由于珠光体的分布不同，取 $\sigma_0 = 62$MPa。

韧性转折温度（50%FITT）用摄氏度为单位表示为：

$$ITT = -19 + 44 [\%Si] + 700 [\%N_{free}]^{1/2} + 0.26 (\sigma_p + \sigma_d + \Delta)$$
$$+ 2.2 (Vol\% plt) - 11.5 d^{1/2} \tag{11-27}$$

式中，Δ 代表小角晶界上的位错的贡献；$Vol\% plt$ 是珠光体的体积分数。

式 11-26 和式 11-27 的数据来源于碳的质量分数为 0.05%～0.25% 的 C-Mn 钢，具有铁素体-珠光体组织。在置信限 95% 时，由该二式得到的 σ_s 和 ITT 的误差分别为 ±31MPa 和 ±30℃。

如果改变相变条件使渗碳体以非珠光体形式分布时，式 11-26 中的常数需要改变。在以下假设条件下，上述两个公式可以应用于具有贝氏体或针状 α-铁组织的低碳锰钢，即：假定多边形铁素体与贝氏体组织具有相同的固溶强化效应、同样的 Peierls 力和晶粒细化强化系数以及 Ashby-Orowan 机制的沉淀强化。对于贝氏体组织沉淀强化项只和贝氏体片内部弥散分布的碳氮化物有关，而与边界上分布的第二相粒子没有关系。由此可见，细晶粒下贝氏体组织由于有效晶粒尺寸细小、位错密度高和弥散分布的极细小碳化物，可以得到很高的强度。而上贝氏体组织由于碳化物分布在边界上，得不到明显的沉淀强化效果，而且存在于板条之间的碳化物膜还会明显损害韧性。因此，上贝氏体组织的低碳钢韧性比下贝氏体组织的差得多。

11.2.2 EAF-CSP 低碳钢热轧板的强化分析

EAF-CSP 连铸连轧工艺的特点决定了其产品的最终组织状态与力学性能，这些工艺特点主要有：冶炼时的高洁净度和低含氮量控制；快速凝固与凝固后快速冷却；铸坯没有冷却到低温再加热的过程以及较低的均热温度与相对较短保温时间；热连轧时单道次采用大压下量变形，在奥氏体非再结晶区终轧，轧后冷却方式的精确控制等。

大量生产实践的统计数据表明：采用 EAF-CSP 工艺生产的低碳钢具有非常优良的力学性能，成分与 Q195 相近的低碳钢 ZJ330（含约 0.06%C，约 0.1%Si，0.3%Mn，≤0.15%Cu）屈服强度达到 310～430MPa，抗拉强度为 390～470MPa，伸长率为 32%～45%，而成分与 16Mn 接近的 C-Mn 钢（含 0.17%～19%C，约 0.3%Si，约 1.2%Mn，≤0.15%Cu）屈服强度达到 408～492MPa，抗拉强度为 566～600 MPa，伸长率为 25%～34%，屈服强度比传统工艺 16Mn（$\sigma_s \geqslant 345MPa$）的高出 100 MPa 左右；而添加微量钛的热轧带强度已达到 700MPa[20]。对于屈服强度高于 400 MPa 的钢材，传统工艺生产时多半采用微合金化路线。而薄板坯连铸连轧 CSP 工艺在不加入微合金元素或者仅加入少量钛的条件下就可以达到同样的甚至更高强度水平，提高了工厂产品的质量规格。通过产学研密切结合，对 EAF-CSP 热轧钢的强化特点与机制进行了大量实验和理论研究。EAF-CSP 低碳钢薄板获得强化的主要途径有以下几方面。

11.2.2.1　晶粒细化

对 CSP 生产线成品板的大量观察统计表明：低碳钢的晶粒尺寸十分细小，通常为 $5\sim8\mu m$，薄规格板的晶粒尺寸在 $4\mu m$ 以下。将平均晶粒尺寸的近似值代入 Hall-Petch 关系，可得到晶粒细化对屈服强度的贡献估计应在 $270\sim170MPa$ 范围。图 11-6 是 CSP 低碳钢（含 $0.06\%C$，$0.3\%Mn$，$0.3\%Si$）成

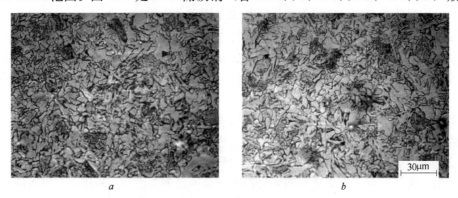

图 11-6　EAF-CSP 低碳钢（$0.06\%C$，$0.3\%Mn$，$0.3\%Si$）成品板的金相组织
a—垂直于轧向的截面；b—平行于轧向的截面

品板的金相组织。由图可见，CSP 低碳钢的组织不仅晶粒细小，其形貌与典型的多边形铁素体不同，是尖角形的 α-相。同一试样的扫描电镜二次电子像（图 11-7）揭示出试样的组织由尺寸更小的"晶粒"组成，其中有些区域呈现

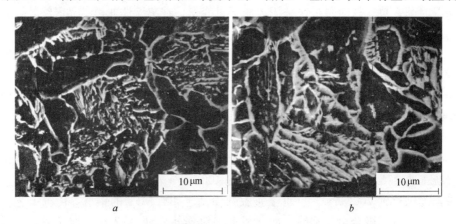

图 11-7　EAF-CSP 低碳钢（$0.06\%C$，$0.3\%Mn$，$0.3\%Si$）的组织
（扫描电镜二次电子像）
a—垂直于轧向的截面；b—平行于轧向的截面

出贝氏体组织的形貌特征，这一特征在图 11-7 中显示得很清楚，在用透射电镜观察试样的萃取复型时也观察到同样的组织特征。但是由于实验条件所限，没有测得贝氏体的体积分数，因而难以给出其对强度贡献的定量结果。

但是可以肯定的是，由晶粒细化（包括亚晶和贝氏体组织）的贡献获得的强度值将大于上述估计值，是 CSP 钢板强化的主要原因。

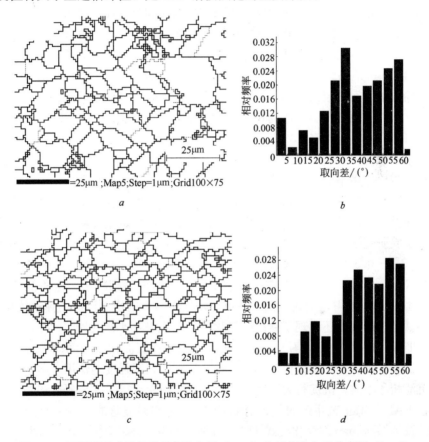

图 11-8 不同厚度成品板的晶粒取向图（a、c）和晶粒取向差分布图（b、d）

a、b—4mm 厚钢板 1/2 厚度处；c、d—2mm 厚钢板 1/2 厚度处

图 11-8 是厚度分别为 4mm 和 2mm 低碳钢板纵剖面的晶粒取向图（a、c）和晶粒取向差分布图（b、d），图 a 和 c 中的黑粗线表示大角度晶界（>15°），虚线表示小角度晶界。可见，小角度晶界较少，但是由于变形量不同，2mm 板的平均晶粒尺寸要比 4mm 板的细小。因此，对于不同工艺参数的成品板，晶粒细化的强化量不同。

影响 CSP 低碳钢产品晶粒大小的主要因素有：

（1）凝固组织的特征：CSP 生产线 50mm 厚连铸坯的表面层为几毫米厚的

等轴晶区，柱状晶区的一次枝晶间距为 0.25～1.83mm，二次枝晶平均间距为 90～125μm。而传统厚板坯的二次枝晶间距在 200～500μm 之间，约为薄板坯的几倍。

（2）采取直接轧制技术：热轧前的板坯没有 γ-α 相变温度区的中间冷却和再加热过程，直接在凝固后经过均热的粗大奥氏体组织上进行热轧，并采用大的单道次变形量，通过动态再结晶与静态再结晶细化奥氏体组织。

（3）高温奥氏体区析出的第二相粒子对再结晶晶粒长大的阻碍：快速凝固及快速冷却获得的纳米尺寸第二相粒子有效阻碍了奥氏体晶粒长大。

（4）非再结晶区终轧后变形奥氏体的转变：通过对 CSP 生产线热连轧机组和卷曲机之间的层流冷却系统的控制，使钢板轧后以设定的冷却方式与速度冷却，从而控制变形奥氏体的相变获得细化的最终组织。

11.2.2.2　沉淀强化

钢中沉淀相粒子的强化作用根据其尺寸、粒子的特性及其与基体界面的关系不同需要应用不同的机制描述，而沉淀粒子的分布与数量则决定了一种沉淀强化机制可得到的强度增量大小。在工业钢中存在的沉淀相比较复杂，一般出现不同类型的沉淀相，很难一一区分开并作出准确的定量计算。

实验研究证实在 EAF-CSP 工艺生产的低碳锰钢中（约 0.06％C，≤0.1％Si，0.3％～0.5％ Mn，≤0.15％Cu 和 0.17％～0.19％C，约 0.3％Si，1％～1.4％Mn，≤0.15％Cu）存在大量纳米级尺寸的析出相粒子。这些沉淀相包括细小的硫化物[21]，如硫化铜，在细小硫化物或氧化物上形成的弥散碳化物，经过钛处理的钢中还出现了钛的碳氮化物[22,23]以及细小氧化物[24]等。在图 11-9 的 TEM 照片中，可以看到向上方运动的位错在沉淀粒子之间向外弓出的现象，证实了沉淀粒子阻碍位错运动、提高低碳钢屈服强度的作用。尽管有关这些沉淀相的本质、沉淀行为与动力学及其影响因素有待进一步研究和阐明。但是在 EAF-CSP 工艺生产的低碳钢中沉淀强化效果是显著的。

按照 Gladman 的简化公式 11-19 可估计 CSP 低碳钢中，第二相小粒子以 Ashby-Orowan 机制产生的强度贡献：假设析出粒子的体积分数为 0.001，即 0.1％，当粒子平均尺寸为 20nm 时，由 Ashby-Orowan 机制可得到的沉淀强化量为 48MPa，当粒子的平均尺寸为 10nm 时，强化量约为 79MPa。根据傅杰等的化学相分析及 X 射线小角衍射研究结果，含 0.06％C 的 CSP 低碳钢 ZJ330 中，尺寸小于 36nm 的碳化物粒子体积分数为 0.096％[25]。其中一部分碳化物是分布在晶界上和珠光体内。由于沉淀强化作用的关键是基体中沉淀粒子的间距及其对位错运动的阻力，工业钢中的沉淀情况比较复杂，依钢的冷速不同，分布在晶界上和珠光体内的碳化物数量也不同。因此根据现有数据难以计算出碳化物对钢的强度的实际贡献。但是对照上述的简化情况，再加上共格的弥散沉淀相和以粒子切变方式（例如细小的硫化物粒子）得到的强化后，粗略估计各种沉淀相以不同强化机制得到的总强化增量最大可达到 60~80MPa 左右。可见，EAF-CSP 工艺生产低碳钢中的弥散沉淀是一个重要的强化因素。

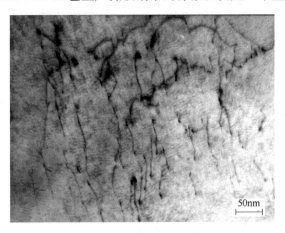

图 11-9　CSP 低碳钢热轧板（0.06%C，约 0.1%Si，0.3%~0.5%Mn）
中的位错在沉淀粒子之间弓出

　　但是，定量测定沉淀强化增量在实验技术上仍有一定的困难，主要问题在于工业生产钢的情况要比强化的理论模型复杂得多，往往很难用实验方法把不同类型的沉淀单独分离出来。常用的萃取法（或化学相分析法）能够得到非共格沉淀粒子的总量或体积分数，但不能测出沉淀相的分布或粒子间距，特别是在萃取的沉淀总量中不能将沿晶界的沉淀量与晶粒内的区分开来。由于沿晶界分布的小粒子没有沉淀强化作用，而对沉淀强化量进行估计的数学模型则是以沉淀粒子的间距为基础推导出来的。缺少这些关键数据便难以获得可靠的结果。

　　用透射电镜直接观察是研究细小粒子沉淀普遍采用的方法，能够直接得到纳米级沉淀粒子的尺寸、分布和粒子间距等重要数据，与 X 射线能谱仪结合还可以将不同类型的沉淀一一区分。由于 TEM 观察的试样区很小，如果没有进行多达几十个视场的统计，则仅从少数视场观察到的沉淀，推导得到的体积分数可能会有很大误差。研究证实在工业钢中起强化作用的第二相粒子往往不是均匀分布的，因此要特别注意高放大倍数下的观察结果是否代表大块材料的实际情况。由于工业生产钢比实验室模拟钢和理论模型复杂得多，在实际工作中需要特别注意二者之间的差别以及每个模型的适用范围。

11.2.2.3　位错亚结构强化

　　CSP 工艺生产低碳钢的最后一道轧制是在奥氏体非再结晶区，终轧后钢带的冷速较快，在 CSP 低碳钢成品板中的位错密度明显高于传统厚板坯的同类钢[26]，因而有一定的位错亚结构强化作用。这方面的工作有待继续深入。

11.2.2.4 溶质原子在位错上的偏聚

实验结果表明，由于生产低碳钢时采取奥氏体非再结晶区终轧和轧后较快的冷速，变形奥氏体相变后形成的 α-相中位错密度比较大，钢中的间隙溶质原子碳、氮和原子半径与铁有明显差别的其他元素在位错线与晶界上发生偏聚。在位错上形成的溶质原子气团或沿位错析出的细小沉淀粒子都有钉扎位错的作用，因而进一步提高钢的屈服强度。

薄膜试样的透射电镜观察揭示出在 EAF-CSP 低碳钢的位错上析出了许多非常细小的沉淀粒子，图 11-10 是低碳钢（0.06％C，约 0.1％Si，0.3％Mn）成品板变形区薄膜试样的 TEM 照片，显示出沿位错线沉淀的细小碳化物粒子[27]，其尺寸大都在十几纳米以下。这表明在较高温度时 α-相的位错上形成了溶质原子偏聚气团，随后这些偏聚的溶质元素在位错线上沉淀出来，这种位错上的沉淀与溶质原子气团有一定的强化作用。

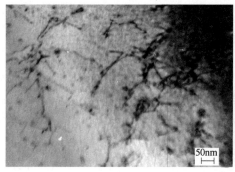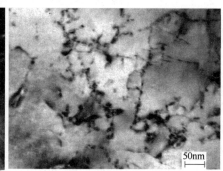

图 11-10　低碳钢（0.06％C，约 0.1％Si，0.3％Mn）
热轧板中在位错线上析出的细小粒子沉淀

11.2.2.5 其他

A 珠光体的强化作用

对于低碳钢和普通碳-锰钢来说，一般或多或少存在一定量的珠光体，而珠光体的体积分数是决定钢的屈服强度和韧性转折温度的主要因素之一。从理论上说明珠光体的强化机制仍有一定困难，因而仅有一些依据实验结果得到的经验关系可供参考。前人的工作[8]表明：具有铁素体＋珠光体组织的钢其屈服强度与珠光体的体积分数呈线性关系，而珠光体的强度主要取决于它的片层间距或者球形碳化物的间距。根据经验确定了珠光体的屈服应力与其片层间距的对数成比例。对于具有完全珠光体组织的共析成分钢，过去的工作认为其塑性与冲击韧性更多地取决于原奥氏体晶粒尺寸而不是珠光体片层间距。图 11-11

是低碳锰钢（0.17%～0.19%C，约 0.3%Si，1%～1.4%Mn，≤0.15% Cu）8mm 厚板纵剖面表面层与心部的组织[28]，由图可见，在含碳约 0.18% 的钢中，珠光体的分数相当大，图中珠光体的片层间距约为 0.1μm，而且分布有明显的带状组织。钢板接近表面层的组织与心部不同，沿厚度方向的组织不均匀。热轧钢中出现的铁素体-珠光体带状组织将导致力学性能的各向异性，平行于珠光体带方向的强度与韧性和垂直于这个带方向的性能有一定差别。

B 固溶强化作用

由于添加的合金元素量比较少，CSP 低碳钢和低碳锰钢中溶质元素的固溶强化作用不大，它们对屈服强度的贡献可以用式 11-26 估计。在用铝脱氧的钢（含铝约 0.02%～0.03 %）或微钛处理钢中，对于 0.006%～0.008% 的总氮量，可认为大部分形成了氮化物，固溶氮的强化贡献很小（几个兆帕）。

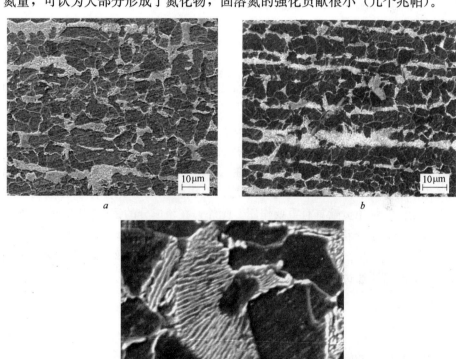

图 11-11 8mm 厚 ZJ550 钢板纵剖面表面层与心部组织

a—表面层；b—心部；c—珠光体的放大图（片层间距约 0.1μm）

11.3　小结

根据作者及合作者对 EAF-CSP 工艺生产的两种典型成分低碳钢 ZJ330（约 0.06% C，≤0.1% Si，0.3%～0.5% Mn，≤0.15% Cu）和低碳锰钢（0.17%～0.19% C，约 0.3% Si，1%～1.4% Mn，≤0.15% Cu）的大量实验研究结果可以认为，CSP 工艺热轧钢的强化具有以下特点：

对珠钢 EAF-CSP 工艺生产的 236 卷低碳钢（约 0.05% C），成品板力学性能测定的统计结果表明，其屈服强度为 310～430MPa，绝大多数钢卷的屈服强度为 330～410MPa，伸长率为 30%～45%，绝大多数伸长率在 33%～39% 之间。低碳钢的组织是尖角形铁素体＋少量珠光体以及少量贝氏体，在 α-相中存在大量纳米尺寸的沉淀粒子。铁素体的晶粒尺寸为 4～8μm，随钢板厚度减小，晶粒尺寸减小，大量低碳钢成品板的铁素体平均晶粒尺寸约为 5～6μm 左右，通过晶粒细化可获得的强度增量在 200MPa 以上。分析表明低碳钢（约 0.05% C）的高强度主要是由晶粒细化、弥散析出强化和位错亚结构强化及溶质原子沿位错线的偏聚造成的，Si、Mn 的固溶强化也有一定影响，但最主要的贡献来自有效晶粒尺寸（包括亚晶和贝氏体组织）的细化。这里的强度波动看来主要是由于钢板中的晶粒尺寸变化以及贝氏体的体积分数差别造成的。

对于低碳锰钢（0.17%～0.19% C，约 0.3% Si，1%～1.4% Mn，≤0.15% Cu），晶粒细化仍然是主要的强化因素，而且在铁素体中观察到大量弥散的碳氮化物沉淀粒子，粒子尺寸在二、三十纳米以下，具有相当可观的弥散强化作用。由于含碳量和含锰量增加，低碳锰钢的珠光体体积分数明显增加，珠光体的强化贡献具有重要作用。此外，在该成分的钢板中比较普遍地存在针状 α-相，由针状 α-相形成时引入的位错亚结构对强度的贡献也是一个不可忽略的强化分量。研究结果证实 CSP 低碳钢的优良力学性能是在整个生产过程的不同阶段通过不同的过程综合作用的结果。

参 考 文 献

1　俞德刚，谈育煦. 钢的组织强度学——组织与强度. 上海：上海科学技术出版社，1983

2　Honeycombe R W K. Steel Microstructure and Properties，Edward Armold，1981

3　Pickering F B. Physical metallurgy and the design of steels. Applied Sci. Pub. Ltd. ，1978

4　冯端等，金属物理学（第三卷）金属力学性质，北京：科学出版社，1999：403

5　Petch N，Phil. Mag，3，1958：1089

6　Petch N J J. Iron Steel Int，25，1953：22

7　Mangonon P L，Heitmann W E. Subgrain and precipitation strengthening effects in hot-rolled Columbium bearing steels，Microalloying 75，1977：59

8　Leslie W C, Hornbogen E. Physical Metallurgy of Steels, in "Physical Metallurgy" ed. By R. W. Cahn and P. Haasen, 4th revised and enhanced edition, Elsevier Science Publishers BV, 1996：1589

9　Keh A S, Weissmann, S. in Electron microscopy and the Strength of Crystals, Interscience, New Yoek, 1962：231

10　Mott N F, Nabarro, F R N. Report of a Conference on strength of solids, 1948：1

11　Kelly A, Nicholson R B. Precipitation Hardening, Prog. Mat. Sci. , 1963, 10：151

12　Orowan E. Dislocations in Metals, AIME, New York, 1954

13　Ansell G S. 两相合金的力学性能,《物理金属学》, R W Cahn 主编, 中译本. 北京：科学出版社, 1986：1249

14　Kelly P M. The effect of particle shape on dispersion hardening, Scrip. Metall, 1972, Vol. 6 (8)：647

15　Ashby M F. In proc. Second Bolton Landing Conf on Oxide Dispersion Strengthening, Science Publishers, Inc. , New York, 1968

16　Gladman T, Dulieu D, Mclvor I D. Structure-property relationships in High -strength Microalloying Steels. Microalloying 75, 1977：32

17　Dahl W, Rees H, Arch Eisenh. , 1979, 50：355

18　田村今男, 关根宽, 田中智智, 大内千秋. 高强度低合金钢的控制轧制与控制冷却. 王国栋译. 北京：冶金工业出版社, 1992

19　徐祖耀, 刘世楷. 贝氏体相变与贝氏体. 北京：科学出版社, 1991：47～50

20　毛新平, 孙新军, 康永林等. EAF-CSP 流程钛微合金化高强钢板的组织和性能研究. 钢铁, 2005, 40 (9)：65

21　霍向东, 柳得橹, 王元立, 柏明卓, 康永林. CSP 工艺低碳钢中的纳米尺寸硫化物. 钢铁, 2005

22　Bai Mingzhuo, Liu Delu, Lou Yanzhi , Mao Xinping, Li Liejun, Huo Xiangdong. Effects of Ti addition on low carbon hot strips produced by CSP process, J. of Univ. of Sci. and Tech. Beijing, 2005

23　柏明卓, 柳得橹, 娄艳芝. CSP 低碳微 Ti 钢中 Ti (C, N) 的析出行为, 北京科技大学学报, 2005, 27 (6)：679

24　Delu Liu, Jie Fu, Yonglin Kang, Xiangdong Huo, Yuanli Wang, Nanjing Chen. Oxide and Sulfide Dispersive Precipitation and Effects on Microstructure and Properties of Low Carbon Steels. J. Mat. Sci. Tech. , 2002, 18 (1)：7～9

25　傅杰, 康永林, 柳得橹, 周德光. CSP 工艺生产低碳钢中的纳米碳化物及其对钢的强化作用, 北京科技大学学报, 25-4 (2003)：328

26　王中丙, 李烈军, 康永林, 柳得橹, 傅杰. 薄板连铸连轧 CSP 线生产低碳钢板的力学性能特征. 钢铁, 2001, Vol. 36, No. 10：33～35

27　柏明卓, CSP 工艺生产低碳钢中细小析出相的研究：[硕士学位论文]. 北京：北京科技大学, 2005

28　陈南京. 薄板坯低碳钢显微组织和沉淀相研究：[硕士学位论文]. 北京：北京科技大学, 2003

12 低碳高强度钢中的纳米铁碳析出物及其对钢力学性能的影响[❶]

在薄板坯连铸连轧低碳钢 ZJ330 及低碳锰钢 ZJ510 中，我们首先发现钢中存在大量弥散析出的硫化物和氧化物纳米粒子。硫化物粒子尺寸为几十纳米到二、三百纳米，氧化物粒子尺寸在几十纳米到一、二百纳米，并发现钢中还存在小于 20nm 的粒子，它们与基体有一定的取向关系，具有尖晶石结构。硫化物纳米粒子是由于控制钢中硫锰积低于该钢固相线温度下的平衡硫锰积，快冷条件下，在奥氏体区析出的；氧化物纳米粒子是固相线温度下钢中存在的百万分之几的溶解氧在随后钢液凝固冷却过程中析出的，见 2001～2002 年有关报告[1~3]。2003 年，我们又进一步通过电子显微镜分析，电化学分析和 X 射线小角散射，对薄板坯轧材、连铸坯和轧卡件中小于 20nm 粒子的属性、尺寸及不同粒度分布进行了研究，确认这些粒子主要是铁碳化物和 AlN，ZJ330 钢中小于 20nm 粒子的质量分数为 0.052％，ZJ510 比 ZJ330 钢中小于 18nm 的析出物的质量分数要大一些，轧卡件和连铸坯比轧材要多一些[4~7]。

章晓中、朱静用分析电镜及电子能量损失谱等也研究了 ZJ330 轧材、连铸坯及轧卡件中小于 20nm 粒子的属性，并与用传统工艺生产的 Q195 进行了对比，认为这些粒子是纳米氧化物，为尖晶石结构[8]。

12.1 钢中纳米颗粒的析出特征

图 12-1 示出了薄板坯连铸连轧热轧板材、轧卡件及连铸坯中小于 20nm 的颗粒[4]。

这些小颗粒有的地方多，有的地方少，分布不均，它们或在晶内，在位错线附近，或在晶界附近。

通常制备出来的纳米粒子具有非常强的团聚倾向，当纳米粒子团聚体尺寸大于 100nm 时，其对材料性能的改善作用往往会消失，故通常将 100nm 以下的粒子称为纳米级粒子，钢中的纳米析出物属于原位析出的纳米颗粒，不会形成团粒，故我们将钢中几个纳米到几百纳米的粒子统称为纳米粒子，它们的体积分数比通常纳米材料中的纳米颗粒小，但对钢材的组织性能具有重要的影

❶ 本章由傅杰教授撰写。

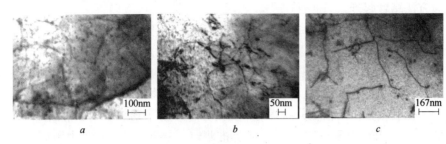

图 12-1 低碳钢中弥散析出的尺寸小于 20nm 颗粒的透射电镜照片
a—热轧板；b—轧卡件；c—连铸坯

响，因此，近年来冶金材料领域的学者对钢中纳米粒子的析出发生了强烈的兴趣。

12.2 化学相分析及 X 射线小角散射分析及结果

用电子显微镜很难确定钢中纳米粒子的体积分数或质量分数，而关于可以阻碍奥氏体和铁素体晶粒长大及能有效起沉淀强化作用的第二相析出物尺寸的计算均需要了解第二相析出物的体积分数或质量分数。

用电化学法得到的粉末，其中的纳米析出物是团聚的。X 射线小角散射法是一种测量纳米粉末粒度分布的方法，其突出的特点是测量范围为纳米级，测量结果所反应的是一次颗粒的尺度。所谓一次颗粒，即原颗粒，指可以相互分离而独立存在的颗粒，因为分析所用的 X 射线波长仅 0.1nm 左右，对纳米颗粒有很大的贯穿力，散射角在 1.5′，测量下限 1nm，团粒内的颗粒均系以个体而独立产生小角散射，所测粒度分布应是一次颗粒的表征。化学相分析加 X 射线小角散射是确定纳米级颗粒的成分、数量和体积分数或质量分数的一种有效方法。低碳钢的化学相分析过程可简单用以下流程表示：

(1) 将钢样电解获得包括铁碳化物 Fe_3C (实际上是 $(Fe_aM_a)_3(C_xN_y)$)、合金碳化物 MC(实际上是 $M(C_xN_y)$)、硫化物、氮化物及氧化物的电解粉末。分析该电解粉末中 Fe、Mn、Ni、N 的含量，按 $(Fe_aMn_bNi_c)_3(C_xN_y)$ 计算出粉末中的碳含量及其质量分数，本书以此质量分数代表总粉末的质量分数；

(2) 除掉铁碳化物、硫化物及氮化物 (AlN)，获得 $M(C_xN_y)$ 和氧化物；

(3) 去掉 $M(C_xN_y)$ 相，得到稳定的氧化物 (氧化物夹杂物及析出物)。

化学相分析通过化学分析和 X 射线衍射可以确定钢中存在的物相的结构、相的组成以及质量分数的多少。缺点是不能获得有关粒子在基体中分布情况的数据，不能测定粒子的间距，而这正是影响力学性能的关键，必须把它与其他实验方法结合起来。

用电化学分析加 X 射线小角散射法确定了 CSP 低碳钢中纳米颗粒的质量分数和尺寸分布[4~7]。

CSP 成品热轧薄板终轧后，经层流冷却，卷取成材，块状钢样经磨光后，电解溶样得到包含碳化物、硫化物、氮化物及氧化物在内的粉末，然后对该粉末进行化学相分析及粒度分布测定，粒度分布采用 X 射线小角散射法按 GB/T 13221—91（ISO/TS 13762—2001）标准测定。分析测试工作是由国家钢铁材料测试中心完成的。不同炉次实验钢的成分见表 12-1，ZJ330 热轧板与铸坯和轧卡件不是同一炉次。

表 12-1　试验钢的化学成分（质量分数）　　　　　（%）

试验材料	C	Si	Mn	S	P	Cu	Alt	Als	N	T.O
ZJ330 热轧板	0.060	0.11	0.28	0.006	0.012	0.12	0.020	0.016	0.0044	0.0028
ZJ330 铸坯	0.051	0.04	0.39	0.012	0.015	0.16	0.031	0.0306	0.0044	0.0030
ZJ330 轧卡件	0.051	0.04	0.39	0.012	0.015	0.16	0.031	0.0306	0.0044	0.0030
ZJ510 热轧板	0.18	0.28	1.21	0.004	0.023	0.11	0.024	0.021	0.0034	0.0024

注：ZJ510 中含 0.005%Ti，由原材料中带入，非特意添加。

通过对电解粉末进行 X 射线结构分析，发现在试验用 CSP 铸坯、轧卡件及成品板材中均存在 M_3C 相，属于正交晶系，典型点阵常数为 $a = 0.4523nm$；$b = 0.5088nm$；$c = 0.6743nm$，其质量分数及组成结构式列于表 12-2。ZJ510 还有一定的 $M(C_xN_y)$ 相，总量为 0.0062%，其中含 0.0044%Ti、0.0004%V、0.0014%N。

表 12-2　M_3C 相的质量分数及组成结构式

试验材料	M_3C 中各元素的质量分数/%						M_3C 相的结构式
	Fe	Mn	Ni	C	N	Σ	
ZJ330 热轧板	0.823	0.004	0.001	0.059	0.001	0.888	$(Fe_{0.994}Mn_{0.005}Ni_{0.001})_3(C_{0.986}N_{0.014})$
ZJ330 铸坯	0.688	0.008	0.002	0.050	0.001	0.749	$(Fe_{0.986}Mn_{0.012}Ni_{0.002})_3(C_{0.983}N_{0.017})$
ZJ330 第一道轧卡件	0.694	0.008	0.002	0.050	0.001	0.755	$(Fe_{0.986}Mn_{0.012}Ni_{0.002})_3(C_{0.983}N_{0.017})$
ZJ330 第二道轧卡件	0.724	0.009	0.002	0.052	0.001	0.788	$(Fe_{0.985}Mn_{0.012}Ni_{0.002})_3(C_{0.984}N_{0.016})$
ZJ510 热轧板	2.054	0.067	0.002	0.151	0.002	2.278	$(Fe_{0.966}Cr_{0.001}Mn_{0.032}Ni_{0.001})_3(C_{0.991}N_{0.009})$

试样中的化合氮及化合硫含量示于表 12-3，氧化物夹杂中各组分的分量及总量示于表 12-4。

表 12-3　试验钢中化合氮及化合硫的含量（质量分数）　　　（%）

试验材料	AlN	化合氮	化合硫
ZJ330 热轧板	0.0020	0.0018	0.0058
ZJ330 铸坯	0.0023	0.0020	0.0116
ZJ330 第一道轧卡件	0.0023	0.0020	0.0116
ZJ330 第二道轧卡件	0.0023	0.0020	0.0116
ZJ510 热轧板	0.0021	0.0038	0.0039

表 12-4　ZJ330 热轧板氧化物夹杂的定量分析结果

成　分	Al_2O_3	SiO_2	CaO	FeO	MgO	TiO_2	MnO_2	NiO	Cr_2O_3	Σ
含量（质量分数）/%	0.00178	0.00257	0.00096	0.00066	0.00030	0.00002	0.00003	0.00001	0.00003	0.00636

注：钢中总氧含量为 0.0030%。

　　电解粉末粒度分布测量结果如下所述。

　　电解粉末粒度分布特征及小于 18nm 颗粒的质量分数测量结果分别示于图 12-2～图 12-6 及表 12-5。图中 $f(D)$ 为粒度分布频度，代表各粒度间隔内 1nm

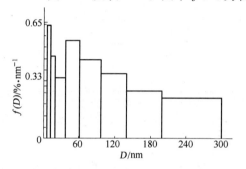

图 12-2　ZJ330 铸坯电解
粉末颗粒尺寸分布直方图

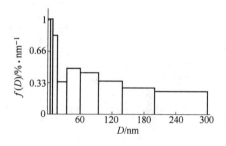

图 12-3　ZJ330 第一道轧卡件
电解粉末颗粒尺寸分布直方图

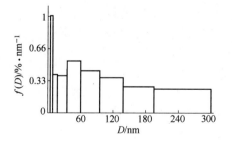

图 12-4　ZJ330 第二道轧卡件
电解粉末颗粒尺寸分布直方图

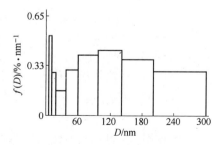

图 12-5　ZJ330 热轧板电解粉
末颗粒尺寸分布直方图

间隔中颗粒的平均质量分数。例如 1～5nm 间隔，$f(D)=0.3\%/nm$，则粉末中尺寸为 1～5nm 颗粒的质量分数为 $0.3\%/nm×(5-1)nm=1.2\%$。

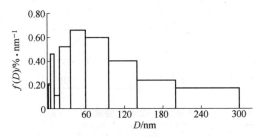

图 12-6　ZJ510 热轧板电解粉末颗粒尺寸分布直方图

表 12-5　小于 18nm 颗粒的质量分数

试验材料	电解粉末总量/%	试样中不同尺寸颗粒比例[①]/%				<18nm 颗粒/%
		1～5nm	5～10nm	10～18nm	<18nm	
ZJ300 热轧板	0.888	0.25/1.0	0.53/2.7	0.28/2.2	—/5.9	0.052
ZJ330 铸坯	0.749	0.30/1.2	0.65/3.7	0.47/3.7	—/8.2	0.061
ZJ330 第一道轧卡件	0.755	0.47/1.9	0.99/4.9	0.82/6.6	—/13.4	0.101
ZJ330 第二道轧卡件	0.788	0.49/2.0	1.00/5.0	0.39/3.1	—/10.1	0.080
ZJ510 热轧板	2.2783	0.21/0.8	0.46/3.3	0.11/0.9	—/4.0	0.091

①分子为 $f(D)$，%/nm；分母为不同尺寸颗粒质量分数占整个颗粒质量分数的比例。

12.3　纳米铁碳化物析出的质量平衡

用上述化学相分析加 X 射线小角散射法确定的小于 18nm 粒子中，如前所述可能包括铁碳化物（M_3C）、合金碳化物 MC、硫化物、氮化物（AlN 等）及氧化物的电解粉末。

对于小于 18nm 的颗粒，根据质量守恒原理：

$$W_{粉末}=W_{铁碳化物}+W_{合金碳化物}+W_{硫化物}+W_{AlN}+W_{氧化物} \quad (12-1)$$

式中，$W_{粉末}$ 为电解粉末中小于 18nm 的颗粒的质量分数，$W_{铁碳化物}$、$W_{合金碳化物}$、$W_{硫化物}$、W_{AlN}、$W_{氧化物}$ 为各类小于 18nm 化合物的质量分数。

对于 ZJ330 热轧板，代入上述实验数据，应有：

$$0.052=W_{铁碳化物}+0+(\ll0.016)+(<0.0020)+(\ll0.0064)，\%$$
$$W_{铁碳化物}=0.052-(\ll0.0244)=(\gg0.0276)，\%$$

对于 ZJ510 热轧板，代入上述实验数据，应有：

$$0.091=W_{铁碳化物}+(<0.0062)+(\ll0.0106)+(<0.0021)+(\ll0.0064)，\%$$
$$W_{铁碳化物}=0.091-(\ll0.0253)=(\gg0.0657)，\%$$

以上化合硫按 MnS 计算，ZJ510 中氧化物量取 ZJ330 数据，≪表示远小于、≫表示远大于。

由第 8、9 章可知，钢中存在有纳米尺寸的硫化物、氧化物和 AlN，硫化物和氧化物尺寸主要为几百纳米到几十纳米，它们对沉淀强化基本没有贡献，小于 18nm 的硫化物和氧化物以及 AlN 可能起沉淀强化作用，但其质量分数不大。从上述质量平衡计算可知，能起沉淀强化作用的小于 18nm 的颗粒主要应为铁碳析出物。

12.4 透射电镜分析结果

12.4.1 分析电镜分析结果

由第 8 章可知，在较高温度析出的尺寸为几十到几百纳米的硫化物（MnS、钛的硫化物等）和氧化物（Al、Si 等的氧化物）可以成为较低温度下碳化物析出的非自发核心。

用透射电镜和 X 射线能谱仪对 CSP 低碳钢板 ZJ330 和低碳锰钢 ZJ510 的研究表明[9]：在铁素体内析出了许多弥散沉淀粒子，图 12-7 是含碳 0.17% 钢板中的沉淀，粒子尺寸为 30～50nm，呈方形。X 射线能谱分析显示，这些粒子中含有非金属碳、硫、氧，金属元素除了铁，还有少量的 Al、Si 或 Cu，图 12-7c 给出一个有代表性的谱。

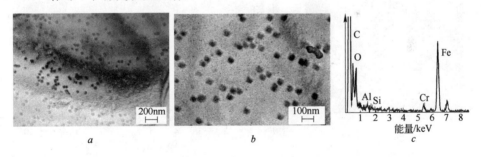

图 12-7 含碳 0.17% 钢板中的沉淀粒子和其中一个粒子的 X 射线能谱

在含碳较低 (0.05%C) 的 ZJ330 钢中也观察到类似的沉淀，但是沉淀粒子的尺寸比较小，数量比 0.17%C 钢的少，图 12-8 是含碳 0.05% 低碳钢中析出相的 TEM 形貌图像（图 12-8a）和其中一个粒子的 X 射线能谱（图 12-8b），与同一试样珠光体中渗碳体的能谱（图 12-8c）不同。许多析出粒子都含有氧以及少量 Al 和 Si，也有一些粒子含有一定的硫和铜，沉淀粒子可能是在硫化物或 Al、Si 氧化物核心上长大的碳化物，但这些粒子的尺寸大多大于 20nm。

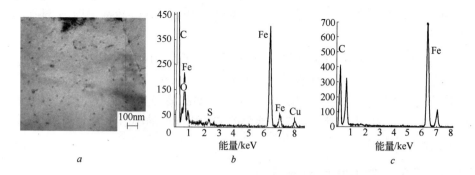

图 12-8 含碳 0.05% 低碳钢中析出相的 TEM 形貌及能谱[8]

a—沉淀粒子的 TEM 形貌；b—一个粒子的 X 射线能谱；c—珠光体中渗碳体的 X 射线能谱

12.4.2 高分辨率电镜分析结果

对于钢中小于 20nm 的粒子，特别是几个纳米的粒子，用普通电镜进行观察分析有一定的困难，为了查明这些粒子的属性和析出机制，我们用高分辨电镜对电解粉末进行了进一步的观察，放大倍数为 50 万倍，电压为 200kV，并用 X 射线能谱分析颗粒的成分。结果如图 12-9～图 12-12 所示。

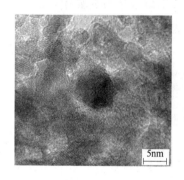

图 12-9 ZJ330 电解粉末中
纳米颗粒的高分辨条纹像

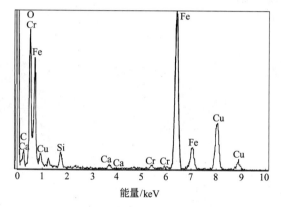

图 12-10 观察区域的能谱

由图 12-9～12-12 可见，在 CSP 低碳高强度钢中 20nm 以下的纳米析出物，第一类是铁氧碳纳米析出物，见图 12-9 和图 12-10，这类粒子是大量的，许多视场中均有，粒子中含有铁、碳，能谱中有明显的铁峰和碳峰，由图 10-9 可见：ZJ330 钢中，由高分辨条纹勾画出的颗粒尺寸表明，所测为一堆 5nm 左右的团聚纳米粒子，直接测量的是中间较大的粒子(约 10nm)，它们可能都是同类的铁氧碳析出物，能谱中的碳可能来自微栅和分析过程中的碳污染。第二类是铁的纳米铁氧析出物,在能谱图中没有碳峰,见图 12-11;第三类是铁钛氧碳析出物,见图 12-12,其中有的尺寸大于 20nm。这似乎可以说明,第一、三类铁碳析出物中铁、碳不是由微栅带入的。从化学相分析结果看,钢中应有 TiN 粒子,但图 12-12 中未发现氮峰,这可能与研究方法有关。

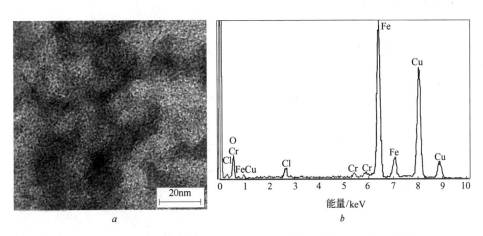

图 12-11 ZJ510 电解粉末中纳米 Fe-O 析出物的形貌和 X 射线能谱

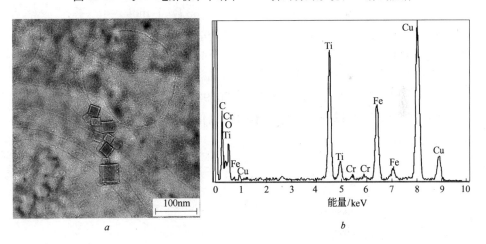

图 12-12 J510 电解粉末中纳米 Fe-Ti-O-C 析出物的一串粒子及其能谱

12.5 纳米铁碳析出物析出的热力学分析

从铁碳相图可知,在奥氏体向铁素体转变过程中,随温度降低,奥氏体分解转变成铁素体+珠光体(铁素体+渗碳体);在铁素体中,随温度降低,析出渗碳体的量增加,在 Ar_1 以下,铁素体的平衡碳含量要由 0.022% 左右降低至室温时的十万分之几。

根据文献 [10、11] 的热力学数据，进行以下计算：

$$Fe_{0.947}O_{(l)} = Fe_{0.947}O_{(s)} \tag{12-2}$$

$$\Delta G^{\ominus} = -31338.16 + 18.99T$$

转变温度为 1377℃。

在这个温度以下有：

$$Fe_{(l)} + 1/2O_{2(g)} = FeO_{(l)} \qquad \Delta G^{\ominus} = -256060.8 + 53.68T \qquad J/mol$$

$$1/2O_{2(g)} = [O] \qquad \Delta G^{\ominus} = -117110 - 3.39T \qquad J/mol$$

$$Fe_{(l)} = Fe_{(s)} \qquad \Delta G^{\ominus} = -13807.2 + 7.61T \qquad J/mol$$

$$FeO_{(l)} = FeO_{(s)} \qquad \Delta G^{\ominus} = -31338.16 + 18.99T \qquad J/mol$$

$$Fe_{(s)} + [O] = FeO_{(s)} \tag{12-3}$$

$$\Delta G_1^{\ominus} = -156481.95 + 68.45T \quad J/mol$$

$$2Fe_{(s)} + 3/2O_{2(g)} = Fe_2O_{3(s)} \quad \Delta G^{\ominus} = -814122.72 + 250.66T \quad J/mol$$

$$3/2O_{2(g)} = 3[O] \qquad \Delta G^{\ominus} = -351330 - 10.17T \qquad J/mol$$

$$2Fe_{(s)} + 3[O] = Fe_2O_{3(s)} \tag{12-4}$$

$$\Delta G_2^{\ominus} = -462792.72 + 260.83T \quad J/mol$$

$$3Fe_{(s)} + 2O_{2(g)} = Fe_3O_{4(s)} \quad \Delta G^{\ominus} = -1102191 + 307.36T \qquad J/mol$$

$$2O_{2(g)} = 4[O] \qquad \Delta G^{\ominus} = -468440 - 13.56T \qquad J/mol$$

$$3Fe_{(s)} + 4[O] = Fe_3O_{4(s)} \tag{12-5}$$

$$\Delta G_3^{\ominus} = -633751 + 320.92T \quad J/mol$$

根据式 12-3~式 12-5 可以得出不同铁氧化物的标准自由能与温度的关系图，见图 12-13。

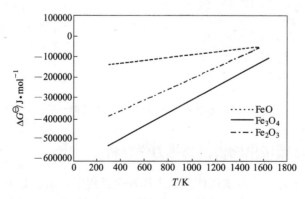

图 12-13　不同铁氧化物的标准自由能与温度的关系图

由图 12-13 可见,在 1377℃以下,Fe_3O_4 最易形成,我们认为在低碳高强度钢中发现的尺寸小于 18nm 的铁氧化物应为 Fe_3O_4。

由式 12-5 可以计算出 Fe_3O_4 的开始析出温度。

$$\Delta G_3^{\ominus} = -RT\ln K = -RT\ln a_{Fe_3O_4}/a_{Fe}^3 a_O^4 \tag{12-6}$$

对于低碳钢,可以认为,Fe_3O_4 和 Fe 的活度为 1,氧的活度可用浓度代替,则有:

$$\lg [O] = -8274.75/T + 4.19 \tag{12-7}$$

设钢中固溶氧为 0.0002%,则 Fe_3O_4 开始析出温度为 776℃。

根据以上研究,小于 18nm 的铁氧碳纳米析出物可能是在铁素体中以铁氧化物(Fe_3O_4)为核心非自发析出的。

铁素体中弥散分布的铁氧碳析出物,可能在以铁氧化物择优析出地点生成,或直接在这些氧化物粒子上生成,其颗粒与作为形核中心的氧化物可能具有低错配度的指数晶面,具有 Fe_3O_4 尖晶石结构,它们与基体具有一定的取向关系。

根据文献 [10] 的数据有:

$$TiC_{(s)} = Ti_{(s)} + C_{(s)} \qquad \Delta G^{\ominus} = 184765.44 - 12.55T$$

$$C_{(s)} = [C] \qquad \Delta G^{\ominus} = 22590 - 42.26T$$

$$Ti_{(s)} = [Ti] \qquad \Delta G^{\ominus} = -31130 - 44.98T$$

$$TiC_{(s)} = [Ti] + [C] \qquad \Delta G^{\ominus} = 176225.44 - 99.79T$$

$$\lg[Ti][C] = -9203.7/T + 5.21 \tag{12-8}$$

当 Ti 为 0.005%,C 为 0.06% 时,TiC 的开始析出温度为 780.9℃,与 Fe_3O_4 开始析出温度接近,TiC 与 Fe_3O_4 可能同时生成,形成复杂的铁钛氧碳析出物,当 Ti 为 0.005%,C 为 0.17% 时,TiC 的开始析出温度升高,Fe_3O_4 也可能以先析出的 TiC 为核心,生成 Fe-Ti-O-C 析出物,尺寸较大一点,如图 12-12 所示。

12.6　HSLC 钢中纳米铁碳析出物的控制——回火快冷技术

为了进一步确定小于 18nm 铁碳析出物的析出温度,析出、长大、粗化行为,并间接地证明它们的存在及强化作用,设计了两组专门的实验。第一组研究 Ar_1 温度以下处理温度对力学性能的影响,第二组研究了处理时间对强度的影响,实验原料为 HSLC 钢 ZJ330,σ_s、σ_b 和 δ 分别为 339MPa、397MPa 和 44.7%,结果见图 12-14、图 12-15。

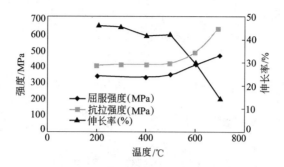

图 12-14　Ar_1 温度以下同一处理时间不同
温度对 HSLC 钢力学性能的影响

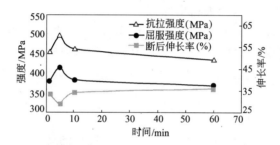

图 12-15　Ar_1 温度以下同一处理温度
不同时间对 HSLC 钢力学性能的影响

由上述结果可见，Ar_1 温度以下的热处理（回火快冷，我们称为亚调质处理）在一定工艺下，使 HSLC 钢的屈服强度又增加了约 70MPa，达到 410MPa 左右，并保持较高的伸长率（30% 左右）；当在 700℃ 回火快冷处理时，屈服强度增加更多，达 468MPa，但伸长率下降很多。

一种可能是在实验条件下，在 600℃ 保温时，原 600℃ 以下析出的铁碳析出物颗粒溶解，再冷却时，由于冷却速度比原薄板坯连铸连轧过程相应阶段（卷取）更快，重新析出的纳米颗粒尺寸更小，使强度升高；随保温时间的延长，原在保温温度以上析出的能起强化作用的粒子尺寸增大，使强度降低。

在实验条件下，实验钢组织为铁素体加少量珠光体，铁素体晶粒尺寸约为 8μm，处理过程中没有相变，晶粒没有细化（见图 12-16），但 σ_s 大幅度提高，这间接地证明了铁碳析出物的存在，可以认为强度的增加不是由于相变和晶粒细化的作用，而应该主要是纳米铁碳析出物的沉淀强化作用造成的。

在薄板坯连铸连轧低碳钢过程中，轧制工艺控制很重要的一个内容是对钢中铁碳析出物析出行为的控制，这是连轧过程中制定层流冷却与卷取工艺的理论基础之一。

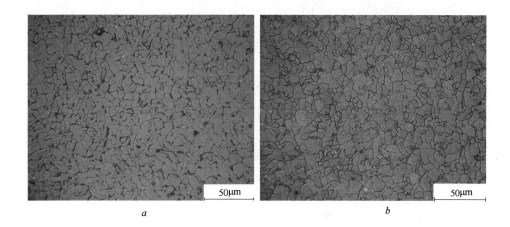

图 12-16 实验钢原始样与 700℃回火快冷样的金相组织

a—原始样；b—700℃回火快冷样

12.7 纳米铁碳化物对钢力学性能的影响及纳米铁碳化物的析出强化作用

参考 HSLA 钢的经验公式，HSLC 钢的屈服强度可以表达为[5,12]：

$$\sigma_s = 88 + 37(\%Mn) + 83(\%Si) + 2900(\%N_{自由})$$
$$+ 15.1 d_a^{-0.5} + \sigma_P + \sigma_d + \sigma_{db} \tag{12-9}$$

式中，$\%N_{自由}$ 为钢中自由氮的浓度；d_a 为晶粒尺寸；σ_P 为珠光体对强度的贡献；σ_d 为第二相粒子的弥散沉淀对强度的贡献；σ_{db} 为位错亚结构对强度的贡献。

表 12-6　珠钢 CSP 工艺生产 HSLC 钢的强度　　　　　　(MPa)

序号	$w(C)/\%$	$w(Si)/\%$	$w(Mn)/\%$	σ_s	$d_a/\mu m$	$15.1d_a^{-0.5}$	$\sigma_P + \sigma_d + \sigma_{db}$
1	≤0.06	≤0.1	约 0.3	350	约 10	约 150	约 100
2	≤0.06	≤0.1	约 0.3	390~400	5~6	约 200	约 100
3	0.06	0.17	0.61	439	8.22	166	152
4	0.18	0.21	0.56	437	6.86	182	128
5	0.17	0.28	1.21	492	5.68	200	140

表 12-6 中列出了珠钢用 CSP 工艺生产 HSLC 钢的 σ_s 及其影响因素，由表可见，晶界强化对 σ_s 的贡献为 150~200MPa，考虑传统工艺下钢的晶粒尺寸为 20μm，晶粒细化到 5μm 时，细晶强化的增量约为 100MPa；沉淀强化等对 HSLC 钢的强度也有着相当大的贡献，为 100~150MPa，其中 σ_P、σ_{db} 较小，以 σ_d 为主，因此，我们认为，低碳高强度钢的强化机制是晶粒细化和沉淀析出的综合强化。

CSP 普通低碳钢中存在纳米铁碳析出物沉淀强化机制，对新一代钢的研究具有重要意义。

根据文献 [13]，析出强化用 Ashby-Orowan 修正模型可以表示为：

$$\sigma_d = \frac{10\mu b}{5.72\pi^{3/2} r} f^{1/2} \ln\left(\frac{r}{b}\right) \tag{12-10}$$

式中　σ_d——弥散沉淀强化对钢屈服强度的贡献，MPa；

　　　r——平均粒子半径，μm；

　　　μ——剪切系数，对于钢材（铁素体），其值为 $80.26\times10^3\,MPa$；

　　　b——柏氏矢量，$2.48\times10^{-4}\,\mu m$；

　　　f——第二相粒子的体积分数。

对于铁-铁碳析出物系统有：

$$f = \frac{\gamma_{Fe}}{\gamma_{ICP}} \times 100\% \tag{12-11}$$

式中，γ 为密度，铁碳析出物密度 γ_{ICP}（ICP 指 Iron Carbon Precipitate 的缩写）按 Fe_3C 计算，$\gamma_{Fe}/\gamma_{ICP}=1/0.94$。

根据上述公式，计算小于 18nm 的纳米粒子对强度的贡献，对表 12-6 中 w（C）$\leqslant 0.06\%$，Mn 为 0.3% 的 HSLC 钢，$r=5\times10^{-3}\,\mu m$，其中可能包括部分小于 18nm 的氮化铝粒子[8]，$f=0.052\%/0.94=0.055\%$，计算得 $\sigma_d=88MPa$；对 ZJ510，$r=5\times10^{-3}\,\mu m$，$f=0.091\%/0.94=0.097\%$，计算得 $\sigma_d=117MPa$。与表 12-6 数据相近。

文献 [14] 作者对其试验用含 Nb 的 HSLA 钢也进行了化学相分析及 X 射线小角散射法测 $Nb(C_xN_y)$ 颗粒分布的实验研究，结果指出：电解粉末中的 Fe_3C 的质量分数为 0.970%，MC 的质量分数为 0.046%，其中 $Nb(C_{0.624}N_{0.376})$ 的质量分数为 0.040%，含 0.034% Nb、0.0037% C 和 0.0026% N，尺寸小于 18nm 的 $M(C_xN_y)$ 与整个 $M(C_xN_y)$ 的质量分数比约为 33%，即其质量分数只有 0.015%。小于上述 HSLC 钢中纳米颗粒的质量分数。如果说 HSLA 钢中微合金元素碳化物 MC 具有沉淀强化作用，HSLC 钢中的铁碳析出物也应具有沉淀强化作用，实现综合强化。

12.8　影响纳米级铁碳化物析出因素的分析

钢中纳米铁碳析出物的析出具有普遍性，但是在不同的条件下，析出的量不同，从而对钢的性能具有不同的影响。影响钢中纳米铁碳析出物析出的因素主要有下述几个方面：

（1）钢中的碳含量。

根据对含碳 0.06% 左右的 ZJ330、含碳 0.18% 左右的 ZJ510 的化学相分析加小角散射分析结果可知，随碳含量的增加，小于 18nm 的颗粒质量分数增加，前者为 0.052%，后者为 0.091%。

(2) 合金元素的影响。

我们曾经研究过 800MPa 级 HSLA 钢及含 0.125%Ti 的 Corten 700 HSLA 钢中不同尺寸析出物的比例，发现前者小于 36nm 的铁碳析出物颗粒质量分数比小于 36nm MC 质量分数大很多，说明纳米铁碳析出物对 HSLA 钢的沉淀强化亦具有较大贡献。

(3) 纯洁度的影响。

钢中溶解氧高时，Fe_3O_4 的析出温度升高，例如当 [O] 为 0.0006% 时，从式 12-5 可以计算出 Fe_3O_4 的开始析出温度为 844℃，高于 776℃（[O] 为 0.0002%）析出物的尺寸应增大。

(4) 硼的影响

硼是一个表面活性元素，在某些界面处，与表面活性元素氧可形成 B_2O_3，从而可能降低几十至几百纳米的氧化物和硫化物阻碍晶粒长大的作用，使晶粒粗化，强度降低。另一方面，溶解氧的降低，亦应减少 Fe_3O_4 的析出量，从而减少较低温度时，以 Fe_3O_4 为核心的铁碳析出物的非均匀形核比例，使强度降低。

(5) 冷却条件。

小于 18nm 的颗粒是在 776℃ 以下析出的，这个温度处于卷取以前的层流冷却过程中，冷却速度快可能抑制这一析出，使析出不充分，析出量小，卷取温度下，碳化物有一个充分析出和长大的过程，为此，从控制纳米铁碳析出物的角度出发，控制层流冷却和卷取过程中的铁碳析出物的析出十分重要。

(6) 卷取工艺。

卷取温度低，钢中位错密度大，有利于析出，但轧机损伤大，板带卷取后冷却过程中，冷却速度对析出物的尺寸有重要影响。

(7) 热处理工艺。

A_1 温度以下的热处理（回火快冷），在一定工艺下，可使 HSLC 钢的屈服强度进一步增加。

从上述影响因素分析，也可以看出薄板坯连铸连轧钢的组织性能综合控制（ICMP）不同于控冷控轧（TMCP）。强化机制不是形变诱导相变（DIFT）或形变强化相变（DEFT）。

参 考 文 献

1 Delu Liu, Jie Fu, Yonglin Kang, Xiangdong Huo, Yuanli Wang, Nanjing Chen. Oxide and Sulfide

Dispersive Precipitation and Effects on Microstructure and Properties of Low Carbon Steels. J. Mat. Sci. Tech. , 2002, 18 (1): 7

2　Liu Delu, Huo Xiangdong, Wang Yuanli, Fu Jie, Kang Yonglin, Chen Nanjing. Oxide and Sulfide Dispersive Precipitation In Ultra—low Carbon Steels. J. of University of Sci. & Tech. Beijing, 2001, 8 (4): 314

3　Huo Xiangdong, Liu Delu, Chen Nanjing, Kang Yonglin, Fu Jie, Zhou Deguang. Microstructure Evolution of Low Carbon Steel Produced by Compact Strip Production. Proceedings of First International Conference on Advanced Structural Steels. Tsukuba, Japan, May 22—24, 2002: 217

4　傅杰，康永林，柳得橹等. 电炉 CSP 工艺生产 HSLC 钢的研究与开发. 北京科技大学学报，2003，25 (5): 449

5　傅杰，康永林，柳得橹等. CSP 工艺生产低碳钢中的纳米碳化物及其对钢的强化作用. 北京科技大学学报，2003，25 (4): 328

6　Y. L. Kang, H. Yu, J. Fu, et al. Morphology and precipitation kinetics of AlN in hot strip of low carbon steel produced by compact strip production [J]. Mater Sci and Eng, 2003, A351: 265

7　傅杰. 新一代低碳钢——HSLC 钢. 中国有色金属学报，2004，14 (Special 1): 82

8　翁宇庆等著. 超细晶钢——钢的组织细化理论与控制技术，北京：冶金工业出版社，2003. 10: 979

9　Delu Liu, Xiangdong Huo, Yuanli Wang, Xianwen Sun. Aspects of microstructure in low carbon steels produced by the CSP process, Journal of University of Science and Technology Beijing, 2003, 10 (4): 1

10　E. T. 特克道根著. 高温工艺物理化学. 魏季和，傅杰译. 北京：冶金工业出版社，1988

11　伊赫桑. 巴伦主编. 纯物质热化学数据手册. 程乃良，牛四通，徐桂英等译. 北京：科学出版社

12　Gladman T. , Dulieu D. , Mclvor I D. Microalloying, 75 (1977): 32

13　Kneissl A C. , Garcia C I. , deArdo A J. Characterization of Precipitates in HSLA Steel [A]. T. Geoffrey, S. H. Zhang. HSLA Steels: Processing, Properties and Apllications [M]. The Minerals, Metals and Materials Society, 1992: 99

14　H. T. Zhang, S. Liu, R. Z. Wang, et al. Laboratory study of the influence of thin slab casting and direct rolling process on the microstructure and mechanical properties of niobium microsteel [A]. Proceedings of TSCR'2002 [C]. Guangzhou, 2002: 282.

13 薄板坯连铸连轧钢的组织与性能特征 ❶

13.1 薄板坯连铸连轧低碳钢的力学性能

13.1.1 电炉CSP生产SS330低碳钢热轧板卷的力学性能统计分析[1]

从对珠钢电炉CSP生产的SS330级别的低碳钢板ZJ330（成分与Q195基本相同）等产品的力学性能统计以及组织状态观察发现，对于同一钢种成分的产品，由薄板坯连铸连轧线生产的热轧板和传统厚板坯连铸连轧线生产的热轧板在组织状态、晶粒度大小和力学性能方面存在较明显的差异，澄清产生这一现象的冶金学机制和工艺影响过程，对于薄板坯连铸连轧产品的组织性能控制、新产品开发以及如何满足不同用户要求具有特别重要的实际意义。

13.1.1.1 CSP生产SS330热轧板力学性能的大生产统计分析

A CSP生产SS330钢的成分

表13-1为由珠钢CSP线生产SS330钢（珠钢企业钢号为ZJ330）和通常采用国标生产Q195钢的化学成分范围比较。与通常国标Q195钢的化学成分范围比较，CSP线生产SS330钢的Si、P、S、Cu均较低，实际控制过程中，碳也较低，硫一般在0.005%～0.006%。

表13-1 CSP生产SS330钢的化学成分（质量分数） （%）

元　素	C	Si	Mn	P	S	Cu	Al
CSP-SS330	0.04～0.07	0.02～0.08	0.20～0.40	<0.025	≤0.01	≤0.20	0.025～0.040
国标GB 700—88 Q195	0.06～0.12	≤0.30	0.25～0.50	<0.045	<0.050	≤0.30	

B CSP线生产SS330钢力学性能的大生产统计分析

根据珠钢CSP线生产的ZJ330钢236个热轧板卷（每卷重16t）取标准拉伸试样测定力学性能的统计结果，屈服强度$\sigma_s = 310\sim430$MPa，抗拉强度$\sigma_b = 390\sim470$MPa，伸长率$\delta = 32\%\sim45\%$。图13-1、图13-2分别为屈服强度和伸长率统计结果分布图。可见，绝大多数屈服强度值落在330～390MPa之间，绝大多数伸长率值落在33%～39%之间，屈服强度可比通常Q195钢约高一倍，伸长率也较高。

---

❶ 本章由康永林教授、于浩副教授共同撰写。

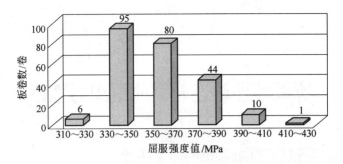

图 13-1　CSP 线生产的 ZJ330 钢热轧板卷屈服强度统计结果分布

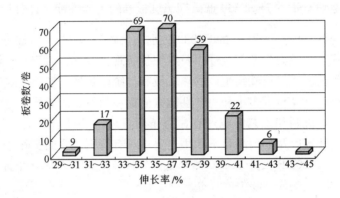

图 13-2　CSP 线生产的 ZJ330 钢热轧板卷伸长率统计结果分布图

　　特别值得指出的是，CSP 板材纵横向力学性能均匀，基本上无各向异性。图 13-3 为珠钢 CSP 生产的 ZJ330 板材纵横向屈服强度 σ_s、拉伸强度 σ_b 和伸长

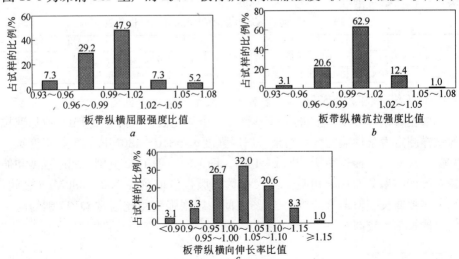

图 13-3　珠钢 CSP 生产的 ZJ330 板材纵横向 σ_s、σ_b 和 δ 比值的统计分布

率 δ 比值的统计分布，是根据一卷钢每隔 5m 长取样，共取 99 个样品进行实验统计的结果。屈服强度 σ_s＝390～430MPa，抗拉强度 σ_b＝490～530MPa，伸长率 δ 平均为 40％。由图 13-3 可以看出，板材纵横向力学性能十分均匀，基本上不存在各向异性。

13.1.2 薄板坯连铸连轧生产低碳热轧板拉伸曲线特征分析

13.1.2.1 ZJ330 低碳热轧板典型拉伸曲线

图 13-4 是 CSP 生产的 ZJ330 热轧薄板厚度为 1.0mm、1.86mm、2.32mm 和 3.36mm 的典型拉伸实验曲线。可见其屈服延伸段较长，屈服伸长率约在 3.2％～7.0％，另一特征是屈强比较高，一般多在 0.78～0.90 之间，根据伸长率为 32％～45％计算的真应变范围为 ε＝0.278～0.370。

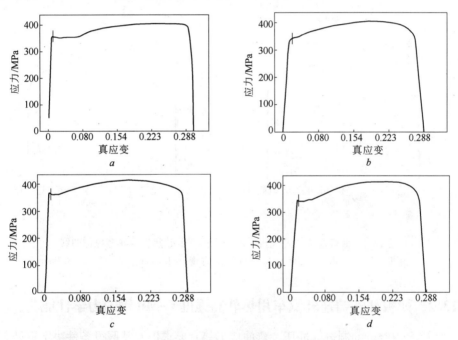

图 13-4　CSP 生产 ZJ330 热轧薄板的拉伸实验曲线

a—厚度 t＝1.0mm；b—厚度 t＝1.86mm；c—厚度 t＝2.32mm；d—厚度 t＝3.36mm

对于成形用热轧板材而言，主要要求的性能有：一定的（或较高的）强度（σ_s、σ_b 值）、良好的成形性能（较高的 n、r、δ 值和较低的屈强比）。CSP 生产的热轧薄板所具有的较高强度、伸长率和均匀的性能是其长处，而如何控制屈强比是一个课题。另一方面，从 CSP 生产 ZJ330 热轧薄板的组织特征来看，其具有细而均匀的等轴晶。热轧板的这一组织特征是决定其力学性能的基础，因此，控制板材的力学性能需要通过工艺和组织控制着手。

13.1.2.2　SS400 低碳热轧板典型拉伸曲线

图 13-5 是采用薄板坯连铸连轧线生产的 SS400 热轧薄板厚度为 2.75mm、3.75mm、4.75mm 和 5.75mm 的典型拉伸实验曲线。

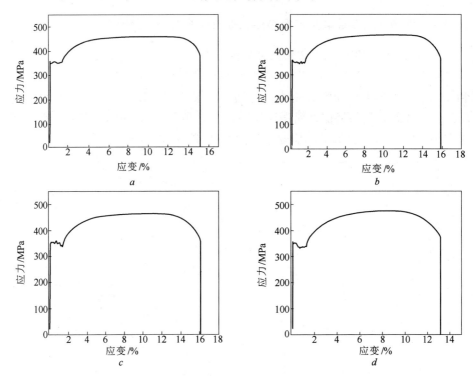

图 13-5　薄板坯连铸连轧线生产的 SS400 低碳热轧板典型拉伸曲线

a—厚度 $t=2.75$mm；b—厚度 $t=3.75$mm；c—厚度 $t=4.75$mm；d—厚度 $t=5.75$mm

13.2　薄板坯连铸连轧汽车用热轧高强度 C-Mn 钢的力学性能

汽车用钢板的制造（冲压、弯曲成形等）要求以及其服役条件决定钢种必须具有一定的强韧性，良好的冷弯性能，同时板形要好，尺寸精度要高。

13.2.1　CSP 工艺生产低碳高强 510L、550L 的力学性能[2,3,4]

由珠钢生产现场提供的从 6.0mm、8.0mm 和 10.0mm 三种规格 ZJ510L 成品板卷上分别剪取试样，根据国标金属材料室温拉伸试验方法 GB/T 228—2002，按国标钢材力学及工艺性能试验取样规定 GB 2975—82，进行了三种规格试制钢板拉伸试验。ZJ510L 的化学成分范围如表 13-2 所示，不同规格的

ZJ510L 钢板力学性能列于表 13-3。

表 13-2　珠钢 CSP 生产的 ZJ510L 钢板的化学成分范围

元　　素	C	Si	Mn	P	S	Cu	Al
含量（质量分数）/%	0.16~0.20	≤0.50	≤1.40	≤0.020	≤0.010	≤0.12	≤0.040

表 13-3　珠钢 ZJ510L 钢板的平均力学性能

厚度/mm	横　　向				纵　　向			
	σ_s/MPa	σ_b/MPa	δ/%	屈强比	σ_s/MPa	σ_b/MPa	δ/%	屈强比
4.5	445	580	34.0	0.77	440	575	31.0	0.77
6.0	455	602	26.5	0.76	457	605	27.5	0.76
8.0	437	585	26.0	0.75	427	572	28.0	0.75
10.0	415	565	26.0	0.73	435	580	26.0	0.75

从表 13-3 的拉伸试验结果可以看到，ZJ510L 的屈服强度和抗拉强度均较高，其屈服强度在 415~457MPa 之间，抗拉强度均在 565~605MPa 之间。而且汽车板的屈强比均较低，在 0.73~0.77 之间。所有厚度规格试制钢板的伸长率都较高，在 26.0%~34.0% 之间，钢板横向和纵向强度以及伸长率差别不大，说明钢板的各向异性较小。

表 13-4 为取 4.0mm、5.0mm 和 6.0mm 三种规格的 ZJ550L 钢板按照国标 GB/T228—2002 做拉伸试验的试验结果。ZJ550L 钢的化学成分与 ZJ510L 相近，并在热轧工艺上进行了调整。ZJ550L 钢屈服强度在 455~485MPa 之间，抗拉强度在 603~607MPa 之间，平均屈强比为 0.76~0.81，伸长率也比较高为 26.5%~31.0%，具有较高的强度和良好的成形性能。

表 13-4　珠钢 ZJ550L 钢板的平均力学性能

厚度/mm	σ_s/MPa	σ_b/MPa	δ/%	屈强比	备　注
4.0	485	600	31.0	0.81	横向
5.0	470	607	26.5	0.77	横向
6.0	455	603	26.5	0.76	横向

13.2.2　低碳高强钢板的冲击韧性[3]

为了评价 ZJ510L 和 ZJ550L 钢板的低温韧性，进行室温至 -100℃ 的系列温度冲击试验（20℃、0℃、-20℃、-40℃、-60℃、-80℃、-100℃）。根据国标金属夏比缺口冲击试验方法 GB/T 229—1994，沿垂直于轧制方向取小尺寸试样。5.0mm 厚试制钢板的试样尺寸为 4.5mm×10mm×55mm，其他三种规格试制钢板试样尺寸为 5.0mm×10mm×55mm，金属夏比 V 形缺口冲击试验试样的 V 形缺口深度为 2mm，测定其冲击吸收功如表 13-5 所示，得到不同厚度规格试制钢的冲击韧性值如表 13-6 所示。图 13-6 为四种规格试制钢板的冲击吸收功 A_{KV} 与试验温度之间的关系。根据国标金属夏比冲击断口测定方法 GB/T 12778—91，将冲击试样断口与冲击试样断口纤维断面率图谱进行比较，估算出试制钢冲击试样纤维断面率（图 13-7）。

表 13-5　四种规格 ZJ510L、ZJ550L 在不同温度下的夏比冲击吸收功 A_{KV}　（J）

名　称	厚度/mm	20℃	0℃	−20℃	−40℃	−60℃	−80℃	−100℃
ZJ510L	6.0	52	48	44	43	33.5	25.5	6
ZJ550L	5.0	52	51	50	49	42.5	28.5	27
ZJ550L	6.5	63.5	57.5	56	53	33	17	7.5
ZJ550L	8.0	60	57	55	45	35	23.5	9.5

表 13-6　四种规格试制钢 ZJ510L、ZJ550L 在不同温度下的冲击韧性值 a_{KV}　（J/cm²）

名　称	厚度/mm	20℃	0℃	−20℃	−40℃	−60℃	−80℃	−100℃
ZJ510L	6.0	130	120	130	107.5	83.8	63.8	15
ZJ550L	5.0	144.4	142	139	136	138	79	75
ZJ550L	6.5	158.8	143.8	140	132.5	82.5	42.5	18.8
ZJ550L	8.0	150	142.5	137.5	132.5	87.5	58.8	23.8

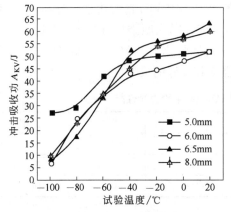

图 13-6　四种规格 ZJ510L 和 ZJ550L 冲击吸收功 A_{KV} 与试验温度的关系

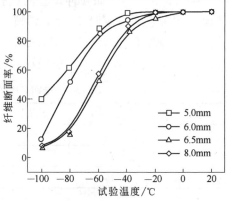

图 13-7　ZJ510L 和 ZJ550L 断口纤维断面率与试验温度的关系

由图 13-6 可以看出，5.0mm 厚试制钢板的冲击功 A_{KV} 值在 −100℃ 时仍然较高，达到了 27J，表明其低温韧性较好。另外三种厚度规格的试制钢板在室温至 −100℃ 的温度范围内，冲击韧性相差不大。如以断口纤维分数为 50% 的对应温度作为韧脆转变温度（记为 FATT），由图 13-7 可以看出，5.0mm 和

6.0mm 厚试制钢板的韧脆转变温度均在−80℃以下，而 6.5mm 和 8.0mm 厚试制钢板的韧脆转变温度均在−60℃以下（见表 13-7），表明用 ZJ510L 和 ZJ550L 制造的汽车零件可以在寒冷的地区安全运行。文献研究表明，钢中带状组织是降低冲击韧性的重要原因，另外，钢中 C、Si、S、P、N 等元素也使钢板冲击韧性降低。5.0mm 厚试制钢板由于其铁素体平均晶粒尺寸细小，带状组织较轻，而且钢中碳含量较低，因而其冲击韧性较好。

表 13-7　四种规格 ZJ510L 和 ZJ550L 钢板的韧脆转变温度

钢　　种	厚度/mm	韧脆转变温度/℃
ZJ510L	6.0	−81
ZJ550L	5.0	−90
ZJ550L	6.5	−77
ZJ550L	8.0	−60

13.2.3　低碳高强钢板的成形性能[3]

13.2.3.1　宽冷弯性能

冷弯试验是检测钢板在一定条件下的塑性变形或冲压性能优劣的一种工艺试验。为了衡量试制的汽车板的冷成形性，在珠钢对于 7 种厚度规格试制钢板分别取横向试样，进行宽冷弯试验，试样宽度 $B=35$mm，弯心半径 $d=a$，弯曲 180°。从试验结果来看，所有试样的弯曲性能全部合格，宽冷弯性能良好（图 13-8）。

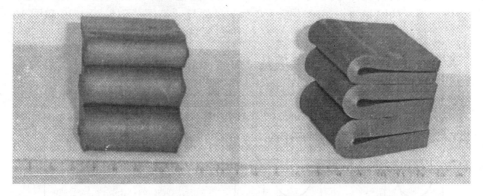

图 13-8　ZJ510L（板厚 6mm、8mm、10mm）冷弯试样照片

13.2.3.2　应变硬化指数（n 值）

应变硬化指数 n 表示真实应力随着真实塑性应变成比例增加的能力，在实际工程应用中，n 值反映金属材料在塑性变形过程中，形变强化能力的一种量

度，是判断板材冲压性能的一个重要参数。低碳高强汽车板 ZJ510L 和 ZJ550L，采用平行部宽度为 20mm 的比例试样，在万能材料试验机上测定 n 值，每种厚度规格试制钢板垂直于轧制方向取样，重复试验两片试样，取其平均 n 值，见表 13-8。试验结果表明，采用 CSP 生产的低碳高强汽车板 ZJ510L 和 ZJ550L 钢的 n 值较高，在 $0.176 \sim 0.250$ 之间。

表 13-8　低碳高强钢板 ZJ510L 和 ZJ550L 的 n 值

牌　号	板厚/mm	试样方向	n 值	平均 n 值
ZJ510L	6.0	90°	0.245	0.250
			0.255	
ZJ550L	5.0	90°	0.201	0.221
			0.241	
ZJ550L	6.5	90°	0.175	0.176
			0.176	
ZJ550L	8.0	90°	0.228	0.223
			0.218	

13.2.3.3　板材回弹值测定

在汽车用高强板材中，冲压成形时的回弹问题使得加工成形困难，为此，参考国外的方法，采用自行设计制造的 V 形弯曲模具进行了板材回弹值的试验测定。

试验通过将试样弯曲成 60°后卸载，然后测量试样角度，两个角度之差即为所测板材的回弹值，试验装置示意图和试样尺寸简图分别见图 13-9 和图 13-10。试验时将 V 形弯曲模具通过夹头安装在 MTS810 材料试验机上，试样放于凹模上并注意对中，启动 MTS810 材料试验机，压下冲头将试样弯曲成 60°后卸载。冲头的圆弧半径为 5.0mm 和 8.0mm，压下速度为 0.25mm/s。从表

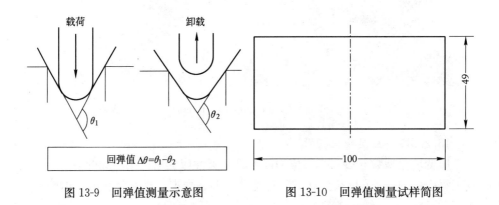

图 13-9　回弹值测量示意图　　　　　图 13-10　回弹值测量试样简图

13-9 的回弹值试验结果可以看出，钢板的回弹值较小，而且随着板厚的增加其回弹值逐渐减小，10.0mm 厚钢板压弯至 60°的平均回弹角仅为 0.5°。

表 13-9　CSP 生产低碳高强钢板 ZJ510L 的回弹值

厚度规格/mm	冲头圆弧半径/mm	回弹值/ (°)
6.0	5	3.0
		4.5
	8	4.0
		3.0
8.0	8	1.8
		2.1
10.0	8	0.6
		0.4

13.2.3.4　缺口静弯试验

缺口静弯试验用于测定弯曲条件下材料对缺口的敏感性。试验时在缺口处产生有应力集中的三向应力，以衡量材料在这种恶劣条件下的服役能力，评价材料对缺口的敏感性。本试验测定了 ZJ510L 钢在常温下弯曲负荷-位移曲线，试样尺寸为 10mm×8mm×60mm，由弯曲负荷-位移曲线图计算出弹性、塑性变形功和撕裂功，计算结果列于表 13-10。可以看到试验钢 ZJ510L 在常温下的撕裂功较高，达到了 46.8J，撕裂功与总功之比为 59.4%，说明 ZJ510L 钢对缺口不敏感。

表 13-10　CSP 生产低碳高强钢板 ZJ510L 缺口静弯试验结果

弹、塑性变形功/J	32.01
撕裂功/J	46.81
撕裂功与总功之比/%	59.40

13.3　薄板坯连铸连轧高强耐候钢的力学性能

高强耐候钢是集装箱、铁路车厢、城市地铁车厢等的重要用材。随着我国的经济发展，物流业迅猛增长，高强耐候钢在减重、提速、增加货运量、延长设备使用寿命和降低物流成本方面都起着重要的作用。高强度耐候钢是指 $\sigma_s \geqslant$ 400MPa 的耐候钢，这类钢主要用在特种集装箱、桥梁及高速火车车厢的制造上。由于高强度耐候钢在要求高的耐蚀性的同时要求高的强度级别和较好的成形性能和焊接性能，因此对冶金工艺过程和设备控制水平要求很高。

近年来，我国宝钢、武钢、本钢、鞍钢、攀钢等传统流程热轧板带生产线已大批量生产出集装箱和铁路等应用的高强耐候钢。另一方面，我国的珠钢、包钢、邯钢、马钢、涟钢、唐钢等薄板坯连铸连轧企业也相继开发生产出普通耐候钢和高强耐候钢。同时，对采用薄板坯连铸连轧工艺生产高强耐候钢的工艺与组织性能相关机理也进行了研究[5,6]。

耐候钢对耐腐蚀性有较严格的要求，其成分较其他钢种也有较大的差别。国内外代表性耐候钢的化学成分见表 13-11、表 13-12[7]。

表 13-11　国内主要耐候钢的化学成分

钢号	$w_B/\%$										
	C	Si	Mn	P	S	Cr	Ni	Cu	Ti	V	RE
05CuPCrNi	≤0.09	0.20~0.50	0.20~0.50	0.05~0.12	≤0.04	0.30~1.25	≤0.65	0.25~0.50			
06CuPRE	≤0.08	0.10~0.40	0.15~0.45	0.06~0.12	≤0.035			0.25~0.30			加入量≤0.12
09CuPCrNi	≤0.12	0.20~0.50	0.20~0.50	0.07~0.12	<0.04	0.30~0.60	0.25~0.40	0.25~0.35			
09CuPTiRE	≤0.12	0.20~0.40	0.25~0.55	0.07~0.12	<0.04	0.01	0.01	0.25~0.35	<0.03		0.15
B480CNQR	≤0.12	0.25~0.75	0.20~0.50	0.07~0.15	≤0.03	0.30~1.25	≤0.65	0.25~0.55			
B160NQ	≤0.12	0.12~0.35	≤1.00	0.06~0.12	≤0.03			0.20~0.40	≤0.10		
10CrNiCuP	≤0.12	0.10~0.40	0.20~0.50	0.07~0.12	<0.04	0.03~0.65	0.25~0.50	0.25~0.45			
08CuPVRE	≤0.12	0.20~0.40	0.20~0.50	0.07~0.12	<0.04			0.25~0.45		0.02~0.08	0.02~0.20
09CuPRE	≤0.12	0.17~0.37	0.50~0.80	0.07~0.12	<0.045			0.25~0.40			0.15
08CuP	≤0.12	0.20~0.40	0.20~0.50	0.07~0.12	<0.045			0.25~0.45			

表 13-12　国外耐候钢的化学成分

国别	钢号	$w_B/\%$										
		C	Si	Mn	P	S	Cr	Ni	Cu	Ti	V	Mo
美国	CORTEN-A	≤0.12	0.25~0.75	0.20~0.50	0.07~0.15	≤0.05	0.30~1.25	≤0.65	0.25~0.55			
	MAYARI-R	≤0.12	0.10~0.50	0.50~1.00	0.08~0.12	≤0.05	0.40~1.00	0.25~0.75	0.50~0.70			
	TRITEN	≤0.22	0.30	1.25	<0.04	≤0.05		0.20		0.02		

续表 13-12

国别	钢号	w_B/%										
		C	Si	Mn	P	S	Cr	Ni	Cu	Ti	V	Mo
日本	SPA-H	≤0.12	0.25~0.75	0.20~0.50	0.07~0.15	≤0.04	0.30~1.25	≤0.65	0.25~0.60			
	SPA-C	≤0.12	0.25~0.75	0.20~0.50	0.07~0.15	≤0.05	0.30~1.00	≤0.45	0.25~0.55			
	FUJI CORTEN	≤0.12	0.25~0.75	0.20~0.50	0.07~0.15	≤0.05	0.30~1.25	≤0.65	0.25~0.50			
	CUPTEN-G	≤0.12	≤0.06	≤0.06	0.06~0.12	≤0.04	0.40~1.20		0.20~0.50	≤0.15		≤0.35
	YAWENSO	≤0.12	≤0.35	0.60~0.90	0.06~0.12	≤0.04			0.25~0.55			
德国	ST35/50	0.07~0.12	0.30~0.60	0.30~0.50	0.08~0.13	≤0.05	0.07~1.00		0.20~0.35			
	KT52-3	0.08~0.12	0.25~0.50	0.90~1.20	0.05~0.09	≤0.04	0.50~0.80		0.30~0.50		0.04~0.10	
俄罗斯	10ХНдП	≤0.12	0.17~0.37	0.30~0.60	0.07~0.12	≤0.035	0.50~0.80	0.30~0.60	0.30~0.50			
波兰	10H	≤0.15	0.30~0.70	0.25~0.50	<0.15	≤0.05	0.05~0.80		0.25~0.55			
瑞典	DONEX600	≤0.12	≤0.30	≤0.19	≤0.025	≤0.010	Al≤0.015，含少量 Nb、V、Ti					
	DONEX700	≤0.12	≤0.40	≤2.10	≤0.025	≤0.010	Al≤0.015，含少量 Nb、V、Ti、Mo					

　　国内几家厚板坯连铸连轧钢铁企业开发生产的高强度耐候钢性能见表 13-13。

表 13-13　国内几家厚板坯连铸连轧钢铁企业开发生产的高强度耐候钢性能[8]

钢厂	钢号或级别	厚度规格 /mm	σ_s/MPa	σ_b/MPa	伸长率/%	冲击功/J	屈强比
宝钢	Q400NQR1	12~14	520	600	35	333（－40℃）	0.87
	400MPa 级		405	505	22	177	0.80
			460	545	29	285	0.84
	Q450NQR1		525	600	30		0.87
	450MPa 级		455	550	22		0.83
			485	570	27		0.85

钢厂	钢号或级别	厚度规格/mm	σ_s/MPa	σ_b/MPa	伸长率/%	冲击功/J	屈强比
武钢	W400QN	3.0	433	551	35.5		0.79
			444	552	36.5		0.81
			458	582	31.2		0.79
			459	579	33.7		0.79
		10.0	440	535	31		0.82
			425	525	32		0.81
鞍钢	ANH400	6.0	415	555	31	64 (−40℃)	0.75
	ANH450	7.0	480	595	28	84	0.81
	ANH500	7.0	555	660	28	70	0.84
	ANH550	7.0	575	675	29	58	0.85
本钢	09CuPCrNi-Nb	6.0	525	610	25	138 (−20℃)	0.86
			490	600	28		0.82
			530	625	23	109 (−40℃)	0.85
			505	590	28		0.85
			510	615	28		0.83
			470	565	28		0.83
	09CuPTiRE-Nb	6.0	470	550	31		0.85
			485	560	27		0.86
			475	545	26		0.87
攀钢	≥400	3~8	400~480	500~600	24~40		0.80
	≥450		450~510	600~680	24~35		0.75
	≥500		500~580	700~760	22~32		0.73

　　采用薄板坯连铸连轧工艺生产高强耐候钢的成分设计同厚板坯连铸连轧工艺基本相同，有的根据强度和性能需要添加微量的 Nb、V、Ti，碳、硫、氮含量的控制将更低一些（如碳含量一般在 0.06% 以下），并结合薄板坯连铸连轧工艺特点进行连铸、热连轧及冷却工艺控制设计。

　　表 13-14 为珠钢采用 CSP 线开发生产的部分高强耐候钢的典型力学性能值。从表中可见，采用薄板坯连铸连轧工艺开发生产的高强耐候钢不仅强度达到了相应的强度级别以上，而且具有较高的伸长率和低温冲击韧性以及较低的屈强比，这在钢板的成形加工性能方面受到用户的欢迎。

　　图 13-11 为采用薄板坯连铸连轧工艺生产的 450MPa 级 6.0mm 高强耐候

钢的工程应力-应变曲线和真应力-真应变曲线。

表 13-14 珠钢 CSP 薄板坯连铸连轧线开发生产的高强耐候钢的性能

钢厂	钢号或级别	厚度规格 /mm	σ_s/MPa	σ_b/MPa	伸长率 /%	冲击性能 (-20℃)/J·cm^{-2}	屈强比
珠钢	≥400	1.6~6.0	410	515	38	152	0.80
	≥450	1.6~6.0	460	550	32		0.79

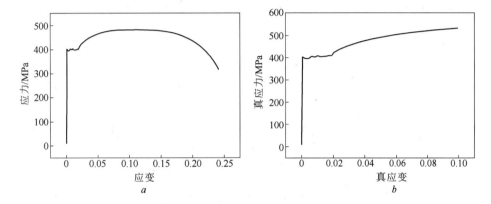

图 13-11 450MPa 级高强耐候钢的工程应力-应变曲线和真应力-真应变曲线

a—工程应力-应变曲线；*b*—真应力-真应变曲线

13.4 不同规格 CSP 热轧低碳高强钢板的组织性能对比分析

13.4.1 不同厚度规格 CSP 低碳钢板的化学成分

在珠钢 CSP 线生产现场，从厚度为 1.0~3.8mm 四种规格成品板卷上取样，分析成分。表 13-15 为珠钢 CSP 线生产的低碳钢的化学成分，钢中的 Si、P、S 等的含量均较低，实际控制过程中，硫含量的范围一般在 0.005%~0.006%[9]。

表 13-15 四种板材的厚度尺寸及主要化学成分

钢 种	尺 寸 /mm×mm	化学成分（质量分数）/%					
		C	Si	Mn	P	S	Al
ZJ330	1.0×1250	0.070	0.03	0.325	0.015	0.005	0.0338
ZJ400	1.9×1250	0.178	0.07	0.330	0.026	0.010	0.026
ZJ400	2.75×1250	0.188	0.09	0.320	0.022	0.003	0.035
ZJ400	3.8×1250	0.178	0.15	0.390	0.031	0.006	0.030

13.4.2　力学性能实验及分析

在常规力学性能实验中，按国标 GB 228—87 做了 4 种规格热轧薄板力学性能实验，有关实验数据见表 13-16。

表 13-16　四种板材的实测力学性能及生产工艺参数

厚度尺寸 /mm	力　学　试　验				屈强比 σ_s/σ_b
	σ_s/MPa	σ_b/MPa	δ/%	冷弯 $d=a$	
1.0	357	394	36	合格	0.907
1.9	353	459	28	合格	0.769
2.75	363	470	22	合格	0.772
3.8	418	565	26	合格	0.740

由表 13-16 的力学性能测试数据结果可以看出：不同规格薄板的屈服强度和抗拉强度值均比成分相近的国标钢种显著高，而伸长率与之相当甚至较优；虽然板的屈强比大，但总的来讲，板的性能比较优良而且均匀。

13.4.3　显微组织特征

图 13-12 为 CSP 线生产的低碳钢薄板坯的截面组织。由图可见，薄板连铸坯原始组织比较均匀，为较细的树枝状晶组织，枝晶宽度约在几微米到 30μm 之间。这是由于铸坯薄（50mm），结晶器具有很高的冷却速率，拉速较快，所以在冷却过程中，形成沿断面较均匀分布细小的组织特征。

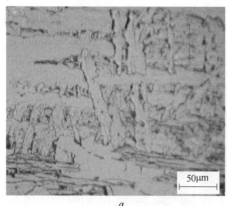

50μm

30μm

a　　　　　　　　　　　　　*b*

图 13-12　CSP 线低碳钢薄板连铸坯的铸态组织
a—ZJ330 铸坯组织；*b*—ZJ400 铸坯组织

图 13-13 是四种不同规格板带的光学显微组织照片。板带的最终组织为大量铁素体加部分珠光体，晶粒的大小不十分均匀；变形量增大，铁素体晶粒变细；图中颜色暗的区域为珠光体，呈岛状和枝链状分布。1.9～3.8mm 薄板中，铁素体晶粒的外貌呈不规则的多边形状；1.0mm 板中，铁素体晶粒呈等轴状。

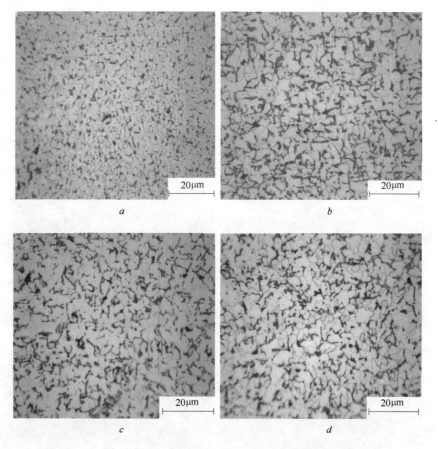

图 13-13　四种不同规格 CSP 热轧薄板的光学显微组织
a—厚 1.0mm；b—厚 1.9mm；c—厚 2.75mm；d—厚 3.8mm

利用背电子散射衍射（EBSD）技术，测得厚为 1.0mm、1.9mm、2.75mm 和 3.8mm 四种规格板带的铁素体晶粒直径的平均尺寸分别为 $3.02\mu m$、$4.43\mu m$、$4.84\mu m$ 和 $5.42\mu m$。成品板组织变化的基本趋势是平均晶粒尺寸随板厚尺寸规格的减小（见图 13-14），铁素体晶粒尺寸细化，珠光体片层间距减小。

由图 13-15 可分析热轧成品板中珠光体的精细结构。珠光体的大小不十分

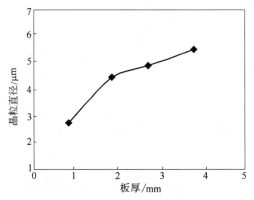

图 13-14   四种规格板的晶粒尺寸与板厚关系

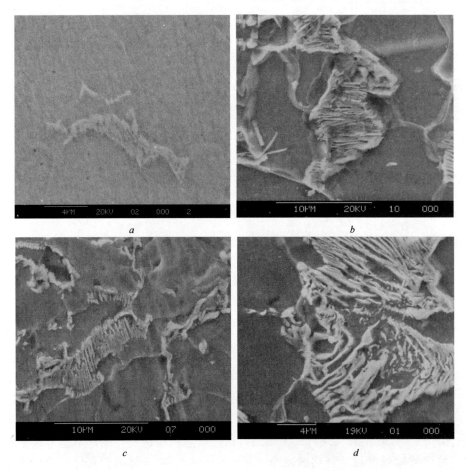

图 13-15   四种不同规格 CSP 热轧薄板轧向的扫描电镜组织
a—厚度为 1.0mm；b—厚度为 1.9mm；c—厚度为 2.75mm；d—厚度为 3.8mm

均匀，大晶粒呈岛状，小的晶粒呈枝链状。3.8mm 板材珠光体组织呈片层状结构，间距较小，且与水平轧制方向有一定的夹角，片层间距不到 $1.0\mu m$，见图 13-15d。2.75mm 板的轧向珠光体组织由于变形量加大，珠光体片层间距减小，在较大的岛状珠光体内可看到片层结构，而对于小的珠光体晶粒几乎看不清片层结构，见图 13-15c。在 1.9mm 轧向珠光体结构中，由于变形量进一步加大，岛状珠光体结构中的片层间距非常小，能看清楚的珠光体片层也几乎与水平轧制方向平行，珠光体片层间距在 $0.2\mu m$ 左右，见图 13-15b。在 1.0mm 轧向珠光体结构中，只有放大更大的倍数，才能看清珠光体的细微结构；在 6000 倍时，可以清楚地看到珠光体呈几乎平行的片层状排列，且间距极小，见图 13-15a。

通过以上显微组织分析可得出如下结论：针对此 4 种热轧薄板，当变形量增大时，铁素体晶粒尺寸细化，珠光体片层间距减小，且晶粒组织的均匀程度增加；晶粒形貌由多边形状逐渐变为等轴状；相变后转化为铁素体的量增加。

同规格 CSP 热轧板比传统热轧板的晶粒尺寸小[10]，根据霍尔-佩奇关系，晶粒细小，其屈服强度必然高。细化晶粒是唯一同时提高强度和塑性的方式，由于 CSP 热轧低碳钢薄板的组织比较均匀，且晶粒尺寸较小，故其强度较高，且塑性优良。

13.5　CSP 与传统工艺生产的低碳热轧板的组织性能对比分析

13.5.1　CSP 与传统工艺生产的低碳热轧板的组织性能比较

CSP 工艺与传统工艺生产的同钢种同规格热轧薄板在力学性能上存在较大差异。对比了另一钢厂利用传统工艺生产的同规格 Q195 钢板（4.0mm 厚）性能，CSP 工艺生产的薄板其屈服强度、抗拉强度和伸长率都高于传统工艺生产的同规格板，但 CSP 工艺生产的钢板的屈强比较高。具体比较见图 13-16 和图 13-17。

显微组织是力学性能的决定性因素，由图 13-18 的光学显微组织照片可以看出，CSP 工艺生产的薄板组织明显比传统工艺的细，晶粒平均尺寸小于 $10\mu m$，但不如传统工艺的组织均匀。大压下高刚度轧制是 CSP 轧制工艺的主要特点，为了深入探讨这种工艺对产品最终组织性能的影响，利用清华大学正电子湮没实验设备，研究了轧制工艺对组织中位错密度的影响规律。图 13-19 是两种薄板的位错密度比较示意图，CSP 工艺热轧薄板的位错密度比传统工艺约高三分之一，这一结果与轧后温度变化、组织结构、异相粒子钉扎有关，有待进一步研究，但可以肯定这也是其强度高于传统工艺薄板的原因之一。

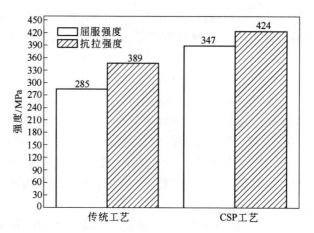

图 13-16　CSP 工艺与传统工艺生产的 4.0mm 热轧
板的屈服强度和抗拉强度
（CSP 工艺板材：ZJ330；传统工艺板材：Q195）

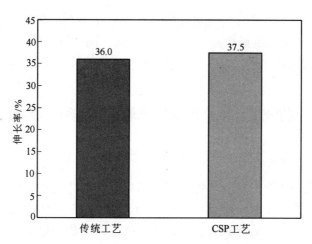

图 13-17　CSP 工艺与传统工艺生产的 4.0mm
热轧成品板的伸长率
（CSP 工艺板材：ZJ330；传统工艺板材：Q195）

综上所述，与传统工艺比较而言，CSP 工艺生产的热轧薄板的强度较高，组织比较细小，但不十分均匀，伸长率与传统工艺的相当。

13.5.2　CSP 热轧低碳钢薄板组织性能影响因素分析

化学成分作为内在因素，极大地影响着产品的组织和性能，故在研究产品性能时应予以充分重视。表 13-15 中，CSP 低碳钢中 P、S、Si 等的含量均较

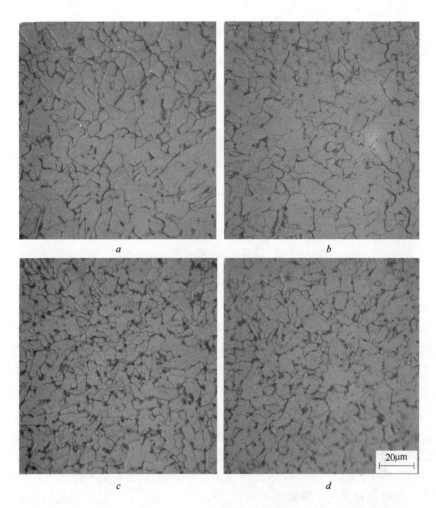

图 13-18　传统工艺(a)、(b)与 CSP 工艺(c)、(d)的 4.0mm 板轧向显微组织
(CSP 工艺板材：ZJ330；传统工艺板材：Q195)
a—边部；b—心部；c—边部；d—心部

　　低，而且夹杂物的含量也少，这也使产品的伸长率有明显的提高。氮在钢中一般使屈服强度和抗拉强度增加，硬度值上升；因为柯氏效应，游离的 C、N 原子是造成屈服效应和应变时效的主要因素之一[11]，ZJ330 钢的碳含量较低，但屈服效应较为严重，且含有氮化物夹杂，故可认为钢中有固溶氮原子存在。

　　终轧温度控制在 900℃以下，并给予 20%～30% 的道次压下量，这就是传统上采用"低温大压下"细化铁素体晶粒提高强度的有力措施。此 4 种薄板的终轧温度均在 900℃以下，道次压下量为 20% 左右，很显然这会有助于细化晶粒和提高强度。

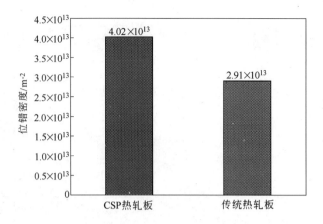

图 13-19 CSP 工艺与传统工艺生产的 4.0mm 热轧
成品板的位错密度

（CSP 工艺板材：ZJ330；传统工艺板材：Q195）

影响晶粒细化的主要原因有：（1）相变前奥氏体晶粒的有效界面面积和奥氏体晶粒的有效直径；（2）相变点 A_{r3} 以下两相区内的冷却速度。CSP 线热轧使用 50mm 薄板连铸坯，铸坯截面组织为较细的树枝状晶组织。薄板坯连铸连轧的重要特征是由液态快冷形成薄板坯，由 γ 到 α 无中间反复相变，直接轧成薄板产品。较细的铸态组织、由 50mm 厚的薄规格板坯快速大变形轧制和细化的奥氏体晶粒为最终铁素体晶粒的细化奠定了基础。

目前，晶粒细化的主要原因被认为是奥氏体在大应变条件下，基体含有大量位错和形变带而使其自由能大幅度提高，从而使铁素体获得大的相变驱动力和高的形核率。对于 CSP 线热轧薄板而言，虽然总压缩比不是很大，但各道次的压缩比相对较大，导致组织具有高位错密度结构、位错发团结构和亚晶结构，这些都是铁素体形核的活跃位置；在随后的快速冷却过程中，γ→α 相变的驱动力增大，形核密度增加，铁素体晶粒细小。晶界有效面积增加，出现变形带，位错密度增加，因为变形不仅使铁素体晶粒的成核率大大提高，而且使奥氏体的表观距离缩短，增加了已在相对的界面上形核并且正在长大的 α 晶粒的相遇机会，所以最终组织中 α 铁素体的晶粒尺寸细小。

从某种意义上说，CSP 线的层流冷却设备就是一个强力冷却热处理系统。γ→α 为受界面控制的扩散型相变，冷却速度提高，过冷度增大，使 γ→α 的自由焓差增大，从而导致相变点温度降低。相变点 A_{r3} 随冷却速度的提高而降低，随冷速的提高过冷度增大，所以它不但促进了新 α 晶粒的进一步形核，并且延迟了 α 晶粒向未相变 γ 基体中的生长，所以最终组织中 α 铁素体的百分数增大，且晶粒尺寸小[12]。

综上所述，钢的性能取决于材料加工最终状态的微观组织及其精细结构，而组织结构无疑又依赖于钢的化学成分、生产流程和工艺参数等。"化学成分-加工工艺-组织结构-性能"四者之间有着互相依存的密切关系，CSP 工艺生产的热轧低碳钢薄板同样遵循材料学的这一基本原理，所以需要从化学成分、加工工艺、组织结构方面对 CSP 连铸连轧低碳钢薄板的组织细化及强化机理进行深入的研究。

13.6　薄板坯连铸连轧生产超薄规格钢板的组织及性能

在第 3 章 3.4 节中提到，生产超薄规格热带产品是薄板坯连铸连轧生产线的一大优势，并可实现部分以热带冷，如生产薄规格集装箱板、热轧镀锌板、热轧酸洗板、建筑用板以及部分热轧深冲板等。下面简要介绍分析一下采用薄板坯连铸连轧工艺生产的 1.0mm 以下低碳钢超薄规格热带产品的组织和性能情况。

13.6.1　CSP 工艺生产 1.0mm 超薄规格低碳钢板的力学性能[13,9]

广州珠钢的 CSP 线在 2000 年 5 月试轧出厚度为 1.0mm 的超薄规格热带，钢种为与 Q195 基本相同的低碳钢，珠钢钢号为 ZJ330，钢板的化学成分如表 13-17 所示。

表 13-17　CSP 生产的 ZJ330 低碳钢的化学成分

成　　分	C	Mn	Si	P	S	Cu	Al	N	O
含量(质量分数)/%	0.060	0.325	0.03	0.015	0.012	0.140	0.035	0.0047	0.0028

在常规力学性能实验中，按国标标准要求做了 1.0mm 板轧向、宽向和 45°方向的力学拉伸实验，各方向上的典型拉伸曲线如图 13-20 所示。从拉伸曲线来看，1.0mm 超薄热轧带材的屈服延伸在 5% 左右，然后是一段强化段，这些都是低碳钢板的通常力学性能现象。

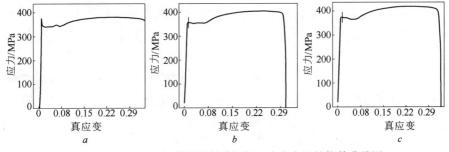

图 13-20　1.0mm 超薄规格低碳钢板三个方向上的拉伸曲线图

a—45°方向；b—轧制方向；c—宽度方向

对珠钢 CSP 生产的 1.0mm 超薄规格低碳钢板三个方向各取 3～4 个试样的屈服强度、抗拉强度和伸长率的数值范围和均值分别如表 13-18 和图 13-21 所示。从两个图表可以看出该超薄规格热带的力学性能特征：抗拉强度均值约为 395.5MPa，屈服强度均值较高为 357.3MPa，屈强比较大，在 0.886～0.931 之间，其优点是伸长率较高，为 35.5%～36.9%，并且三个方向的力学性能差异很小，即面内各向异性小。

表 13-18　珠钢 CSP1.0mm 超薄规格低碳钢板的力学性能实测结果

取样方向	σ_s/MPa	σ_b/MPa	屈强比	伸长率/%
宽度方向/均值	353～374/366.3	395～418/408.5	0.897	36～38/36.9
轧制方向/均值	332～357/346.8	376～404/391.5	0.886	35～37/36.1
45°方向/均值	350～365/358.7	380～396/385.0	0.931	33～41/35.5
国标 Q195	≤275	315～430		≥33

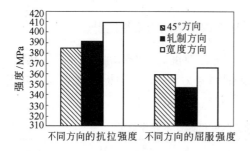 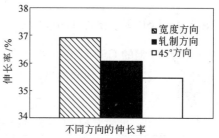

图 13-21　1.0mm 低碳钢板三个方向上的抗拉强度、屈服强度和伸长率均值图

13.6.2　CSP 热轧 1.0mm 超薄规格低碳钢板的显微组织[13]

图 13-22 为 CSP 热轧 1.0mm 超薄规格板带的显微组织与 EBSP 衍射花样。最终组织为铁素体基体上分布着呈岛状和枝链状的珠光体组织，铁素体晶粒的外貌呈不规则的多边形状，图中颜色暗的区域为珠光体（见图 13-22a）。铁素体晶粒较细，但大小不很均匀。由 LEO—1450 型扫描电镜上的定量金相分析系统，测得板带的铁素体晶粒直径的平均尺寸为 6.48μm。

热轧相变后产生的铁素体晶粒内有相当数量的亚晶存在（见图 13-22b），由光学显微照片和上述 EBSP 衍射图样可知，晶粒大多数不是等轴晶，其形状大多也是不规则的，晶界之间的夹角也未达到稳定的 120°，说明晶粒容易发生继续长大。铁素体晶粒间主要为大角晶界（见图 13-23a），故在热连轧过程中，奥氏体已发生部分再结晶。随着再结晶的进行，晶粒之间的取向差呈大角度关系所占的比例上升，呈小角度关系的比例下降，这是因为具有相近取向的

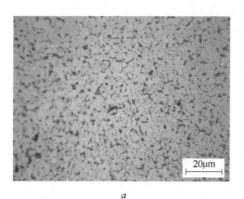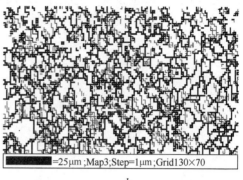

a

b

图 13-22 光学显微组织与 EBSP 衍射花样

a—光学显微组织；b—按取向差绘制的组织

亚晶数量随着再结晶的进行而减少的缘故。通过文献研究分析认为，若晶粒组织中主要含大角晶界，则强化效果以细晶强化为主，反之则以位错强化为主，由上述的分析可认为，1.0mm 超薄规格板中细晶强化占主导作用。

图 13-23b 为晶粒按取向差确定出的铁素体尺寸分布。可以看出，晶粒尺寸的概率分布类似于 Γ 分布，在 3μm 以下有一峰值，这可能是由较小的动态再结晶晶粒引起的。由 EBSD 按邻域面积分析得到板带铁素体晶粒的平均直径为 3.02μm，比按形貌确定的铁素体晶粒尺寸小。这说明铁素体晶粒中含有大量的亚结构，甚至还有胞状的位错发团存在，这将使超薄规格板的强度升高而塑性略降。

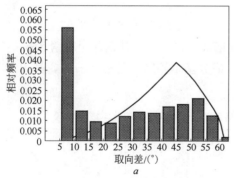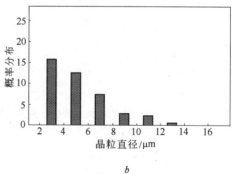

a

b

图 13-23 取向差分布函数及晶粒尺寸分布函数

a—取向差分布函数；b—按取向差确定的晶粒尺寸分布

在扫描电镜下，放大倍数为 3000 倍时（见图 13-24a），珠光体在铁素体晶界处分布，基本呈枝状和链状分布，尺寸约为 4μm 左右；在 6000 倍时（见图 13-24b），可以清楚地看到珠光体呈几乎平行的片层状排列，且间距极小。

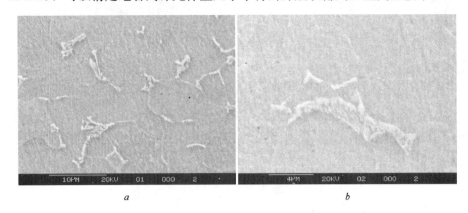

a　　　　　　　　　　　　　*b*

图 13-24　不同放大倍数的珠光体扫描电镜组织

a—放大 3000 倍；*b*—放大 6000 倍

　　同规格 CSP 热轧板比传统热轧板的晶粒尺寸小，根据霍尔-佩奇关系，晶粒细小其屈服强度增高；一般说来，枝、链状分布的珠光体组织在空间形成网状（骨架）结构，割裂了较软的铁素体基体，将会使板的塑性下降。CSP 技术生产的 1.0mm ZJ330 板的珠光体虽呈枝链状分布，但其塑性较高，这一问题有待于进一步深入研究。

13.6.3　FTSR 工艺半无头轧制生产 0.8mm 超薄规格低碳钢板的力学性能[14]

13.6.3.1　拉伸性能分析

　　我国唐钢的 FTSR 薄板坯连铸连轧线于 2003 年采用半无头轧制工艺控制技术成功试轧出厚度为 0.8mm 的超薄规格低碳钢带材，其钢种为唐钢 SS330，实测该超薄规格带材的化学成分与 Q195 成分基本相同（见表 13-19），其力学性能见表 13-20。

表 13-19　唐钢 0.8mmSS330 超薄规格带材与国标 Q195 的化学成分比较

成　分（质量分数）/%　　　　　钢　种	C	Si	Mn	S	P
唐钢 SS330	0.069	0.048	0.26	0.0016	0.0015
国标 Q195	0.06～0.12	≤0.30	0.25～0.50	≤0.050	≤0.045

　　由此可见，唐钢 0.8mm 超薄规格带材的强度和伸长率都比较高，具有较为优良的综合力学性能。

表 13-20　唐钢 FTSR 工艺试制的 0.8mmSS330 超薄规格带材的力学性能

钢　　种	厚度/mm	屈服强度/MPa	抗拉强度/MPa	屈强比	伸长率/%
唐钢 SS330	0.8	325	385	0.84	33

13.6.3.2　成形性分析

A　应变硬化指数 n 值

应变硬化指数 n 反映板材在塑性变形过程中变形强化的能力，它可以用来判断材料冲压时的拉胀成形性能。为判断唐钢 0.8mm 超薄规格热轧带材的成形性，按国标 GB 5028—85 制取垂直于轧制方向（横向）的试样，进行了 n 值的测定。将实验数据处理后，经拟合分析得到唐钢 0.8mm 厚 SS330 钢板的 n 值为 0.198。对于超薄规格低碳热轧带材而言，n 值较高，说明具有较好的冲压成形性能。

B　塑性应变比 r 值

金属薄板塑性应变比 r 值是评价金属薄板深冲性能的重要材料参数，是金属薄板塑性各向异性的一种量度。对唐钢 0.8mm 厚 SS300 钢板 r 值进行了测定，三个方向 r 值的平均值为 0.90（见表 13-21）。同传统连铸连轧的热轧低碳钢薄板的 r 值比较，薄板坯连铸连轧的超薄规格低碳钢带材具有较高的 r 值。

表 13-21　不同工艺条件下低碳热轧钢板的 r 值

生产方式	含碳量/%	厚度/mm	横向	轧向	45°方向	均值
唐钢 FTSR	0.069	0.80	0.78	0.66	1.08	0.90
传统工艺	0.060	2.08	0.80	0.56	0.68	0.66

13.6.4　FTSR 工艺半无头轧制生产 0.8mm 超薄规格低碳钢板的显微组织[14]

13.6.4.1　光学显微镜分析

对唐钢薄板厂 FTSR 工艺半无头轧制生产的 0.8mm 厚 SS330 低碳钢板分别在钢板的轧制面、横向和轧制方向上截取试样，观察了常温下的显微组织，如图 13-25 所示。可见，钢板的组织以铁素体为主（呈较亮颜色的晶粒），同时存在少量的珠光体（较暗的区域）；各方向的铁素体晶粒形状没有非常明显的区别，铁素体晶粒的平均尺寸约为 $7.0\mu m$，钢板的晶粒细小、均匀。

13.6.4.2　扫描电镜分析

利用扫描电镜放大 3000 倍时可以观察到钢板试样中沿铁素体晶界分布的白亮的链条状珠光体组织，如图 13-26a 所示；在 9000 倍时观察到珠光体组织呈现出比较规则的片层状，如图 13-26b 所示，其平均片层间距为 0.1～

图 13-25　FTSR 工艺热轧 0.8mm 厚 SS330 低碳钢带材的显微组织

a—轧制面；b—横向；c—轧向

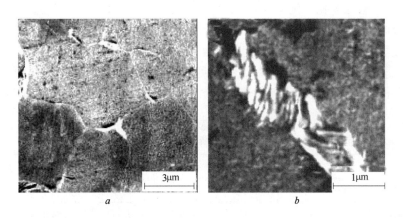

图 13-26　0.8mm 厚 SS330 低碳钢带材在扫描电镜下的组织形貌

a—3000 倍；b—9000 倍

0.3μm，较为细小。

13.6.4.3　透射电镜分析

将 0.8mm 厚 SS330 钢板制备成透射电镜试样，利用 H—800 型透射电镜和 JEM—2000FX 型透射电镜观察了组织形貌。通过 H—800 型透射电镜观察到在钢的微观组织中存在一些沿晶界析出的链条状析出物，析出物的线度大约在 300～400nm 左右，见图 13-27，典型析出物的衍射斑见图 13-28。

13.7　CSP 热轧超薄规格低碳钢板中各强化因素分析

在组织细化的同时，也因之而产生细晶强化和位错强化等。在 CSP 热轧低碳钢薄板工艺中，铸坯中的微量元素变形前绝大部分一直处于固溶状态，在

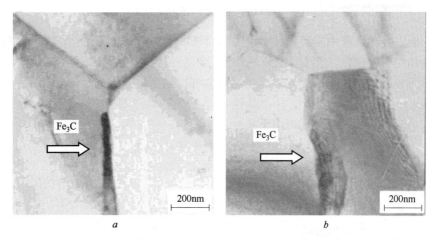

图 13-27 0.8mm 厚超薄低碳热轧钢板晶界处析出物形貌

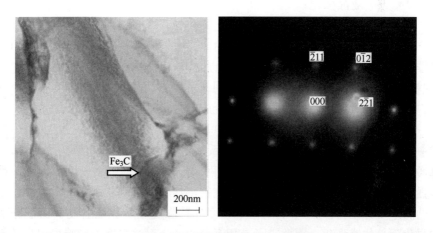

图 13-28 0.8mm 厚超薄低碳热轧钢板晶界处析出物形貌及其衍射斑

随后的变形中，如有些诱导析出成为细小析出物均匀分布，将阻碍位错运动，堵塞晶界、亚晶界的迁移，提高了奥氏体再结晶温度，因而阻碍再结晶及晶粒生长，同时产生可析出强化。相变以后，部分未析出的微量元素仍保持固溶状态，一方面强化基体，另一方面阻碍铁素体晶粒长大。

本节以 ZJ330 1.0mm 厚热轧低碳钢薄板为例，其化学成分如表 13-22 所示，借用经典强化公式分析了各强化项对成品板屈服强度的贡献。

表 13-22 CSP 生产的 ZJ330 钢薄板连铸坯的主要化学成分

成　分	C	Mn	Si	P	S	Cu	Als	N	O_{total}
含量(质量分数)/%	0.070	0.325	0.03	0.015	0.005	0.140	0.0338	0.0047	0.0028

13.7.1　强化机理中各强化因素的分析及相互影响

根据金属点阵中阻碍位错运动的障碍物的类别，一般来说，钢的强化机制包括晶粒细化强化、相变强化、析出强化、位错强化和固溶强化等。对于某一钢种而言，既可能是单一的强化机制，也可以是多种强化机制的复合。室温屈服强度 σ_s（YS）是衡量钢材产品性能最重要的力学性能指标之一，据文献[15，16]，钢的屈服强度可由下式给出：

$$YS = \sigma_0' + \sigma_{ss} + \sigma_p + \sigma_d + \sigma_{sg} + \sigma_t + \sigma_g \tag{13-1}$$

式中　σ_0'——内部晶格强化，对低碳钢而言为 70MPa；

　　　σ_{ss}——固溶强化；

　　　σ_d——位错强化；

　　　σ_p——析出强化；

　　　σ_t——织构强化；

　　　σ_{sg}——亚晶强化；

　　　σ_g——由晶粒细化而引起的强化。

文献[17]认为，在易于交滑移的金属中，应变量超过一定程度后，位错将排列成三维亚结构。当这些亚结构的位错墙呈松散的缠结形貌时，称之为"胞状结构"；当位错墙变窄且轮廓分明时，则称之为"亚晶"。具有十分发达的胞状结构的材料，其屈服强度或流变应力的增量为：

$$\sigma_{cs} = \beta\mu b D_{cs}^{-1} = k_{cs} D_{cs}^{-1} \tag{13-2}$$

式中，D_{cs} 为胞状结构的尺寸。钢中比例系数 k_{cs} 经有关实验确定约为 0.124N/mm。事实上，这里的胞状结构尺寸 D_{cs} 就是网长度理论中的网络长度。因此，胞结构强化实质上仍是位错强化。当然，在很多情况下，胞状结构的尺寸比位错密度的测定要方便得多，这时采用式 13-2 计算强度增量相当容易。由于胞状结构强化就是位错强化，因此二者是相互包含的，对总强度的影响可以只计及二者之一。

当亚结构具有亚晶结构时，边界通常要完整得多，位向差也更大，它已经开始呈现出正常晶界的许多特征。有关实验证实观测到的亚晶的力学行为很像晶粒，对强度的影响一般遵循下式：

$$\sigma_{sg} = k\mu b D_{sg}^{-1/2} \tag{13-3}$$

而并不遵从式 13-2。式 13-3 正是 Hall-Petch 关系式。显然当金属材料中有相当发育的亚晶组织时，亚晶的作用将超过晶界的作用，这时计算强度增量时，只须考虑亚晶的作用而可忽略晶粒尺寸的影响。但是，在很多情况下，亚晶仅在某些晶粒中发育，这时，在式 13-3 中还必须乘以亚晶的体积分数 f_{sg}。若这时其强化效果小于按晶粒尺寸计算出来的强化效果，则只考虑晶界的作用而忽略亚晶的作用。

从位错、胞状结构到亚晶和晶界，它们之间的作用显然是相互联系相互影响的。当位错密度较低时，仅考虑晶界的作用；当位错密度很高时，将主要考虑位错或位错胞状结构的作用；当这些位错重新排列组成发达的亚晶时，亚晶内部的位错密度将相当低，这时主要考虑亚晶的作用；当位错或亚结构与晶界的作用大致相当时，可采用式 13-2，通过均方根叠加来计算它们对强度总的影响。

13.7.1.1　位错强化

位错强化是金属材料中有效的强化方式之一。金属材料的流变应力（以及屈服强度）与位错密度 ρ 之间有如下的关系[18]：

$$\sigma_{\mathrm{d}} = M\alpha\mu b\rho^{1/2} \tag{13-4}$$

式中　M——取向因子；

　　　α——比例系数。

位错强化关系式中的系数 α 的确定是相当困难的，尚需进行更深入的理论研究。目前，大量的研究工作指出：对于易于进行交滑移的面心和体心立方金属，各项作用之间将有很大一部分相互补偿，因而系数 α 估计为 0.15；在体心立方的 α-Fe 中，取向因子取 3.1。

利用正电子湮没技术，测得 1.0mm 厚成品板组织中的位错密度为 $2.80 \times 10^{13}/\mathrm{m}^2$，位错强化对屈服强度的贡献为 46.1MPa。

13.7.1.2　固溶强化

固溶强化包括间隙固溶强化和置换固溶强化。大量的实验研究工作证实，在一般的稀固溶体中，因溶质的固溶而造成的屈服强度的增量可以用下式表示[16]：

$$\sigma_{\mathrm{ss}} = 37[\mathrm{Mn}] + 83[\mathrm{Si}] + 59[\mathrm{Al}] + 38[\mathrm{Cu}] + 11[\mathrm{Mo}] + 2918[\mathrm{N}] \tag{13-5}$$

式中，$[\mathrm{M}]$ 为固溶态元素的质量分数，M 代表各元素。

参照表 13-22，除去部分参与析出的元素，因固溶而引起的强化值约为 21.2MPa。

13.7.1.3　织构强化

据文献 [16] 报道，在 600℃ 以上形成的织构对屈服强度的影响非常小，可以忽略；ZJ330 热轧 1.0mm 厚薄板的终轧温度在 890℃ 以上，相变温度在 820℃ 左右，卷取温度为 650℃；此外，由文献 [19] 的分析结果也可以看出，织构的组分杂，且非常弱，因而其对屈服强度的贡献在此忽略不计。

13.7.1.4　细晶强化

由于晶粒细化是唯一能够同时提高钢强度和韧性的方法，故人们一直利用各种方法致力于晶粒的细化研究与生产。晶粒细化强化可以用 Hall-Petch 公式来描述：

$$\sigma_g = k_y d^{-1/2} \tag{13-6}$$

式中　k_y——系数,对于大角晶界其值为 15.1～18.1Nmm$^{-3/2}$,这里取 15.1Nmm$^{-3/2}$；

　　　　d——铁素体晶粒直径。

由 LEO—1450 型扫描电镜上的定量金相分析系统，测得 1.0mm 薄板的铁素体晶粒直径的平均尺寸为 6.48μm，晶粒细化对屈服强度的贡献为 188MPa。珠钢现场 121 炉 ZJ330 薄板屈服强度的生产统计平均值为 388MPa，结合本节的分析，亚晶的强化效果小于按晶粒尺寸计算出来的强化效果，故只考虑细晶的作用而忽略亚晶的作用。

13.7.1.5　析出强化

在传统热连轧低碳钢薄板生产中，由于没有加入微合金元素，一般认为产品组织中无析出，不存在析出强化问题。而在 CSP 热轧低碳钢薄板生产过程中，本研究在成品板组织中发现了大量析出的纳米级第二相粒子，必须加以考虑。

高温时在奥氏体中形成的粒子虽然对控制晶粒长大有效，但因为粒子尺寸太大，并且相距太远，强化效果较弱；具有强化效果的粒子，是低温时在奥氏体或铁素体内形成的。假设析出的第二相粒子是以不可变形粒子的绕过机制起作用，根据 Gladman 等的理论[21]，采用 Ashby-Orowan 修正模型，模型以位错线在滑移面上两个相邻粒子之间弓出，第二相粒子混乱分布为依据，对析出强化有：

$$\sigma_p = \frac{10\mu b}{5.72\pi^{3/2} r} f^{1/2} \ln\left(\frac{r}{b}\right) \tag{13-7}$$

式中　r——粒子半径，μm；

　　　　μ——剪切系数，对于钢材（铁素体），其值为 80.26×10^3MPa；

　　　　b——柏氏矢量，取值 $2.48\times10^{-4}\mu$m；

　　　　f——第二相粒子的体积分数。

在式 13-7 中，析出强化与第二相粒子体积分数、直径之间的关系见图 13-29。弥散分布细小粒子的析出强化比较显著，虽然高温析出的较大粒子（>40nm)参与强化基体，但由于尺寸较大，对强化的贡献非常有限，可忽略不计。由电解萃取技术测得 AlN 粒子的体积分数为 0.015%，平均半径取 0.005μm，弥散分布的第二相粒子对屈服强度的贡献可达 46.6MPa。由于 AlN 在奥氏体中析出，比其在铁素体中的析出强化效果要弱得多。

AlN 粒子是具有共价键结构的晶体，硬度极高难以变形；加之上述的对

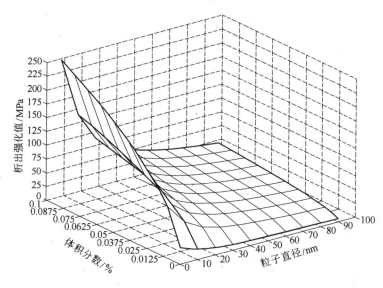

图 13-29 析出强化与第二相粒子直径、体积分数之间的关系

比分析，作者认为析出的第二相粒子对基体的强化作用机制为不可变形粒子的绕过机制。

13.7.2 各强化项的影响因素及其对屈服强度的贡献

低温均热（<1100℃）时主要为防止奥氏体晶粒过分长大，影响铁素体晶粒的细化强化，高温均热（>1150℃）时主要为析出强化。均热温度过高，会使部分奥氏体晶粒过分长大，造成晶粒不均匀，在随后的工艺过程中，即使采取措施也难以消除。本钢种的均热温度低于 1150℃，因此从均热角度出发，可认为强化是以细晶强化为主。文献 [22] 认为，位错强化由小角度晶界引起，而细晶强化主要源于大角度晶界。由文献 [19] 分析可知，1.0mm 超薄规格板的组织中以含大角度晶界为主，故细晶强化是主要的强化因素。

根据珠钢 CSP 热轧工艺的特点，与传统热轧工艺相比，CSP 热轧低碳钢薄板的晶粒组织细小，位错密度高，组织中有弥散、细小的第二相粒子析出，故可认为这是其强度高于传统工艺的主要原因。CSP 工艺具有道次变形量大的特点，这种特点会提高位错密度，细化晶粒组织，并有利于第二相粒子的析出。在 CSP 热连轧过程中，随着累积变形量的增加，位错密度有明显的增加，这对成品薄板强度的提高将起到一定的作用。CSP 工艺中，影响低碳钢热轧薄板强度的因素很多，且相互作用较为复杂，其主要强化机理见图 13-30。

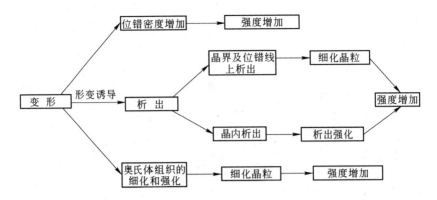

图 13-30 CSP 工艺中低碳钢的强化机理简图

参 考 文 献

1 王中丙, 李烈军, 康永林, 柳得橹, 傅杰. 薄板坯连铸连轧 CSP 线生产低碳钢板的力学性能特征.
   钢铁, 2001, Vol. 36, No. 10: 33~35
2 毛新平, 林振源, 许传梦, 苏东. 珠钢汽车大梁板系列产品开发与应用研究. 汽车工艺与材料,
   2004, No. 6: 47~50
3 康永林, 赵征志, 谷海容, 于浩, 毛新平等. 低碳高强度汽车板 ZJ510L 力学性能及强化机理. 汽
   车工艺与材料, 2004, No. 6: 54~56
4 毛新平, 林振源, 许传梦, 苏东. 珠钢汽车大梁板系列产品开发与应用. 轧钢, 2004, Vol. 21,
   No. 121: 13~14
5 陈庆军, 康永林, 谷海容, 周和东. Nb、Ti 在 CSP 生产高强韧耐候钢中的应用与研究. 中国冶金,
   2004 (增刊): 199~202
6 侯豁然, 傅俊岩. 我国铁道车辆用高强度耐大气腐蚀钢的进展. 钢铁, 2004, Vol. 39, No. 6: 71~74
7 贾晖. 铁路车辆用耐候钢的现状及发展. 武钢技术, 2003, 41 (3): 59~63
8 王东明, 郭晓宏, 张万山等. 鞍钢微合金化高强度耐候钢的开发. 微合金化技术, 2003, 3 (3):
   54~57
9 于浩. CSP 热轧低碳钢板组织细化与强化机理研究: [博士学位论文]. 北京: 北京科技大学, 2003
10 Radko Kaspar, Peter Flüß. 直轧过程的实验室模拟. 见: 薄板坯连铸连轧性能控制技术研讨会论
   文集, 1998: 9~16
11 康永林. 现代汽车板的质量控制与成形性. 北京: 冶金工业出版社, 1999
12 Flemming. G, Hensger K E. CSP for HSLA Hot Strip. 40th MWSP Conf. PROC., ISS, 1998:
   775~786
13 于浩, 康永林, 傅杰, 柳得橹. CSP 热轧 1.0mm 超薄规格低碳钢板的组织及性能. 材料科学与工
   艺, 2002, Vol. 10, No. 2: 121~125
14 王欣, 康永林, 于浩, 陈礼斌, 史东日, 孔庆福. FTSR 薄板坯连铸连轧 0.8mm 超薄低碳钢板的
   组织及性能研究. 见: 2005 年薄板坯连铸连轧品种与工艺技术研讨会论文集, 扬州, 2005: 24~
   27

15 Majta J, Kuziak R, Pietrzyk M. Modelling of the influence of thermomechanical processing of Nb-microalloyed steel on the resulting mechanical properties. Journal of Materials Processing Technology, 1998, 80~81: 524~530

16 Majta J, Lenard J G, Pietrzyk M. A study of the effect of the thermomechanical history on the mechanical properties of a high niobium steel. Materials Science and Engineering, 1996, A208: 249~259

17 董翰. 低合金钢的强化和韧化理论研究. 见：高洁净度超细晶微合金化高强高韧钢（文集1），冶金部钢铁研究总院，1998：1~7

18 Hughes D A. Microstructure evolution, slip patterns and flow stress. Materials Science and Engineering, 2001, A319-321: 46~54

19 Yu Hao, Kang Yonglin. Analysis on Microstructure and Misorientation of Ultra-thin Hot Strip of Low Carbon Steel Produced by Compact Strip Production. Journal of Materials Science and Technology, 2002, 18 (6): 501~503

20 Kneissl A C, Garcia C I, DeArdo A J. Characterization of Prcipitates in HSLA Steels. HSLA Steels: Processing, Proerties and Applications. Edited by Geoffrey Tither and Zhang Shouhua. The Minerals, Metals and Materials Society, 1992: 99~105

21 Gladman T, Dulieu D, Mclvor I D. Microalloying, 1977, 75: 32

22 Niels Hansen, Huang, X. Hughes D A. Microstructural evolution and hardening parameters. Materials Science and Engineering, 2001, A317: 3~11

冶金工业出版社部分图书推荐

书　名	定价（元）
薄板坯连铸连轧（第2版）	45.00
现代电炉—薄板坯连铸连轧	98.00
薄板坯连铸连轧工艺技术实践	56.00
现代冶金学（钢铁冶金卷）	36.00
铝加工技术实用手册	248.00
英汉金属塑性加工词典	68.00
铝型材挤压模具设计、制造、使用及维修	43.00
大型铝合金型材挤压技术与工模具优化设计	29.00
金属挤压理论与技术	25.00
连续挤压技术及其应用	26.00
多元渗硼技术及其应用	22.00
金属塑性变形的实验方法	28.00
复合材料液态挤压	25.00
型钢孔型设计（第2版）	24.00
简明钣金展开系数计算手册	25.00
钣金工展开计算手册	149.00
控制轧制·控制冷却	22.00
金属塑性变形力计算基础	15.00
金属塑性加工有限元模拟技术与应用	35.00
中国冷轧板带大全	138.00
板带铸轧理论与技术	28.00
高精度板带轧制理论与实践	70.00
小型型钢连轧生产工艺与设备	75.00
板带轧制工艺学	79.00
高速轧机线材生产	75.00
常规板坯连铸技术	20.00
轧制过程的计算机控制系统	25.00
矫直原理与矫直机械	30.00
连铸连轧理论与实践	32.00
轧钢机械设备	45.00
超细晶钢——钢的组织细化理论与控制技术	188.00
二十辊轧机及高精度冷轧带钢生产	69.00